D0717623

Openbare Bibliotheek
Mercatorplein 89
1057 CA Amsterdam
Tel.: 020 – 612 65 74

Winterzusters

Mixed Sources
Productgroep uit goed beheerde
bossen, gecontroleerde bronnen
en gerecycled materiaal.
www.fsc.org Cert no. CU-COC-802528
© 1996 Forest Stewardship Council

Majgull Axelsson

Winterzusters

Vertaald uit het Zweeds door
Janny Middelbeek-Oortgiesen

Openbare Bibliotheek
Mercatorplein 89
1057 CA Amsterdam
Tel.: 020 – 612 65 74

DE GEUS

Deze uitgave is mede mogelijk gemaakt dankzij een bijdrage van
de Zweedse Cultuurraad te Stockholm

Oorspronkelijke titel *Is och vatten, vatten och is*, verschenen bij Norstedts,
Stockholm
Oorspronkelijke tekst © Majgull Axelsson, 2008
First published by Norstedts, Sweden, in 2008
Published by agreement with Norstedts Agency
Nederlandse vertaling © Janny Middelbeek-Oortgiesen en De Geus BV,
Breda 2009
Omslagillustratie © Photo Alto/[Image]store
ISBN 978 90 445 1439 1
NUR 302

Niets uit deze uitgave mag verveelvoudigd en/of openbaar gemaakt
worden door middel van druk, fotokopie, microfilm of op welke wijze
dan ook, zonder voorafgaande schriftelijke toestemming van
De Geus BV, Postbus 1878, 4801 BW Breda, Nederland.
Telefoon: 076 522 8151. Internet: www.degeus.nl.

Mother, you had me
But I never had you
Oh, I wanted you
but you didn't want me

John Lennon
Plastic Ono Band 1970

DE WODAN

Er is iemand in haar hut geweest.

Op het moment dat ze de sleutel in het slot steekt, nog voordat ze hem omdraait, weet ze dat, instinctief. De cilinder biedt geen weerstand. Ze had de deur toch op slot gedaan voor ze naar buiten ging? Ja, hoor. Ze doet de deur altijd op slot, wanneer ze komt en wanneer ze weggaat, ze doet de deur 's nachts zelfs op slot, hoewel iedereen zegt dat dit gevaarlijk is. Maar nu zit hij niet op slot. Er is iemand in haar hut geweest. Opnieuw.

Voordat ze haar hand op de klink legt, aarzelt ze even en ze kijkt de gang in, eerst naar rechts en dan naar links. Niemand te zien, maar in de hut naast die van haar hoort ze muziek en stemmen. Dat is de hut van Magnus en Ola; een van de twee lacht luid en dat stelt haar gerust. Magnus is een stille reus met blauwe ogen, Ola een glimlachende matroos die elke dag minstens een uur in de fitnessruimte doorbrengt. Die zullen komen als zij roept. Dat weet ze zeker. Bijna zeker.

Toch aarzelt ze nog een paar tellen voordat ze de deur opent en vervolgens blijft ze met opgeheven kin en snuffelend als een hond in de deuropening staan. Degene die in haar hut komt als zij er niet is, laat altijd een geur achter, een zweempje benzine of olie, tabak of aftershave, zo duidelijk dat het haar wel moet opvallen, maar toch zo vaag dat ze het er niet met iemand anders over kan hebben.

Ze stapt over de hoge drempel naar binnen en blijft opnieuw staan. Ze kijkt om zich heen, snuift nog een keer en trekt haar mondhoeken naar beneden. Vandaag ruikt het niet naar olie of benzine, tabak of aftershave. Het stinkt naar urine. Hoewel dat misschien nog te netjes uitgedrukt is. Feit is dat er een zeiklucht hangt. Het is het lelijkste woord dat ze kent, maar het is het enige wat deze stank echt omschrijft. Er heeft echt iemand in haar hut *gezeken*.

Het schaamtegevoel verrast haar. Het overvalt haar en maakt dat ze meteen de deur achter zich dichtslaat. Niemand mag weten hoe het in haar hut ruikt, niemand mag gaan denken dat zij het is die stinkt, niemand mag ... Ze slaakt een zucht en leunt tegen de deur. Nu even bedaren. Nu even zakelijk en verstandig zijn. Nu even kijken, en registreren wat hij deze keer heeft gedaan.

De sporen van zijn aanwezigheid – Want het is toch een hij? Het moet toch een hij zijn? – zijn meestal duidelijk genoeg om haar te laten begrijpen dat hij daar is geweest, maar toch zo subtiel dat niemand anders ze zou opmerken. Ze zou immers zelf de inhoud van haar toilettas op het bobbelige oppervlak van de bank hebben kunnen legen, het dekbed en het laken uit haar pasopgemaakte kooi hebben kunnen halen en op een kreukelige hoop gooien, en het schone ondergoed uit de kast hebben kunnen trekken. Maar dat is niet zo. Het is iemand anders. Iemand die minstens vier keer haar hut is binnengedrongen en sporen en geuren heeft achtergelaten.

Het vaartuig begint te schommelen, ze spreidt haar vingers en drukt haar handpalmen tegen de deur om in evenwicht te blijven. Door de beweging wordt ze wakker geschud: zakelijk en verstandig zou ze zijn. Dus recht ze haar rug en doet ze een paar stappen de hut in om overzicht te krijgen. Ze gaat wijdbeens staan om nieuwe schommelingen op te vangen. Ze is pas acht dagen aan boord, maar haar lichaam heeft zich al aan de nieuwe omstandigheden aangepast. Daarom zit ze beneden aan de bar ook wijdbeens als een man, daarom blaast ze buiten aan dek op haar knokkels voordat ze haar handen onder haar oksels steekt, daarom haast ze zich met twee treden tegelijk op zachte rubberzolen de trap op naar de brug voor de dagelijkse briefing met de onderzoekers en de kapitein. Op die bijeenkomsten zegt ze zelden wat; ze schudt alleen zacht haar hoofd zodat haar paardenstaart in haar nek kietelt. Nee, de afgevaardigde van de kunstenaars heeft er niets aan toe te voegen. Het woord alleen al maakt haar een beetje verlegen. Is ze echt een kunstenaar? Ze is daar niet zeker van. Ze weet alleen dat ze is waar ze is, omdat Marcus – en hij is echt een kunstenaar – niet naar de bijeenkomsten wil. Voor zulke dingen heeft hij geen tijd; hij gaat helemaal op in zijn voortdurende rondwandelingen over het schip, al mompelend.

Aanvankelijk dacht ze dat hij manisch was, maar ze heeft hem nu diverse keren gesproken en weet dat hij zowel aarzelend als bedachtzaam kan zijn. Hij wordt alleen zo in beslag genomen door observeren dat hij het vermogen om te horen lijkt te zijn kwijtgeraakt. Op de derde dag is ze al gestopt met haar rapportages aan hem over wat er aan de tafel van de kapitein is gezegd, want wanneer ze daartoe een poging deed, keek hij zo verward dat ze begreep dat hij alles over de ochtendbijeenkomsten alweer vergeten was. Wanneer ze elkaar nu op het dek tegenkomen of toevallig tegenover elkaar gaan zitten in de mess knikt ze slechts en glimlacht net zo nietszeggend als hij.

Misschien zou ze niet meer naar die ochtendbijeenkomsten toe moeten gaan. Ze heeft toch nooit wat te zeggen, en het komt veel te vaak voor dat ze haar concentratie verliest en niet meer hoort waarover de anderen het hebben. In plaats daarvan laat ze haar blik rond de tafel gaan en ze blijft bij het ene na het andere gezicht steken. Is het een van hen? Die bleke scheikundige, die elke keer dat hij wordt aangesproken begint te blozen? Of Sture, de meteoroloog, die voortdurend met zijn armen over elkaar zit, alsof hij verwacht dat hij persoonlijk zal worden aangeklaagd voor mist en een zware zee? Kan het die docent zijn die zijn lange haar in een grijze paardenstaart draagt en wiens naam ze de hele tijd vergeet? Of is het Fredrik, met zijn bruine ogen, die rustig bemiddelt wanneer de meningen botsen en die compromissen voorstelt, een geboren diplomaat die ervoor heeft gekozen stuurman te worden?

Nee. Dat kan ze niet geloven. Waarom zou iemand van de mannen met wie ze elke ochtend rond de vergadertafel van de kapitein zit, haar hut willen binnengaan om sporen achter te laten? Ze kent niemand van hen en weet niets over hen; zij kennen haar niet en weten niet méér over haar dan wat er in de kranten heeft gestaan, áls ze dat al weten. En de vrouwen rond de tafel? Kun je je überhaupt voorstellen dat een lachgrage professor als Ulrika op het idee zou komen om tussen andermans ondergoed te gaan zitten wroeten? Of dat een stil genie als Katrin, die vijf talen spreekt en gepromoveerd is in de natuur- en scheikunde, achter haar zachtmoedige façade een verborgen haat koestert? Om over Jenny nog maar te zwijgen, de vertegenwoordiger van de jonge promovendi, die uiterst serieus elk woord dat er gezegd wordt opschrijft, maar als een schoolmeisje giechelt om het minste grapje?

Nee. Dat kan niet. Iemand van hen kan het niet zijn. Maar in de loop van de avond is er absoluut iemand in haar hut geweest. Het raam is dicht. De deur naar het toilet staat wijdopen. Toen ze haar hut verliet om naar de bar te gaan was het andersom. Toch komt er ondanks alle ongerustheid een stil leedvermaak bij haar op. De open deur geeft aan dat hij in het toilet is geweest. Dus heeft hij haar bericht ontvangen. Eindelijk.

Ze gluurt voorzichtig naar binnen. Het deksel van de wc is omhooggeklapt. De bril ook. Een man, dus. Het douchegordijn is dichtgetrokken; het witte oppervlak met zijn vaalgele bloemen glinstert in het nachtelijke schemerlicht. Door de schommelingen van het schip gaat het heen en weer als een koolzaadveld in de zomerwind. Maar dat is een beweging die heel goed een andere zou kunnen verbergen. Er zou achter het gordijn iemand op haar kunnen staan wachten, klaar om …

Nonsens. Wie het ook is, het is een lafbek en een slappeling, en ze is niet van plan zich door zijn dwaasheden bang te laten maken. Daarom stapt ze zonder haar gedachtegang af te maken naar binnen. Ze trekt het gordijn opzij en stelt vast dat er niemand in de douche is. Ze wordt overrompeld door een gevoel van opluchting; ze voelt hoe haar knieën beginnen te knikken en terwijl ze een zucht van verlichting slaakt, moet ze steun zoeken tegen de muur. Het duurt een paar seconden voordat ze ziet dat het behang bij haar schouder gestreept is, dat er geelbruine lijnen over het beige lopen, plakkerige strepen die daar eerder nog niet zaten. *De viezerik!* Zonder erbij na te denken trekt ze haar trui uit en ze gooit die door de deuropening. Ze neemt zich voor die later in de nacht in zee te gooien; hem wassen is niet voldoende, ze wil nooit van zijn leven iets dragen wat zelfs maar vluchtig in aanraking is geweest met die klootzak zijn walgelijke …

Ze slaat haar armen om zichzelf heen en draait zich om naar

de spiegel. Inderdaad. Hij heeft haar bericht ontvangen, dat is duidelijk. Vlak voordat ze haar hut verliet, heeft ze met lippenstift op de spiegel hetzelfde geschreven wat ze de laatste dagen elke keer dat ze naar buiten ging heeft geschreven: GOD ZIET JE, LUL! Die boodschap is niet goed gevallen. Hij heeft de lippenstift over de hele spiegel uitgesmeerd, de tekst uitgewist met een handdoek, die daardoor nu verpest is, en daarna heeft hij met diezelfde lippenstift zijn eigen bericht opgeschreven, maar dan in aanzienlijk grotere letters: KUTWIJF!

Ze moet een paar keer slikken om tot bedaren te komen. Een briljant antwoord. Bijzonder snugger. En bovendien heeft die rotvent haar lippenstift gebroken, ziet ze nu, de enige die ze heeft meegenomen op deze expeditie, haar absoluut enige exemplaar van Lancômes Long Lasting Juicy Rouge, kleur nummer 132. Ze slaat hem dood. Zodra ze hem te pakken krijgt, zal ze hem eerst zijn oren afsnijden en hem daarna doodslaan.

Vooropgesteld natuurlijk dat hij haar niet eerst doodslaat. En dat het geen omen is dat het gezicht dat ze in de spiegel ontwaart zo bleek is dat het eruitziet alsof het aan een van haar eigen moordslachtoffers toebehoort.

Vlak na Kap Farvel verlegt het schip zijn koers. De stuurman van die nacht schakelt de automatische piloot uit en legt zijn hand op de stuurknuppel, een joystickje, veel kleiner dan de versnellingspook in een auto, dat heel het enorme gele gevaarte dat de ijsbreker Wodan is, bestuurt. Met zachte hand en heel voorzichtig richt hij langzaam de steven in noordelijke richting, terughoudend en beheerst in elke beweging, in de greep om de ronde knop van de stuurstok, in de lichte buiging van zijn elleboog, in de zachte samentrekking van zijn biceps. Toch gaat het niet. Hij bestuurt wel zijn vaartuig, maar niet de golven van de Atlantische Oceaan. Die pakken het schip op nu dat dwars gaat liggen en beginnen te spelen zoals je met een heel klein kind speelt; gemaakt heftig en enorm voorzichtig tillen ze het mollige lichaam hoog naar de lichtgrijze nachthemel om het daarna diep in het donkerder grijs van de golfdalen te laten zakken, ze tillen het op en laten het zakken, tillen het op en laten het zakken ...

Terwijl hij zijn rugspieren aanspant en zijn greep om de stuurknuppel verstevigt, steekt de stuurman zonder dat hij er zelf erg in heeft het puntje van zijn tong naar buiten om dat te laten meehelpen bij het sturen. Hij is zeer geconcentreerd, maar toch speelt er een glimlachje in de rimpels rond zijn ogen. Dit is de plek waar hij wil zijn. Nergens anders. Als hij na de dood een paradijs zou mogen uitkiezen, dat zou het gewoon dit zijn: een eeuwige nachtwacht op de brug van de Wodan, precies op het moment dat het vaartuig de Atlantische Oceaan de rug toekeert en Straat Davis binnenvaart, met Baffin Island ergens aan bakboord en de westkust van Groenland als een schaduw aan stuurboord. Hij zou de hele eeuwigheid in deze eenzaamheid kunnen doorbrengen, omdat die ook de troostrijke zekerheid biedt dat hij omringd is door mensen, een groot aantal, maar niet meer dan hij kan tellen, en de meesten rustig slapend in hun hut. Alleen hij en twee in het blauw geklede kerels helemaal onder in de machinekamer zijn op dit moment wakker. Uiteraard vooropgesteld dat iedereen niet wakker is geworden van de deiningen en zich aan de rand van zijn kooi ligt vast te houden, doodsbang om eruit te vallen. Hij vindt het best als ze dat doen. Het belangrijkste is dat er niemand de brug op komt klauteren om stuurman Leif Eriksson in zijn heerlijkste moment te storen.

Zo. De zwenking is volbracht. De stompe voorsteven ligt recht naar het noorden gericht en de schommelingen houden op. De Wodan, dat femininum met een mannelijke godennaam, wiegt rustig verder. In open water beweegt ze als een vrouw in de negende maand of als een bokser buiten de ring. Maar weldra, over een paar uur of een paar dagen, zal ze deze onnatuurlijke toestand achter zich laten en het ijs in glijden. Daar is ze in haar element en daar danst ze.

Leif Eriksson schakelt de automatische piloot in, rekt zich uit en voelt de spanning wegebben. Het paradijs? Ja, wat haalt een mens zich voor de drommel niet in zijn hoofd 's nachts? Het is aannemelijker dat hij in de hel belandt. Hij weet ook precies hoe die eruitziet. Dat is een eeuwige middag in het ouwe krot van een zomerhuis dat zijn vrouw van haar ouders heeft geërfd, op een snikhete dag waarop de ton van de plee moet worden geleegd en de raamkozijnen moeten worden geverfd, dat wijf van hem slechtgehumeurd is en de whisky bijna op, zijn tienerzoon terug wil naar de stad en de van levensbelang zijnde computer ...

Ach. Dat kan hij allemaal vergeten. Hij is pas over anderhalve maand weer thuis en dan zijn de vakanties voorbij en is het zomerkrot voor het seizoen gesloten. Ook deze zomer is hij weer ontsnapt. En de prijs heeft hij al betaald; zijn vrouw is al twee weken chagrijnig geweest toen hij zei dat hij zich voor deze expeditie had aangemeld, maar ze ontdooide toen hij suggereerde dat het geld, al die heerlijke extra inkomsten, gebruikt zou kunnen worden voor de aanschaf van een of ander onnodig prul. Haar chagrijn houdt altijd op wanneer hij haar overbodigheden belooft. Hij weet nauwelijks meer wat het deze keer was ... Nieuwe tegels in de keuken? Nee, dat was vorig jaar. Een thuisbioscoop, dat was het. Verdomd. Dat betekent dat hij zich vroeg of laat door een gebruiksaanwijzing van minstens vierhonderd pagina's heen moet worstelen. Misschien dat hij morgen naar huis zal bellen om tegen haar te zeggen dat ze dat verrekte ding nu alvast maar moet kopen, met installatie en alles ...

Maar nee. Hij heeft geen zin om met haar te praten. Hij heeft geen zin om met wie dan ook te praten. Het enige waar hij zin in heeft, is in zijn dooie eentje op de zesde verdieping op de brug van de Wodan te zitten en de horizon af te speuren. Misschien dat er vannacht al een ijsberg opduikt. Dat hoopt hij. IJsbergen worden, net als alle andere dingen, groter en mooier als je ze in je eentje mag ervaren. Hij tuurt wat naar de grijze oneindigheid. Nee. Er is nog niets te zien en diep in zijn hart weet hij natuurlijk dat het te vroeg is. Morgen, misschien ...

Het vaartuig schudt even. Leif Eriksson fronst zijn voorhoofd en buigt zich voorover. Hij blijft met geheven hand een paar tellen roerloos zitten, klaar om de stuurknuppel te pakken voor het geval dat nodig mocht zijn, maar er gebeurt niets. Hij laat zijn hand zakken en staat op. Tijd voor een kop koffie. En een paar notities in het logboek.

Hij pakt zijn beker met beide handen vast en terwijl hij de witte nacht buiten bestudeert, loopt hij een rondje over de brug. De middernachtzon is een zilveren munt achter de wolken. Hij wordt getroffen door een lichte verschuiving van de werkelijkheid en heel even meent hij dat hij vliegt, maar dan knippert hij met zijn ogen en komt tot bezinning. Hij vliegt niet, hij bevindt zich alleen hoog boven zee, helemaal op het zesde dek, en hij staat wijdbeens en stevig op de kamerbrede vloerbedekking. Misschien dat het licht hem in de luren legt. Hij hoeft zich alleen maar om te draaien om zowel vooruit als achteruit te kunnen kijken, maar toch ziet hij niet alles, want buiten voor de grote ramen stijgt de nevel van de nacht langzaam naar de hemel en die lost alle contouren op. Zijn vingers zijn koud en hij werpt automatisch een blik op de thermometer, hoewel hij weet dat de buitentemperatuur niets te maken heeft met hoe warm het is op de brug. Hij zit hier ook in hemdsmouwen wanneer het buiten veertig graden vriest. De brug van de Wodan biedt geborgenheid in zijn onveranderlijkheid. Zelfs wanneer buiten de storm giert, zijn hierbinnen alle geluiden gedempt, en ook bij de onrustigste zee staat de uitrusting stevig vastgeschroefd op haar plek. Er valt nog geen vel papier op de grond, en mocht dat toch vallen, dan zou het meteen worden opgeraapt door degene die het dichtst in de buurt staat. Hij trekt een grimas. Aan land zouden ze waarschijnlijk vergaderingen en onderhandelingen nodig hebben om te bepalen wie zich voorover zou moeten buigen. Dat is de reden dat hij er de voorkeur aan geeft op zee te zitten. Dat scheelt een hoop gezeur.

De nacht wordt donkerder, maar dat komt eerder door wolken en nevel dan door de positie van de middernachtzon. Toch moet het kouder zijn geworden; dat ziet hij wanneer hij achteruit tuurt. Het kielzog, dat een paar uur geleden nog grijs en wit schuimde, is letterlijk in zilver veranderd. De rimpelingen gaan slechts enkele meters zijwaarts, waarna ze zich inhouden en stoppen; het is een aarzelend beweginkje dat ver voordat het is voltooid alweer tot rust lijkt te komen. Leif Eriksson neemt een slok koffie en volgt de beweging met zijn blik. Een ijsvlies. Nu al? Hij draait zich om en tuurt voor zich uit. Jawel. Daar is het net zo. Het zeeoppervlak glanst als water, maar beweegt bijna helemaal niet; het bevindt zich in een eigenaardig tussenstadium waarin het ijs noch water is.

Nou. Kijk eens aan. Dan zal er binnenkort wel echt ijs zijn om te breken. Hij knikt in stilte en zakt weer terug in zijn stoel. Leunend met zijn hoofd tegen de neksteun richt hij zijn blik op de horizon. Zo blijft hij een hele poos zitten, vrijwel roerloos, afgezien van een paar langzame bewegingen van zijn oogleden, en eindelijk is het ook stil in zijn hoofd.

Een beweging aan de rand van zijn gezichtsveld maakt dat hij weer in beweging komt; hij recht zijn rug zo snel dat de koude koffie bijna over de rand van zijn beker gutst. Hij tuurt naar het dek om beter te zien. Wie is dat daar? En wat doet ze buiten op het dek om half twee 's nachts? Hij zet zijn beker weg en leunt naar voren. Op een paar centimeter van het glas houdt hij zich in en hij wrijft met zijn duim en wijsvinger in zijn ooghoeken om beter te zien. Is het een van de onderzoekers? Nee. De eerste monsters worden pas om half vier 's ochtends genomen en tot die tijd slapen ze zo diep als ze maar kunnen. En niemand van de scheikundigen of oceanografen of hoe ze zich ook noemen zou trouwens over het dek rondhollen in niet meer dan een nachtpon ... Want dat is het geval, dat ziet hij duidelijk. De vrouw die over het voordek loopt, draagt weliswaar het blauwe windjack van het secretariaat van het poolonderzoek, maar er is geen twijfel over mogelijk dat ze die gewoon over een witte nachtpon heeft aangetrokken en haar blote voeten in een paar stevige bruine schoenen heeft gestoken. Ze ziet eruit als een verdwaalde Lucia, zoals ze daar met haar rechterhand voor zich uit gestrekt loopt, met iets wits, nee, iets zwarts, nee, iets wat zowel wit als zwart is, bungelend tussen duim en wijsvinger. Ze loopt naar de voorsteven, klimt op het treeplankje bij de reling, strekt zich uit over de rand en gooit zonder enige aarzeling het zwart-witte ding in zee. Daarna draait ze zich om en springt op een kinderlijke manier met twee voeten tegelijk weer op het dek. Ze steekt haar handen in haar zakken en loopt terug. Pas wanneer de wind haar kroezige haar pakt, herkent Leif Eriksson haar. Dat is toch dat bleke figuur, dat mens dat zo doorschijnend is als een rauwe garnaal en net zo kleurloos. Teruggetrokken. Absoluut niet een van degenen op wie de jongens van de bemanning weddenschappen hebben afgesloten. Het lijkt of ze voelt dat ze in de gaten wordt gehouden, want opeens blijft ze staan en ze kijkt omhoog naar de brug. Aarzelend steekt ze haar hand in een groet omhoog. Ze kan hem niet zien, dat weet hij; zelfs in het volle daglicht kan iemand die op het voorste dek staat niet helemaal tot op de brug kijken, maar toch kan hij het niet laten om als reactie even aarzelend zijn hand op te steken. Even later is ze verdwenen.

Leif Eriksson ploft weer in zijn stoel en trekt een grimas. Wat was hier in vredesnaam aan de hand? Hij werpt een blik op de klok. 01.34 uur. Hij moet in het logboek een aantekening maken over wat ze heeft gedaan, en het tijdstip is belangrijk. Dan moet de kapitein de kwestie morgen maar opnemen en haar een uitbrander geven. In deze wateren mag niets in zee worden gegooid, dat weet toch iedereen. De hele ijsbreker is een gesloten systeem, een systeem dat weliswaar zeewater opzuigt voor het laboratorium, maar dat geen menselijk afval uitstoot. Dat moest er nog bij komen. Wat zou de zin zijn van een onderzoeksschip dat zelf de wateren vervuilt die het moet onderzoeken?

'Stom mens!'

Hij is verrast door zijn eigen stem. Die begint te trillen en daar schaamt hij zich voor, en het feit dat hij zich schaamt, maakt hem nog bozer.

'Stom rotmens!'

Hij pakt zijn beker en loopt ermee naar de pantry om de koude koffie weg te gooien en nieuwe in te schenken. Daarna haast hij zich terug naar het stuurpaneel, gaat zitten en probeert te ontspannen. Dat lukt niet. Opeens is het water buiten gewoon water, de kust gewoon een kust en de hemel gewoon een hemel.

Leif Eriksson neemt een slokje van zijn koffie. Nou. Deze nachtwacht is bedorven. Bedankt. Hartstikke bedankt.

WANNEER ANDERS OPSTAAT, wordt hij door de zon verblind; als hij uit het raam kijkt, moet hij zijn ogen toeknijpen. Hij weet natuurlijk waarom. Het is nog maar een half jaar geleden dat hij thuis voor Eva een klein college over dit onderwerp afstak. Met elke dag die verstrijkt worden de lenseiwitten achter de ooglens grover, legde hij uit, en hoe grover ze worden, hoe minder elastisch de lens wordt. Op een dag zou die zich helemaal niet meer kunnen aanpassen aan licht en donker, maar dat zou nog een hele tijd duren. Dat hoopte hij in elk geval. Hoopte hij, dacht hij en meende hij te weten.

'Bedoel je dat je blind wordt?' had Eva toen gevraagd. Ze zat op de rand van het bed en was bezig een panty aan te trekken. Zelf stond hij bij het raam zijn overhemd dicht te knopen. Ze sloeg haar ogen neer toen hij naar haar keek. Was dat voor het eerst? Nee. Ze ontweek zijn blik al geruime tijd.

'Nee, hoor. Maar als ik lang genoeg leef, krijg ik staar. Dat krijgt iedereen. Jij ook.'

Ze was er niet op ingegaan. Ze was gewoon opgestaan en had met een onhandige, trappende beweging haar panty geschikt, waarna ze hem de rug had toegekeerd en haar hand naar de deur van de kleerkast had uitgestrekt. Hij was even met een schaapachtig gevoel blijven staan. Waarom deed hij zo belerend? Ze was immers jaren geleden al opgehouden hem te vleien met haar bewondering. Hij had zich weer naar het raam gekeerd om de luxaflex omhoog te trekken en zijn ogen bloot te stellen aan het licht waarvoor hij enkele minuten eerder nog was teruggeschrokken. Hij had tranen in zijn ogen gekregen.

Hij krijgt nu ook tranen in zijn ogen, maar knippert ze snel weg. De trage accommodatie van het oog is voltooid; hij kan door het raam kijken om zich te laten overweldigen door wat hij ziet. Een glinsterende zee. Een blauwe hemel. En heel in de verte een kust, die zweemt naar diepviolet. Groenland. Hij zucht en strijkt over zijn buik. Eindelijk. Acht dagen lang heeft de Wodan voortgewiegd over een loodgrijze zee, bekneld onder een al even loodgrijze hemel, acht dagen lang heeft hij gevochten tegen het gevoel dat hij zelf aan het oplossen was en in een grijs niets werd omgeturnd. Gisteren nog lag hij de hele middag zwaarmoedig en roerloos in zijn kooi, niet in staat om op te staan en aan iets te beginnen dat voor werk kon doorgaan, niet in staat zichzelf ervan te overtuigen dat dit maar tijdelijk was, dat al het grijs zou wijken en ... Maar dat is nu voorbij. Nu is het de negende ochtend, en de zee is blauw. Ze zitten in de Noordwest Passage. Nu begint de echte reis.

Nu heeft hij haast, wil niet wachten. Daarom stapt hij snel en proestend onder het ijskoude water van de douche. Nog voordat hij zijn rug goed heeft afgedroogd trekt hij zijn shirt aan en hij haalt hij een hand door zijn vochtige haren terwijl hij de deur opent en de gang in stapt. Daar is alles zoals gewoonlijk prima op orde: naast de deur van elke hut staan grove schoenen en laarzen netjes op een rij in hun kast en er liggen stukgelezen stripboeken symmetrisch opgestapeld. Verder is het er leeg. Geen mens te zien. Niemand ziet hem. Daarom strekt hij tijdens het lopen zijn ene arm uit en strijkt hij met zijn vingertoppen langs de wand. Voor de zekerheid.

'Er is alleen één ding waar je aan moet denken', had Folke die middag in het ziekenhuis gezegd. 'Je moet op een schip altijd een hand vrijhouden. Altijd. Wat je ook doet. Dat moet je al op de eerste veiligheidsbespreking opnemen. Ik heb genoeg mensen armen en benen zien breken, alleen maar omdat ze zich niet wisten op te vangen toen het schip begon te schommelen.'

Anders had een glimlach niet kunnen onderdrukken. Dat zag Folke en hij begon onder zijn snor te grijnzen.

'Ja maar, verdorie ... Dit was toch aan wal.'

Folke was op een van zijn eigen afdelingen opgenomen, en daar lag hij nu met zijn been aan een katrol, een beetje beneveld na buitengewoon gul voorgeschreven pijnstillende middelen. Verpleegkundigen en andere artsen renden in en uit, tegelijkertijd lacherig en vol medelijden. De orthopeed die op orthopedie was beland! Arme Folke! Deze zomer zou hij er niet op uit kunnen trekken naar het ijs.

Hij was nog geen uur opgenomen of hij had Anders al gebeld. En Anders nam al op nadat de telefoon één keer was overgegaan. Dat was een gewoonte geworden; de laatste weken griste hij de hoorn eraf zodra de telefoon ging. Maar zij was het niet. Zij was het nooit.

'Wat doe je?' snauwde Folke.

Een blik soep opwarmen. Uit het raam staren. Overwegen of hij de broodrooster mee zou nemen in bad. Dat deed hij.

'Hoezo?'

'Heb je zin om naar de Noordelijke IJszee te varen?'

'Nee.'

'Waarom niet?'

'Waarom wel?'

'Omdat ik jou heb verteld hoe verrekte fantastisch het is om naar de Noordelijke IJszee te varen.'

'O. Maar waarom ga je zelf dan niet?'

'Er is een ongelukje tussengekomen. Om het maar zo te zeggen.'

'Ben je gewond?'

'Dat zou je kunnen zeggen. Rechterdijbeen en -elleboog. Daarnaast bepaalde kniecomplicaties.'

'Wat is er gebeurd?'

'Een vistochtje buiten de stad. Een glibberig rotsblok toen ik op de kant stapte. Maar dat dondert niet; het ergste is dat ik maandag met de Wodan op pad zou gaan ...'

Pas toen Anders in zijn auto naar het ziekenhuis in Helsingborg onderweg was, realiseerde hij zich dat Folke op de hoogte moest zijn geweest. Waarom zou hij anders uitgerekend hem hebben gebeld? Er waren vast genoeg mensen die oneindig veel geschikter waren om als scheepsarts in te vallen bij een wetenschappelijke expeditie. Orthopeden en chirurgen uit Folkes eigen ziekenhuis bijvoorbeeld. Dus waarom zou hij een simpele huisarts kiezen, als het niet zo was dat hij wist dat de vrouw van die simpele huisarts bij hem was weggegaan, en dat het heel waarschijnlijk was dat deze arts zichzelf de hele zomer van verbittering thuis liep op te vreten? Een geslaagd figuur met een functioneel gezinsleven zou natuurlijk nooit met een poolexpeditie vertrekken wanneer hij dat drie dagen van tevoren te horen kreeg. Dus moest hij het hebben geweten. En als Folke het wist, dan wisten vele anderen het ook. Er waren tekenen die daarop wezen, tekenen die hij had moeten zien en begrijpen, maar die niet tot hem waren doorgedrongen. Had de oudste verpleegkundige in de praktijk vorige week niet op een dag met een schuin hoofd en een stroperige stem gevraagd hoe hij zich eigenlijk voelde? Hij had haar met een mengeling van afkeer en verwarring aangekeken, maar zonder het echt te begrijpen. En had de oude cementfabrikant die wegteerde door kanker hem een dag of wat later niet op de rug geslagen en met opgeklopte monterheid verklaard dat je het nooit moest opgeven? *Kijk maar naar mij! Vijfentachtig jaar en halfdood, maar ik geef het niet op. En dat moet jij ook niet doen, Anders!*

Ze wisten het. Misschien hadden ze het aldoor al geweten. Misschien was hij de enige in de stad die geen idee had gehad van Eva's verhouding met die patser. Misschien bekeken de patiënten en de collega's hem al wel maandenlang met medelijden en verachting, misschien zaten ze al meer dan een jaar achter zijn rug te mompelen en te fluisteren. *Doet Eva Jansson het met die Bengtsson? Jezus christus!*

Bij die gedachte was hij van de snelweg afgeslagen en een grindweggetje in gereden. Even verderop, waar de weg een bocht maakte en er veel dicht struikgewas stond, was hij gestopt. Hij was uitgestapt en had geprobeerd om in de sloot over te geven. Dat lukte niet; er kwamen alleen wat lege oprispingen. Terwijl hij de zon op zijn rug voelde branden, had hij een poosje op de motorkap geleund, met zijn hele gewicht op gestrekte armen en zijn ogen dicht. Hij wist niet hoelang hij daar had gestaan. Misschien maar een paar minuten. Misschien een half uur of langer. Het maakte ook niet uit. Het enige wat hij wist, was dat hij daar lang genoeg had gestaan om te beseffen dat het tijd werd dat hij zichzelf niet langer voor de gek hield. Hij moest toegeven dat hij elke dag in een onbewaakt ogenblik wel een keer een diepe zucht van verlichting slaakte en een verwachtingsvolle kriebeling in zijn buik voelde – *Ik ben vrij!* – voordat hij opnieuw door somberheid werd overvallen. Hij had verdriet, dat was waar, maar had hij echt verdriet om Eva? Betrof het niet veeleer heel zijn dagelijkse leven dat hij kwijt was? Of de ondoordringbare façade die hij dertig jaar lang voor de inwoners van Landskrona had opgehouden?

Dus werd het tijd om een besluit te nemen.

Jawel. Hij zou vertrekken. Hij zou het ijs opzoeken. Nu dat er nog was.

Hij had geluk: de personeelsfunctionaris was nog niet naar huis gegaan om aan het weekend te beginnen, hoewel het al kwart over drie 's middags was. Ze morde wat, maar protesteerde niet echt. Hij kon nog meer dan acht weken vakantie opnemen plus drie weken overwerk, en ook al kondigde hij dit wel ongepast kort van tevoren aan en was er een groot gebrek aan personeel, de waarnemer was er natuurlijk al wel, en ...

Drie dagen later was hij aan boord gegaan. Zijn hand trilde toen hij de touwladder pakte en vanaf de taxiboot aan dek van de Wodan klom.

De eerste dagen waren eentonig geweest, maar uit te houden. Hij had het vaartuig verkend en een kijkje genomen in de machinekamers en de werkplaatsen, hij had het laboratorium en de laboratoriumcontainers bezocht waar de onderzoekers net hun uitrusting aan het uitpakken waren en voorzichtig met elkaar kennismaakten. Daarna had hij een poosje naast de vogelaar op het derde dek gezeten om over de zee uit te kijken, en vervolgens was hij met enige angst de kok gevolgd om de biervoorraad achter de mess te bekijken. De volgende dag was hij de hele ochtend in de ziekenboeg gebleven om de medicijnvoorraad door te nemen, ondertussen de god in wie hij niet geloofde smekend dat beroertes, blindedarmontstekingen en ernstiger gevallen van kiespijn vergezeld van etterbulten hem bespaard mochten blijven. 's Middags lieten ze de golven van de Noordzee achter zich en ontmoetten ze de deiningen van de Atlantische Oceaan, en er vormde zich een rijtje bleekgroene figuren voor zijn deur. Hij had hun allemaal een pleister tegen zeeziekte achter het oor geplakt terwijl hij ondertussen zijn best deed hun namen te onthouden. Op de derde dag had hij zijn zus in Stockholm een e-mail gestuurd waarin hij zeer beknopt had verteld dat hij deze zomer niet zou langskomen, omdat hij – *Was het niet fantastisch!* – op weg was naar de Noordelijke IJszee. Hij had niet gereageerd op het antwoord dat hij kreeg, een antwoord dat veel vragen bevatte, maar toen na de lunch de kiosk openging, had hij een betaalkaart voor de satelliettelefoon gekocht en naar Eva's mobiele nummer gebeld. Hij hoorde vier keer een kiestoon, waarna haar stem op het antwoordapparaat hem verzocht een bericht in te spreken. Hij had neergelegd voordat de piep kwam. Hij was aan dek gegaan en stond een hele tijd met zijn handen in zijn zakken naar de horizon te kijken.

'Mooi, hè?' zei een vrouw die haastig langs kwam lopen. Na enige inspanning herinnerde hij zich dat ze Ulrika heette. Pas benoemd als professor in de oceanografie.

'Zeker', zei hij. 'Absoluut.'

Maar hij loog. Hij vond het helemaal niet mooi. Het was immers maar een hoop water.

Vandaag is de sfeer in de mess anders: de stemmen zijn helderder, er wordt meer gelachen. Hij is niet de enige die opgelucht is dat ze de grijze Atlantische Oceaan achter zich hebben gelaten. Hij pakt zijn eitje en zijn ochtendsap en maakt zorgvuldig een keuze uit de versgebakken broodjes, waarna hij om zich heen kijkt. Een paar dagen geleden is hem duidelijk geworden dat de bemanning haar eigen tafels heeft en dat ze het niet op prijs stelt dat anderen zich opdringen. Daarom zet hij zijn blad op een tafel waaraan alleen wetenschappers en gasten zitten. Hij trekt zijn stoel achteruit en maakt zich op om tevreden en ontspannen over te komen.

'Ben jij er ook wakker van geworden?' vraagt een vrouw die tegenover hem aan tafel zit. Hij tast snel zijn geheugen af naar haar naam. Katrin.

'Waarvan?'

'Van die golven vannacht. Toen we van koers veranderden. Ik viel zowat uit mijn kooi.'

Een jonge man naast haar schiet in de lach. Een milieuonderzoeker. Naam onbekend.

'Zeg anders maar niets tegen Leif. Dan wordt hij hartstikke chagrijnig.'

Katrin glimlacht. 'Meer dan anders?'

'Ik probeerde hem te vragen wat er was gebeurd, maar hij snauwde alleen maar ...'

'Dus jij bent ook wakker geworden?'

'Ik heb me een hele tijd aan de rand van de kooi liggen vasthouden.'

Anders tikt zijn eitje stuk. Hij weet niet waar ze het over hebben. Misschien heeft hij ondanks alles de hele nacht geslapen, misschien heeft hij alleen maar gedroomd dat hij wakker lag. Dat is hem wel vaker gebeurd.

Vanuit haar hoekje glimlacht Ulrika. 'Vandaag komen de ijsbergen.'

De vrouw tegenover haar knippert met haar ogen. 'Weet je dat zeker?'

Susanne. Zo heet ze. Het duurt niet lang meer of hij kent alle namen van de zevenenzestig mensen aan boord. Helemaal dement kan hij dus nog niet zijn.

'Bijna zeker. Het is tijd voor ijsbergen. Of niet, Roland?'

Roland, de kapitein en alleenheerser van de Wodan, is bij hun tafel blijven staan. Hij ziet er grimmig uit.

'Dat zou heel goed kunnen', zegt hij terwijl hij Ulrika een afgemeten knikje geeft en daarna Susanne strak aankijkt. 'Zodra je met je ontbijt klaar bent, wil ik met je praten. Op de brug.'

Ze kijkt verward.

'Met mij? Waarom?'

Rolands blik vernauwt zich. 'Dat vertel ik je wel wanneer je op de brug bent.'

Hij loopt met een kaarsrechte rug weg.

'Ai', zegt Ulrika terwijl ze met haar rechterhand wuift alsof ze zich gebrand heeft. 'Verdorie. Dat wordt een standje ... Wat heb je gedaan?'

'Ik heb niets gedaan', zegt Susanne.

Maar ze praat met een schelle stem en ze bloost. Dus ze heeft vast iets gedaan. Dat kun je wel zien.

En dan komen de ijsbergen.

Eerst zijn het slechts een paar klompen die voorbijdrijven, zacht afgeronde ijseilandjes die door de golven zijn afgeslepen en weldra helemaal gesmolten zullen zijn, maar aan de horizon zijn de grote meesterwerken al te ontwaren: witte scherfjes die opblinken in de overgang tussen het lichte blauw van de hemel en het donkerder blauw van de zee. Op alle dekken van de Wodan, die er acht dagen lang bijna verlaten bij hebben gelegen, wemelt het opeens van de mensen. Ze stromen tevoorschijn uit het grote laboratorium en uit de kleine laboratoriumcontainers, vanaf de brug en uit de machinekamer, de keuken, de werkplaats, de hutten en de rookruimte. Enkelen hebben zich al tegen de kou gewapend. Ze hebben de blauwe jacks aangedaan die het uniform van de expeditie vormen en hun muts diep over hun voorhoofd getrokken terwijl anderen er met opgetrokken schouders tegen de wind in een trui en dunne broek bij staan. Ze hebben hun fototoestel in de aanslag. Iedereen heeft zijn fototoestel in de aanslag. De sfeer is uitermate verwachtingsvol, er wordt weinig gesproken, de stemmen zijn gedempt.

De eerste echt grote berg is een amfitheater, een fonkelend amfitheater met vloeren van blauw glas. Het drijft op slechts vijftien meter afstand voorbij en draait langzaam wanneer de Wodan passeert, het onthult heel zijn witte perfectie, alsof het wil laten zien dat het oppervlak volmaakt vrij van vlekken of scheuren is, dat het enige wat eraan ontbreekt het publiek en de acteurs zijn.

De stemmen op de Wodan zwijgen. De fototoestellen klikken.

De tweede grote berg is Capri in miniatuur: witte bergtoppen richten zich naar de hemel, een grot aan het zeeoppervlak schittert in het helderste blauw. Onder water is de enorme klomp van turkoois ijs te ontwaren die het hele eiland drijvend houdt. Iemand moet opeens denken aan de tekening van het onderbewuste in het psychologieboek en schiet in de lach, maar houdt zich in en brengt zijn fototoestel weer omhoog.

De derde berg is een echte berg, scherp en enorm, zonder een spoor van het gekoketteer van de andere. Donkere scheuren staan als open wonden in het witte oppervlak en de sneeuwalgen tekenen er enkele bleke bloedspetters omheen. Hij komt dichterbij, even lijkt het of hij heel dicht langs de Wodan zal schampen en iedereen houdt zijn adem in. Beelden schieten door het hoofd. Zou de Wodan kunnen kapseizen? En zou een ijsberg van deze grootte een gat kunnen rijten in de romp, die uit de drie centimeter dik massief metaal bestaat? Nee. Natuurlijk niet. Ze zijn hier veilig. De stuurman die hen zo dichtbij heeft laten komen, weet wat hij doet. Bovendien is de nabijheid een illusie; dat zie je wanneer een jonge matroos zijn hand uitsteekt om de ijsberg aan te raken. Dat gaat niet, de afstand is oneindig veel groter dan de arm van een mens.

Dan is iedereen eraan gewend. De jongens uit de machinekamer halen hun handen uit hun zakken en beginnen met hun voeten te stampen; ze weten zelf niet goed of dat van ongeduld is of uit plichtsgevoel. Ze weten alleen dat het tijd is om terug te keren naar dat gebonk dat hun dagelijks leven uitmaakt. Er komt nog meer beweging: een van de meisjes uit de mess kijkt op haar horloge – *Jeetje, ze moet de aardappels opzetten!* – en twee van de onderzoekers realiseren zich even plotseling dat het tijd is voor monsternemingen. Een voor een haast iedereen zich weg, eerst de bemanning, daarna de onderzoekers. Een paar van degenen die de vage aanduiding 'gasten' hebben, slenteren achter hen aan: een tv-journalist en zijn cameraman die besloten hebben dat ze op het vierde dek een betere opnamehoek gaan zoeken, een beeldend kunstenaar die tekeningen maakt en de achtersteven opzoekt om de derde berg nog een poosje te volgen.

Uiteindelijk zijn er op het voorste dek nog maar twee mensen over. Een vrouw met kroezend haar en een arts. Mensen die op dit moment geen verplichtingen hebben. Ze staan een eindje bij elkaar vandaan, elk op een treeplankje, en leunen over de hoge reling. Een koele wind beroert hen, kietelt hem in het blote kuiltje van zijn hals en tilt snel haar loshangende haren op.

'Hoe ging het bij de kapitein?' vraagt Anders.

Susanne kijkt naar de horizon. Er komen nog meer ijsbergen aan, ze liggen als bergkristallen te schitteren aan de horizon.

'Ik heb een reprimande gekregen. Blijkbaar heb ik de Noordelijke IJszee besmet.'

Anders trekt zijn wenkbrauwen op.

'Je hebt de Noordelijke IJszee besmet? Hoe heb je dat voor elkaar gekregen?'

Het duurt even voordat ze antwoord geeft en ze werpt hem een snelle blik toe.

'Ik gooide toevallig een trui in zee. En een handdoek. Dat had niet gemogen.'

'Je gooide "toevallig" een trui en een handdoek in zee?'

'Dat had niet gemogen.'

Ze klinkt nors. Het blijft even stil. Anders tuurt naar de horizon.

'Zag je dat?'

Ze draait haar hoofd naar hem toe om hem aan te kijken. 'Zag wat?'

'Dat gesproei. Ik denk dat daar een walvis zit ...'

Hij graait in zijn zak naar de verrekijker die hij van Folke heeft geleend. Het is een Swarovski van de beste kwaliteit, meer dan tienduizend kronen waard, en daarom houdt hij hem stevig vast. Maar hij ziet geen walvis, hoe hij zijn kijker ook heen en weer beweegt. Misschien heeft hij zichzelf voor de gek gehouden. Daar is hij goed in.

'Nee', zegt Susanne na een poosje. 'Ik zie geen walvis.'

Anders antwoordt niet, maar richt zijn kijker op een eiland heel in de verte. Zojuist was dat nog donkerpaars, maar in de kijker wordt het bruin. Naakte aarde. Misschien wat korstmossen. Een Arctische woestijn.

Hij heeft zijn kijker nog voor zijn ogen wanneer zij opnieuw het woord neemt: 'Heb ik het de eerste dag goed gehoord toen je volgens mij zei dat je uit Landskrona kwam?'

Nu klinkt ze niet meer zo nors. Hij laat zijn kijker zakken.

'Dat heb je goed gehoord.'

'Ik ben in Landskrona geboren. Hoewel ik er nu al in geen tien jaar meer geweest ben.'

'Je hebt niet veel gemist.'

Ze schiet in de lach.

'Dat geloof ik best.'

Een nieuwe ijsberg nadert, een modernistische sculptuur met scherpe punten en helderblauwe holtes. Terwijl hij passeert, bestuderen ze hem zwijgend.

'Wat voor soort arts ben je eigenlijk?' vraagt Susanne ten slotte.

'Huisarts.'

Hij stapt terug op het dek en stopt de kijker in zijn zak, klaar om weg te gaan. Zij staat nog op haar treeplankje, maar heeft de zee de rug toegekeerd.

'Dat betekent zeker dat je over alles iets weet?'

Hij glimlacht wat. Dat is nog eens een vleiende manier om het uit te drukken.

'Tja, dat zou je kunnen zeggen.'

'Ook van psychiatrie?'

Hij begint te vermoeden welke kant het opgaat. Deze dame is een kleine zenuwelijer. Dat had nou niet gehoeven.

'Inderdaad', zegt hij. 'Ook van psychiatrie.'

'Ik was ooit van plan psycholoog te worden. Maar daar ben ik mee gestopt voordat ik mijn bevoegdheid had gehaald.'

Anders glimlacht opnieuw om te verbloemen wat hij denkt – *Ja, vast!* – en zegt verder niets.

'Maar het is toch mooi dat er aan boord iemand is die zowel op fysiek als psychisch terrein competentie heeft.'

Ze springt op een kinderlijke manier met twee voeten tegelijk op het dek en trekt haar handen op in de mouwen van haar jack. Anders houdt zijn hoofd een beetje schuin en wacht op een vervolg.

'Waarom is dat mooi?' vraagt hij uiteindelijk.

Ze werpt hem een snelle glimlach toe.

'Gewoon, dat is mooi.'

Uiteindelijk is zij het die vertrekt.

Een paar uur later is alles anders.

Hoewel het pas vier uur 's middags is, is de bar gevuld met mensen. Magnus drinkt in één keer een pul bier leeg. Het is een grote en het duurt even, en om hem heen verdringen onderzoekers en bemanningsleden elkaar. Ze klappen hard en ritmisch in hun handen, iedereen kijkt naar Magnus en zijn bierpul, maar de blikken zijn leeg; iedereen gaat helemaal op in de beweging en het ritme. Wanneer de pul leeg is en Magnus die triomfantelijk in de lucht steekt, breekt er echter een gejubel uit. *Ja! Het is hem gelukt!*

Anders leunt tegen de bar en pakt zijn eigen pul. Hij probeert de melodie die uit de stereo-installatie dendert te verdringen. 'I'm a man of constant sorrow ...' Nee, hoor. Hij is een licht aangeschoten huisarts die net is kaalgeschoren. Hij strijkt voorzichtig over zijn schedel; die voelt glad en koel aan onder zijn rechterhand. Niet dat het veel uitmaakt; zoveel viel er niet te scheren. En zijn kale kop draagt misschien bij aan het amusement, dus waarom niet. Heel zijn volwassen leven, in feite vanaf de dag waarop hij enigszins schuldbewust met een patiënte in het huwelijk trad, hecht hij al erg aan professionele distantie. Nu is hij niet meer getrouwd, althans niet meer dan formeel, en nu heeft hij lak aan professionele distantie. Hij heeft er zelfs lak aan nuchter te blijven. Als iemand vanavond zijn been breekt, heeft hij dat aan zichzelf te danken. De dokter is niet van plan om te spalken of te gipsen. De dokter is van plan zich te bezatten.

Om half drie vanmiddag is de Wodan de poolcirkel gepasseerd en een kwartier later kwamen koning Neptunus en zijn koningin aan boord, dat wil zeggen een verklede machinist met een koningskroon en een drietand, en een meisje uit de mess in een zilveren bikini en met zwarte valse wimpers. De onderzoekers en de gasten werden met een paar kratten bier de rookruimte in gedreven, waarna de bemanningsleden verkleed als piraten binnenkwamen om hen een voor een op te halen. Met hun handen op hun rug gebonden werden ze lachend weggevoerd naar het dek, waar hun hoofd in een ton met ijskoud zeewater werd gedompeld. Daarna werden ze naar de fitnessruimte gebracht, waar ze door een verklede stuurman met een heggenschaar werden opgewacht. Het haar moest worden geknipt! De vrouwelijke wetenschappers zaten met dichtgeknepen ogen piepend op de grond terwijl achter hen een matroos hen aan de haren trok en met de heggenschaar knipbewegingen in de lucht maakte. Misschien deden ze dat bij de andere mannen ook, misschien was Anders de enige die echt werd geschoren. Waarschijnlijk werd hij daarom toegejuicht toen hij uiteindelijk, nog steeds met zijn handen op zijn rug gebonden, de bar werd binnengebracht om een glas zeewater te drinken. *Kijk! De dokter is kaalgeschoren!*

Maar nu is iedereen gedoopt en het feest is in volle gang, de muziek dreunt, vandaag wordt er geen onderzoek meer gedaan en het is vol in de bar. Enkele van de meest doorgewinterde poolvossen zijn al aan het dansen. Ulrika staat tegenover een jonge scheikundige met haar heupen te wiegen, een van de messmeiden gooit haar hoofd achterover en glimlacht naar een jonge stuurman, Sture probeert met toegeknepen ogen een slijper te dansen met iemand van het poolsecretariaat, hoewel dit helemaal geen slijpnummer is.

'Ertegenaan! Proost!'

'Proost.'

Ola heft zijn bierpul in Anders' richting.

'Dus jij werd geschoren?'

'Inderdaad.'

'Die man daarginds ook.'

Ola maakt een beweging met zijn hoofd in de richting van een man van middelbare leeftijd met een grijze paardenstaart. Anders doet zijn ogen dicht en probeert zich de naam te herinneren. Robert. Docent in analytische chemie aan de universiteit van Uppsala.

'O', zegt Anders. 'Ik vind anders dat hij nog behoorlijk wat haar heeft.'

Op hetzelfde moment trekt Robert zijn trui omhoog om zijn

blote borst te laten zien aan Jenny, de giebelende promovendus. Ze gilt het uit van verrukking. Robert glimlacht tevreden en draait zich om, zodat iedereen het kan zien. Iemand heeft een W in zijn grijze borsthaar geschoren. De W, van Wodan.

'Nou, die trekt de meiden wel aan', zegt Ola. 'Ondanks zijn leeftijd.'

Is het ironie? Of heeft hij gewoon een slechte dronk over zich? Anders neemt een slok bier en besluit op een ander gespreksonderwerp over te stappen.

'Is dit jouw eerste expeditie?'

Ola schudt zijn hoofd. 'Nee, mijn derde.'

'Gaat het er altijd zo wild aan toe?'

'Ik heb het nog wel erger meegemaakt. Veel erger. Maar we zullen zien hoe het later op de avond wordt. Misschien dat het zich gunstig ontwikkelt.'

Anders laat zijn blik door de ruimte gaan. Bij de hoekbank is het druk. Jonge wetenschappers en even jonge bemanningsleden zitten zo dicht op elkaar dat elke beweging zich door de hele groep lijkt voort te planten. Daar lijken ze niets op tegen te hebben. Gezeten in een leren fauteuil tegenover de bank glimlacht een Amerikaanse professor zachtmoedig terwijl op de armleuning van zijn fauteuil de enige vrouwelijke matroos in evenwicht probeert te blijven zonder te dicht tegen hem aan te komen. In de andere leren fauteuil zit Martin met Sofia op schoot. Een olieman en een meisje uit de mess. Ze zijn vast een stel; Anders heeft gezien dat ze een hut delen, misschien zijn ze wel getrouwd. Dat is dan nog niet zo heel lang, want geen van beiden ziet er ouder uit dan vijfentwintig. In de derde fauteuil laat Magnus zich juist neerzakken. Het leer kraakt onder zijn enorme lichaam. Hij zet weer een pul bier op tafel en ontbloot tegelijkertijd zijn tanden in een dreigende grijns in de richting van Marcus, die een poging doet op de armleuning te gaan zitten. Het is volkomen duidelijk dat Magnus geen andere vent zo dicht in zijn buurt wil hebben, vooral geen kunstenaar met smalle schouders en krullend haar. Marcus weet niet waar hij moet kijken, staat op, draait zich om en zoekt de bar op. Bij de deur staat Susanne tegen de muur geleund. Ze heeft haar handen om een glas rode wijn gevouwen en laat haar blik door de ruimte gaan, almaar heen en weer, alsof ze iemand zoekt. Een lichte irritatie maakt zich van Anders meester. Typisch iemand die problemen zoekt.

'Kom op, dokter! We gaan dansen!'

Ulrika pakt hem glimlachend bij zijn pols. Heel even is hij in de verleiding om zijn hoofd te schudden en nee te zeggen, maar hij zet zijn bierpul op de bar en glimlacht terug. Ulrika's ogen glinsteren en ze glimlacht breed. Weg met de professionele distantie.

'Ik blink hier niet bepaald in uit ...'

'Maar ik wel', zegt Ulrika. 'Dus dat heft elkaar op.'

Het is druk op de dansvloer, zo druk dat haar eventuele uitblinken niet opvalt. Het is een geduw en gedrang van mensen, en iemand – is dat die Robert? – plant zijn elleboog zo hard in haar rug dat ze haar evenwicht verliest. Anders moet beide handen uitstrekken om die van haar te pakken om te voorkomen dat ze voorover valt. Dat is goed. Als ze elkaar bij de hand houden terwijl ze daar staan te schudden zie je niet hoe stijf hij eigenlijk is. Eva wilde de laatste jaren nooit met hem dansen. Het was alsof je met een robot danste, zei ze. Dus bleef hij op de bank zitten als er een keer gedanst werd op die feesten waarvoor ze altijd werden uitgenodigd; hij nam een cognacje en kletste wat terwijl zij zich nu eens tegen de een en dan weer tegen de ander aan drukte. Wanneer ze thuiskwamen, wilde ze altijd met hem vrijen. Van dansen raakte ze opgewonden.

Ulrika lijkt niet opgewonden; ze strijkt gewoon haar pony van haar voorhoofd wanneer de muziek stopt, maar werpt Robert een boze blik toe. Ze krijgt een even boze blik terug, waarna ze met luide stem roept: 'Zo is het wel genoeg met die up-temponummers! Draai eens een paar gouwe ouwe voor ons oudjes!'

Anders trekt zijn wenkbrauwen op. Oudjes? Ze is vast nog geen vijftig. Hoewel dat in dit gezelschap misschien oud is; het is in elk geval zo oud dat ze doen wat zij zegt. Terwijl iemand tussen de cd's staat te rommelen is het even stil, maar dan gaat er een bekend openingsakkoord door de bar. Anders glimlacht, pakt Ulrika vast en drukt haar stevig tegen zich aan. 'She belongs to me.' Destijds, in zijn laatste jaar van de opleiding in het ziekenhuis in Stockholm, werd het land daarmee geplaagd toen het nummer acht weken in de toptien stond.

'Ik haatte dat liedje', zegt hij terwijl hij zijn wang tegen Ulrika's haar vlijt. 'Ik haatte het echt.'

Ze schiet in de lach en schudt even haar hoofd. Door die beweging glijden haar haren opzij en wanneer ze hem weer nadert, raakt haar wang licht de zijne. Er gaat een rilling over zijn rug.

'Ik was er gek op.'

'Ik weet het, dat waren alle tienermeiden waarschijnlijk.'

'Björn Hallgren was het antwoord op al onze gebeden ... Een tijdje, tenminste.'

Hij verstijft en geeft geen antwoord. Ulrika buigt zich wat naar achteren en kijkt hem aan.

'Wat is er?'

'Was dat Björn Hallgren?'

'Ja. Dat was toch de zanger van The Typhoons. Voordat dat toen gebeurde.'

Hij stopt met dansen, maar houdt haar nog steeds vast. Hij wiegt nu een beetje op de plaats, alsof hij de schijn wil ophouden. Dus Björn Hallgren had die plaat gemaakt ... Adam in Eva's verloren paradijs. Dat hij dat was vergeten. Overigens wilde Eva nooit naar die platen luisteren wanneer Anders thuis was; hij hoefde er maar aan te zitten of ze raakte al geïrriteerd. Misschien draaide ze die wanneer hij op zijn werk was. Ze moet toch iets hebben gedaan wanneer Anders op zijn werk was.

Ulrika vlijt haar wang tegen de zijne en zet een aftastende stap; zachtjes dwingt ze hem om door te gaan met dansen. Nu is zij degene die leidt.

'Maar misschien is dit niet echt het meest geschikte nummer op dit moment', zegt ze met zachte stem.

Hij probeert zo neutraal mogelijk te klinken.

'Waarom niet?'

'Omdat zijn zus hier is. En die kijkt een beetje verdrietig.'

Ze draait rond zodat hij in de richting van de deur kan kijken.

Susanne staat daar nog, ze leunt nog steeds tegen de muur en houdt haar glas met beide handen vast, maar nu heeft ze haar ogen dicht.

'Is dat zijn zus?'

'Ja. Of halfzus, of zoiets.'

'Hoe weet jij dat?'

'Dat heb ik ergens gelezen. Zullen we naar haar toe gaan?'

'Nee', zegt Anders terwijl hij Ulrika steviger tegen zich aan drukt. 'Het is beter om haar met rust te laten.'

'Ja. Je zou toch denken dat ze er nu wel overheen moet zijn', zegt Ulrika. 'Het is immers zo lang geleden ...'

Hij wil net wat zeggen, maar een kreet overstemt alle geluiden en gepraat.

'Hij bloedt! Jezus, wat bloedt hij!'

Dat is Katrin. Ze staat bij de bar en heeft haar hand op haar keel gelegd. Naast haar staat Robert. Zijn rechterhand zit onder het bloed. Toch laat hij het oor van de gebroken bierpul niet los; hij staat alleen maar met neergeslagen ogen naar de bar te staren. Die ligt vol glassplinters.

Anders trekt een verontschuldigend gezicht naar Ulrika en zij laat meteen zijn rechterhand los. Niets aan te doen. De dokter moet aan het werk.

Er is niemand in haar hut geweest.

Het raam staat open naar de zee. De lakens in de kooi zijn net zo strak en wit als toen ze naar het feest ging. De spiegel in de badkamer is schoongemaakt en glimt. Een lichte geur van schoonmaakmiddel prikkelt de slijmvliezen van haar neus. Ze begint te rillen en doet het raam dicht. Even blijft ze staan om een ijsberg die voorbijdrijft te bekijken en ze overpeinst dat het vreemd is dat de euforie van de eerste uren voorbij is, dat haar ogen, die een heel leven op dit ongelooflijke hebben gewacht, er nu al aan gewend zijn. Dan haalt ze haar schouders op, slaat haar armen om zichzelf heen en knippert een paar keer met haar ogen. Ze probeert grip op zichzelf te krijgen. Waarom is ze hierheen gegaan? Wat kwam ze ook alweer doen?

Zich verstoppen. Omdat er bloed op de bar lag.

Zich verstoppen. Omdat ze dat nummer draaiden.

Zich verstoppen voor haar herinneringen, die door de muziek zijn gewekt. Ze voelt hoe die nu door haar hoofd gaan, hoe ze krioelen en zich om elkaar heen wikkelen, hoe ze hun eeuwige glimlachjes vertonen en met hun tong spelen.

Ze laat zich in haar kooi zakken, schopt haar schoenen uit en gaat liggen. Doet haar ogen dicht. Zoekt de duisternis. Maar achter haar oogleden is het eigenlijk niet donker, het is er rood, een vreemde roodgrijze tint, die bij elke hartslag in een gele cirkel uitbreekt. Daar kan ze naar kijken, een poosje. En proberen niet terug te denken.

'Het is nog niet gebeurd', zegt ze hardop tegen zichzelf. 'Er is nog niets gebeurd.'

Dat is een troostrijke gedachte. En een ware gedachte. Want als het verleden werkelijk in ons leeft, als het onuitroeibaar is, dan betreft dat immers alles in het verleden. Ook de plaatsen waar het dus nog niet is gebeurd.

Zoals de nis van het raam bij de trap, die alleen aan Susanne toebehoorde. Aan niemand anders.

Dat is iets vanzelfsprekends dat de rest van het gezin accepteert. Niemand anders kan immers met een rechte rug en de voeten rustend op de smalle vensterbank onder de gewelfde zoldering zitten. Ze zijn te groot. Daarom glimlachen ze alleen maar naar haar wanneer ze op de trap langsrennen.

'Hoi, uitkijkpost', zegt Björn wanneer hij op dunne leren zolen naar beneden rent. 'Nog iets te rapporteren?'

'Hallo, spionnetje van me', zegt Inez wanneer ze zich naar de badkamer haast met haar armen vol pasgewassen handdoeken. 'Zie je iets interessants?'

'Mooi dat er iemand de wacht houdt op dit vaartuig op weg naar de eeuwigheid', zegt Birger wanneer hij de trap af roetsjt met zijn aktetas in zijn ene en de krant in zijn andere hand. Susanne geeft geen antwoord; ze kijkt hem alleen maar na om te zien of hij zal struikelen. Inderdaad. Ook vandaag struikelt hij.

Ze glimlacht hem na en draait dan langzaam haar hoofd naar het raam om naar buiten te kijken. Buiten op Svanegatan is de schemering al ingevallen. Een grijze herfstschemering. Er hangt een aureool om de straatlantaarn en voor het huis is het nog helemaal leeg. Het duurt nog een aantal jaren voor de dag aanbreekt dat de meisjes zullen komen. Er is nog niets gebeurd.

EEN AVOND IN DE HERFST

DE MEISJES KWAMEN in de schemering.

Aanvankelijk, ver voordat wat niet zou kunnen gebeuren toch gebeurde, waren ze maar met enkelen: een verdwaalde kudde van drie, vijf of zeven stuks die uit de schaduwen tevoorschijn glipte en de indruk probeerde te wekken dat ze puur toevallig op het trottoir voor het rode vrijstaande bakstenen huis waren blijven staan. Terwijl ze uit hun zakken sigaretten en lucifers opdiepten, wendden ze hun bleke gezichten naar de ramen, waarna ze dicht naast elkaar bleven staan en de rook naar de gele lichtkegel van de straatlantaarn opsteeg.

'Wat zien ze eruit', zei Inez terwijl ze het rolgordijn in de keuken naar beneden deed. 'Zwarte ogen en witte lippen. Net spoken. Je zou er bang van worden in het donker. Bah.'

Ze deed een kastje open en haalde er vier borden uit, die ze aan Susanne gaf, en ze vervolgde: 'En die kleren! Sommigen zien eruit alsof ze uit een of ander legerdepot tevoorschijn zijn gekropen en anderen lopen voor gek in een minirok en met nylonkousen. Eind november! Die kousen vriezen nog vast aan hun benen. En ze krijgen allemaal blaasontsteking, en dat is niet leuk, dat kan ik je wel vertellen, want als je blaasontsteking krijgt ...'

Birger, die al aan de keukentafel op het eten zat te wachten, tilde zijn ellebogen op zodat Susanne het bord voor hem kon neerzetten.

'Bespaar ons alsjeblieft de details!'

Terwijl Inez door de aardappelpuree roerde, glimlachte ze over haar schouder.

'O, vind je? Wat jammer. En ik had nog wel zulke interessante details te vertellen ...'

'Daar ben ik van overtuigd, schat. Maar je moet wel weten wannéér je iets kunt zeggen.'

Inez kwakte een onderzetter op het tafelzeil.

'En dat kan nu niet?'

Birger kreeg geen gelegenheid om erop in te gaan, want Björn stond nu in de deuropening en Inez glimlachte naar hem terwijl ze haar schort afdeed.

'En hier komt de boosdoener ...'

'Ach', zei Björn en hij ging op zijn plek aan tafel zitten.

Inez streek met haar hand door zijn donkere pagekapsel.

'Aha', zei ze. 'Nat. Je hebt je haar weer gewassen.'

'Hou op', zei Björn.

'Het is niet goed om je haar te vaak te wassen.'

Björn stak de opscheplepel diep in de pan met puree.

'Dat is helemaal niet zo.'

'Dan word je vroeg kaal. En je krijgt oorpijn.'

'Inez, alsjeblieft', zei Birger.

Ze schoot in de lach.

'Ik maak maar een grapje.'

'Dat weet ik', zei Birger. 'Maar je maakt de jongen alleen maar ongerust.'

'Nee, hoor', zei Björn. 'Ik word er helemaal niet ongerust van.'

Toen Susanne een ogenblik later de voordeur opendeed, ging er een gehijg door het groepje onder de straatlantaarn, een gehijg dat ernaar hunkerde om in geschreeuw te kunnen overgaan, maar dat onderdrukt werd en bekoelde op het moment dat de meisjes zagen wie er naar buiten was gekomen. Susanne trok de deur achter zich dicht, waarbij ze op haar gebruikelijke manier haar billen even naar achteren duwde. Ze probeerde een onbewogen indruk te wekken, hoewel ze de kriebels kreeg van nervositeit. Ze trok de rits van haar parka dicht en stak haar handen diep in haar zakken. Waar moest ze kijken? Kon ze echt het tuinpad aflopen naar het hek zonder één keer een blik op die meiden te werpen? Jawel, dat kon ze. Dat moest gewoon, want als ze naar hen zou opkijken zou ze die dringende neiging om zich te verontschuldigen voor het feit dat zij het maar was die naar buiten was gekomen niet kunnen onderdrukken.

'Het is zijn zus', zei een stem in het groepje. 'Zijn kleine zus.'

Susanne trok een grimas in de richting van het grind op het

tuinpad. Natuurlijk. Ze wisten niet hoe het echt zat en als ze hen corrigeerde, zouden ze boos worden. Mensen werden altijd boos wanneer ze erachter kwamen dat ze het bij het verkeerde eind hadden. Vooral meiden.

'Ze heet Susanne', zei een andere. 'Hoi, Sussie! Hoi!'

Ze was nu bij het hek, dat knarste en piepte toen ze het opende. Twee meisjes drongen glimlachend naar voren, grote meisjes met grote kapsels en smalle schouders. Susanne herkende hen allebei, maar wist niet hoe ze heetten. De ene, met een donkere pony en een roze sjaaltje kunstig om haar hals geknoopt, stond altijd in de kiosk bij het spoorwegstation. Het gerucht ging dat ze een Frans kadetje in haar getoupeerde haar droeg en dat ze dat sjaaltje omhad om de zuigzoenen te verbergen die ze zich steeds op de hals haalde. De andere was in de leer bij de kapster in Artillerigatan. Ze had Susanne drie maanden geleden geknipt, voordat Björn een beroemde persoonlijkheid werd en voordat Susanne zelf veranderde in het naaste familielid van een beroemde persoonlijkheid. Haar pony werd een dun plukje hoog op haar voorhoofd en gedurende enkele weken daarna vermeed Susanne zorgvuldig alle spiegels in huis. Daarom zette ze onwillekeurig een stap achteruit, alsof ze vreesde dat de leerlinge een schaar uit haar zak zou rukken om zich weer op haar pony te storten.

'Is het waar dat hij thuis is?'

De leerlinge glimlachte met witgestifte lippen en gele tanden. Ze stonk uit haar mond naar kauwgum en sigarettenrook. De kioskmedewerkster met de zuigzoenen sloeg haar blauwe oogleden naar beneden en knipperde licht met stijve wimpers.

'Heeft hij al een Cadillac gekocht? In *Fotojournaal* stond dat hij een Cadillac ging kopen.'

Susanne wist een geluidje uit te brengen dat zowel ja als nee kon betekenen. Ja, hij was thuis. Nee, hij had nog geen Cadillac gekocht. Niemand luisterde of begreep het; ze zaten zo vol van hun vragen dat ze geen ruimte hadden voor haar antwoorden. Een blond meisje met lang ponyhaar drong naar voren. Een *Mod*.

'En de anderen? Waar zijn de andere jongens?'

Susanne haalde haar schouders op, nog steeds met haar handen in haar zakken. Ze had geen idee.

'Gaan ze zaterdag naar Engeland? Echt?'

'Gaat hij vanavond nog uit?'

'Heeft hij een vriendin, of ...'

Susanne haalde haar schouders op en bleef naar de grond kijken. Wat moest ze antwoorden? Ze wist helemaal niet wat Björn vanavond of zaterdag van plan was, ze hadden immers nauwelijks gelegenheid gehad met elkaar te praten sinds hij was thuisgekomen. Een ander *Mod*-meisje drong naar voren; ze zag er raar uit, tegelijkertijd lelijk en mooi. Susanne herkende haar. Zij zat in de bovenbouw, deed gymnasium, en wanneer het regende liep ze altijd met een zwarte herenparaplu in plaats van met die kleinzielig gebloemde spullen die de andere meisjes boven hun hoofd hielden. Op een onduidelijke manier dwong dat respect af.

'Welke kamer is van hem?' vroeg ze terwijl ze haar vierkante hand op Susannes schouder legde. Haar stem was donker en sommerend. Susanne stak haar arm op en liet het gebaar voor zich spreken. Daar! Links op de bovenverdieping. In die kamer met de witte gordijnen en een plafondlamp uit de jaren veertig. De meisjes keken omhoog en slaakten een collectieve zucht. Susanne maakte zich los uit de greep van het *Mod*-meisje. Ze mompelde dat ze haast had en liep op een drafje weg.

Ze hield pas op met rennen toen ze bijna bij het kerkhof was aangekomen. Daar bleef ze in het donker tussen twee straatlantaarns wijdbeens en met haar hand op haar middenrif staan, alsof ze buiten adem was of kramp had gekregen. Ze wist niet goed waarom ze was weggevlucht, maar ze was opgelucht dat ze was ontsnapt. Ze keek naar het glimmende asfalt en terwijl ze diep ademhaalde, zo diep dat het bijna op zuchten leek, dacht ze terug aan hoe het was geweest toen alles nog gewoon, alledaags en werkelijk was. In die tijd was Björn vanzelfsprekend, af en toe behoorlijk irritant vanzelfsprekend, maar toch iemand die in hetzelfde huis woonde als zij en die er altijd was. Zo zou het nooit meer worden. Nooit van zijn leven. Nu was hij een ander, een wezen uit een ver verwijderde wereld, een wereld van sterren en glamour, een wereld die altijd gesloten zou zijn voor mensen als Susanne, ongeacht hoe hard ze ook op de deur bonsden. Ze begon te rillen, maar fronste haar wenkbrauwen om zichzelf. Waar was ze nou eigenlijk mee bezig? Ze had toch haast? Daarom schikte ze haar nieuwe jagerstas van echt skai, die ze meer dan een jaar had gewenst en eindelijk voor haar verjaardag had gekregen. Ze rechtte haar rug en liep weer verder. Ingalill wachtte immers op haar. En 'Juffrouw Fleurig'.

Björn stond op de drempel van zijn kamer te aarzelen. Kon hij het licht aandoen? Hij verlangde naar een moment van duisternis, maar wist ook dat hij niet langer vrij was om welke beslissing dan ook te nemen. Elke handeling moest worden gewikt en gewogen voordat die werd uitgevoerd, en worden afgezet tegen de reactie die je kon verwachten van de meiden buiten op straat. Die droegen hem op dit moment op handen, tilden hem zo hoog dat hij de wolken bijna kon aanraken, maar Karl-Erik van de platenmaatschappij maakte keer op keer duidelijk dat ze ook de macht hadden hem te laten vallen. Daarom moest je met grote omzichtigheid met hen omspringen. Björn moest hen dicht genoeg naderen om hun dromen levend te houden, maar tegelijkertijd voldoende afstand bewaren om de dromen niet te laten bezoedelen door iets wat op de werkelijkheid kon lijken. Dus zat er maar één ding op. Hij trok zijn coltrui recht, haalde resoluut zijn hand door zijn haren, stapte vervolgens vastberaden door de verlichte kamer naar het raam en deed net of hij iets van zijn bureau oppakte. Het duurde maar even of de meiden hadden hem ontdekt en zetten het op een gillen, een gegil dat trilde tussen gejuich en gehuil, een gegil dat hem nu al weken achtervolgde en dat hij heimelijk als een gevangenis was gaan beschouwen. Hij deed net of hij verrast werd, rechtte zijn rug, keek uit het raam en stak glimlachend zijn hand op. Vervolgens draaide hij zich snel om en trok hij zich terug, alsof er opeens iemand tegen hem begon te praten of alsof hij iets heel belangrijks te doen had.

Nee. Hij kon het licht niet uitdoen. Niet zolang de meiden nog voor het huis stonden. Dat konden ze als een vijandige daad opvatten. Anderzijds kon hij hen ook niet laten kijken tot ze uitgekeken waren, want dan zou hij weldra een gedaanteverwisseling ondergaan en een heel gewone knul in een heel gewoon huis worden, en voor wie net de wolken had aangeraakt zou dat een diepe vernedering zijn. Even wist hij zich geen raad en hij bleef naast het raam staan, maar toen drukte hij zich tegen de muur en glipte voorzichtig zijwaarts naar de deur, ervoor uitkijkend dat zelfs zijn schaduw niet te zien was. Misschien kon hij een poosje in Susannes kamer gaan liggen. Het was immers al donker. En naar die kant keken de meisjes niet.

Ze had een nieuwe sprei. Een witte. Kantachtig. Hij leek op die sterrenkleedjes die haar oma altijd haakte. Misschien waren honderd kleine omakleedjes een groot verjaardagscadeau geworden? Jawel. Dat zou best kunnen. In dat geval zou hij binnenkort ook een nieuwe sprei krijgen. Dat kon hij wel verdragen. Hij hoopte alleen dat die niet zwart-wit zou zijn. Sinds hij als elfjarige aan haar had toevertrouwd dat dit de kleuren van voetbalclub Landskrona BoIS waren, waar hij zou gaan spelen als hij later groot was, schonk Susannes grootmoeder hem al acht jaar witte en zwarte kleedjes. Ze waren zo lelijk dat hij er bijna bang van werd.

Björn ging liggen met zijn handen onder zijn nek. Hij verroerde zich niet en probeerde een poosje niet te denken aan de meiden buiten op straat en alle andere meiden. Wat wilden ze? In feite? En waarom wilden ze het uitgerekend van hem? Ze gilden nooit zo hard om de andere jongens van de band, het geschreeuw bij de artiesteningang ging altijd pas over in gebrul wanneer hij naar buiten kwam. Dat was een feit, een feit dat ze alle vijf probeerden te negeren, een feit dat niettemin kriebelde, prikkelde en irriteerde. Gisteren tijdens de repetities was Tommy nog midden in een liedje gestopt om op nogal kille toon te verklaren dat het op zich zijn nut had om ongelooflijk schattig te zijn, maar dat het toch beter was als je niet vals zong. Niclas en Bosse waren in de lach geschoten en Peo had er even op los gedrumd, maar toen die Björns blik zag, had hij zich eruit gered door zijn stokken in de lucht te steken en opnieuw te gaan aftellen voor het liedje. *A-one-a-two-a-three ...*

Het was een lied van niks. Banaal. Goedkoop. Slijmerig. Maar Karl-Erik had besloten dat het op de volgende single kwam, en wat Karl-Erik besloot gebeurde. Altijd. Hij was degene die een half jaar geleden al had besloten dat The Typhoons zouden doorbreken, en hij was ook degene die had besloten hoe dat moest.

De oude zanger moest weg en er moest een nieuwe komen, dat was een voorwaarde en een voorwaarde die Tommy – en met hem ook Niclas, Peo en Bosse – moest hebben geaccepteerd. Ze hadden nooit verteld waarom, of hoe het in zijn werk was gegaan. Toen Peo Björn voor een proefopname meenam naar Stockholm knikten ze al na een paar liedjes en ze lieten weten dat ze hem accepteerden. Karl-Erik wreef zich tijdens het eerste lied al in zijn handen, maar hij zei geen woord over wat hij vond. Hij wilde eerst een aantal vragen stellen. Hoe was het bijvoorbeeld in godsnaam mogelijk dat Björn in Landskrona woonde? En hoe kwam het dat Peo, die was geboren en opgegroeid in het redelijk geciviliseerde Täby, op een lokaal concours voor rockbands ver van de beschaafde wereld terechtgekomen was? Peo schraapte zijn keel en probeerde uit te leggen dat hij bij zijn grootmoeder op bezoek was geweest, maar hij werd met een snel handgebaar onderbroken. Het was een retorische vraag en als Peo dat woord in een woordenboek moest gaan opzoeken, dan maakte dat niet uit, want Karl-Erik ging nu serieus praten met de jonge Hallgren. Hoe kwam het dat hij helemaal niet dat vreselijke dialect kwaakte, zoals de meeste mensen uit de provincie Skåne? O. Zijn moeder kwam uit Gotenburg. Dat was natuurlijk een voordeel. Was hij muzikaal geschoold? Nee, nee. Bespeelde hij een instrument? Niet, dus. Kon hij noten lezen? Ook niet. En hoe zat het met podiumervaring? Beperkt. O. Ja, ja. Een puur natuurtalent dus. Anderzijds had hij zijn uiterlijk natuurlijk mee en een redelijke stem, dus ...

Nog geen week later namen Björn en Birger in de bezoekersstoelen op Karl-Eriks kantoor in Stockholm plaats. Björn had zijn haar die ochtend nog gewassen en was gekleed in zijn oudste spijkerbroek terwijl het opviel dat Birger zich net nog bij de kapper had laten knippen. Bij het zien van de gouden platen aan de muur begon hij met zijn ogen te knipperen. Hij streek snel met zijn hand over het glimmende jacaranda van het bureau en richtte vervolgens zijn blik op Karl-Erik, die met een milde glimlach achterovergeleund op de pauwentroon zat die als bureaustoel dienstdeed. Binnen een mum van tijd veranderde Birger in een karikatuur van zichzelf: een stoffige docent geschiedenis en maatschappijleer die omstandig, maar toch zonder tegenwerpingen, de voorwaarden accepteerde in het contract dat hem werd voorgelegd. Uiteraard had hij als officieuze plaatsvervanger van de voogd van de knul zijn bedenkingen gehad, maar omdat Björn – ahum! – bepaalde tekenen van schoolmoeheid vertoonde en omdat de jongen zo graag wilde, en – niet te vergeten! – omdat het kennelijk zo was dat de platenmaatschappij en de andere jongens in het orkest heel graag wilden dat Björn toetrad, had hij ervoor gekozen over zijn bedenkingen heen te stappen. Tegenwoordig bestond er godzijdank immers volwassenenonderwijs, dus wie de deur van de school achter zich sloot, kon die altijd opnieuw openen. Zijn enige reserve betrof het feit dat ze er niet in waren geslaagd contact te krijgen met de moeder van de jongen, die bevond zich immers ergens ver weg in de wereld, het was eigenlijk onduidelijk waar dat momenteel was, maar hij ging ervan uit dat zij er geen bezwaar tegen zou hebben. Want – *haha!* – wat het toeval en de platenindustrie hebben samengebracht, zal niet door de mens worden gescheiden. Mocht hij die vulpen even gebruiken?

Zo was het begonnen. En nu viel het niet meer te stoppen. Björn was lid van The Typhoons. Nee, meer dan dat. Hij was de ster van The Typhoons. Maar toch – en dat kon hij alleen hier in Susannes kamer voor zichzelf toegeven – hoorde hij er niet bij. Niet echt. Niet zoals de andere jongens van de band. Die kenden elkaar al vanaf de kleuterschool en speelden al vier jaar samen, die vertelden elkaars verhalen en hadden dezelfde herinneringen. Bovendien hadden ze Robban gemeenschappelijk, ook al praatten ze nooit over hem, ook al noemden ze zijn naam niet eens. Maar hij was er wel. De jongen die er vanaf het begin bij was geweest. De jongen die niet goed genoeg was. De jongen die werd opgeofferd.

Misten ze hem? Of schaamden ze zich?

Allebei. Zo was het vast. Althans voor Tommy. En wat Tommy dacht en voelde, dachten en voelden Niclas, Peo en Bosse ook. Aan de andere kant wist Tommy heel goed dat ze zonder Björn nooit zouden hebben bereikt wat ze hadden bereikt. Een band die niet alleen op één, drie en zeven stond in de toptien, maar die in Engeland ook op de zeventiende plaats in de hitlijst was binnengekomen en waarvan aanstaande zaterdag tv-opnames zouden worden gemaakt. Voor de Engelse televisie. In Londen.

Het was bijna niet te geloven. Maar het was waar. En dat hadden ze aan Björn Hallgren te danken. Aan Björn Hallgrens stem. Aan Björn Hallgrens gezicht. Aan Björn Hallgrens kapsel.

En toch, soms was het behoorlijk vermoeiend om Björn Hallgren te zijn. Daarom deed hij zijn ogen dicht en sloot alle gedachten buiten. Hij reduceerde zichzelf tot vier zintuigen: reuk, gevoel, smaak en gehoor. Dan was hij Björn Hallgren een poosje kwijt en kon hij zichzelf zijn, een mens zonder naam en leeftijd, een lichaam dat zolang hij zich kon heugen in dit huis had gewoond en elke ochtend de geuren ervan had ingeademd, iemand wiens vingertoppen elk oppervlak kenden, wiens tong zich elke smaak herinnerde, wiens oren elke stap herkenden ...

Er sloop iemand over de overloop en opeens stond Birger in de deuropening met een stapel schriften onder zijn arm. Hij trok vragend zijn wenkbrauwen op.

'Lig je hier?'

'Ja.'

Het bleef even stil. Birger leunde tegen de deurpost.

'Gaat het wel goed met je?' vroeg hij ten slotte.

'Ja.'

'Is het geworden wat je ervan had verwacht?'

'Niet echt.'

'Nee', zei Birger. 'Dat zal best. Het wordt nooit echt wat je ervan verwacht. Het kan beter of slechter uitpakken, maar nooit precies wat je denkt ...'

Björn deed zijn ogen dicht en hield zijn tegenwerping voor zich. Jawel, hoor. Soms wist je precies wat je kon verwachten. Hij wist bijvoorbeeld dat Birger zou struikelen wanneer hij de trap af rende.

'Nee', zei Birger terwijl hij zijn schriften wat hoger ophees. 'Nou, ik moest deze meesterwerken maar eens gaan corrigeren.'

'Mmm.'
'Tot zo dan maar ...'
'Tot zo.'
Björn lag met zijn ogen dicht te wachten. Birger zette vijf stappen over de overloop naar de trap. Het kraakte een beetje toen hij zijn voet op de bovenste tree zette, daarna klepperden zijn leren zolen – de ene veel groter dan de andere – tegen het versleten hout van de trap. Björn deed zijn ogen niet open, maar telde in stilte. Acht, negen, tien ...
'Help! Au! Potverdomme!'
Een doffe bons toen Birger viel, een fladderend geluid toen de schriften zich over de vloer in de hal verspreidden. Björn glimlachte in het donker. Jawel. Sommige dingen gaan precies zoals je verwacht. Hetgeen bewezen zou worden.
'Sorry voor wat ik zei', riep Birger. 'Ik struikelde blijkbaar.'
Niemand reageerde. Het was helemaal stil in huis.

Inez, de moeder van Susanne maar niet van Björn, zette de boter in de buffetkast en trok haar wenkbrauwen op. O. Was het weer zover. Struikelen. Vloeken. Excuses.

De wereld was niet helemaal nieuw. Ondanks het feit dat Björn een tieneridool was geworden, waren sommige dingen nog steeds precies zoals ze altijd waren geweest. Birgers linkervoet, maat vierenveertig, zat de rechtervoet, die pretentieloos genoegen nam met maat negenendertig, elke week wel een keer in de weg. Dat was een feit waar op zichzelf gemakkelijk mee te leven viel, net zoals met het feit dat hij altijd twee paar schoenen tegelijk moest kopen: één paar in elke maat. Daarentegen was het niet zo gemakkelijk te verteren dat er dertien ongebruikte rechterschoenen in maat vierenveertig in een hoekje in de kelder stonden en evenveel linkerschoenen in maat negenendertig. Dit kwam – voor de zoveelste keer – ter sprake tijdens de warme maaltijd. De overgebleven schoenen mochten namelijk niet worden weggegooid. Je kon geen splinternieuwe en ongebruikte schoenen weggooien, ook al had je er niets aan, beweerde Birger. In andere kwesties was hij wel bereid tot onderhandelingen en discussies, aanpassingen en compromissen, maar wanneer het de ongelijke paren in de kelder betrof, was hij onvermurwbaar. Die mochten niet worden weggegooid. Ze zouden vast nog eens van pas komen.

Inez ergerde zich al lang aan die schoenen, daarom werd ze een beetje bits toen Birger zijn uiteenzetting gaf. Natuurlijk, zei ze. Uiteraard diende hij zijn ongelijke paren te bewaren. Er kon immers elke dag iemand opduiken die precies was zoals hij, maar dan omgekeerd om zo te zeggen, een man met een grote rechtervoet en een kleine linkervoet. Dan konden Birger en hij schoenen ruilen en daarna nog lang en gelukkig leven. En omdat die gezegende toestand naar alle waarschijnlijkheid ongeveer zou plaatsvinden op het moment dat Pasen en Pinksteren op één dag vielen, zou dus ...

Birgers vork bleef halverwege zijn mond steken.

'Wat is er?' zei hij verbouwereerd. 'Ben je boos?'
'Hoezo boos? Ik zou ...'
Inez viel midden in de zin stil, zich plotseling bewust van het feit dat ze te ver was gegaan. Björn en Susanne vonden haar niet grappig. Ze zaten met een onbewogen gezicht naar hun bord te kijken, zoals ze al zo vaak naar de verbleekte bloemen op het aardewerk voor dagelijks gebruik hadden zitten staren, ervoor oppassend dat ze Inez niet aankeken. Ze kreeg tranen in haar ogen toen ze opeens besefte dat Björn ernaar verlangde dat hij van haar af was, dat hij van tafel wilde opstaan om te verdwijnen, dat hij zich waar dan ook in huis wilde verstoppen om buiten het bereik van haar stem te zijn. Hij vond haar gewoon lastiger dan anders. Ze vonden haar alle drie lastiger dan anders.

En misschien hadden ze gelijk. In deze dagen was het lastiger dan anders om Inez te zijn. Ze voelde de irritatie in heel haar lichaam, die kriebelde op haar hoofd, die kietelde in haar luchtwegen, die deed de slijmvliezen in haar neus opzwellen en haar droge huid in tienduizend nieuwe onzichtbaar kleine kloofjes barsten. Het was onbeschrijflijk irritant om zo geïrriteerd te zijn, om nergens verlichting te kunnen vinden. Ze had dat heus wel geprobeerd. Gisteren, voordat Björn kwam, had ze een warm bad genomen en nadien haar hele lichaam met vette crèmes ingesmeerd, ze had haar haren in lanoline en warme handdoeken ingepakt, en bovendien stiekem de overgebleven slagroom naar binnen geschrokt van de taart die ze had gebakken om Björn welkom thuis te heten. Ergens in haar achterhoofd had ze het idee dat al dat witte, vette en romige in haar zou doordringen, van binnen naar buiten en vice versa, en haar soepel, zacht en in haar totaliteit aangenaam zou maken. Maar het hielp niet. Ze had nog steeds kloofjes in haar droge huid, ze had roos, haar irritatie schuurde. En voordat ze zich kon inhouden, schoot de verboden gedachte door haar hoofd: *hij is van mij!*

Nee. Dat mocht ze niet denken. Ze sloot haar ogen, liet haar schrale handen in het warme afwaswater zakken, bleef enkele tellen roerloos staan en zag ze rood worden. Daarna liet ze haar blik over haar sproetige onderarmen gaan terwijl ze nadenkend aan haar onderlip trok en een droog velletje wegpulkte. Het naakte vlees glansde even als een geschilde druif, waarna de poriën zich snel met bloed vulden. Het branderige gevoel deed haar goed; dat herinnerde haar eraan dat ze haar best moest doen. Niet chagrijnig zijn. Zich niet op stang laten jagen. Nu Björn eindelijk weer thuis was, moest ze lief zijn. Lief en vriendelijk, zacht en begripvol. Ook al zou ze er zelf aan onderdoor gaan.

'Ik beloof het', zei ze op halfluide toon tegen zichzelf, maar ze hield de woorden en gedachten in en keerde de blik naar binnen.

Terwijl ze met de afwas aan de slag ging, zag ze voor haar geestesoog hoe Elsie, haar tweelingzus en evenbeeld, de moeder van Björn maar niet van Susanne, op het dek stond van de Amerikaanse atoomijsbreker Twilight, die zich ergens door het pakijs van een noordelijke zee werkte. Iemand legde zijn grove hand in Elsies nek, tilde het kroezende, maar vreemd kleurloze haar op, en kuste snel de witte huid daaronder. Ze deed net of ze het niet merkte, boog zich alleen een tikje verder over de reling en liet de schrijnende ijswind over haar wangen gaan.

'*A penny for your thoughts* ...' zei de man achter haar rug terwijl hij zijn armen om haar heen sloeg en haar zo stevig vasthield dat ze zich niet kon verroeren. Ze wurmde wat heen en weer, maar dat voelde hij niet.

'Ik denk aan een rood huis ergens.'

De wind pakte haar woorden en fladderde ermee weg. De man boog zich voorover en legde zijn mond tegen haar oor.

'*What? I couldn't hear you.*'

Zijn woorden kietelden haar trommelvlies. Elsie zette haar handen tegen de reling, gaf hem een duw en maakte zich los.

'*Nothing. Let's go inside. It's freezing out here.*'

Inez zuchtte, sloot haar ogen en verzonk dieper in haar fantasie.

Want het was maar een fantasie. Elsie zat namelijk op dat moment in een café in Lime Street Station in Liverpool naar een tegelmuur te staren. Ze was al heel lang niet meer door iemand in haar nek gekust. En de ijsbreker Twilight bestond niet; die had ze een paar jaar geleden een keer in een brief aan haar zus verzonnen en was ze daarna meteen weer vergeten. Ze dacht ook helemaal niet aan een rood huis ergens. Ze dacht aan de muur voor zich. Waarom betegelde je een heel café? Dat snapte ze niet. Werd de plek 's nachts soms als slachterij verhuurd en spoelden ze 's ochtends de boel met een slang schoon? Of werden er 's nachts bacchanalen aangericht die allerlei onhygiënische sporen achterlieten in de inrichting?

Ze glimlachte bij zichzelf en roerde in haar kopje. Een Britse orgie met gin en beleefde zedeloosheid zou misschien niet zo gek zijn. Dat wil zeggen, als je daartoe neigde. Als je je niet liever verlustigde in de wat stillere vreugdes van de eenzaamheid.

Op dit moment kon Elsie zich ook rustig overgeven aan die vreugdes, omdat ze pas die middag was afgemonsterd, en zelfs voor zichzelf nog niet had onthuld wat ze hierna zou gaan ondernemen. Zou ze over een poosje opstaan om naar het perron te lopen en de trein naar het noorden te nemen, naar Newcastle, en de veerboot naar Zweden? Of zou ze naar het zuiden gaan, naar Londen? Of zou ze juist door de grote glazen deuren de straat op gaan om een hotel in de buurt te zoeken? Ze wist het niet. Maar ze vond het interessant om te zien wat ze zou kiezen. Ze wilde het beslissingsproces nauwkeurig volgen om te zien wat het besluit nam: of dit haar voeten waren, of dat het haar buik was of een onbekend kliertje, ergens diep in het brein verborgen.

Aan de andere kant wist ze natuurlijk ook niet welke van de drie, haar voeten, haar buik of die onbekende klier, het was geweest die haar die middag had doen afmonsteren. Vorige week had ze nog gedacht dat ze na een paar dagen Liverpool opnieuw over de Atlantische Oceaan zou terugkeren met het MS Nordic

Star. Ze zou ergens in Canada afmonsteren, meer dan een jaar gage incasseren en vervolgens met een dikke portemonnee de trein naar New York nemen. Ze had naar New York verlangd. Toch had ze drie dagen geleden haar koffer al tevoorschijn gehaald, en toen ze haar hut verliet voor de wacht van de laatste nacht stond de koffer ingepakt en klaar. De kapitein was niet blij. Integendeel. Hij had zo hard gescholden dat haar de haren letterlijk om de oren vlogen.

'Maar waarom?' had de bootsman gevraagd toen ze op het dek een sigaretje stonden te roken en het vaartuig door het bruine water van de Mersey stevende. 'Ik dacht dat je dit schip prettig vond?'

Elsie vertrok haar gezicht in een ongelukkige grimas. Ze kon er geen waarheidsgetrouw antwoord op geven. Ze vond het inderdaad een prettig schip. Het was in feite een van de beste vaartuigen waarop ze ooit had gezeten, maar toch wist ze dat ze niet op haar besluit kon terugkomen.

'Ik wil naar huis', zei ze uiteindelijk. 'Ik ben al meer dan een jaar niet in Zweden geweest.'

'En je kon niet nog een maand wachten?'

Elsie drukte haar sigaret uit tegen de witte reling. De wind blies de as weg, maar er bleef een zwarte afdruk achter. Zonder erbij na te denken trok ze de rechtermouw van haar uniform over haar hand om de afdruk weg te poetsen. Enigszins verwonderd keek ze daarna naar het roet op de blauwe gabardine stof. De vlek was niet weg. Die was alleen maar op een andere plaats gaan zitten.

'Ik heb een zoon', zei ze.

De bootsman trok zijn wenkbrauwen op.

'O ja? Hoe oud is hij dan?'

'Negentien.'

'En je hebt hem al meer dan een jaar niet gezien?'

'Inderdaad.'

De bootsman liet zijn peuk in de rivier vallen.

'Ja, ja', zei hij. 'Dan snap ik het.'

Het bleef een poosje stil. In de verte konden ze Pier Head ontwaren en de hoge torens met hun vogels. Liverpools baken.

'Hij woont bij mijn zus', zei Elsie. 'Mijn tweelingzus. We zijn eeneiige tweelingen. Exacte kopieën.'

De bootsman haalde zijn schouders op. Dat ging hem niets aan.

In feite wist Elsie echter net zomin of ze over een paar dagen naar Zweden en naar huis zou gaan of dat ze vannacht in Liverpool zou blijven. Misschien. Misschien niet. Eigenlijk was ze van plan geweest tot het voorjaar te wachten, want Björn zou in mei eindexamen doen en daar wilde ze natuurlijk bij zijn. Vooropgesteld dat het werkelijk doorging. Wat op zijn beurt weer veronderstelde dat hij nog naar school ging en eindelijk iets aan zijn cijfers had gedaan. Ze wist het niet. Ze hadden al een paar maanden niet meer met elkaar gepraat, en de laatste keer was een rasperig radiogesprek geweest, waarvan ze allebei maar een paar woorden hadden kunnen verstaan. Elsie had iets geroepen over mist en ijs, en de winter die eraan kwam, hoewel de Labradorzee er voor de patrijspoort van de radiohut glimmend en zomers blauw bij lag. Björn had verteld dat hij zanger was geworden in een nieuwe band, een band die al veel optredens had en binnenkort een plaat mocht opnemen, maar hij had niet verstaan wat ze zei toen ze informeerde naar cijfers en vakantiewerk. Daarna had Inez het gesprek overgenomen en roepend uitgelegd dat met Birger, Susanne en haar alles goed was, maar dat Lydia een beetje kinds aan het worden was. Niet dat er al werkelijk gevaar dreigde, maar Elsie moest misschien niet te lang wachten voor ze naar huis kwam. Anders zou Lydia haar misschien niet meer herkennen.

Elsie had niet goed geweten wat ze ervan moest denken. Lydia was niet erg oud, ze was nog niet eens met pensioen, en vorig jaar was ze nog glashelder geweest. Maar ondanks alles was Inez toch Elsies tweelingzuster en ooit was ze bovendien haar beste vriendin geweest, degene die ze op de hele wereld het best meende te kennen en begrijpen. Zou zij echt iets bij elkaar kunnen liegen over hun eigen moeder, alleen maar om Elsie ongerust te maken?

Elsie dronk het laatste slokje van haar koffie op en glimlachte in stilte. Jawel, hoor. Dat zou ze doen. Inez kon van alles verzinnen om Elsie een beetje te pijnigen. Dat wist ze, omdat ze zelf al jaren insinuaties en halve leugens om zich heen strooide om Inez te plagen en haar afgunst op te wekken. Zoals toen ze een paar jaar geleden na het verjaardagsfeest van Lydia stonden af te wassen. Terwijl Elsie de glazen afdroogde, leunde ze tegen het aanrecht en ze vertrouwde Inez toe dat zwarte mannen een huid hadden die letterlijk koel als zijde was en dat alles wat er verder over hen gezegd werd – ze wilde niet in details treden, maar Inez snapte het wel – ook waar was. Inez had er vlekken van in haar hals gekregen en weigerde haar aan te kijken.

'Je bent niet goed snik', zei ze terwijl ze strak naar het afwaswater bleef kijken.

Elsie schoot in de lach en hield met half toegeknepen ogen een glas tegen het licht van de keukenlamp om te controleren of het schoon was.

'Geloof me. Het is een van de lekkerste dingen die ik heb gedaan.'

'Hoe heette hij?'

Elsie ging snel bij haar geheugen te rade, op zoek naar een geschikte naam.

'Abe', zei ze ten slotte.

Abe? Waar haalde ze dat vandaan? De enige Abe die ze kende was een rimpelige Schot, die jaren geleden een paar maanden op hetzelfde schip had gezeten als zij. Ze had sindsdien nooit meer aan hem gedacht. Daar was ook geen reden voor. Ze hadden nauwelijks met elkaar te maken gehad, en hij was bepaald geen geschikt object voor erotische fantasieën. Maar Inez had gehapt. Ze hapte altijd wanneer Elsie haar uitdaagde.

'Waar hebben jullie elkaar ontmoet?'

'In New Orleans.'

'In het zuiden van de vs? Konden jullie je daar dan samen vertonen?'

Elsie glimlachte en zette het laatste glas in de kast. Ze vouwde de theedoek op. Inez had natuurlijk aparte theedoeken voor glasen aardewerk. Plus eentje extra, die gesteven en gestreken op de keukentafel lag te wachten op het bestek. Uiteraard. Het kleine juffertje Verstandig was veranderd in de grote mevrouw Huiselijk.

'We hebben ons nooit buiten vertoond', zei ze terwijl ze de theedoek voor het aardewerk pakte. 'We zaten immers op hetzelfde schip.'

'Je bent niet goed snik', zei Inez opnieuw.

ALS KIND GINGEN Elsie en Inez in elkaars fantasieën op, ze steunden en bevestigden elkaar, en wanneer een van hen beiden terugging naar haar jeugd, dan waren het de fantasieën die ze zich herinnerde. Hun fantasieën en het licht. Ze hadden het gevoel alsof ze heel hun vroege jeugd elk in hun eigen bed hadden doorgebracht in de kamer met het bruine behang die de kinderkamer werd genoemd, alsof ze jarenlang onder de rode doorgestikte dekens en de witte lakens hadden gelegen, ingesloten door het vuilgele licht van een zware messing lamp met perkamenten kap die op een oud bureau tussen de bedden in stond. De wereld bestond niet, ze hoorden noch het piepen van de trams buiten op straat, noch de radio die in de woonkamer stond te fluisteren, noch de mompelende stem van hun moeder of het hoesten van hun vader.

'En toen hadden we allebei een vogel', zei Elsie. 'En daar vlogen we op ...'

'Maar geen gans', zei Inez. 'Een zwaan. Toen hadden we allebei een zwaan.'

'En toen vlogen we hoog ...'

'Over een groot bos, een bos dat helemaal donker was ...'

'Maar er lag wel sneeuw op de grond.'

'En heel in de verte bergen. Donkere bergen met witte toppen.'

'En met een paleis helemaal boven op de grootste berg. Van glas.'

Ze lagen een poosje te zwijgen, Inez op haar rug en Elsie op haar buik, en ze zagen de zwanen rond het paleis cirkelen. Binnen bewogen zich een paar wazige gestaltes. Je kon door het dikke glas niet goed zien hoe ze eruitzagen of wat ze deden, maar hun gebogen ruggen en trage bewegingen duidden erop dat ze verdrietig waren.

'De koningin moet huilen', zei Inez. 'Maar ze wil niet dat iemand dat ziet.'

'Maar de koning huilt niet', zei Elsie.
'Hij hoopt.'
'Ja. Een waarzegster heeft tegen hem gezegd dat er hoop is.'
'Als iemand hem maar naar de put in het bos brengt, wordt hij beter ...'
'Maar hij weet niet waar die put is.'
'En je kunt niet uit het paleis komen als je niet vliegt.'
'Dus denkt de koning dat er niemand is die hem kan helpen. Maar dan komen wij.'
Ze lieten de koning op de ene zwaan plaatsnemen en gingen zelf op de andere zwaan zitten. Ze zeiden tegen hem dat hij zich goed moest vasthouden en lieten hun vogels opstijgen. Een paar minuten later – toen de koning een slokje uit de toverput had genomen en meteen beter was geworden – lieten ze de vogels nog hoger opstijgen. Ze vlogen door wolken die naar suikerspin smaakten, ze knepen de kometen in hun staart en konden bijna de sterren aanraken, waarna ze de zwanen lieten terugkeren naar het paleis van de koning en de wachtende koningin. Ze was heel blij dat Elsie en Inez de koning weer beter hadden gemaakt. Elke avond was ze even blij.
Wanneer Lydia even later naar binnen sloop om het licht uit te doen, hadden Inez en Elsie hun ogen dicht. Ze spraken er nooit over wat ze dachten wanneer het donker werd, maar lieten het elkaar soms voelen.
'Waarom is God zo dom?' snikte Inez op een dag toen ze was gevallen en zich zeer had gedaan.
Elsie reageerde niet meteen; ze keek alleen om zich heen om zich ervan te vergewissen dat niemand had gehoord wat haar zus had gezegd.
'Dat vraag ik me ook af', zei ze terwijl ze Inez hielp om het grind uit de schaafwond te vegen. 'Dat vraag ik me echt af.'
Méér mocht je niet zeggen.

Natuurlijk konden ze zich ook al het andere herinneren, datgene wat de werkelijkheid werd genoemd, ook al was dit niet even duidelijk. De wereld om hen heen werd pas echt tastbaar toen ze op school begonnen. Voordien hadden ze in het grote appartement naar elkaar toegekeerd geleefd, dezelfde spelletjes gedaan, naar dezelfde verhaaltjes geluisterd en dezelfde gedachten gehad.

Ze ontmoetten zelden andere kinderen, en wanneer dat een enkele keer gebeurde, waren Inez en Elsie vooral beduusd. Andere kinderen waren raar. Ze konden niet spelen, niet echt, niet zoals Inez en Elsie speelden en zoals je moest spelen. De jongens waren het ergst, vooral eentje die Gottfrid heette. Wanneer hij met zijn moeder kwam, had zij zijn neus altijd net gesnoten en een natte kam door zijn haren gehaald, maar zijn moeder was nog niet met Lydia in de bibliotheek verdwenen om thee te gaan drinken of zijn haar zat verschrikkelijk in de war en hij liet zijn snot lopen. Zijn idee van echt lekker spelen was rondbanjeren in de kinderkamer en alles op zijn pad omvergooien. Elsie en Inez kropen op Elsies bed en sloegen hem met een kritische blik gade. Waarom vond hij het in vredesnaam zo leuk om alle sprookjesboeken helemaal achter in de kast te proppen? Of het hele mikadospel op de grond te gooien wanneer hij toch geen zin had om ermee te gaan spelen? En waarom moest je zuchtend en kreunend op het bureau klimmen om er vervolgens alleen maar af te springen? Misschien bezeerde je je wel; dat moest zelfs Gottfrid toch begrijpen. Maar dat deed hij blijkbaar niet, omdat hij nu op de grond zat te snikken met een snottebel die tot op zijn bovenlip hing. Hij was gewoon dom. Gewoon onbegrijpelijk dom. Ze besloten hem te negeren.

'Zullen we savojeng spelen?' zei Elsie tegen Inez.

Inez knipperde met haar ogen; ze had dat woord nog nooit gehoord, maar speelde het spelletje meteen mee.

'Ja', zei ze. 'Het is toch donderdag? Dan moet je savojeng spelen.'

Gottfrid was blijven staan bij het poppenhuis, druk bezig het zwarte deksel van het wc-potje omhoog en omlaag te klappen. Het was natuurlijk een heel modern poppenhuis, want Ernst had het zelf gebouwd tijdens zijn laatste verblijf in het sanatorium. Hij had er zelfs elektrisch licht in aangelegd, al mocht de lamp alleen op zondag aan. Anders was de batterij te snel leeg.

'Wat?' zei Gottfrid.

Inez sloeg haar armen om haar pop en drukte die tegen zich aan, Elsie deed haar haarspeld goed.

'Wat is savo...?' zei Gottfrid. 'Wat je net zei.'

Inez wierp Elsie een snelle blik toe.

'Hij weet niet wat savojeng is.'

Elsie trok haar wenkbrauwen op.

'Nee, natuurlijk niet ... Dat is toch ook geheim.'

'Vooral voor jongens.'

'Ja, want jongens snappen toch niks ...'

Gottfrid liet de wc-pot los.

'Kijk maar', zei Inez. 'Nu zet hij de wc in de salon.'

'Misschien hebben ze bij hem thuis de wc in de salon ...'

Inez schoot in de lach.

'Is dat zo? Hebben jullie de wc in de salon en het fornuis in de badkamer?'

Gottfrid begon te snikken: 'Natuurlijk niet. Maar wat is savo...? Wat je net zei.'

'Een geheim.'

'Dat zeiden we toch.'

'Jongens mogen dat niet weten.'

'Vooral geen jongens bij wie de wc in de salon staat ...'

Gottfrid keek hen even aan, bestudeerde de identieke zussen Hallgren zoals ze daar met hun blonde hoofden naar elkaar toe gebogen op het bed zaten; Inez met haar haarspeld rechts en Elsie met haar haarspeld links, gekleed in exact dezelfde witte bloesjes met een ronde kraag, en lichtgeplooide blauwe rokjes. Hij aarzelde nog even, probeerde in te schatten of hij sterker was dan zij en overwoog zijn kansen, tot Elsie en Inez opeens naar hem glimlachten, twee duistere en tamelijk boosaardige lachjes. Ze waren natuurlijk ook tegelijk hun melktanden aan het wisselen. Gottfrid gaf het op.

'Mama!' gilde hij. 'Mamaaaa!'

En zijn moeder kwam. Ze stond met een bleek glimlachje in de deuropening. Achter haar ontwaarden ze een bezorgde Lydia.

'Maar Gottfrid! Wat is er aan de hand, Gottfrid?'

Gottfrid lag op de grond met zijn benen te schoppen, snotteriger dan ooit.

'Ze zijn stom! Ze hebben geheimen!'

Zijn moeder trok hem overeind en toverde een zakdoek uit de zak van haar jurk.

'Maar natuurlijk hebben ze geheimen', zei ze terwijl ze zijn neus afveegde. 'Het is toch een tweeling.'

En zo was het natuurlijk ook. Inez en Elsie waren een tweeling, eeneiige tweelingen nog wel, en dat verklaarde bijna alles. In de ogen van anderen leken ze even mysterieus met elkaar verenigd als ze van alle anderen gescheiden waren. Iedereen kende de tweeling Hallgren, maar niemand kon ze uit elkaar houden. Ze waren bijna altijd samen, en als ze eens een keer gescheiden werden en er opeens alleen voor stonden, gaf dat een leeg en verlaten gevoel. De lachjes van volwassenen doofden uit en hun blikken gleden onverschillig over hen heen. Het was alsof het tweelingschap hen in feite in de wereld verankerde en hun bestaan bevestigde. Toen Lydia hen enkele dagen na hun zevende verjaardag meenam naar het kerstpel in de stadsschouwburg ging er een geroezemoes door het publiek van andere moeders toen Inez en Elsie hun jasjes uittrokken en hun lichtblauwe taft jurkjes onthulden – *Oo! Wat een schattige meisjes!* Inez en Elsie tastten snel naar elkaars hand, alsof ze het beeld meteen nog perfecter wilden maken. En toen op school de namen werden afgeroepen glimlachte juffrouw Bergström bijzonder hartelijk naar hen en ze leerde onmiddellijk hun namen, ook al klonken die uit haar mond als één naam. *Inezenelsie! Welkom!* Om nog maar te zwijgen over groenteboer Fritzson, die bijna elke middag wanneer zij op weg van school voorbijkwamen naar buiten keek en zich in zijn winkel de ogen uitwreef – *Oei! Ik begin zeker dubbel te zien!* – alleen om hen vervolgens binnen te vragen en een appel te laten uitkiezen. Hij legde de vrucht op het witte marmer van de toonbank en sneed hem met een scherp mes in twee stukken, glimlachend om hun bedankje en diepe knicksjes, waarna hij zijn bril afzette om die met zijn schort schoon te maken. Niets te danken! Het was hem een genoegen. In deze sombere dagen was de verschijning van kleine meisjes immers alleen al een vreugde en wanneer het er bovendien twee waren, dan was het ook een dubbele vreugde.

Als je een tweeling was, was je dus uitzonderlijk; letterlijk uitgezonderd van alle anderen en uitzonderlijker dan de rest. Dat had zijn voordelen. Toen in de eerste weken van het najaarstrimester de andere eersteklassertjes in de pauze timide bij de kapstokken klitten, trokken Elsie en Inez zonder aarzeling hun jas aan en zetten hun alpino op om het schoolplein op te rennen. Waar moest je bang voor zijn? Ze waren de enige tweeling op de hele school en weldra wist iedereen, zelfs de jongens uit klas zeven, die grauwbleke dertienjarigen met hun grote knieën, die al droomden van een baantje als loopjongen, wie de tweeling Hallgren was, ook al verlaagden ze zich er natuurlijk nooit toe met hen te praten. Maar de meisjes in de zevende klas, die voortdurend met hun handen in hun haar stonden te draaien, alsof ze met behulp van hun vingers en pure wilskracht golven en krullen zouden kunnen maken, praatten des te meer. Met een schuin hoofd hurkten ze voor Inez en Elsie neer en ze praatten in een brabbeltaaltje. *Wat waren ze toch schattige lieve-pieve ...* Inez en Elsie glimlachten en toonden de kuiltjes in hun wangen, waarop de schelle stemmen van de grote meisjes nog een octaaf verder de lucht in schoten. *Wat schattig!* En daarop besloten ze – Solveig, Emma, Elsa, Gunhild, Signe en Inga – dat ze als ze later groot waren, allemaal een tweeling zouden nemen, schattige, witblonde tweelingmeisjes met krullend haar en kuiltjes in de wangen. Net als de tweeling Hallgren.

Iedereen zag ons, dacht Elsie terwijl ze haar kopje naar haar mond bracht. En toch …

Ze was vergeten dat ze haar koffie al ophad. Ze zette het kopje zo snel terug op het schoteltje dat het even rinkelde. Nu had haar lichaam zijn besluit genomen, dat was duidelijk, want het stond op en liet haar de uniformmantel pakken die over de rug van de stoel hing. Haar rechterhand ging naar haar hoofd om te controleren of de uniformpet zat waar hij moest zitten, vervolgens bogen haar knieën zich en pakte haar linkerhand haar koffer. Haar voeten zetten koers naar de grote glazen deuren, die uitkwamen op Lime Street.

O. Dan zou ze vannacht dus in Liverpool blijven. Maar wie of wat dat besluit nam, daar had ze nog steeds geen idee van.

Stork Hotel was een overblijfsel uit een andere tijd, een wrak met een witte gevel en een fluweelrode binnenkant dat midden in het koninkrijk van een nieuwe generatie was aangespoeld. Binnen in het hotel bestonden de jaren zestig niet; hier was niets wat ook maar in de verte herinnerde aan The Beatles en de Mersey Beat. De verlichting had een doffe goudkleur en de dikke tapijten dempten elk geluid. Bij de ingang salueerde een zeer kort geknipte piccolo in een rood uniform en bij de receptie wachtte een jonge portier die in een jacquet gekleed was, met gestreepte broek en al; hij had rode schaafwonden aan zijn hals van de gesteven kraag. Toen hij Elsie de sleutel overhandigde, maakte hij een lichte buiging. Het ontbijt werd tussen zeven en tien geserveerd, maar als ze nu al iets wenste ...

Ze had echter geen wensen. Het enige wat ze wilde, was naar haar kamer gaan. De kleine piccolo had haar koffer al gepakt voordat ze hem kon tegenhouden – die koffer was immers veel te zwaar! – en hij liep er half slepend mee naar de lift. Hij hield de deur open en maakte een overdreven buiging toen zij naar binnen stapte.

'*Excuse me, madam*', zei hij terwijl hij haar uniform bekeek. '*Are you in the navy?*'

Elsie schoot in de lach.

'Nee', zei ze. 'Ik ben marconist. Maar niet bij de marine. Op een gewoon handelsschip.'

'Aha', zei de jongen. 'Als ik achttien ben, ga ik naar de zeevaartschool.'

'Dus je wilt kapitein worden?'

'Of bootsman. Mijn vader was bootsman.'

'Maar dat is zwaar werk ...'

Hij wierp haar een snelle blik toe. Misschien had ze hem gekwetst door aan te stippen hoe klein en dun hij was. Ze probeerde het met een glimlach te vergoelijken.

'Hoe heet je?'

'Malcolm.'

'Jij zult vast een enorm goede bootsman worden, Malcolm.'

Hij hield de liftdeur opnieuw open en zij stapte een gang op waar gebloemde vloerbedekking lag. Die was matig schoon.

'Ik wil de hele wereld zien', zei hij. 'Mijn vader is maar in drie werelddelen geweest, maar ik wil ze alle vijf zien. Hoeveel werelddelen hebt u bezocht, madam?'

Terwijl hij de deur van haar kamer van het slot deed, dacht ze na.

'Vier', zei ze toen ze de kamer binnenstapte. 'Europa, Azië, Australië en Amerika. En de Noordpool.'

Hij liet de koffer op de grond ploffen.

'De Noordpool! Ik zou er alles voor overhebben om naar de Noordpool te gaan. Was het daar fantastisch?'

Ze glimlachte. Ze herkende die droom.

'Ja. Echt fantastisch.'

'Grote ijsbergen?'

'Nee, daar niet. Gewoon vlak ijs. Maar soms is dat mooi genoeg, vooral in de zomer. Er ontstaan als het ware kleine meertjes op het ijs, aquamarijnblauwe meertjes ...'

'Aqua... wat?'

Elsie wurmde zich uit haar uniformmantel en keek om zich heen. De hotelkamer was erg bloemrijk. Rode rozen op het tapijt, roze rozen op de muur, beige rozen op de gordijnen.

'Hemelsblauw. Net zo blauw als de hemel op een echt mooie zomerdag. Toen ik ze voor het eerst zag, was het mooi weer en daarom dacht ik dat de hemel zich erin weerspiegelde en hun die kleur gaf, maar de volgende dag zag ik al dat ze net zo blauw waren wanneer het bewolkt was. Toen waren ze eigenlijk nog mooier.'

De jongen stond stijf in de houding; hij kneep alleen een beetje zijn ogen toe, alsof hij in de verte probeerde te kijken. Elsie wierp hem een snelle blik toe voordat ze zich op het bed liet zakken. De matras leek hard, maar dat kon haar op dit moment niet schelen; ze was immers op de Noordpool met een kleine piccolo.

'Later kwam ik erachter dat die kleur door de tijd wordt geschapen. Het ijs wordt elk jaar blauwer … In Zweden, waar ik vandaan kom, is het ijs altijd wit, want dat smelt in de zomer, maar in de Noordelijke IJszee is het blauw. Echt blauw. Het smelt nooit, in de zomer ontstaan alleen die kleine meertjes op de oppervlakte. Blauwe meren in witte sneeuw, het ziet eruit alsof iemand een enorme legpuzzel in blauw en wit heeft gemaakt …'

Ze deed haar handtas open en begon naar haar portemonnee te zoeken. Tijd voor de fooi. Malcolm leek dat echter niet op te merken.

'Hebt u ook ijsberen gezien, madam?'

Ze pakte een paar *penny's* en strekte haar hand naar hem uit.

'Ja, maar niet op de Noordpool. Daar kunnen ijsberen helemaal niet leven. Die zitten meer naar het zuiden.'

Ze bewoog even met haar hand zodat de munten rinkelden. Hij knipperde met zijn ogen en strekte zijn tot een kom gevormde hand naar haar uit.

'Ooit ga ik daarnaartoe', zei hij.

Elsie glimlachte naar hem.

'Hoe oud ben je, Malcolm?'

'Vijftien.'

Vijftien? Ze sloeg er bijna van achterover. Ouder was hij zeker niet. Maar dat zei ze natuurlijk niet.

'Dan heb je nog tijd genoeg. Jij krijgt de gelegenheid nog wel om zowel de Noordpool als alle vijf continenten te zien.'

'Ja', zei Malcolm ernstig. Hij stopte de fooi in zijn broekzak. 'Ik vind dat je dat moet proberen. Als je hier toch bent.'

Elsie trok haar wenkbrauwen op.

'Hier?'

'Op aarde', zei Malcolm en hij salueerde snel. 'Je moet gewoon zoveel mogelijk zien terwijl je hier op aarde bent.'

Toen hij vertrokken was, deed ze de plafondlamp uit en het wandlampje aan. Vervolgens was ze een hele tijd bezig om de haarspelden uit haar Grace Kellyrol te halen. Ze wreef over haar hoofd en schudde met haar losse haren zodat het kriebelde in haar nek. Met haar handen onder haar hoofd ging ze naar de schaduwen van het stucwerk aan het plafond liggen kijken. Het was heel stil, zo stil dat ze opeens nerveus werd en terugverlangde naar het schip en de geruststellende hartslag van de motoren. Het was nooit gemakkelijk om aan land te gaan, in feite werd het elke keer moeilijker om te wennen aan alle straten en gebouwen, alle kleuren en voorwerpen, alle plotselinge verschijningen en verdwijningen, alle gezichten en kleren, alle stemmen, geluiden en – niet in de laatste plaats – aan de stilte, die soms zo compact was dat Elsie erdoor uit de diepste slaap werd gehaald en die haar een ademloos moment deed geloven dat de nachtmerrie uit haar jeugd was uitgekomen, dat ze de enige overgeblevene op de wereld was, dat iedereen, zelfs Inez, haar bestaan was vergeten en ergens anders naartoe was gegaan.

Het leven aan boord was in alle opzichten gemakkelijker. De zee en de hemel veranderden van kleur, maar de horizon lag waar hij lag, het aantal taken was gering en overzichtelijk, de hiërarchie lag vast en die kon je onmogelijk ter discussie stellen. Wanneer de wacht erop zat, deed ze deur achter zich dicht van een hut die zo eenvoudig en puur was als een kloostercel. Het was een wereld waar je ogen en zintuigen tot rust kwamen, waarvan je langzamer ging ademen en je gedachten kalm werden ... Vooropgesteld, natuurlijk, dat het tot iedereen van de bemanning, van de kapitein tot de jongste matroos, was doorgedrongen dat ze niet van plan was met iemand van hen naar bed te gaan. Met niet één.

Tijdens de eerste maanden op zee had ze al geleerd dat het niet genoeg was om nee te zeggen, maar dat haar gezichtsuitdrukking en haar intonatie in feite door dit nee gekenmerkt moesten worden vanaf het moment dat ze aan boord stapte tot nog maanden daarna. Elke glimlach kon leiden tot een klopje op de deur laat in de nacht, elke lach tot een poging van iemand om haar in een hoekje te trekken en zijn lippen op de hare te persen, elke snelle blik tot vreemde handen die zich opeens om haar borsten legden en een baardige kin die in haar nek wreef. Ze had hen vaak van zich af moeten slaan, met tranen in haar ogen en blozend, met angst in haar buik en paniek in haar stem. Toch waren het niet de gretige handen en de hijgende ademhaling waar ze in feite bang voor was. Het was de onderliggende woede. Dit waren mannen die zo opgesloten zaten in hun eigen lust dat ze degene die deze lust opwekte, moesten verafschuwen. Daarom moest elke vrouw die niet verafschuwd wilde worden er ook van afzien dat ze bemind werd, ze moest haar eigen verlangen uitschakelen, haar begeerte in zichzelf wegstoppen en verzegelen, anders zou ze algauw achtervolgd worden door spottend gefluister, dat gefluister dat de medewerkster van de mess of de marconiste die de deur van haar hut had geopend altijd achtervolgde. *De temeier van de kapitein. De hoer van de stuurman! De snol van Nilsson!* Dezelfde woorden die in Landskrona het meisje werden nagefluisterd dat ...

Nee. Alleen al van de gedachte aan die woorden kreeg ze de kriebels, ze wilde er niet aan denken, zich niet herinneren dat die bestonden. Opeens ging er een steek door haar hart. *Björn!* Ze verlangde naar Björn. Daarom kwam ze met een ruk overeind om de telefoon te pakken en ze draaide zonder erbij na te denken het nummer van de centrale.

'Ik wil een gesprek met het buitenland aanvragen', zei ze. 'Met Landskrona. In Zweden.'

'*Oh dear*', zei de telefoniste. 'Ik ben bang dat ik de naam van de stad niet goed heb verstaan. Zou u die kunnen spellen?'

'Dat is niet nodig', zei Elsie. 'Ik heb het kengetal ...'

Zodra ze de hoorn had neergelegd had ze al spijt, maar toen was het te laat. Een keten van telefonistes was al aan het werk gegaan, van de centrale in het Stork Hotel in Liverpool naar Londen, van Londen naar Stockholm, van Stockholm naar Landskrona. Voor haar geestesoog kon ze hen zien zitten met hun koptelefoons en plugjes, een lange rij dames en meisjes met stevige permanenten en zwarte streepjes rond de ogen, die haar werkelijkheid in minder dan tien minuten zouden doorverbinden met die van Björn.

'Hij is van mij', zei ze halfluid tegen zichzelf. 'Hij is heus van mij.'

INEZ NAM OP.

Ze kwam net met een arm vol wasgoed uit de kelder toen ze door de belsignalen werd tegengehouden. Ze snoof. Het zou wel weer een meisje zijn, of – nog erger – meerdere meisjes, die buiten adem en giechelend zouden vragen of ze Björn ook konden spreken. Het gerucht dat hij een paar dagen thuis was, leek zich te hebben verspreid. Toen ze van school thuiskwam, werd er de hele tijd gebeld, en elke keer was het een meisje dat Björn wilde spreken. De eerste vier keer kwam hij aan de telefoon, geduldig luisterend naar het gegiebel en gehakkel van de meisjes en antwoordend met een paar vriendelijke zinnen, maar de vijfde keer zuchtte hij en verzocht hij Inez om niet op te nemen. Ze zaten zwijgend een poosje tegenover elkaar aan de keukentafel en hoorden de telefoon telkens opnieuw gaan. Toen het eindelijk stil werd, stond Inez op om naar de hal te lopen en de hoorn eraf te leggen. Ze legde hem er weer op toen de pendule in de woonkamer acht uur sloeg. Iedereen wist immers dat je na acht uur 's avonds mensen niet meer mocht bellen, of dat zou iedereen tenminste moeten weten. Hoewel die meisjes …

Niettemin kon ze de impuls om op te nemen niet onderdrukken, al sprak ze op zeer afgemeten toon. De telefoniste was ook heel formeel: 'Een telefoongesprek uit Liverpool. Een ogenblik alstublieft.'

Liverpool? Inez liet zich langzaam neerzakken op de stoel naast het haltafeltje. Het was een voorzichtige beweging, omdat ze de kledingstukken niet wilde verkreukelen. Het was weliswaar voornamelijk tricot en dat kreukte niet, maar het was het tricot van Björn en ze wilde alle zorgvuldig gestreken onderbroeken en hemden in een keurige stapel op zijn bed leggen. Dat was een mededeling. Ze wilde dat hij begreep hoe blij ze was dat hij eindelijk thuis was, dat hij haar zou vergeven dat hij zoveel betekende, dat hij …

'Inez?'

Ze kreeg kriebels in haar buik van de bekende stem, maar ze vermande zich snel en antwoordde op dezelfde toon: 'Elsie?'

'Ja. Hoe is het met jullie?'

Er ging een triomfantelijke rilling door haar heen. Ze wist het niet! Elsie had geen idee wat er met haar eigen zoon was gebeurd.

'Goed. Met sommigen van ons gaat het eigenlijk zelfs beter dan met anderen.'

Het werd even stil.

'Wat bedoel je?'

'Björn is doorgebroken.'

Elsie wist nog steeds niet waar ze het over had: 'Doorgebroken? Hoezo doorgebroken?'

'Met zijn band. Zijn popband. Ze staan al vier weken op één in de, hoe heet dat ook weer, de toptien. Hij gaat ook naar Engeland. Zit jij nu niet in Engeland?'

'Inderdaad ...'

'Daar gaat hij heen. Ze gaan aanstaande zaterdag naar Londen. En ze komen op tv.'

'Maar ...'

Elsie hield zich in, ze wist kennelijk niet wat ze moest zeggen. Inez glimlachte naar het zwarte bakeliet van de hoorn.

'Er wordt in alle kranten over hem geschreven.'

Geen reactie. Inez boog zich naar de hoorn, hield haar lippen er vlak bij: 'Hallo? Ben je er nog?'

De lijn begon een beetje te knetteren, misschien zat de telefoniste mee te luisteren, misschien had ze de hele tijd wel zitten luisteren. De mensen waren zo nieuwsgierig; hun nieuwsgierigheid kende gewoon geen grenzen! Inez' stem werd wat scherper: 'Elsie! Hoor je me?'

Licht gekuch.

'Ik ben er nog. Ik ben alleen zo verbaasd. Is hij er? Kan ik hem spreken?'

'Natuurlijk.'

Inez legde haar hand op de hoorn en riep naar boven: 'Björn! Telefoon voor je! Het is Elsie.'

Elsie, dus. Niet 'je moeder'. Net goed. Inez deed een tel haar ogen dicht en luisterde naar Björns voetstappen op de bovenverdieping voordat ze opnieuw iets zei: 'Hij komt eraan. En hoe is het met jou? Kom je al gauw naar huis?'

'Ik weet het niet', zei Elsie. 'We zien wel.'

Inez vertrok even haar gezicht. Natuurlijk.

Björn gleed op gladde sokken de trap af. Nog voor hij beneden stond, reikte hij al naar de telefoon en glimlachend riep hij: 'Heb je het gehoord?'

Hij keerde Inez de rug toe en klemde de hoorn tussen schouder en oor. Zij legde voorzichtig de stapel pasgestreken ondergoed op de onderste traptrede en liep naar de keuken. Ze wilde in de buurt blijven. Ze had heus al het recht van de wereld om in de buurt te blijven, ook al zou het natuurlijk nooit bij haar opkomen om zijn gesprek af te luisteren. Nooit van haar leven. Luistervink spelen was iets lomps en iets lomps moest je vermijden, als het niet was om morele redenen dan toch uit puur zelfbehoud. Iemand die zich met iets lomps inliet, werd zelf per definitie lomp en Inez hoefde maar aan de etymologie van het woord te denken of ze deinsde al terug. Dat was toch walgelijk. Lomp. Lorrig. Bah.

In de hal schoot Björn in de lach en zij zette een stap naar het aanrecht om iets te vinden om mee te rinkelen, zodat ze het niet zou hoeven horen, een niet afgewassen glas bijvoorbeeld, waarmee ze met de onderkant tegen de bodem van de gootsteen kon stoten terwijl ze het met heet water afspoelde. Maar dat was er natuurlijk niet. Ze had de keuken minder dan uur geleden in een perfecte staat achtergelaten en hij was nog steeds perfect. De gootsteen was droog en glom, het aanrecht glom, er zat geen smetje op de zwarte platen van het fornuis, net zomin als op het witte email daaromheen. Maar had ze de keukentafel wel goed afgenomen? Ze pakte het vaatdoekje dat over de kraan te drogen hing en begon langzame eeuwigheidtekens over het grijze formica te maken. Eeuwigheidtekens waren de basis van alle schoonmaakwerk, legde ze aan het begin van elk herfsttrimester uit aan haar leerlingen. Ongeacht wat je deed, of het nu met de vaatdoek, de dweil, de zwabber of de stofzuiger was, je diende hetzelfde patroon van een liggende acht te beschrijven; er was geen betere manier om te garanderen dat je overal kwam en dat het echt schoon werd ...

Nu lachte Björn weer. Nou, hij en Elsie hadden wel plezier. En wat praatten ze lang. Niet dat ze hun dat misgunde, maar je kon je toch afvragen hoe Elsie zich zulke lange telefoongesprekken uit het buitenland meende te kunnen permitteren. Om nog maar te zwijgen over alle cadeaus, kleding, parfums en donkerrode lippenstiften waar ze mee strooide wanneer het haar eens behaagde te verschijnen ...

Inez liet het vaatdoekje los, plofte op een keukenstoel neer en sloot haar ogen. Wat was er met haar? Ze had zichzelf immers beloofd dat ze zacht en aangenaam zou zijn; waarom kon ze haar belofte dan niet houden? Ze móést immers. Ze móést blij en vriendelijk zijn, ook tegenover zichzelf, ze mocht geen boze gedachten koesteren, zichzelf niet nijdig en bits voor de gek houden, niet aan de kriebelende irritatie toegeven. Ze moest zichzelf nauwlettend in de gaten houden, heel nauwlettend, ze moest op elk woord en elke intonatie letten, op elk gebaar en elke gedachte, anders zou ze Björn kwijtraken. En ze wilde hem niet kwijtraken. Ze zou het niet kunnen verdragen om Björn kwijt te raken.

Elsie kwijtraken was een lang proces. Lang en soms pijnlijk. Inez wist niet eens wanneer het was begonnen; soms dacht ze dat dit al was gebeurd op de dag dat ze de wereld in glibberden, Inez voorop en Elsie er vlak achteraan. Ernst beweerde altijd dat Elsie Inez tijdens hun geboorte bij haar hiel had vastgehouden, maar dat was een bewering waar Lydia haar wenkbrauwen bij optrok. Onzin. Zo was het helemaal niet. Ernst kon trouwens helemaal niet weten hoe het eraan toe was gegaan toen Inez en Elsie werden geboren, hij was immers niet eens in de buurt. Toen Lydia in de vierde maand was, werd hij al opgenomen in sanatorium Orup in de buurt van Höör, en daar bleef hij zo lang dat Inez en Elsie al konden staan en lopen toen ze met hun vader kennismaakten. De artsen vonden het namelijk geen goed idee om een patiënt met postprimaire tuberculose naar een appartement te sturen waar zich twee baby's bevonden, hoe ruim die woning ook was. Inez en Elsie waren weliswaar ongeveer de eersten in Zweden die een vaccinatie met BCG kregen – daar had Lydia voor gezorgd – maar het was toch beter om het zekere voor het onzekere te nemen.

Inez en Elsie wisten nooit helemaal zeker wat hun eerste herinneringen aan Ernst waren. Misschien waren het geen echte herinneringen, misschien hadden ze gewoon beelden toegevoegd aan wat Lydia vertelde. Hoe moest een kind van een jaar zich het blaffende gehoest van haar vader kunnen herinneren, of een kind van twee zijn vochtige ogen? En mochten ze werkelijk in de badkamer komen op het moment dat de hele wasbak vol bloed lag? Dat leek onwaarschijnlijk. Net als Lydia waren alle volwassenen er immers volkomen op gefixeerd om hen voor besmetting te behoeden. Ze mochten niet eens in de buurt van het sanatoriumgebouw komen wanneer ze daar op bezoek gingen, dat wisten Inez en Elsie zeker, hoewel hun allervroegste herinneringen daaraan dromerig en vaag waren. Inez waren vooral de geel-wit geruite jurken bijgebleven die Elsie en zij elk voor de reis hadden gekregen. Haar herinnering aan het eerste bezoek aan Orup was bedekt door die ruiten. Die lagen als een raster over het park, het witte gebouw en het bleke gezicht van Ernst, toen hij zich over de balkonreling boog om naar zijn meisjes te zwaaien.

De echte herinneringen, die werkelijk van henzelf waren, betroffen niet het hoesten en bloed opgeven, die betroffen dat andere, dat rare, dat een maand of wat na de terugkeer van Ernst uit het sanatorium gewoonlijk plaatsvond. Schel gelach dat midden in de nacht door het appartement weerklonk. Een zak met cadeautjes die midden in de kinderkamer werd geleegd, hoewel het geen Kerstmis was en er ook niemand jarig was. Lydia's aarzelende glimlach wanneer Ernst op zijn knieën viel en haar voeten kuste. Haar stem die een beetje trilde wanneer ze haar armen om Inez en Elsie heen sloeg, hen tegen zich aan drukte en verzekerde: 'Papa maakt maar een grapje, meisjes! Hij maakt maar een grapje.'

Wanneer de hoest terugkwam, werd het altijd minder met de grappenmakerij. Soms duurde het een paar weken, soms een paar maanden, maar het patroon was altijd hetzelfde: Ernst werd tussen de hoestbuien door steeds stiller, grauwer en magerder, tot hij op een ochtend niet meer uit bed wilde komen. Wat had dat voor zin? Hij was toch veroordeeld, hij zou binnenkort sterven, er was geen hoop ... Wanneer hij naar de ambulance weggedragen werd, stak hij niet eens zijn hand op ten afscheid. Hij deed alleen zijn ogen dicht en sloot zich in zichzelf op. Weer wachtte een jaar in het sanatorium. Als hij geluk had.

Toen de meisjes acht jaar waren, ging het architectenkantoor van Ernst failliet. Dat hoorden ze echter pas jaren later. Het enige wat ze wisten, was dat Lydia weer op een meisjesschool was gaan werken, dat ze Engels en Frans gaf, en dat Anna-Lisa, hun keukenmeisje, 's middags op hen moest passen. Anna-Lisa was een mollig, popperig meisje met blozende wangen en stralend blauwe ogen – volgens Ernst een waar prachtexemplaar van Zweeds stamboekvee – maar stil en chagrijnig. Ze serveerde koffiebroodjes en chocolademelk wanneer Inez en Elsie uit school kwamen. Met bungelende benen zaten die haar op een keukenstoel te bestuderen en terwijl ze aten, deden ze er het zwijgen toe. Anna-Lisa leek de enige in de wereld te zijn die het feit dat Inez en Elsie niet alleen eeneiige tweelingen waren, maar ook nog kuiltjes in hun wangen en krullend haar hadden, volkomen onverschillig liet. Wanneer ze hun eenmaal chocolademelk had ingeschonken keek ze niet eens meer naar hen; ze stopte gewoon nog wat houtblokken in het fornuis en kwam wrijvend over haar onderrug weer overeind. Wanneer de meisjes een knicksje maakten en haar bedankten voor het eten, reageerde ze slechts met een argwanende blik, alsof ze dacht dat ze haar voor de gek hielden. Daarna wees ze naar de deur en zei: 'Ja, ja. Huiswerk!'

Een paar uur later kwam Lydia zelf thuis van school. Ze plofte neer op een stoel in de hal, waar ze een poosje bewegingloos en leeg voor zich uit bleef zitten staren. Daarna boog ze zich voorover om haar schoenveters los te maken. Ze begon haar benen te masseren, die benen die altijd opgesloten zaten in dikke bruine kousen, en toen ze vervolgens opkeek en haar dochters ontdekte, trok ze haar gezicht in de plooi. Een mens moest opgewekt zijn. Je moest je niet in verdriet en zorgen begraven, hoe moe en verdrietig je soms ook was.

'Dag meisjes', zei ze. 'Hebben jullie al een tussendoortje gehad?'

Inez en Elsie knikten. Ze zagen er heel schoon en netjes uit zoals ze daar stonden in hun schotsgeruite doordeweekse jurken met witte kragen, al zaten er dan iets te veel stopsels in hun kousen en waren er een paar kroezige plukken losgeraakt uit hun vlechten.

'Binnenkort is het paasvakantie', zei Lydia. 'Dan gaan we naar Orup.'

Elke vakantie gingen ze naar het sanatorium, zelfs tijdens de dagen dat ze vrij waren van school omdat daar werd schoongemaakt, en elke keer moesten ze al om half zes 's ochtends opstaan. Ze sloegen een glas melk achterover en propten een boterham naar binnen terwijl Lydia in het appartement rondvloog om van alles en nog wat bij elkaar te rapen: een recent verschenen boek dat papa misschien wilde hebben, een oude trui die hij vast miste. De meisjes waren nog niet naar de hal gegaan of zij had haar hoed al op en haar jas dichtgeknoopt; met de hand op de klink van de deur stond ze hen aan te sporen. Ze moesten zich haasten! Ze mochten niet te laat op het station komen. Papa verwachtte hen vandaag, en als ze niet precies op de afgesproken tijd kwamen, zou hij nerveus worden, en dat was niet goed voor hem, echt niet goed ...

Alleen tijdens de reizen naar Orup vergat Lydia haar nervositeit te maskeren, maar dan vergat ze dat ook volkomen. De trein was nog niet uit Gotenburg vertrokken, of ze begon zich al druk te maken over het overstappen in Lund; ze wapperde met haar handen en haar stem werd schel. Ze hadden maar zeven minuten de tijd, stel je voor dat ze het niet haalden om in die tijd van het ene perron naar het andere te komen. Jawel! Het kon echt helemaal misgaan, want het station in Lund was groter dan je misschien dacht en het had meerdere perrons, daarom moesten de meisjes beloven dat ze gehoorzaam en lief waren, dat ze gingen rennen wanneer Lydia zei dat ze dat moesten doen, maar dat ze ook goed moesten oppassen dat ze niet op het spoor vielen. Niets was gevaarlijker dan op het spoor vallen, dat wisten ze toch? Daarom moesten ze beloven dat ze hun moeder gehoorzaamden, dat ze zich echt zouden haasten, maar dat ze hun moeder toch steeds zouden gehoorzamen ...

Misschien was het die nervositeit die de eerste scheurtjes veroorzaakte in de band tussen Inez en Elsie, die nervositeit die nooit benoemd mocht worden, maar die er toch altijd was en elke dag, elke week, elke maand toenam, totdat die ten slotte zo zwaar werd dat de ene zus niet meer kon aanzien hoeveel de andere zus moest dragen, want als ze dat deed, zou ze moeten toegeven dat ze zelf onder dezelfde last gebukt ging.

Nooit werd dat duidelijker dan toen ze in het park bij het sanatorium werden achtergelaten, toen Lydia hun na wat verstrooide vermaningen de rug had toegekeerd en naar het grote gebouw was gelopen. Op het moment dat zij haar voet op de onderste stoeptrede zette, lieten Inez en Elsie elkaars hand los. Ze wendden zich half van elkaar af en begonnen doelloos over het gazon en de grindpaden rond te struinen.

'De wachtkamer van de dood', mompelde Elsie terwijl ze aan de mouw van haar jas trok. Het was al oktober en een week geleden had Lydia de jassen van vorig jaar van de zolder gehaald en gezegd dat ze het daar nog maar een winter mee moesten doen.

'Wat zei je?' vroeg Inez terwijl ze haar rug rechtte. Ze nam haar zus met een kritische blik op. Elsies jas was aan de onderkant ongelijk. Ze hadden zelf hun jas moeten uitleggen, maar Elsie had niet goed gemeten en ook niet geregen voordat ze de zoom vastnaaide. Te lui. Zoals gewoonlijk.

'Wat zei je?' herhaalde ze.

'Dat gaat jou niets aan ...'

'Je zei de wachtkamer van de dood.'

'Zo heet een boek, hoor.'

'Nietes.'

'Welles. In ons Zweedse lesboek gaat het daarover.'

Inez reageerde niet, maar ze haalde haar schoen door het grind en legde in het grijs een streep vochtige bruine aarde bloot. Elsie stak haar handen in haar zakken en fronste haar wenkbrauwen om Inez.

'Jezus, wat ben jij kinderachtig.'

Inez reageerde nog steeds niet, ze ging gewoon door met haar voet in het grind. Dit wordt een wond, dacht ze, een wond in de aarde.

'De wachtkamer van de dood', zei Elsie weer, maar nu met een volkomen heldere stem. 'Dat gaat over een sanatorium.'

Inez hield haar blik op de bruine streep gericht.

'Papa is bijna weer beter.'

Elsie haalde haar neus op.

'O? Waarom zit hij dan hier?'

'Omdat hij in deze provincie geboren is. Hij wil zijn waar hij is geboren.'

Elsie haalde weer haar neus op. Terwijl ze nu zelf met haar voet in het grind begon te schoppen draaide ze zich om en mompelde iets. Inez verstijfde. Ze had niet precies gehoord wat Elsie zei, maar toch wist ze het. *Wil hij sterven waar hij is geboren?*

'Wat zei je?'

'Dat gaat jou niets aan.'

'Ik ga het aan mama vertellen ...'

'Je had het toch niet gehoord.'

'Ik heb genoeg gehoord. En ik ga het aan mama vertellen.'

Elsie slaakte een zucht.

'Natuurlijk. Vast. Jij bent zo dapper.'

'Snotneus.'

'Dat ben je zelf.'

Ze begonnen te snikken en keerden elkaar de rug toe.

Eenzaamheid was een nieuwe ervaring. Thuis in Gotenburg had die zijn voordelen. Soms was het fijn om stilte om je heen te hebben, om je hoofd op te tillen wanneer je over je lesboeken gebogen zat en te luisteren naar dit nieuwe dat opeens het appartement vervulde. De stilte had vele toonvallen; die kon zacht zijn als verwassen katoen, die kon suizen en zingen of echoën van je eigen hartslagen. Opeens kon Inez haar eigen gedachten horen, ze kon zelfs haar ogen sluiten en een gedachtegang afmaken. Dat was heel aangenaam. En het werd nog aangenamer wanneer ze overpeinsde dat niemand, zelfs Elsie niet, kon weten wat ze dacht. Dit was uitsluitend van haar. Daarom kon ze zich een aantal vrijheden veroorloven; ze kon bijvoorbeeld net doen of ze doodstil naar de radio zat te luisteren terwijl ze tegelijkertijd haar zus te lijf ging, haar in haar gezicht krabde en haar aap noemde.

Anderzijds had Elsie ook haar geheimen. Waarom fluisterde ze met mama in de badkamer? En waarom nam ze de volgende dag haar gymnastiekzakje niet mee naar school? Inez vond het beneden haar stand om het te vragen, maar onderweg naar school begon er bij haar al een lichte argwaan post te vatten. Zou Elsie vandaag tegen de muur zitten met gym, samen met die andere meisjes die één keer in de maand naar de juffrouw kwamen en met haar fluisterden? Kon dat echt zo zijn? Hoe kon dat Elsie al zijn overkomen en haar nog niet?

Maar het was inderdaad gebeurd. Dat kon je wel zien. Elsie stiefelde met een gewichtig gezicht een paar passen voor Inez uit, opeens kaarsrecht, en zonder haar zus een blik waardig te keuren. Toen ze op het schoolplein kwamen, rende ze bovendien naar Asta, een weerzinwekkend wezen dat al brede heupen en deinende borsten had, en ze fluisterde ook tegen haar. Asta lachte met een schuin hoofd haar valse glimlachje en stak haar arm in die van Elsie. Inez schopte tegen een steentje en keerde hun de rug toe. Belachelijk! Dat waren ze. Onnozele veertienjarigen die speelden dat ze echte oude taarten waren …

Het duurde acht maanden voordat ze zelf reden had om met de gymjuffrouw te fluisteren, maar tegen die tijd was alles anders geworden. Elsie had borsten gekregen, echte borsten, die verborgen werden in een beha van zalmroze satijn terwijl Inez nog elke ochtend haar witte katoenen hemdje aantrok. Bovendien waren ze verhuisd. Ze woonden niet meer in een groot appartement in een mooie wijk in Gotenburg maar in een krap flatje in Landskrona.

Toen ze in de paasvakantie na hun bezoek aan het sanatorium, waar Inez en Elsie urenlang in het park kou hadden staan lijden, onderweg naar huis waren, had Lydia de deur van hun coupé dichtgetrokken en op ernstige toon verklaard dat het niet langer ging. Er stond geen kroon meer op het spaarbankboekje, de kleine erfenis die ze van haar ouders had gekregen was helemaal op, en wat ze verdiende met haar baan op de meisjesschool was niet voldoende om er een groot appartement in Gotenburg met een dienstmeisje en alles erop en eraan op na te kunnen houden. Om nog maar te zwijgen over schoolgeld en boeken, kleding en schoeisel, voedsel en treinkaartjes. Helaas. Ze waren gedwongen de tering naar de nering te zetten. Anna-Lisa had haar ontslag al aangezegd gekregen, en zelf had Lydia gesolliciteerd naar een vaste aanstelling als lerares op een lyceum in Landskrona en die ook gekregen, een baan die een paar honderd kronen per jaar méér opleverde. Zodra de zomervakantie begon, gingen ze verhuizen. Nu moesten ze alleen nog een geschikte woning vinden, maar ze was er zeker van dat dit zou lukken. Ernst had al gepraat met een paar oude vrienden uit zijn studententijd in Lund, vrienden die in de streek woonden en die vast zouden ...

Verhuizen? Zonder een woord te zeggen hadden Inez en Elsie haar aangestaard. Daarna hadden ze zich opeens tot elkaar gewend en hun eigen afschuw in het gezicht van hun zus weerspiegeld gezien. Op dat ogenblik was hun band weer even sterk als vroeger.

'Meent u dat serieus, moeder?' zei Inez.

Lydia trok haar handschoenen uit en ging met haar hand snel naar de broche die op de revers van haar mantelpakjasje zat.

'Natuurlijk meen ik dat serieus.'

'We zijn nog nooit in Landskrona geweest', zei Elsie.

'Daar ben ik me van bewust', zei Lydia. 'Ik ben er zelf ook nog nooit geweest.'

'We dachten dat u niet van Skåne hield, moeder', zei Inez.

'U hebt altijd gezegd dat Gotenburg zoveel gezelliger was', zei Elsie.

Lydia's ogen werden vochtig. Ze haalde een zakdoek tevoorschijn, streek er even mee langs haar neus en schraapte haar keel.

'Dat kan best zijn. Maar er zijn voor mij geen banen in Gotenburg. Maar wanneer papa weer beter is, verhuizen we misschien weer terug. Hij is al begonnen een huis voor ons te tekenen.'

Lydia sloeg haar benen over elkaar en vouwde haar handen om haar knie. Ze glimlachte. Elsie probeerde die glimlach te beantwoorden, maar het lukte haar niet echt. Inez kopieerde haar moeders beweging, maar slaagde er niet in haar rug net zo recht te houden.

'Nou ja', zei ze terwijl ze haar kin een beetje naar voren stak. 'Moeder, u zegt toch altijd: het gaat er in het leven niet om hoe je het hebt, maar om hoe je het opneemt.'

Lydia glimlachte nog breder.

'Precies', zei ze. 'Zo is het. Het gaat er allemaal om hoe je het opneemt.'

Maar ze namen het niet bijzonder goed op. Geen van allen. Al tijdens de eerste weken in Landskrona vergat Lydia steeds vaker om opgewekt te kijken, en Inez en Elsie begonnen elkaar openlijk af te katten.

Hun nieuwe kamer was nog niet half zo groot als de kinderkamer in Gotenburg; meer dan hun bedden en een nachtkastje kon er niet in. En dat kastje was weer zo klein dat alleen de oude messing lamp met zijn perkamenten kap er maar op paste. De bedden stonden aan weerskanten tegen de muur, maar als je in het ene bed lag, hoefde je je hand maar uit te steken om het andere aan te raken. Niet dat Inez of Elsie ook maar overwogen om hun hand uit te steken. Integendeel: toen ze zich langs elkaar moesten wringen, werd de afstand tussen hen steeds groter.

'Let eens beter op je spullen', snibde Inez terwijl ze een stapel kleren van haar bed pakte en op de grond gooide. Elsie krulde haar bovenlip.

'Gedraag je niet als een klein kind!'

Ze boog zich over de stapel op de vloer om een beha op te pakken, die ze dubbelvouwde en waarvan ze de ene cup in de andere duwde. Inez brieste.

'Ik ben anders ouder dan jij.'

'Natuurlijk. Wel twee minuten. Niet dat het te merken is.'

'Je bent walgelijk.'

'En jij bent jaloers.'

'Puh! Waarop dan?'

'Dat weet je best', zei Elsie terwijl ze met haar beha naar de overloop liep om hem in de ladekast te stoppen.

De rest van de flat was ook te klein. Niets paste. De meubels waren te groot en te pompeus voor deze sobere, functionele kamers, en het licht van de grote ramen onthulde onbarmhartig de gebreken. In de grote slaapkamer stonden het tweepersoonsbed en Lydia's bureau veel te dicht op elkaar, de sprei zag er opeens verschoten uit en op verschillende plaatsen hingen de ruches los. In de woonkamer verdrongen de eetkamertafel en de versleten pluchen bank elkaar, en in de hal moest je je buik inhouden om langs de boekenkasten en de achttiende-eeuwse ladekast van Ernst, een erfstuk, te kunnen komen. Er was niet eens een badkamer. Wie een bad wilde nemen, moest met een handdoek onder de arm naar de kelder afdalen, naar een koud kamertje dat door alle huurders werd gedeeld. Dat waren er op zich niet zo veel; er woonden maar drie gezinnen in de flat. Plus twee verpleegsters, die op zolder elk over een kamer met kookhoek beschikten. De meisjes moesten de eerste avond al van Lydia mee om zich even aan iedereen voor te stellen. Ze hadden overal aangebeld, een hand gegeven en een knicksje gemaakt terwijl Lydia met een schuin hoofd achter hen stond en welwillend keek. Ze keek minder welwillend toen ze in hun eigen flatje terugkwamen en ze de meisjes hoorde giechelen om het dialect van hun buren. Met die fratsen moesten ze ophouden! Onmiddellijk!

Pas na drie weken kregen ze telefoon, maar toen die eenmaal was geïnstalleerd belde Lydia meteen Ernst in Orup op. Hij wilde na afloop met de meisjes praten. Met hun hoofden dicht bij elkaar hoorden ze hem een kleine lofrede op Landskrona afsteken. Ze zouden het er vast naar hun zin krijgen! Landskrona leek immers zo op Gotenburg, het was eigenlijk net Gotenburg in het klein, met zijn werf, zijn westkustlicht en met de zee onder handbereik.

Inez en Elsie zagen die overeenkomst niet echt. Als je alleen al de mannen nam. In Gotenburg had je mannen die dameskapper, kleermaker, professor, uitvinder, kunstenaar en toneelspeler waren ... Allerlei soorten. Maar in Landskrona leek het of er niet één man was die niet op de werf werkte. Wanneer 's ochtends de stoomfluit blies, vulden de straten zich met fietsende havenarbeiders, honderden of duizenden, allemaal in het blauw gekleed en met een boterhamtrommeltje achter op de bagagedrager, mannen die op het terrein van de werf verdwenen en de stad aan de vrouwen overlieten. Wanneer de stoomfluit 's middags opnieuw blies, zwommen ze als een reusachtige school vissen weer naar buiten. Zo was het in Gotenburg nooit geweest; daar waren de werven weliswaar groot, maar ze slokten niet heel de mannelijke bevolking op. Hier leek de hele stad echter de gevangene van de werf. Bovendien had je midden in de stad Gotenburg geen volkstuintjes. In Landskrona wel, poppenhuisjes met bloemperken en moestuinen, slechts enkele honderden meters verwijderd van het plein dat als het centrum van de stad werd beschouwd. Heel apart. En de zee? Kon je de Sont werkelijk vergelijken met een echte zee, als de Noordzee bij Gotenburg bijvoorbeeld? Nee, echt niet. Denemarken lag te dichtbij. De Sont was ook veel te ondiep, te zanderig en rook veel te veel naar rottend wier. In Gotenburg daarentegen ...

Alles om hen heen was anders geworden, en ze waren nog te jong om te begrijpen dat het zo zou blijven, dat alles voortaan anders zou zijn, wat er ook gebeurde. Ze droomden dan ook over vervlogen dagen, zoals anderen fantaseerden over winnen in de lotto en plotselinge liefde. Het kon elke dag weer worden zoals het vroeger was geweest. Papa zou weer beter worden en dan zouden ze meteen naar Gotenburg en het grote appartement terug verhuizen. En wat zouden hun klasgenoten lachen wanneer ze vertelden over dit uitstapje naar een stad waar de mensen bijna verdronken in hun eigen klinkers.

'Nee', zei Lydia op een dag. 'Nu moet het afgelopen zijn. Ik kan jullie gezeur niet meer verdragen! Naar buiten jullie!'

Inez stokte midden in een zin, Elsie zat met haar mond open.

Lydia, die nooit van haar leven ... Maar nu was ze achter haar bureau, waar ze hele dagen het herfstsemester zat voor te bereiden, vandaan gekomen en stond ze met haar handen in haar zij als een poetsvrouw voor hen te brullen: 'Mankeert er soms wat aan jullie oren? Naar buiten! Gewoon wegwezen!'

Zo werd het een gewoonte om af te druipen wanneer Lydia achter haar bureau zat, en na een week was dat een dagelijkse bevrijding geworden. Zodra ze klaar waren met de huishoudelijke klusjes van de ochtend mompelden Inez en Elsie snel 'dag' en liepen ze naar buiten. Ze gaven elkaar een knikje en gingen ieder huns weegs. Dat was niet iets wat ze hadden besproken, dat hoefden ze helemaal niet te bespreken. Het was gewoon vanzelfsprekend. Ze moesten elkaar even niet zien.

Inez slenterde altijd met een boek onder haar ene arm en een deken onder de andere weg in de richting van Svandammen; ze had bij de vijver een plekje onder een oude treurwilg gevonden waar ze zich voor de buitenwereld kon verbergen. Het was net of ze beschermd in een vogelkooi zat, een toverkooi, die haar een glimp liet opvangen van de mensen die aan de andere kant van de hangende takken voorbijliepen, maar haar zelf onzichtbaar maakte. Soms vergat ze haar boek en verzonk ze in gedroom. Stel je voor dat op een dag iemand – bijvoorbeeld een jongen die binnenkort derde- of vierdeklasser was – het gordijn van de treurwilg opzij zou schuiven en haar zou ontdekken ...

Maar die jongen kwam natuurlijk nooit. Hij nam een andere weg en vond in haar plaats haar zus.

Inez knipperde met haar ogen. Het telefoongesprek was blijkbaar afgelopen. Björn stond in de deuropening te glimlachen.

'Mama en ik hebben in Londen afgesproken!'

Hoewel dat niet nodig was, wrong Inez het vaatdoekje zorgvuldig uit en ze hing het over de kraan. Haar wangen voelden strak toen ze zijn glimlach beantwoordde.

'O ja? Wat leuk.'

'Ik ga Karl-Erik bellen om te vragen of hij een kamer voor haar wil regelen in ons hotel.'

'Dat klinkt goed. Jullie hebben elkaar immers al een hele tijd niet meer gezien.'

'Ja. Ze had geen idee dat ...'

'Nee. Natuurlijk niet. Maar ze was zeker wel blij?'

'Tuurlijk. Maar ze maakte zich wel een beetje zorgen over school.'

'Ja, ja. Maar ze is er zelf toch ook vlak voor haar eindexamen mee opgehouden.'

'Ja. En ik heb verteld dat er tegenwoordig onderwijs voor volwassenen is.'

'Wist ze dat dan niet?'

De verkeerde reactie. Björn rook kritiek.

'Hoe had ze dat moeten weten?'

Inez probeerde weer te glimlachen.

'Ik bedoelde gewoon ...'

'Ach', zei Björn terwijl hij haar de rug toekeerde. 'Ik ga even naar buiten. Ik heb lucht nodig.'

Inez bleef staan en leunde tegen het aanrecht. Opeens kon ze het niet meer opbrengen om zich nog te verroeren. Maar ze kon wel haar stem verheffen: 'Kan dat wel? Kun je echt naar buiten gaan?'

'Natuurlijk kan dat', antwoordde Björn vanuit de hal. 'Ze zijn nu toch weg. Allemaal.'

Hij opende de voordeur en verdween.

Ingalill stond bij Midhemsvägen te wachten, precies zoals ze hadden afgesproken, maar ze keerde Susanne de rug toe en begon al te lopen voordat bij die haar was.

'We moeten opschieten', riep ze over haar schouder. 'Het is al half vijf.'

Susanne begon te rennen. Haar jagerstas sloeg tegen haar heup.

'Ik weet het. Maar er stonden een heleboel meiden ...'

Ingalill hield zich in en draaide zich om.

'Hoezo, meiden?'

Susanne had haar eindelijk ingehaald. Ze bleef staan om op adem te komen voor ze zich aan Ingalills tempo aanpaste. Dat was helemaal niet gemakkelijk. Ingalill was langer en zette grotere stappen.

'Gewoon, een heleboel meiden. Die bij ons huis stonden.'

Ingalill fronste haar voorhoofd.

'Wie waren het?'

Susanne haalde haar schouders op.

'Die van de kiosk op het station. En die gymnasiaste met die herenparaplu. En nog een paar. Ik weet niet hoe ze heten.'

'Wat deden ze bij jullie huis?'

Susanne begon buiten adem te raken.

'Ze stonden op Björn te wachten.'

'Waarom?'

Waarom. Dat kon je je inderdaad afvragen.

'Weet ik veel.'

Het was even stil. Het enige wat je hoorde, waren hun voetstappen op het trottoir.

'Ik vraag me af of ze zich vanavond aan het lesboek houdt', zei Ingalill ten slotte.

Susanne haalde haar schouders op.

'Dat maakt toch niet uit.'

'Als je een cursus volgt, moet je je aan het lesboek houden.'

'Maar iedereen vindt het toch leuker om zich op te maken.'

'Dat hoort er niet bij', zei Ingalill.

Achter haar rug vertrok Susanne haar gezicht. Ze waren er en Ingalill liep de trap al af naar het kelderlokaal dat het Arbeiders Opleidingsverbond voor 'Juffrouw Fleurig' had afgehuurd. Het was een populaire cursus, zo populair dat er twee groepen waren gevormd en er voor volgend jaar een wachtlijst was ingesteld. Mevrouw Salomonsson had als cursusleiderster maar twee avonden in de week tijd. Ze moest immers ook aan haar parfumerie denken. Bovendien was ze het niet gewend om cursusleidster te zijn; dat kon je wel merken. Al op de eerste avond had ze snel het cursusboek doorgebladerd om dat vervolgens met een schouderophalen opzij te gooien. Iedereen wist toch wel dat je je tanden moest poetsen en je onder je oksels moest wassen. Maar – zei ze terwijl ze een beetje puffend haar stevig in een korset ingesnoerde lichaam boog om een grote beautycase op tafel te zetten – niet iedereen wist hoe je je moest opmaken. En dat gingen ze dus leren. Een glimlachje verspreidde zich onder de veertienjarigen rond de tafel. Eindelijk!

Sindsdien waren alle cursusavonden volgens hetzelfde patroon verlopen. Zwaarbeladen met producten en gratis proefmonsters uit haar winkel waggelde mevrouw Salomonsson, gezet, stevig in de haarlak en zorgvuldig opgemaakt, door het lokaal. De meisjes klapten spiegeltjes uit op de tafel voor zich en wachtten op de inleiding. Mevrouw Salomonsson bleef roerloos zitten tot het helemaal stil was geworden. Daarna stak ze een keurig gemanicuurde wijsvinger op en legde ze haar inleidende proclamatie af: 'Een goede reiniging, jongedames, is de basis voor alle schoonheidsverzorging. En dan zijn water en zeep niet voldoende, dat moeten jullie weten. Ongeacht wat er in de boeken staat.'

Ze wierp een smalende blik op het cursusboek, waarvan Ingalill als enige koppig een exemplaar naast haar spiegel bleef leggen. Alle anderen namen hun cursusboek al niet meer mee. Susanne had een paar keer in haar boek gebladerd en een beetje gezucht over het feit dat je een spannend onderwerp zo saai kon maken. Ze was het met mevrouw Salomonsson eens. Wie moest er nou leren om appels te eten en schoon ondergoed aan te trekken? Dat wist toch iedereen. Susanne wilde leren hoe je mooi kon worden, zo mooi dat de jongens op school hun adem zouden inhouden wanneer ze haar zagen, zo mooi dat ze nooit van haar leven aan zichzelf hoefde te twijfelen, zo mooi dat ze met een kaarsrechte rug door de gangen van de school zou kunnen lopen en de blikken van iedereen zou kunnen beantwoorden ...

'En daarom, jongedames, is het noodzakelijk om een goede reinigingscrème te kopen. Zoals Soil Adsorbing. Dat is de allerbeste.'

Ze liet het flesje rondgaan en achter elkaar lieten de meisjes het melkwitte vocht op hun vingertoppen lopen, waarna ze het voorzichtig op hun gezicht begonnen uit te smeren. Mevrouw Salomonsson stond op en begon als een echte docent met haar handen op haar rug rond de tafel te lopen. Ze sprak langzaam en duidelijk: 'Ik heb horen zeggen dat er meisjes zijn die puistjes krijgen van Soil Adsorbing. Dat is, en dat wil ik benadrukken, niet de schuld van de reinigingscrème. Dat is juist een teken van hoe effectief de crème is, die trékt het vuil als het ware uit de huid en dan kunnen er puistjes ontstaan. Dus dan moet je er niet mee stoppen, maar er juist mee doorgaan. Na een paar weken gaat het over.'

Bij Ingalill was het echter niet overgegaan. Integendeel. Haar puistjes waren erger dan ooit. Mevrouw Salomonsson pakte haar op de derde cursusavond al bij haar kin. 'Gebruik je echt Soil Adsorbing?'

Ingalill kreeg tranen in haar ogen en sloeg haar oogleden neer terwijl ze mompelend antwoordde. Jawel. Naast haar knikte Susanne instemmend. Ingalill had namelijk een flesje gekocht in de winkel van mevrouw Salomonsson en dat ijverig gebruikt, dat wist ze. Maar nu was het flesje bijna leeg en waren de puistjes erger dan ooit. Het probleem was dat Ingalill het zich nooit zou kunnen veroorloven een nieuw flesje te kopen. Ze had niet eens zakgeld, want haar moeder was gescheiden en had geen echte baan. Ze maakte 's avonds kantoren schoon, maar niet zo veel kantoren dat haar loon toereikend was voor reinigingscrèmes en lippenstift. Alleen wanneer haar vader opdook en genoeg gedronken had, kreeg Ingalill geld voor zichzelf, maar daar mocht je niet over reppen. Ook niet over het feit dat hij op dit moment in een ontwenningskliniek zat en dat je niet op hem kon rekenen.

'Je hebt vast een heel onzuivere huid', zei mevrouw Salomonsson terwijl ze bezorgd haar hoofd schudde. 'Heel onzuiver. Misschien zou je ook een gezichtslotion moeten gebruiken, een echt sterke gezichtslotion ...'

Susanne had geen lotion nodig. Zij had geen puistjes, maar dat was dan ook het enige wat goed was aan haar gezicht. Verder was het niet veel, dacht ze terwijl ze naar haar eigen spiegelbeeld tuurde. Haar wangen waren te rond, ze had te veel sproeten en haar ogen waren te smal. Om nog maar te zwijgen over die belachelijke neus, die maar omhoog bleef wijzen. Ingalill zei altijd dat ze eruitzag als een baby.

Ze had echter geen tijd om daar nu bij stil te staan, want mevrouw Salomonsson kwam het lokaal binnenwaggelen. Ze had een verrassing bij zich, een heel slanke, blonde verrassing, en van verrukking pufte ze een beetje toen ze haar voorstelde: 'Dit is mijn dochter Eva. Ze is achttien en ze is er vanavond bij omdat ze bang is dat ik niet begrijp wat modern is ...'

Iedereen herkende Eva, iedereen was weleens in de winkel van mevrouw Salomonsson aan Stora Norregatan geweest en had haar achter de toonbank zien staan, gekleed in een heel elegante roze nylon jas van Toni-Lee met de witte kraag half opgeslagen en driekwart opgerolde mouwen. Ze was altijd even mooi opgemaakt en gemanicuurd, haar haren waren altijd schoon en netjes gekamd, ze rook altijd even lekker, praatte altijd even zacht, en juist om die reden waren ze een beetje bang voor haar. Soms, vooral als er een aantal jonge tienermeisjes met elkaar in de winkel kwam, kon ze een blik afvuren waardoor ze zich schaamden. Maar nu niet. Nu stond ze achter haar moeder en ze liet haar tanden zien in een vriendelijke glimlach.

'Eyeliner', zei ze met een enigszins omfloerste stem terwijl ze haar blik rond de tafel liet gaan alsof ze iemand zocht. 'Eyeliner is een uitvinding die oudere dames niet goed begrijpen.'

Mevrouw Salomonsson snoof met gespeelde verontwaardiging. 'Oudere dames! Nou, bedankt hoor.'

Eva haakte haar arm in die van haar moeder en gaf haar een kameraadschappelijk kneepje.

'Ik maak maar een grapje.'

Mevrouw Salomonsson keek haar dochter aan en legde haar hand op die van haar.

'Dat weet ik, Eva. Dat weet ik.'

'Maar zou het niet ontzettend leuk zijn als iedereen zichzelf even zou voorstellen?' vroeg Eva terwijl ze opnieuw met haar blik rond de tafel ging. 'Zodat ik weet wie wie is.'

Ze koos Susanne uit. Niet Britt-Marie. Niet Ann. Niet Lillemor of Ingalill of een van de anderen. Nee, Susanne.

'Nu zullen we eens kijken', zei Eva en ze maakte haar beautycase open en begon erin te rommelen. 'Zien jullie wat ik hier heb? Nou, dit is een haarband die ik heb gemaakt van een kapotte nylonkous. Je knipt bovenaan gewoon een stuk van vijf centimeter af en dat doe je dan om je hoofd om tijdens het opmaken je haren uit je gezicht te houden.'

Ze trok het stuk kous over Susannes hoofd en ontblootte haar witte voorhoofd.

'Eigenlijk zie je er heel leuk uit', zei ze terwijl ze Susanne in de spiegel ernstig aankeek. 'Je hebt een fantastische huid. Maar wel licht, misschien een tikje te licht ...'

En ze begon een gekleurde crème op te brengen.

Susanne bleef voor de spiegel in de garderobe staan en terwijl ze haar parka aantrok, bestudeerde ze haar gezicht. Zag ze eruit als een meisje van wie de broer – of de neef, of wat je ook moest zeggen – op één stond in de toptien? Jawel. Absoluut. Ze herkende zichzelf nauwelijks, maar wat ze zag beviel haar. Eva had een dikke lijn langs de rand van haar ooglid getrokken die ze had laten uitlopen in een kalligrafisch kattenoog. Zij was ook degene die de zwarte mascara had gekozen en de roze glanzende paarlemoertint voor de lippen. En daarom zag Susanne er eindelijk uit als een echte tiener, een langharige Twiggy of een heel jonge en blonde Jane Asher. Dat was Eva's verdienste. Eva had haar van een onaanzienlijke reuzenbaby omgeturnd in een echt knappe meid. Ja. Werkelijk. Echt knap.

Maar Ingalill was natuurlijk chagrijnig. Ingalill was tegenwoordig altijd chagrijnig.

Susanne trok haar laarzen aan en zuchtte. Ingalill was al chagrijnig geweest toen Susanne kwam, en dat was bepaald niet minder geworden toen Eva Susanne begon op te maken. Nu stond ze met haar muts ver over haar voorhoofd getrokken haar jas dicht te knopen.

'Blijf je nog lang voor die spiegel staan?' vroeg ze.

Susanne schikte de capuchon van haar parka. De andere meisjes waren al op weg naar buiten, maar Eva en haar moeder kwamen net het cursuslokaal uit. Ze glimlachten allebei naar Susanne.

'Het is toch niet zo vreemd dat ze in de spiegel wil kijken', zei mevrouw Salomonsson. 'Ze is zo mooi geworden ...'

'Dit is voor jou', zei Eva terwijl ze haar een papieren zakje overhandigde. Susanne had bijna een knicksje gemaakt, maar ze wist zich nog net in te houden.

'Dank je.'

'Het zijn maar gratis proefmonsters. En die eyeliner die ik bij je heb gebruikt. Dan kun je thuis oefenen.'

'Heel erg bedankt.'

Eva schoot in de lach, alsof Susanne iets grappigs had gezegd.

'Geen dank, hoor. Waar woon je?'

Susanne maakte bijna weer een knicksje. Ze moest nu beter opletten. Eva was immers maar een paar jaar ouder.

'Svanegatan.'

'Dat treft, zeg. Daar moet ik nu naartoe. Naar een vriendin. Zullen we samen oplopen?'

Nu kon ze zich echt niet meer inhouden. Nu maakte Susanne een knicksje, een kleintje maar, gewoon zo klein dat ze van die aandrang af was. Eva leek het niet op te merken, maar Ingalill, die bij de trap stond, begon te snuiven.

'Ik ga nu', zei ze met luide stem. 'Hoor je me, Susanne? Ik ga nu naar huis.'

Susanne stak snel haar hand naar haar op.

'Dag. Tot morgen.'

Buiten wachtte de duisternis, een koude, windstille duisternis die slechts door een rond lampje buiten bij het cursuslokaal werd lekgeprikt. Susanne richtte daar haar blik op terwijl Eva haar fiets van het slot deed en uit het fietsenrek trok. De fiets was kersrood. Susanne wist niet eens dat je kersrode fietsen had.

Eva was niet zoals andere grote meiden; ze had niets veeleisends of spottends over zich, niets kruiperigs of nieuwsgierigs. Terwijl ze naast elkaar liepen, voerde ze gewoon haar fiets aan de hand mee en aanvankelijk sprak ze met geen woord over Björn. Ze begon juist over zichzelf te vertellen, eerst met gedempte stem, maar allengs levendiger. Ze dacht er weleens over om bij een schoonheidsinstituut in Stockholm te solliciteren en zich echt tot schoonheidsspecialiste te laten opleiden, maar ze vond het tegelijkertijd een tamelijk oppervlakkig beroep. Eigenlijk. Misschien zou het beter zijn om verpleegster te worden, dat was immers het beroep waarvan ze had gedroomd toen ze klein was. Ze had de mulo gedaan en haar cijfers waren voldoende, maar ja, haar moeder had natuurlijk die winkel en ze wilde haar moeder daar niet in haar eentje voor laten opdraaien. Had Susanne trouwens een droomberoep? En hoe kwam het dat ze wat deftiger praatte dan de rest? Was ze in een noordelijker streek geboren? En was ze net zo muzikaal als haar broer? Want Eva had het toch goed gehoord toen ze een paar van de andere meisjes had horen fluisteren dat Susanne de zus van Björn Hallgren was? Susanne antwoordde met een snelle blik: 'Ik ben zijn zus niet. Niet echt. Hoewel we wel samen zijn opgegroeid.'

Eva keek beduusd. 'Is dat zo? Maar waar zijn je ouders dan?'

'We wonen bij mijn ouders. Björns moeder zit op zee, daarom woont hij bij ons. Dat is altijd zo geweest.'

Eva knikte bedachtzaam en het bleef even stil. Het enige wat je hoorde was het geluid van hun zolen in het grind op het trottoir.

'Ik heb altijd een broer of zus willen hebben', zei ze toen.

'Een schattig klein zusje. Of een grote broer.'

Susanne gaf mompelend antwoord, stak haar handen dieper in haar zakken en ging met haar rechterhand over het papieren zakje met de proefmonsters. Ze was nooit op het idee gekomen om een broer of zus te wensen. Misschien was er iets fout aan haar. Eva merkte echter niets, ze glimlachte slechts en keek een beetje dromerig.

'Maar als je neef altijd bij jullie heeft gewoond, dan heb je eigenlijk een grote broer. In de praktijk.'

Een uitweg. Susanne slaakte ongemerkt een zucht van verlichting.

'Ja. Inderdaad. Dat is eigenlijk wel zo.'

'Geluksvogel.'

Ze stonden een poosje bij het tuinhek te praten. Het was een paar jaar geleden dat Eva op de middelbare school had gezeten en nu wilde ze weten welke leraren Susanne had en wat ze van hen vond. Haar witte glimlach overwon Susannes verlegenheid, ze werd wat levendiger en vertelde dat haar vader leraar geschiedenis en maatschappijleer was – Birger Simonsson, inderdaad – en dat haar moeder kooklerares op de Tuppaschool was, maar dat dit het bestaan er bepaald niet eenvoudiger op maakte. Integendeel. Als zij of Björn ooit iets over de andere leraren probeerden te zeggen, leidde dat tot een hoop heibel. Maar een aantal van de leraren op het lyceum was immers echt van lotje getikt, daar kon je niet omheen. Bijvoorbeeld die enge Ingeborg, de scheikundelerares, die midden onder de les vaak in gedachten verzonk en haar eigen borsten begon te strelen. Om nog maar te zwijgen van Slappe Sven, die geen orde kon houden, maar altijd in het Duits bulderde omdat hij nu eenmaal Duits gaf. Eva knikte en giechelde: 'Ik weet het. Ik heb hem ook gehad. *Schweigen! Habe ich nicht gesagt dass Sie schweigen sollen!*'

Binnen een tel boog ze haar rug en was ze even krom als Slappe Sven, ze zwaaide dreigend met haar half gebalde vuist en haar stem begon te trillen en werd angstaanjagend schel. Susanne lachte hard. Precies. In de roos.

'Wat is er zo leuk?'

Susanne draaide zich om. Björn stond op de stoep een sigaret op te steken.

'Eva. Ze kan Slappe Sven nadoen.'

'Ah. Dat wil ik zien.'

Björn slenterde langzaam over het tuinpaadje. Hij had zijn oude duffel aan en de capuchon opgezet. Niemand die niet al wist wie hij was, zou hem herkennen. Maar Eva wist het, al leek ze er lang niet zo belachelijk van ondersteboven als andere meisjes. Ze glimlachte alleen maar en keek hem met een open blik aan.

'Nog een keer?' zei ze. 'Tja, ik weet het niet. Wat krijg ik ervoor?'

'Niets', zei Björn. 'Maar ik had een hekel aan Slappe Sven.'

Hij deed zijn capuchon omlaag en sloeg zijn arm om Susannes schouder. Hij trok haar even tegen zich aan en zei toen met gedempte stem: 'Je kunt beter naar binnen gaan. Het is half negen en Inez is druk in de weer.'

Susanne zuchtte. Eva zei met een schuin hoofd: 'Moet je naar binnen? Wat jammer. Maar we zien elkaar volgende week, of niet?'

Susanne knikte zwijgend.

'Goed', zei Eva. 'En je ziet er nu trouwens heel leuk uit.'

Björn boog zich voorover om haar gezicht te bestuderen.

'Ja', zei hij en hij klonk bijna verbaasd. 'Dat is inderdaad zo.'

'Dank je', zei Susanne. Ze probeerde geen knicksje te maken.

Toen ze binnenkwam, stond Inez in de hal met haar voorhoofd tegen het raampje naar buiten te staren.

'Wie is dat daar?'

'Eva', zei Susanne terwijl ze haar schoenen uittrok zonder haar veters los te maken.

'Welke Eva?'

'Eva Salomonsson. Haar moeder geeft die cursus.'

'Dat mens van de parfumerie?'

'Mmm.'

'Maar dat meisje is toch ouder dan jij?'
'Ze is achttien.'
'Hoe kent ze Björn?'
'Ze kennen elkaar niet.'
'O. Waarom staan ze dan bij het hek te praten?'
'Omdat zij en ik daar stonden toen Björn naar buiten kwam. En toen gingen we met z'n drieën praten. Maar toen het half negen was, moest ik natuurlijk naar binnen ...'
'O. Een uitgekookte meid.'
'Wat?'
'Niets.'
Inez draaide zich plotseling om naar Susanne. Ze keek haar aan en vertrok haar gezicht. 'Je ziet eruit als een beschilderd lijk.'
Maar toen schoot ze in de lach. Want het was immers maar een grapje.

Ze moest die make-up die ze van Eva had gekregen verstoppen. Dat was vanzelfsprekend, zo vanzelfsprekend dat ze daar niet eens over hoefde na te denken. Zodra ze over de drempel van haar kamer was gestapt duwde ze gewoon de deur dicht, ging op haar knieën zitten en begon onder haar matras te voelen. Ze deed het licht niet aan, ze moest het maar doen met het licht van de straatlantaarn buiten. Ze hoefde immers niet goed te kunnen zien om de bergplaats te vinden; het was voldoende om haar vingertoppen over het zachte oppervlak te laten gaan en de zak tevoorschijn te wurmen. Haar dagboek was er nog, dat voelde ze door de dunne katoenen stof heen, maar toch trilde haar hand een beetje toen ze aan het koordje trok.

Ze ging op haar bed zitten en maakte de oude gymnastiekzak open. Die was erg versleten; het katoenen weefsel was hier en daar zo dun dat het nog maar met enkele draden bijeen werd gehouden, en de steken van het witte monogram begonnen los te raken. EH zou weldra FH zijn, maar dat was prima. Dan zou niemand kunnen zien dat Susanne beslag had gelegd op de oude gymnastiekzak van haar tante, niemand zou haar van diefstal kunnen beschuldigen. Want ze had immers niet gestolen. Niet echt. Ze was gewoon een ding gaan gebruiken dat in het ladekastje had gelegen op de dag dat ze dat kastje kreeg. Als ze Elsies kastje kreeg, dan kreeg ze toch ook de inhoud daarvan? Jawel, zo moest het zijn. Anderzijds wist je natuurlijk nooit hoe Inez dat zou zien; daarom was het 't beste om het geheim een geheim te laten blijven.

Veel spullen bewaarde ze niet in die zak. Een oude foto van een jongen op wie ze verliefd was geweest toen ze in de zesde zat. Een piepklein parfumflesje dat Elsie langgeleden van plan was geweest weg te gooien. Dat was leeg, maar de geur was blijven hangen en het was een geur die veel beelden bevatte: een nachtclub in Parijs, een rode avondjurk in New York en een haastig afscheid op een vliegveld ... De geur overheerste zelfs de leerlucht van het rode kaft van het dagboek, dat het grootste en belangrijkste geheim in de zak was. Susanne haalde dat er heel voorzichtig uit en legde het op haar schoot. Ze liet het daar rusten terwijl ze het gymnastiekzakje zorgvuldig opvouwde en onder haar rechterdijbeen stopte. Daar zou het niet te zien zijn als iemand opeens de deur opendeed. En het dagboek kon ze binnen een tel onder haar trui stoppen.

'Jij denkt als een detective', had Ingalill een keer gezegd. 'Jij hebt altijd een alibi ...'

Maar dat was niet waar; dat wist Susanne toen al. Het waren immers niet de detectives die een alibi nodig hadden, maar de moordenaars.

Nu draaide ze haar dagboek om en streek met haar wijsvinger over haar spionnentruc. Ze bevestigde helemaal onderaan altijd een stukje plakband, een heel klein stukje, dat eraf zou vallen als een onbevoegde het dagboek opende. Ze vond het gewicht van dat woord prettig: 'onbevoegde'. Verboden toegang voor onbevoegden. Net goed.

De onbevoegden hadden het dagboek echter niet aangeraakt, dat voelde ze. Het plakband zat waar het een paar dagen geleden ook zat. Maar je kon het toch nooit helemaal zeker weten. Het zou natuurlijk kunnen dat de onbevoegden hadden uitgeknobbeld wat zij deed en daarom het plakband hadden teruggeplakt nadat ze stiekem hadden zitten lezen ... Maar zo kon je natuurlijk niet denken. Dan werd je gek.

In het wilde weg zat Susanne wat in het dagboek te bladeren. Zou ze iets schrijven over wat er vanavond gebeurd was? Over de meisjes buiten voor het huis? Over Eva? Of over hoe bijzonder het was wanneer je werd uitgekozen? Over haar nieuwe gezicht?

Nee. Dat ging ze niet doen. Als ze schreef, werd de herinnering bedorven en dan bleef alleen het geschrevene nog over, en dit was een avond die ze echt wilde onthouden. Daarom legde ze het dagboek opzij, stak haar hand onder haar trui en begon het zakje tevoorschijn te wurmen, het zakje dat ze van Eva had gekregen en snel in haar beha had gepropt toen ze het hek achter zich dichtdeed en naar het huis liep.

Er zaten vijf tubetjes in het zakje, twee lippenstiften in plastic hulzen, een echte eyeliner en drie – drie! – buisjes parfum. Het waren proefmonsters, ondanks het zwakke licht kon je dat zien, want behalve de eyeliner was alles piepklein. De lippenstiften waren nauwelijks meer dan twee centimeter lang toen ze die uit hun huls omhoogdraaide, en geen van de tubetjes was groter dan haar pink. Maar dat maakte niet uit. Integendeel. Toen Susanne klein was, was spelen met het oude poppenhuis van Inez en Elsie het leukste wat ze wist. Er ging een rilling van verrukking door haar heen wanneer ze een miniatuurligstoeltje mocht uitklappen of een tafel met een microscopisch theeserviesje mocht dekken. Eva's geschenken waren een vervolg op dat oude spel; het was alsof zij bij voorbaat al wist dat Susanne nog steeds genoot van alles wat een poppenformaat had.

Ze keek naar haar schat en slaakte een zucht. Zou ze die misschien aan Inez durven laten zien? Maar nee, dat kon natuurlijk niet, stel je voor dat ze boos werd en alles in beslag nam. Ze wilde het echter ook niet allemaal onder de matras verstoppen, dan kon ze al dit nieuwe immers niet gebruiken. Dan zou het zijn alsof ze trouweloos was tegenover Eva. En Susanne wilde niet trouweloos zijn tegenover Eva.

Haar schooltas, natuurlijk. Ze zou een lippenstift kiezen en een tubetje met gekleurde dagcrème en die in het vakje van haar schooltas stoppen. Dat was perfect. Dan kon ze zich onderweg in een telefooncel opmaken en zou ze er heel mooi uitzien wanneer ze op school arriveerde.

Nu moest ze het licht wel aandoen, anders zou ze niet kunnen kiezen tussen de lippenstiften. Ze stond op en strekte haar hand uit naar de schemerlamp in de vensterbank, maar haar beweging stokte. Björn en Eva stonden nog steeds bij het hek. Ze zagen eruit als een stel in een film: hij met zijn glanzende donkere haar en zij met haar heldere gezicht. Ze stonden te praten, te roken en te lachen alsof ze elkaar hun hele leven al kenden. Toen Susanne de lamp aandeed, keerden ze hun gezicht naar haar toe, glimlachten en staken groetend hun hand op. Alsof ze haar mochten. Alsof ze allebei echt van haar hielden.

Waarom kreeg ze opeens de neiging om te gaan huilen?

Omdat ze een idioot was, natuurlijk. Zoals Ingalill zou hebben gezegd. Maar nee, dat zou ze misschien niet zeggen; zulke dingen zei Ingalill een jaar of twee jaar geleden. Tegenwoordig zou ze eerder zeggen dat Susanne hopeloos sentimenteel was. Met de nadruk op sentimenteel.

Nu zei Björn iets tegen Eva, die knikte en glimlachte, en ze wuifden nog een keer naar Susanne, waarna ze haar de rug toekeerden en wegliepen. Eva had haar handen in haar zakken gestoken, haar blonde hoofd was voortdurend in beweging, alsof ze iets heel belangrijks vertelde, iets wat met veel geknik en geschud van haar hoofd benadrukt moest worden. Björn leek geconcentreerd te luisteren terwijl hij met zijn ene hand zijn capuchon opzette en met zijn andere de kersrode fiets leidde.

Terwijl ze langzaam in het donker verdwenen, keek Susanne hen na.

Ze hoorden de zee, maar konden die niet zien. De avond lag zwaar over de Sont, en er sloot zich een nieuwe en bijtender kou om Björns handen toen hij Eva's fietsstuur vasthield. Dat maakte niet uit. Hij genoot van de tere kilte, genoot zo intens dat hij heel even alles over zichzelf vergat – *Ben ik ziek geweest?* – maar toen wist hij weer waarom het zo lang geleden was dat hij frisse lucht had ingeademd. Het succes had hem overvallen. Hij had maandenlang opgesloten gezeten in auto's en hotels, clubs en dancings. Maar nu niet. Nu was hij vrij, hij was thuis en hij liep met een meisje langs Linjen, de strandpromenade waar jonge geliefden in Landskrona altijd liepen. De lantaarns die de smalle grindweg verlichtten, stonden ver uit elkaar, maar dat maakte niet uit. Hij vond het fijn om vanuit het licht de duisternis in te lopen en vanuit de duisternis het licht, om naar Eva te kijken wanneer ze een lantaarn naderden en om zelf niet te worden gezien wanneer ze die achter zich lieten. Hij kende hier zowel de duisternis als het licht, hij had vaak 's avonds laat langs Linjen gefietst, hij wist dat de citadel ergens links dreigend op de achtergrond achter zijn slotgracht aanwezig was en dat hij zijn hoofd maar iets naar rechts hoefde te draaien om aan de overkant van het water de verre sterrenhemel te zien die Kopenhagen werd genoemd.

'IJs', zei hij terwijl hij bij een plas water bleef staan.

'O', zei Eva. Ze plantte de scherpe hak van haar laars in het dunne oppervlak. Dat brak met een krakje en de scheuren vormden een wit spinnenweb. Björn schoot in de lach en herhaalde haar beweging, maar zijn hak was niet klein en scherp. Daarom brak het ijs helemaal; het verloor zijn kleur en veranderde in scherfjes in een bruine smurrie.

'Denk jij dat het iets instinctiefs is?' vroeg Eva.

'Wat?'

'Nou, dat je het ijs op elke plas water die je ziet kapot wilt maken.'

'Moet je dat echt?'

'Ik moet dat. En jij ook, lijkt het wel.'

Hij glimlachte naar haar, ontweek haar blik niet langer.

'Dan lijken we zeker een beetje op elkaar.'

Een snelle glimlach, en toen was zij degene die haar ogen neersloeg.

'Misschien.'

Ze liepen weer verder, maar nu langzamer en met lange pauzes tussen hun woorden.

Ze had nog niets gezegd over The Typhoons. Geen woord. Dat was fijn en tegelijkertijd irritant op een manier die hij voor zichzelf niet goed kon plaatsen. De laatste tijd had het immers bepaald niet ontbroken aan meisjes die over The Typhoons wilden praten. Ze zaten overal: in de hotels en de clubs, in de volksparken en op de feestterreinen, in de pretparken in Stockholm en Gotenburg, bij het gebouw van de platenmaatschappij en in de tourneebus. Bij een wegrestaurant in de buurt van Gränna zwermde zelfs een hele schoolreis, of althans het vrouwelijke gedeelte daarvan, rond de deuren van de wc's in een poging naar binnen te gluren. Toen Björn hen zag, werd hij bleek van misselijkheid en hij weigerde naar buiten te komen. Peo, die mee was naar de plee, grijnsde natuurlijk, maar toen hij eindelijk snapte dat het menens was, drong hij door de meidenmassa naar buiten om Hasse te zoeken, hun roadie. Peo en Hasse konden beiden door een meidenmassa lopen zonder dat ze werden gekrabd en hun kleren kapot werden getrokken. Björn kon dat niet, en hij begon het beu te worden om elke avond zijn krabwonden te moeten ontsmetten. Sommige van die grieten waren behoorlijk venijnig, zo venijnig dat een minuut nadat ze hun scherpe nagels in zijn huid hadden geboord zijn wonden er al van begonnen te kloppen.

Anderzijds had hij het er natuurlijk ook van genomen. Dat werd ook verwacht, zo begreep hij, en hij had aan die verwachtingen voldaan. In twee maanden tijd was hij al met zeven verschillende meisjes naar bed geweest. Een Ann-Marie in Växjö, een Margareta in Norrköping, een Agneta in Stockholm en een Liselott in Sundsvall. Hoe de andere drie heetten, wist hij niet meer, maar hij wist wel dat het meisje in Jönköping de dochter van de stadsarchitect was. Dat had ze in de loop van de nacht minstens vier keer herhaald, ook terwijl ze aan het vrijen waren, alsof haar vaders macht over de plattegrond van de stad haar nog aantrekkelijker zou maken. Maar misschien was haar onderwerpkeuze gewoon een beetje apart; de meeste grieten kletsten immers aan één stuk door, zelfs wanneer ze zich uitkleedden, wat op zichzelf soms al een schouwspel was. Die Margareta droeg een beha die maakte dat haar borsten op de koppen van kernwapens leken en Liselott had een gordeltje aan dat eruitzag alsof het van haar moeder was. Ze hadden het allemaal over The Typhoons en het succes van The Typhoons, over andere bands en andere sterren, over hun eigen dromen over succes en – in twee gevallen althans – over andere jongens van wie ze zich zouden kunnen voorstellen dat ze met hen naar bed gingen. Paul McCartney, bijvoorbeeld. En Herman van Herman's Hermits. En daarna een verbaasd gezicht: 'O jee, ben je nou chagrijnig? Zo bedoelde ik het toch niet ...' Jezus christus. Wat een onnozele troelen had je toch!

Eva keek hem aan. 'Wat zei je?'

'Ik zei niets. Ik dacht alleen maar.'

'O.'

Ze vroeg niets meer, probeerde niet te gissen of hem uit zijn tent te lokken. Een goed teken. Althans als ze hem en datgene waar hij voor stond niet verachtte, hem een beetje belachelijk vond, net zo belachelijk als de muziek van The Typhoons en hun te jonge fans. Het kon natuurlijk ook zijn dat ze echt niet wist wie hij was. In dat geval was dat een slecht teken. Dan was ze misschien gewoon onverschillig en had ze geen belangstelling. Dan was hij misschien gewoon een jongen, wie dan ook, met wie ze opliep om niet alleen te hoeven lopen. Hij wierp een snelle blik op zijn horloge.

'Jammer.'

'Wat is er jammer?'

'Dat het al over negenen is. Anders hadden we even een kop koffie kunnen gaan drinken. Maar alles zal nu al wel dicht zijn.'

'Kun jij dat dan?'

'Kan ik wat?'

'Gewoon naar een café gaan? Word je dan niet door een hoop meiden besprongen?'

Goed. Ze wist dus in elk geval wie hij was. Hij haalde zijn schouders op.

'Zo'n vaart loopt het niet.'

Ze glimlachte even naar hem.

'Zeker weten? Als je die meiden naar voren ziet stormen, ziet het er anders best eng uit.'

Hij wilde bijna blijven staan, maar onderdrukte die impuls en bleef doorlopen.

'Heb je dat dan gezien?'

'Zeker. Diverse keren. Ik hou van muziek.'

'Van mijn muziek?'

Uh. Dat had hij nou niet moeten zeggen. Misschien vond ze dat hij naar complimenten hengelde. Dat liet ze dan niet merken, want ze klonk heel serieus toen ze antwoordde: 'Van alle muziek. Niet dat ik bijzonder muzikaal ben. Maar muziek is toch belangrijk. Het gaat toch om emoties. Of niet?'

Wat moest je daarop antwoorden? Er ging een rillinkje van onbehagen over zijn rug, hij mompelde iets en trok opnieuw zijn schouders op. Ze liepen zo langzaam dat het licht van haar fietslamp slechts af en toe even opflikkerde. Zonder te weten waarom boog hij zich voorover om de dynamo terug te klikken van het wiel. Ze waren het strandpaviljoen gepasseerd en bijna bij de haven en de stad.

'Waar woon je?'

Nu glimlachte ze weer en haar ogen glinsterden.

'Hoezo?'

Hij kon die glimlach niet weerstaan en moest wel terug glimlachen.

'Nou, ik dacht dat je misschien op weg naar huis was. En dat ik je wegbracht.'

Ze schoot in de lach.

'Oké. Als jij denkt dat je daar de puf voor hebt, prima.'

'Is het dan zo ver?'

Opnieuw wierp ze hem een stralende blik toe.
'Het is de heuvel op, bij het ziekenhuis.'
Hij trok een verbaasd gezicht.
'Waarom hebben we deze weg dan genomen? Dat is toch een omweg.'
Ze pakte hem bij zijn arm en vleide even haar wang tegen zijn duffel.
'Dat wilde jij toch', zei ze terwijl ze begon te lachen. 'En ik wilde het omdat jij het wilde.'
Toen bleef hij onder een straatlantaarn staan en hij boog zich voorover om haar te kussen.

'Ik denk dat ik maar eens onder de wol kruip', zei Birger terwijl hij de armleuningen van zijn fauteuil beetpakte.

Inez wendde haar blik niet van de televisie af.

'Ja, doe maar.'

'En jij?'

'Ik heb nog geen slaap.'

Birger bleef zitten, klaar om op te staan, maar zonder dat echt te doen.

'Ben je van plan op hem te wachten?'

Inez wierp hem een verstrooide blik toe en probeerde onverschillig te kijken.

'Wat? Nee. Ik heb gewoon nog geen slaap.'

Birger stond nog steeds niet op.

'Anders heb je om deze tijd altijd wel slaap.'

Inez moest even heel diep zuchten om haar ergernis te bedwingen. Kalm blijven. Ze moest kalm blijven.

'Best mogelijk. Maar vanavond heb ik dat niet.'

Het bleef even stil. Ze keek niet naar hem, maar toch wist ze dat hij in dezelfde houding bleef zitten. Dat deed hij altijd wanneer hij zijn zin wilde doordrijven. Zo deed hij altijd. Iedereen dacht dat zij de sterkere van hen tweeën was, omdat ze het hardst en het meest praatte, maar zo was het niet. Ze waren als glas en rubber. Zij was van glas; ze had een hard oppervlak, maar brak gemakkelijk. Birger was van rubber. Dik rubber. Hij was zacht en buigzaam, maar niet kapot te krijgen. Hij kon overal tegen. Verdroeg alles. Overwon alles.

Toch was Birger ooit grootgebracht om iets heel anders te zijn. Hij zou geen buitengewoon doelbewuste leraar geschiedenis en maatschappijleer worden, maar een pessimistische schoenmaker, zijn vaders evenbeeld en opvolger, een mens die weigerde hoop te koesteren. Dat was een erfenis, oneindig veel belangrijker dan het geld van de boerderij van zijn grootouders van moeders kant, de tienduizend kronen die op een rekening bij Landskrona Sparbank stonden en waar je nooit aan mocht komen, zelfs niet toen zijn vader ergens in de jaren vijftig een keer een nieuw gebit nodig had. De ouwe sabbelde liever drie jaar lang op in water geweekt brood, ondertussen het ene briefje van vijf kronen na het andere in de stoffige jampot stoppend die in de donkerste hoek van zijn grotachtige werkplaats stond. Toen hij eindelijk genoeg bij elkaar had gespaard voor een gebit, was hij bijna vergeten hoe je moest kauwen.

Thuis bij de schoenmaker was somberheid de belangrijkste richtlijn, meteen gevolgd door achterdocht. Jaloerse goden waakten dag en nacht over het huis, klaar om iedereen die te hard lachte of te lichtzinnige dromen koesterde te straffen. Daarom barstte Birgers moeder in huilen uit toen hij op tienjarige leeftijd zijn onderwijzeres wist over te halen met hem mee naar huis te gaan om op haar beurt zijn ouders over te halen hem naar het lyceum te laten gaan. Dat was een bewuste strategie, legde hij Inez jaren later uit. Als kind van tien had hij al geweten dat hij wilde studeren, maar hij wist ook dat als een hogere autoriteit niet ingreep, zijn vader hem nooit naar het lyceum zou laten gaan. Niet dat die onderwijzeres op zichzelf een hogere autoriteit was. Ze was immers een hallelujafiguur, zoals men in Landskrona de mensen noemde die naar de bijeenkomsten van de pinkstergemeente gingen, en de schoenmaker, een atheïst en socialist, beweerde dat hij hallelujafiguren verachtte. Maar Birger wist toen al dat dit loze praat was. In feite werd de schoenmaker altijd benauwd zodra iemand met ook maar de geringste opleiding – een mulodiploma kon al genoeg zijn – zijn werkplaats naderde. Pas wanneer zulke klanten de deur achter zich hadden dichtgedaan werd hij luidruchtig en begon hij te tieren dat het hooghartige mensen uit de hogere kringen waren.

Inez zag het voor zich, zo vaak had ze aan dat verhaal gedacht. Ze wist dat het haar eigen beelden waren en dat die misschien niets met de realiteit te maken hadden, maar toch bleef ze ervan overtuigd dat dit werkelijk was gebeurd. Dus staat er een bleke, magere vrouw met een knot in haar nek van haar ene voet op de andere te wippen op het net geboende kleed in de keuken van Birgers moeder. Ze voelt zich onzeker en is onwillig, want zo ontzettend getalenteerd is die schoenmakerszoon nou ook weer niet; hij is alleen heel vlijtig en ontzettend koppig, zo koppig dat ze niet precies weet hoe hij het voor elkaar heeft gekregen haar weerstand te breken en haar over te halen om aan deze expeditie te beginnen. Maar beloofd is beloofd, en dat geldt vooral voor wie Jezus heeft leren kennen. Daarom schraapt ze ten slotte haar keel en neemt het woord.

De moeder van de jongen staat bij het aanrecht met een punt van haar schort haar ooghoek uit te wrijven. Ze schaamt zich voor wie ze is en waar ze woont, dat haar neus loopt en dat er aardappelschillen in de gootsteen liggen, dat de schoenmaker een krant op de keukentafel heeft gegooid – dat ziet er immers zo slordig uit – en dat haar zoon haar heeft verraden door zonder aankondiging vooraf zijn onderwijzeres mee te nemen, zodat zij geen kans heeft gehad de vloeren nog eens een keer extra te dweilen en de gordijnen te wassen.

Aan de keukentafel zit een ongeschoren schoenmaker zijn wangen naar binnen te zuigen. Hij mompelt wat over schoolgeld en dure boeken, maar wanneer de juffrouw over Vereniging de Kerstkabouters begint en over hun gulheid ten opzichte van minderbedeelde knapen is dat meteen afgelopen. Heel lang geleden ontkwam de schoenmaker er zelf niet aan om in een gestreept liefdadigheidspak rond te lopen en sinds die dag haat hij Vereniging de Kerstkabouters zo intens dat hij eindelijk zijn rug recht en met zijn knokkels steunend op de keukentafel opstaat. Hij is – om de drommel! – niet zo arm als hij eruitziet. En zonder dat hij werkelijk weet hoe het toegaat, lukt het hem in de volgende zin zichzelf ervan te overtuigen dat hij het zich heus wel kan permitteren om de knaap op school te houden, al zou het tot het examen aan toe zijn. Dat zullen ze warempel nog weleens zien, zowel die wijven van Vereniging de Kerstkabouters als alle andere wijven in de stad!

Bij de deur staat een jongen van tien die erg op zijn hoede is. Hij is gekleed in een korte broek en zelfgebreide kniekousen, staat aan zijn pet te frummelen en laat zijn blik van de een naar de ander gaan. Hij zegt niets, maar hij regeert hen allemaal. Zo zit hij in elkaar en dat is zijn macht. Zo is hij altijd geweest.

Desondanks reageerde Birger met enig beven toen de verbijsterende tweeling Hallgren met hun krullende kapsels en deinende rokken ergens aan het eind van de jaren veertig op het lyceum in Landskrona hun intrede deden, maar het was een beven dat al snel overging in fascinatie en intense vastberadenheid. Een van die twee zou hij krijgen. Of het nu Elsie of Inez was, deed niet ter zake; dat had Elsie altijd geweten. Als een van hen het maar werd.

Niet dat hij de enige was die dat besloot; er waren minstens zes zestienjarigen en vier zeventienjarigen die dit het eerste semester ook deden. De vooruitzichten van de meesten waren oneindig veel beter dan die van Birger. Enkelen waren welopgevoed en wisten zich te gedragen op een manier die de meisjes deed blozen van verrukking, anderen waren in goeden doen en zelfverzekerd, nog weer anderen zagen er niet slecht uit en een enkeling beschikte bovendien al over een filmsterrencharme en een instinctief verleidingstalent. Birger bezat geen van die eigenschappen. Hij was een tamelijk onhandige zeventienjarige die voortdurend struikelde over zijn eigen voeten, omdat eentje daarvan niet meer groeide sinds hij op zijn twaalfde door polio was getroffen. Hij was klein van stuk en gewoontjes, en hij had bovendien de neiging mensen te vervelen door zeer gedetailleerd verslag te doen van wat hij net op school had geleerd. Toen hij er eindelijk in slaagde Inez uit te nodigen voor een bezoek aan een tearoom, wat pas gebeurde aan het begin van het voorjaarssemester in het laatste jaar, was hij bijna een half uur bezig om de omstandigheden uit te leggen die tot de Franse Revolutie hadden geleid, maar dat maakte niet uit, want tegen die tijd had de ramp zich al voltrokken en waren alle andere bewonderaars afgevallen. Birger was, zoals gewoonlijk, degene die het 't langst volhield. Hij liet nooit los. Hij zegevierde en kwam vijf jaar later als doctorandus uit Lund terug naar huis, met Inez als zijn echtgenote.

In de eerste jaren nadat ze in het huwelijk waren getreden, kwam het wel voor dat Inez wanneer ze naast Birger op de grijze bank in de woonkamer zat haar handwerkje liet zakken en hem met een zekere verbazing opnam. Hoe kwam het dat hij altijd zegevierde, dat hij haar kon overwinnen zoals hij vroeger de polio, de schoenmaker, de school en de universiteit had overwonnen en zoals hij tegenwoordig de rector en het lerarencorps overwon? Hij verhief immers nooit zijn stem en gaf zelden zijn mening. Integendeel, hij luisterde met een schuin hoofd, glimlachte, knikte en kwam vervolgens met één zin, vraag of constatering, die haar het zwijgen oplegde en aan het twijfelen bracht. Naderhand wist ze zich zelden te herinneren wat hij nou precies gezegd had. Ze merkte alleen dat ze dag in, dag uit, jaar in, jaar uit, dingen deed die ze eigenlijk niet wilde en nooit van plan was geweest te doen. Hoe kwam het bijvoorbeeld dat ze op de huishoudschool was beland? Ze had nooit belangstelling gehad voor wecken en limonade maken, ze was immers van plan geweest naar de universiteit in Lund te gaan. Maar was het echt rechtvaardig om Birger daarvan de schuld te geven? Toen ze vertelde over het geluk dat haar wachtte in de literatuurgeschiedenis – *Stel je voor dat je je hele dagen mocht bezighouden met het lezen van romans!* – had hij immers geknikt en was hij het met haar eens geweest. Hij had haar een kneepje in haar hand gegeven en zelfs haar knokkels gekust, maar daarna had hij met een schuin hoofd en een zachte stem drie woordjes gesproken: 'Maar Björn dan?'

Dat was een gedachte die ze zichzelf op dat moment niet had toegestaan; daarmee werd ze herinnerd aan de vreselijke keuze waarvoor ze stond, die ze voor zichzelf verborgen had proberen te houden en had getracht op te schorten. Dat kon nu niet langer. Ze staarde Birger aan, knipperde haar tranen weg, zag het onvermijdelijke in van wat hij zei en boog het hoofd. Lund lag slechts veertig kilometer van Landskrona verwijderd, maar was toch een andere wereld; het was in het begin van de jaren vijftig ondenkbaar dat een studente een klein jongetje zou meenemen naar die wereld, ook al kon ze bewijzen dat dit jongetje niet de vrucht van haar eigen zondige leven was, maar van dat van haar zus. Björn achterlaten bij Elsie en Lydia was al even ondenkbaar. Misschien zouden ze hem in een kindertehuis stoppen. Misschien zouden ze hem voor adoptie afstaan. Niet dat een van hen dat ronduit gezegd had, maar Inez wist wel dat ze zo dachten, dat Lydia zo gedacht had toen ze Elsie had weggestuurd om in het geheim haar kind te baren, en dat Elsie zelf zo dacht toen ze terugkwam en al haar besluitvaardigheid en levenslust kwijt was. Heel onthullend was dat ze Björn allebei aanraakten zonder naar hem te kijken, dat ze even zuchtten wanneer hij huilde en dat ze met gefronste blik Inez volgden wanneer zij hem dicht tegen zich aan drukte en met haar mond over zijn donzige hoofdje ging. Ze wilden hem van haar afnemen. En dat zou ze niet overleven.

'Er is een huishoudschool in Landskrona', zei Birger op dezelfde zachte toon. 'Met een extra studiejaar voor wie kooklerares wil worden.'

'Ja', zei Inez terwijl ze opnieuw met haar ogen knipperde. 'Daar heb je gelijk in.'

Die zin bepaalde haar leven. Maar dat had ze destijds niet in de gaten. Pas jaren later besefte ze dat er andere antwoorden waren geweest, betere. Want er was immers ook een echte lerarессenopleiding in Landskrona. En een opleiding voor verpleegsters. Maar dat was toen geen moment bij haar opgekomen, het was alsof er maar één weg te gaan was en dat was de weg die Birger had uitgestippeld. Hij had het besluit voor haar genomen, maar dat begreep ze niet. Ze dacht dat er andere krachten in het spel waren, sterke krachten, die geen mens in de wereld kon bedwingen.

Want zelfs Birger was toch niet in staat de liefde en de dood te overwinnen?

De liefde en de dood hadden een brede glimlach, maar de liefde had ook een slechte huid en een opengeknoopte overjas. Inez zag hem eigenlijk maar één keer en dan nog in het voorbijgaan, waarna zijn glimlach uitdoofde en hij in de schaduw verdween.

'Elsie?' zei ze aarzelend tegen een andere schaduw. 'Ben jij dat?'

Het duurde even voor er een antwoord kwam, maar toen glipte Elsie in het lichtkegeltje bij de portiek tevoorschijn. Ze droeg geen muts en haar haren zaten in de war.

'Ik ben het.'

Er was ruim anderhalf jaar verstreken sinds ze naar Landskrona waren verhuisd en in die periode was de stilte tussen hen hard als steen geworden. Ze snauwden niet meer tegen elkaar, maar waren meestal juist buitengewoon beleefd; ze spraken zacht over school en het huiswerk, over Lydia en Ernst, over klasgenoten en leraren, maar zonder de ander echt in hun leven toe te laten. Ze hadden allebei geheimen, ook al stelde Inez zich soms voor dat Elsies geheimen veel geheimer waren dan die van haar. Elsie was ook degene die het hardst protesteerde wanneer Lydia wilde dat ze dezelfde kleren aantrokken. Vanavond bijvoorbeeld, toen Lydia had voorgesteld dat ze hun blauwe wollen jurken naar het schoolbal zouden aantrekken. Elsie ging meteen dwarsliggen. Nooit van haar leven! Als Inez haar blauwe jurk wilde aantrekken, dan zou Elsie de geruite nemen. Of andersom. Dat maakte niet uit, als zij maar niet in dezelfde kleren als haar zus hoefde rond te lopen. Dat was ze beu. Ze was een zelfstandige persoonlijkheid.

En nu stond Inez daar met een geruite jurk onder haar jas te kijken naar Elsie, die een blauwe jurk droeg. Zodra ze bij school waren aangekomen, waren ze uiteengegaan en was Elsie verdwenen. Inez had tussen het dansen door om zich heen gekeken, maar onder de andere scholieren in de gymnastiekzaal geen glimp meer van haar zus opgevangen.

'Ga je niet naar binnen?' vroeg ze nu.

'Nog niet.'

'Maar ...'

'Ik kom zo', zei Elsie. 'Zeg maar dat ik mijn schoenen was vergeten en terug moest. Of zoiets.'

Inez wierp een blik op de schaduw achter haar zus.

'Ik weet niet ...'

Elsie haalde haar schouders op. 'Laat dan maar.'

De schaduw achter haar bewoog, nauwelijks merkbaar, een

hand die in een zak verdween, een zwaartepunt dat anders kwam te liggen, maar het was voor Elsie voldoende om zich terug te trekken en zelf in een schaduw te veranderen. Inez draaide zich om, duwde met haar schouder tegen de deur en glipte het trappenhuis in.

Terwijl ze haar wanten uittrok en haar sjaal losmaakte, liep ze langzaam en met tegenzin de trappen op. Alsof ze zich ertoe moest dwingen. Halverwege bleef ze staan om op haar horloge te kijken. Vijf voor elf. Elsie had dus nog vijf minuten buiten bij de portiek, vijf minuten die hen beiden voor straf en verdoemenis konden behoeden, vooropgesteld althans dat er straf en verdoemis achter de deur van het flatje wachtten. Het konden immers net zo goed feestelijkheden en loftuitingen zijn, ongeacht wanneer in het etmaal het hun behaagde te verschijnen. Dat viel onmogelijk te voorspellen. Tegenwoordig viel om hen heen niets meer te voorspellen. Maar toen schoot haar weer te binnen dat Ernst niet thuis was, en ze glimlachte. Hij was die middag immers naar Gotenburg gegaan om voor een aantal oud-collega's een project te presenteren en hij zou pas morgen terugkomen.

Ernst was eindelijk weer beter, maar toch was hij helemaal niet beter. Zes maanden geleden was hij in Landskrona verschenen, met open armen en een doktersverklaring die duidelijk maakte dat hij feitelijk gered was. Volkomen vrij van tuberculosebacteriën, dankzij een nieuwe en revolutionaire combinatiebehandeling. Leve de chemotherapie! Leve de moderne wetenschap! Het leven kon opnieuw beginnen.

De eerste weken waren de meisjes een beetje verlegen tegenover hem geweest. Hij had immers al in geen jaren meer bij hen gewoond en de nieuwe flat zelfs nog nooit bezocht, maar hij was plezierig in de omgang, hij luisterde, was vriendelijk en voortdurend in een goed humeur. Zijn enthousiasme werkte aanstekelijk, zijn gretigheid evenzeer en het leek wel of hij met de dag levendiger werd. Het was net of hij in de jaren in het sanatorium een hele schatkist aan plannen, grappen en ideeën had verzameld die hij nu opende en waarvan hij de inhoud liet glinsteren.

Lydia moest glimlachen om zijn invallen en de meisjes moesten erom lachen, maar na een paar maanden werd zijn voortdurende vrolijkheid een tikje vermoeiend. Het was lastig om nooit eens rustig aan de keukentafel je huiswerk te kunnen maken, om de hele tijd te worden onderbroken door Ernst, die als een koekoek uit een koekoeksklok tevoorschijn sprong – zoals Elsie het op een ochtend op weg naar school uitdrukte – en hun nu eens dit en dan weer dat meedeelde. Ze zouden zo snel mogelijk naar Malmö verhuizen, want in Malmö waren architectenkantoren die mensen zochten. Maar trouwens, nee, hij zou weer een eigen bedrijf beginnen, en nu wilde hij weten of hunne hoogheden, de gravinnen Inez en Elsie, nog steeds terug wilden naar Gotenburg of dat ze in Skåne wilden blijven. Zij mochten beslissen, hij stond geheel tot hun beschikking. De villa die hij in het sanatorium had getekend en die weldra gebouwd zou worden, ongeacht waar ze naartoe verhuisden, had veel voordelen – tja, als hij eerlijk moest zijn, dan was het eigenlijk een meesterwerk – maar nu wilde hij weten of de meisjes er iets op tegen zouden hebben om boven elkaar in een torentje te wonen. Dat zou natuurlijk betekenen dat de één een mooier uitzicht kreeg dan de ander, maar dat zou je wel kunnen oplossen door hen om de maand te laten ruilen. Of niet? Verdorie, wat waren ze saai, zoals ze daar boven hun boeken zaten. Zelf had hij toen hij jong was wel geweten hoe hij moest leven ...

Na een paar maanden kreeg Lydia kringen onder haar ogen en twee diepe rimpels tussen haar wenkbrauwen. Bovendien liep ze voortdurend rond met een verontschuldigende glimlach en een kop koffie in de hand. Ze had koffie nodig, veel koffie, anders kon ze gewoon niet wakker blijven. De meisjes wisten waardoor dat kwam, maar wisten óók dat je daar niet over kon praten. Lydia kwam 's nachts immers niet aan haar slaap toe. Ernst kon met steeds minder slaap toe – het record stond op een uur en een kwartier – en wanneer hij niet met zijn plannen en projecten bezig was, wilde hij vrijen, luidruchtig, langdurig en intens. Inez en Elsie werden allebei wakker van zijn gebrul, maar daar praatten ze nooit over; ze trokken slechts het kussen over hun van walging vertrokken gezicht en probeerden zich voor de geluiden af te sluiten.

Vannacht zou het in elk geval rustig zijn, dacht Inez terwijl ze haar hand op de klink van de voordeur van de flat legde. Vooropgesteld althans dat Ernst geen schitterende inval kreeg, nu hij eenmaal in Gotenburg was. Misschien zou hij ergens rond drieën bellen om te vertellen dat hij besloten had om met een schip te vertrekken naar Zuid-Amerika of India. Zij zou dat prima vinden. Ze zou hem niet alleen maar missen.

Lydia had haar nachtpon al aangetrokken en haar bed klaargemaakt voor de nacht, maar ze lag er nog niet in. Ze zat in haar ochtendjas en met sloffen aan achter haar bureau. Ze zat zeker dictees na te kijken. Ze zat altijd dictees na te kijken.

'Is Elsie niet bij je?' vroeg ze terwijl ze over haar bril naar Inez gluurde.

'Die komt er zo aan', zei Inez terwijl ze haar de rug toekeerde om haar jas op te hangen. 'Ze was haar schoenen vergeten ...'

Lydia reageerde niet, maar knikte slechts en boog zich weer over haar schriften. Inez steunde tegen de muur om haar overschoenen uit te trekken. Heel haar leven zou ze zich dat moment herinneren: haar hand op het grijze behang, de jas die op de kleerhanger hing te schommelen toen ze er tegenaan stootte, het gezicht dat ze trok toen ze zag dat er een ladder in haar kous zat. De derde al in een maand tijd. En het was duur om ladders te laten ophalen ...

Op hetzelfde moment ging de bel. Inez' bewegingen stokten, maar daarna wierp ze een blik in de slaapkamer. Lydia zat met haar mond open, maar ze stond niet op en liet ook haar vulpen niet los. Ze was verbijsterd. Net zo verbijsterd als Inez. Wie was er nou zo ongemanierd om 's avonds om elf uur aan te bellen?

Er was natuurlijk maar één antwoord op die vraag mogelijk; dat wist ze, ook al mocht ze dat niet denken. Dat kon alleen hij maar zijn, hij die kwam wanneer het hem beliefde. De verschijning met de breedste van alle brede glimlachen.

Inez stapte naar voren om open te doen. Er stonden een dominee en een politieagent voor de deur.

'Goedenavond', zei de dominee. 'Neemt u ons niet kwalijk dat we storen. Is mevrouw Hallgren misschien thuis?'

Inez sloot haar ogen toen ze een knicksje maakte en hen binnenliet, maar dat hielp niet. Ze kon zich niet afsluiten voor Lydia's kreten uit de slaapkamer. Ook zij begreep het.

Ernst was voor een tram gaan staan en hij was overreden. Het was onbegrijpelijk, maar een feit. Het was een paar honderd meter van het spoorwegstation gebeurd. Hij had met zijn hoed in zijn nek op het trottoir om zich heen staan kijken en was toen plotseling op straat gestapt, midden op de tramrails. Het was een rustige stap, hadden ooggetuigen verteld; hij had zich niet voor de tram geworpen, absoluut niet; dat moesten ze niet denken. Het leek eerder of hij de goede weg had gezocht. Maar de tram reed op slechts enkele meters afstand en de bestuurder – die trouwens in zware shock verkeerde – had geen kans gehad om te remmen. Mankeerde architect Hallgren misschien iets aan zijn ogen?

Lydia zat roerloos op de pluchen bank en sprak geen woord. Inez pakte haar hand, streelde die en schudde haar hoofd.

'Nee', zei ze rustig. 'Aan zijn ogen niet.'

Birger had de armleuningen losgelaten en was teruggezonken in zijn fauteuil, maar hij gaf het niet op.

'Ik wist niet dat jij belangstelling had voor kunstmatige intelligentie', zei hij met zijn hoofd schuin.

Inez rechtte haar rug; het duurde een paar tellen voordat ze zag dat het *Technisch Magazine* op tv was. Het programma ging over kunstmatige intelligentie.

'Ik zat te denken', zei ze.

Birger glimlachte.

'Dat begrijp ik. Maar wordt het niet eens tijd om onder de wol te kruipen?'

Inez was zelf verbaasd over haar tegenstand.

'Kruip jij maar lekker onder de wol', zei ze op haar vriendelijkste toon. 'Ik vind die kunstmatige intelligentie wel interessant. Heel interessant.'

Birger keek eerst verwonderd, maar daarna haalde hij zijn schouders op.

'Ja', zei hij toen. 'Misschien is het iets waar een mens zich eigenlijk in zou moeten verdiepen.'

Hij richtte zijn blik op de buis.

'Maar eerlijk gezegd', zei hij, 'geloof ik niet dat ik het begrijp. Jij wel?'

Inez sloot haar ogen en gaf het op. Ze zou zich vanavond niet aan hem kunnen onttrekken. Niet voordat hij in slaap was gevallen.

'Nee', zei ze, en onwillekeurig ontsnapte er een zuchtje. 'Je hebt eigenlijk wel gelijk. Het is tijd om onder de wol te kruipen.'

De nacht welfde zich over het rode bakstenen huis. De rijp glipte de tuin binnen, gleed over het gazon en glazuurde elk sprietje, ving elke waterdruppel op de donkere grond van de bloemperken en zonderde die af, kneep een keer en maakte er diamanten van, schoot vervolgens soepel verder en kroop langs de stammen van de bomen omhoog om de donkere contouren van de takken glinsterend zilverwit te verven.

Inez lag in de slaapkamer in de duisternis te staren. Naast haar was Birger al diep in slaap. Hij mompelde iets en zijn voeten bewogen. Misschien rende hij in zijn droom, was hij op jacht of werd hij opgejaagd. Het maakte niet uit wat het was. Hij zou 's ochtends toch beweren dat hij niet gedroomd had; hij beweerde zijn hele leven al dat hij nooit droomde. Inez had al vaak hele verhandelingen afgestoken over hoe absurd het was om zoiets te beweren, maar dat bracht hem niet van zijn stuk. Hij droomde nooit. Punt uit.

Zelf lag ze roerloos met haar ene arm boven haar hoofd heel langzaam te ademen. Heel die houding was een leugen, een oude leugen, waartoe ze haar toevlucht had genomen toen de kinderen nog klein waren. In die tijd was ze gedwongen geweest om te doen alsof ze sliep om Birger op afstand te houden; het was de enige manier om aan zijn handen, zijn stem en zijn koppigheid te ontkomen. En Inez had elke avond een moment voor zichzelf nodig, een moment waarin ze degene die ze werkelijk was kon benaderen. Overdag was ze vrolijk, krachtdadig en vlot van de tongriem gesneden, een vrouw met blozende wangen die graag lachte, plichtsgetrouw, iemand van wie je op aan kon, een moderne moeder met een mandje voor op haar fiets, een kooklerares die nooit van haar leven problemen had om in de klas orde te houden. Maar 's nachts, vlak voordat ze in slaap viel, begon ze te aarzelen en te twijfelen, begon ze vraagtekens te zetten en te peinzen. Misschien was ze niet eens vrouw. Misschien was ze gewoon een klein meisje, een behoorlijk bang en neerslachtig klein meisje, dat nooit goed begreep wat er om haar heen gebeurde en dat vaak haar tranen moest wegslikken.

Dat meisje was er nog steeds. Ze leefde in Inez en met Inez, maar hield zich goed verborgen en liet overdag nooit haar gezicht zien. Ze zei nooit iets, zelfs niet wanneer het donker was en Birger sliep. Waar de dagen woorden hadden, hadden de nachten alleen maar stemmingen, maar het waren stemmingen waardoor Inez urenlang wakker bleef, naar de duisternis lag te knipperen en keer op keer probeerde de brok in haar keel weg te slikken. Ze wist niet waarom die daar zat. Wilde dat ook niet weten.

Vannacht was het net als anders, maar toch niet hetzelfde. Ze luisterde aandachtiger naar de stilte dan ze anders deed. Zojuist had de pendule in de woonkamer twaalf geslagen. Dus zou hij onderweg moeten zijn, ze zou elk moment het hek kunnen horen piepen en zijn voetstappen horen knerpen in het grind van het tuinpad.

Zou ze opstaan en wachten? Een paar boterhammen voor hem klaarmaken? Een glas melk inschenken?

Nee. Hij wilde haar geredder niet. Hij zou alleen maar geïrriteerd raken als Inez in de keuken op hem zat te wachten, hij zou zelfs geïrriteerd raken als hij wist dat ze in het donker lag te luisteren of ze zijn voetstappen ook hoorde.

Dat was heel natuurlijk. Dat wist ze. Dat zou ook zo zijn als hij echt haar zoon was. Hij was immers volwassen aan het worden, en omdat hij bovendien alleen maar haar neef was, kon je dit gewoon verwachten. Hij was niet van haar. Dat moest ze onthouden. Dat mocht ze nóóit vergeten.

En toch was hij van haar. Hij was van haar geweest vanaf het moment waarop ze hem voor het eerst zag, op die regenachtige middag in april, negentien jaar geleden, toen een asgrauwe Elsie was thuisgekomen en een klein bundeltje op het bed van haar zus had gelegd.

'Ik wil niet', zei ze terwijl ze haar handschoenen uittrok. 'Het was een vergissing om hem mee te nemen hiernaartoe. Ik dacht dat ik het wilde, maar ik wil het echt niet ...'

Zij was een vreemdeling. Een wildvreemd iemand, die in de

verste verte niet op haar eigen tweelingzus leek. Haar stem was zacht en toonloos, haar haren hingen slap, haar rug was licht gebogen. Inez staarde naar haar, maar Elsie voelde het niet. Ze knoopte gewoon haar jas open, wurmde zich eruit en liet hem vallen. Ze streek met haar hand over haar hoofd zodat haar gehavende hoed op de grond zeilde. In één beweging trok ze vervolgens haar schoenen en overschoenen uit en ze ging op haar bed liggen. Dat was meer dan acht maanden niet beslapen.

'Ik dacht dat ik wilde', herhaalde ze. 'Maar ze hadden gelijk. Ik wil echt niet.'

Inez had nog steeds geen geluid uitgebracht. Ze stond er zwijgend en roerloos bij en keek eerst naar haar zus en toen naar de zorgvuldig ingepakte cocon op haar eigen bed. Elsie zei niets meer; ze had een bruin sierkussen over haar gezicht getrokken en ademde in de bruine stof. Inez liet zich op de rand van haar eigen bed zakken en boog zich over de cocon. Veel was er niet te zien, alleen een neusje en een paar gesloten ogen. Heel voorzichtig begon ze de buitenste laag los te maken. Het was een blauwe wollen deken en die was zo ingenieus in elkaar gevouwen dat hij bijna niet los te krijgen was. De laag eronder bestond uit een grijze deken, ook van wol, maar zo versleten dat Inez haar eigen vingers door het dunne weefsel heen kon zien. De derde laag bestond uit een katoenen dekentje, een lichtblauw katoenen dekentje, versierd met witte poesjes. Kennelijk nieuw. Ze pakte met haar vingertoppen de rand en begon het open te vouwen.

Hij was volmaakt. Ze kon zich vandaag de dag nog herinneren dat ze dat gedacht had. Volmaakt. Dat ronde voetje met zijn parels van teentjes. De mollige beentjes. Het buikje dat ritmisch met de diepe ademhaling van de slaap op en neer ging. De halfgeopende handjes, die leken op ontluikende bloemen. De zwarte wimpers, die een schaduw op zijn wangetjes wierpen. De fijn getekende lipjes.

Zonder erbij na te denken boog zich ze zich over hem heen en kuste de halfgeopende mond. Zijn speeksel smaakte als bronwater. Nee. Ze veranderde dat onmiddellijk: zijn speeksel smaakte als de droom die mensen hebben over bronwater. Er was geen bron ter wereld die zulk water kon produceren …

Hij deed zijn ogen open en keek haar met een donkerblauwe porseleinen blik aan, maar hij huilde niet en bewoog zich ook niet, hij lag gewoon roerloos op haar bed naar haar te kijken, met zijn armpjes en beentjes gebogen zoals bij baby's gebruikelijk is. Ze ging heel voorzichtig met haar wijsvinger over zijn wang. Hij was zo klein. Ze had nog nooit zo'n klein wezentje van dichtbij gezien en ook nog nooit zo'n volmaakt mensje.

Opeens wilde ze alleen maar huilen. Ze begon te snikken en probeerde haar tranen weg te knipperen – dit was toch belachelijk, ze kon hier toch niet gaan zitten brullen – maar het hielp niet. Ze haalde snel haar zakdoek uit de mouw van haar vest, snoot stevig haar neus en bracht zichzelf in herinnering dat het nog maar een week geleden was dat ze een flinke lap tekst in haar dagboek had geschreven over de woorden waaraan ze de grootste hekel had, woorden die allemaal begonnen met 'sen'. Sensatie, bijvoorbeeld. Sensatie was niets anders dan snoepgoed voor kletswijven, mensen die huichelend en zich verkneukelend uren konden besteden aan kletspraat over dingen die hun niet aangingen. En in deze stad, in dit miezerige stadje waarvan ze de pech hadden gehad dat ze er terecht waren gekomen, kruidden de kletswijven hun verrukking met ontboezemingen die dropen van de sentimentaliteit. *Die arme meisjes die zo ongelukkig hun vader waren kwijtgeraakt … En die arme weduwe, wier dochter ook nog een ongelukje had gehad! Wat een ellende! O, oo! Ach, ach!* En dan had je nog het woord 'sensueel', dat de meisjes die in het eindexamenjaar zaten te pas en te onpas in de mond namen. Iedereen moest momenteel sensueel zijn, halfblind en sensueel, want iedereen wilde natuurlijk een lok voor haar ene oog hebben zoals Rita Hayworth in de rol van Gilda, ook al betekende dit dat ze op de tast door het leven moesten. En alsof dat nog niet genoeg was, moest je de hele tijd ook nog wulps rondlopen. De onnozelste meisjes waren zelfs volledig in staat smachtend te zuchten wanneer ze over Latijnse werkwoorden of koolrabipuree met varkensschenkel praatten. Om nog maar te zwijgen over hun aanstellerij wanneer er jongens ter sprake kwamen. Ze waren verlííééfd! Ze bemínden iemand! Iedereen deed dat, behalve Inez. En zo zou het blijven. Ze had gezworen dat ze zichzelf in haar been zou bijten – zo lenig was ze namelijk, dat wist ze, want ze had het geprobeerd – op de dag dat zij zich ook bezig ging houden met sensatie, sentimentaliteit en sensualiteit. Maar dat risico was natuurlijk niet zo groot. Ze was achttien jaar en acht maanden oud, ze had verkering met een jongen die Birger heette en ze had verkering gehad met verschillende jongens vóór hem, maar verliefd was ze nog nooit geweest. Dat was ze nu pas. Ze snoot opnieuw haar neus. Jawel. Helaas. Ze moest het warempel toegeven. Ze was verliefd geworden. Ze beminde iemand. En degene die ze beminde, was een jongetje van drie maanden, een wezentje met een zelfgebreid kort broekje over zijn luier en een lichtblauw sokje aan zijn ene voetje. Zonder haar blik van hem af te wenden zocht ze met haar hand naar het andere sokje. Ze vond het en trok het hem voorzichtig aan. Ze maakte een keurige strik van het zijden bandje en zuchtte. Dit was wat ze wilde van het leven. Alleen dit. Niets anders. Maar dat betekende niet – terwijl ze nog een keer haar neus snoot, zwoer ze daarop – dat ze van plan was sensationeel, sentimenteel of sensueel te worden.

Ze wierp een snelle blik op haar zus. Moest je nou eens zien! Zo ging het als je je verstand niet meer gebruikte en je door die woorden liet opslokken; dat eindigde er gewoon mee dat je op een bed lag met een sierkussen over je gezicht en probeerde te doen alsof je er niet was.

Inez pakte haar eigen sierkussen en legde dat naast het jongetje. Ze wist niet of hij al groot genoeg was om zich om te draaien, maar ze wilde geen risico nemen. Daarna pakte ze Elsies jas en hoed van de grond, greep de schoenen en overschoenen en liep ermee naar de hal. Toen ze terugkwam, was het jongetje weer in slaap gevallen. Ze vouwde het blauwe dekentje over zijn blote beentjes en ging daarna op de rand van het bed van haar zus zitten.

'Nou', zei ze met zachte stem. 'Wat is er wat je niet wilt?'

Er klonk gemompel van onder het kussen.

'Ik kan je niet verstaan', zei Inez. 'Haal dat kussen eens weg.'

Elsie haalde het kussen van haar mond, maar verborg nog steeds haar ogen.

'Ik wil hem niet', zei ze. 'Ik wil hem echt niet.'

'Maar ik wel', zei Inez.

Elsie haalde het hele kussen weg en keek haar aan.

'Hij is niet van jou.'

'Dat weet ik. Maar ik wil hem wel.'

'Je bent niet goed snik', zei Elsie, die haar gezicht weer verborg.

Dat was het langste gesprek dat ze in bijna een jaar hadden gevoerd.

Hij stond bij het hek naar de sterren te kijken. Het duizelde hem een beetje.

Zijn duffel was open en hij kon de koude lucht onder zijn trui voelen glijden, maar toch deed hij zijn jas niet dicht. Zijn vingers waren stijf, maar dat maakte niet uit, want hij was niet van plan ze te bewegen. Hij wilde alleen maar een poosje onder de sterren staan. Volkomen stil. Volkomen alleen. Volkomen woordloos.

Maar de woorden wilden zich niet laten vernietigen. Ze blonken op in zijn bewustzijn, werden ontstoken, bliksemden op en doofden uit. *Vrij. Rust. Eeuwigheid.* Hij schudde zachtjes zijn hoofd om ze te verdrijven, maar dat hielp niet. Zijn lange haar raakte alleen zijn wang maar even aan, streelde die. *Eeuwig. Rust. Vrijheid.* Misschien was hij religieus aan het worden. Of niet goed snik.

Hij sloeg zijn ogen neer en keek om zich heen. De woorden waren uitgedoofd, maar nog steeds was er iets in de duisternis en de stilte om hem heen wat niet verstoord mocht worden. Hij wilde het hek niet opendoen en het horen piepen. Hij wilde niet over het tuinpad naar het huis lopen en zijn eigen voetstappen horen knerpen in het grind.

Daarom glipte hij heel voorzichtig over het hek de tuin in. Zijn stevige schoenen – echte tractorbanden – lieten donkere afdrukken na op het witte gras. Hij bleef staan om ze in het schijnsel van de straatlantaarn te bekijken, zag hoe snel de vertrapte sprieten omhoogkwamen en hoe snel de vorst ze weer opnieuw wit maakte. Alsof hij daar nooit had gelopen. Alsof hij niet bestond.

Terwijl hij zijn duffel strakker om zich heen trok, glimlachte hij bij zichzelf. Hij bestond. Daar was hij zelden zekerder van geweest dan vannacht. Misschien zou hij voor altijd bestaan.

WACHTEN

EEN HAND DIE onder de snijwonden zit. Natuurlijk. En dat allemaal volgens de wet op de impliciete rottigheid van alles.

Handen zijn niet iets wat je gewoon aan elkaar naait. Thuis in het gezondheidscentrum zou Anders niet eens een poging doen; hij zou alleen de ergste bloeding stelpen en er vervolgens als de wiedeweerga voor zorgen dat de patiënt bij een handchirurg terechtkwam. Rommelen aan wat de gevoeligste delen van het menselijk bewegingsapparaat stuurt, is voor een gewone huisarts bepaald geen routine. Voor een gewone chirurg is het in de dagelijkse praktijk niet eens routine. In academische ziekenhuizen hebben handchirurgen hun eigen afdeling, hun eigen cultuur en hun eigen conferenties; het zijn microchirurgen en specialisten, en ze zouden iemand als Anders Jansson maar weinig beter gekwalificeerd vinden dan een willekeurige padvinder. Aan de andere kant zijn handchirurgen in de Noordelijke IJszee dun gezaaid, en een helikoptertransport naar Canada kost minstens vijfentwintigduizend kronen per uur. Daar kan alleen sprake van zijn als het een kwestie van leven of dood is.

Dit is geen kwestie van leven of dood. Dit is slechts een kwestie van blijvende functionaliteit van de rechterhand.

Robert zwijgt eindelijk en heeft zijn ogen dichtgedaan. Hij ligt roerloos op de groene onderzoeksbank en ademt rustig. De eerste shock lijkt voorbij en de verdoving begint te werken. De alcohol zal er ook wel aan bijdragen. Robert bleek beschonkener te zijn dan het zich aanvankelijk liet aanzien. Hij hing zwaar tussen Ola en Anders in toen ze hem half steunend, half slepend naar de ziekenboeg brachten, maar toen was hij in elk geval stil. Hij begon pas te gillen toen ze hem op de onderzoeksbank hadden gelegd en hij zijn eigen bloederige hand voorbij zag zwaaien. Anders moest Ola vragen om hem letterlijk op zijn plek te houden terwijl hij de naalden, de pincetten en het hechtdraad die hij nodig had tevoorschijn haalde.

'Laat me los, lelijke klootzak!' gilde Robert achter zijn rug.

Anders wierp een blik over zijn schouder. Ola stond over Robert gebogen en duwde diens schouders op het groene kunstleer, maar probeerde tegelijkertijd zijn bovenlichaam en gezicht weg te draaien. Hij leek te walgen. Het tijdelijke verband – een schone theedoek die toevallig op de bar had gelegen – was eraf gevallen en Robert zwaaide zo hard met zijn rechterhand dat het bloed in het rond spatte. Er zaten al drie rode vlekken op Ola's trui en wang.

'Laat me los! Laat me toch los, godverdomme!'

Maar Ola liet niet los; hij keek alleen maar naar Anders.

'Hij moet flink hebben ingedronken om zo dronken te worden.'

Anders knikte en vouwde een groen operatiedoek open. Even schoot er een gedachte door zijn hoofd – *Wat doe ik als de spullen opraken?* – maar die schoof hij meteen terzijde. Folke had de ziekenboeg volgeladen met alles wat je je maar kon wensen en nog wat meer. Hij haalde een keer diep adem, sloot zijn ogen en probeerde zich te herinneren hoe alle vierentwintig botjes in de hand heetten, hoe de ligging van de pezen was, hoe de medianuszenuw en de arteria radialis liepen, en heel even was hij weer helemaal terug bij een college van de oude professor Hillén, een college waarbij de oude man zijn eigen gerimpelde handen vol levervlekken gebruikte als voorbeeld voor de volmaakte hand ...

'Laat dan godverdomme los! Klootzak! Moordenaar!'

Roberts stem klonk nu scheller, hij spartelde en probeerde zich aan Ola's greep te ontworstelen, maar die leunde met zijn hele gewicht op hem en keek met een blik vol leedvermaak: 'Rustig nou maar. Daar komt Anders al aan met een spuitje.'

'Het is maar een beetje verdoving', zei Anders. 'Niets om je ongerust over te maken.'

'Ik maak me niet ongerust', kefte Robert.

'Mooi. Maar voordat ik je de spuit geef, wil ik dat je beide vuisten balt en daarna je vingers weer spreidt.'

'Alleen als hij me loslaat!'

Ola rechtte zijn rug. 'Ik heb je al losgelaten.'

Robert wist niet waar hij moest kijken; heel even zag het eruit of hij met zijn ogen begon te draaien en van zijn stokje zou gaan, maar hij leek al zijn kracht te verzamelen en stak beide handen in de lucht. Zijn fluweelwitte linkerhand met de keurig gemanicuurde nagels, bijna vrouwelijk van kleur en vorm, ging dicht en open zoals dat moest, maar zijn rechterhand, die onder de rode smurrie zat en waarvan het bloed in de huidplooien van de vingers al begon op te drogen, kon hij niet helemaal samenballen. Robert keek beduusd, staarde naar zijn handen en spreidde nog een keer zijn vingers, waarna hij zijn vuist opnieuw probeerde te ballen. Dat lukte niet. De pink van zijn rechterhand stak uit.

Anders vloekte in stilte – *godverdegodver!* – maar probeerde neutraal te blijven kijken. Natuurlijk. Het sprak vanzelf dat hem dit moest overkomen: een doorgesneden pees. Zelfs de beste handchirurgen konden niet altijd garanderen dat de bewegingsfunctie terugkwam als er een pees was doorgesneden. Bovendien was het de vraag hoe het met het gevoel zat ... Niet dat hij daar iets aan kon doen. Nu ging het erom dat hij de bloeding stelpte.

'Hoe gaat het?'

Toen de naald erin ging, haalde Robert diep adem.

'Oké', zei hij terwijl hij zijn ogen sloot. 'Maar kun je die lelijke klootzak niet vragen of hij van me af gaat?'

'Komt voor elkaar', zei Anders en hij keek Ola aan. 'Je hebt het gehoord.'

Ola stapte naar achteren en vertrok zijn gezicht.

'Waarom zegt hij dat ik lelijk ben?'

'Omdat je dat bent, natuurlijk', zei Robert zonder zijn ogen te openen. 'Lelijke klootzak.'

Sindsdien is het stil gebleven. Robert ligt in een soort halfslaap en Ola zit in een hoekje te broeden terwijl Anders glassplinters uit de grootste wond pulkt. Het bloedt nog steeds, maar niet meer zo erg, en de arteria radialis lijkt toch niet beschadigd. Nu gaat het erom de microscopisch kleine splinters te vinden die in de wond verborgen zitten, de wond telkens weer uit te spoelen en de splinters met het pincet te pakken. Opeens gaat er een golf van warmte door Anders' lichaam. Waar maakte hij zich net druk om? Hij beheerst dit toch.

'Wel een rotglas, met al die splinters', zegt hij halfluid.

Niemand reageert. Misschien is Ola in zijn hoekje in slaap gevallen. Anders werpt een snelle blik in die richting en is verbaasd. Ola is weg. Hij is vertrokken. Misschien dat het hem meer heeft gekwetst dat hij lelijk werd genoemd dan Anders dacht. Heel even speelt er een klein schuldgevoel bij hem op. Ola is immers niet lelijk. Integendeel. Hij is een echt knappe matroos van een jaar of vijfendertig, donker en gespierd, in feite een stuk knapper dan Robert, die met vet, lang en in de war geraakt grijs haar op de onderzoeksbank ligt, met een gezicht dat op dat van een gerimpelde oude man lijkt. Misschien had Anders er wat van moeten zeggen toen Robert zo tekeerging. Hoewel het natuurlijk niet zijn taak is om iedereen in een goed humeur te houden; zijn taak is slechts ervoor te zorgen dat Robert zo min mogelijk in zijn bewegingen beperkt wordt. Hij buigt zich dieper over de wond en bestudeert die nauwkeurig, spoelt er nog een keer fysiologisch zout overheen en geeft een duwtje tegen de lamp zodat hij het beter kan zien.

'Heb je hulp nodig?'

Het is Ulrika. Hij zit met zijn rug naar de deur, maar toch heeft hij het gevoel dat hij haar tegen de deurpost kan zien leunen. Donker haar en bruine ogen. Op haar neus vage afdrukken die aan sproeten doen denken. Heldere ogen. Zware borsten. Hij werpt een snelle blik over zijn schouder.

'Ja, graag. Dat zou niet gek zijn.'

'Wat moet ik doen?'

'Trek handschoenen aan en help me zijn hand vast te houden. Ik kan er niet goed bij.'

Zonder te hoeven zoeken of vragen vindt ze de doos met rubber handschoenen en ze trekt er met een verrassend geroutineerd gebaar een paar aan. Ze gaat naast Anders staan.

'Hoe moet ik hem vasthouden?'

'Als jij zijn hand iets zou kunnen draaien, dan kan ik er hier aan de zijkant bij ...'

Hij pakt wondspreiders en drukt; de wond gaat open als een

verbaasde mond. Diep verborgen zit een driehoekig splintertje. Dat had hij niet gevonden als Ulrika hem niet had geholpen.

'Hoe kon dit gebeuren?' vraagt Ulrika zachtjes. 'Heeft hij zijn hand in de splinters geduwd?'

Anders pakt de splinter met een pincet beet en laat hem in het bekken vallen. Hij buigt zich opnieuw over de wond en begint de pezen en de peesschedes te zoeken.

'Geen idee.'

Ulrika maakt even een beweging van onbehagen; hij voelt die meer dan dat hij die ziet.

'Bah. Het lijkt of hij geen gevoel heeft.'

Anders gaat er niet op in. Hij buigt zich slechts over de wond om die te spreiden en opnieuw uit te spoelen. Hij pulkt wat met zijn pincet. Ziet hij de pees? Jawel, daar is hij. Althans aan de ene kant. Hij knikt zwijgend en gaat er nog wat beter voor zitten.

'Kun jij hier drukken?' vraagt hij terwijl hij wijst.

Ulrika geeft geen antwoord, maar knikt slechts en doet wat haar gezegd wordt. Anders pulkt wat met het pincet in de wond en vindt het andere uiteinde van de pees. Nu komt het erop aan. Hij haalt de pees omhoog en zet de naald erin. Roberts pink buigt en hij slaat zijn ogen op.

'Wat ben je verdomme aan het doen?' zegt hij. Even snel sluit hij zijn ogen weer.

Anders slaakt een zucht. Tijd om verdoving bij te spuiten.

Een uur later staat hij in zijn eentje op het voordek. Het is een waterkoude avond en het is mistig, maar de wind is gaan liggen. Het schip schommelt niet meer zo als eerst en er slaan ook geen enorme watercascades meer over de voorplecht. Buiten het schip is de wereld grijs geworden: de wolken hangen laag, de zee schittert als gesmolten metaal, hier en daar zeilt een enkele ijsschots grijswit voorbij. Aan de horizon een glimp van een schaduw. Een wolk, misschien. Zwaar van sneeuw.

Ulrika zit nu bij Robert, en ze blijft daar zitten tot Anders terugkomt. Samen hebben ze hem overeind gehesen in een zithouding en hem vervolgens tussen zich in naar Anders' hut gebracht, waar ze hem op het ziekbed hebben gelegd dat daar al sinds Anders aan boord is gegaan opgemaakt naast zijn kooi klaarstaat. Dat is niet vanwege de wonden, die zijn opgehouden met bloeden, en ook niet echt omdat Robert zo beschonken was, maar voor Anders zelf; dit was op de een of andere manier beter voor zijn gemoedsrust. Daarvoor wist hij geen andere manier dan ervoor te zorgen dat Robert continu onder toezicht staat.

Ulrika stopte hem in en wendde zich vervolgens tot Anders.

'Ben je moe?'

Hij wist niet wat hij moest antwoorden en schudde alleen zijn hoofd. Was dit vermoeidheid? Het gevoel dat iemand hem met een open vlam onder zijn huid had gebrand? Ja. Nee. Het was iets anders.

'Je ziet bleek', zei Ulrika. 'Moet je niet wat eten?'

Ze had gelijk, hij moest eten, hij had de avondmaaltijd immers gemist. En daarna zou hij eigenlijk moeten slapen. Diep en lang.

'Inderdaad', zei hij, en hij was er zelf verbaasd over dat zijn stem heel gewoon klonk. 'Kun jij bij hem blijven zitten tot ik terugkom?'

Onder het eten begon hij zich beter te voelen; hij kon letterlijk voelen hoe zijn bloedsuikerspiegel steeg en daarmee zijn optimisme. Hij had namelijk precies gedaan wat je moest doen, wat elke handchirurg zou hebben gedaan. Hij had de pees in de openstaande wond gehecht, hij had alle glassplinters eruit gehaald en de wond goed schoongespoeld en een van de wonden met acht hechtingen en de andere twee met zes en vier hechtingen dichtgenaaid. Wat kon je nog meer verlangen?

Na het eten had hij behoefte aan frisse lucht gehad en was hij naar het dek gegaan. Nu staat hij in zijn eentje op het voordek tegen de reling te leunen. Hij ziet en voelt hoe het schip vaart lijkt te verliezen. Misschien komt dat door het ijs. Ze zitten nu in een gordel met veel ijsschotsen, kleine en grote door elkaar heen. Het is slaapverwekkend die bij de voorplecht uit elkaar te zien glijden, je blik blijft eraan hangen. Sommige schotsen worden eerst in zee ondergedompeld en wanneer ze weer bovenkomen, is de sneeuw eraf gespoeld, ze zijn helderblauw en glinsteren alsof ze …

'Hallo daar.'

Hij krijgt hartkloppingen. Dat is een puur fysieke reactie die hem verrast en waarvoor hij tegenover zichzelf in de verdediging schiet. Hij dacht immers dat hij alleen op het dek was, maar dat is dus niet zo. Ola staat een eindje bij hem vandaan. Hij heeft een sigaret in zijn linkerhand en een glas met barnsteenkleurig vocht in zijn rechter. En hij lacht.

'Schrok je van me?'

Anders trekt een verontschuldigend gezicht.

'Ik was in gedachten …'

Ola neemt een slok uit zijn glas. Zijn ogen vernauwen zich. 'Is hij weer opgelapt?'

'Ja.'

Ola knikt en wendt zijn blik af. Hij inhaleert diep. Wanneer hij de rook uitblaast, verdwijnt die bijna meteen weer.

'Mooi.'

Het blijft even stil. Anders zoekt naar woorden, naar iets wat niet te maken heeft met Robert of met wat er vanavond is gebeurd, maar hij weet niets. Ola neemt als eerste het woord.

'Het is een achterbakse klootzak, dat …'

Anders trekt zijn wenkbrauwen op.

'Omdat hij zei dat jij lelijk was? Dat was gewoon dronkemansgeklets.'

Ola werpt hem een snelle blik toe. 'Ach. Dat kan me niks schelen, hoor.'

Anders antwoordt niet; hij haalt slechts zijn schouders op. Dat helpt niet. Ola heeft zijn blik afgewend, maar zwijgt niet.

'Ik ken dat soort lui …'

'O.'

'Dus ik herkende dat figuur meteen. Zodra hij aan boord kwam.'

Het wordt weer stil en heel even overweegt Anders of hij zal weggaan, maar hij verroert zich niet. Stil blijft hij staan kijken naar Ola, die zijn glas weer heft, maar met zijn blik in de verte blijft steken.

'Dat soort lui is niet ... Oeps!'

Het schip maakt een schommeling en stopt. Het is een kleine schommeling, maar voldoende om Ola uit balans te brengen. Hij strekt zijn linkerhand uit om steun bij de reling te zoeken en weet de beweging zo te pareren dat hij geen druppel whisky uit zijn glas verliest.

'Knap gedaan', zegt Anders glimlachend.

Ola begint te grijnzen.

'Nietwaar?'

'Waarom stoppen we?'

'Resolute. Dat eiland daarginds. Daar zit de ijsloods.'

Anders draait zich om en kijkt naar de horizon. Wat net nog een heel donkere wolk leek, heeft zich nu naar het wateroppervlak laten zakken en is veranderd in een eiland. Een zwart eiland.

'Wanneer komt hij dan?'

'Morgen', zegt Ola. 'Wanneer het licht wordt. Wanneer de helikopter kan landen.'

Het wordt even stil en ze blijven zwijgend naast elkaar naar het eiland staan kijken.

'Weet jij iets over ...'

Ola's stem klinkt opeens anders, vaster dan zo-even en toch zachter, maar hij maakt zijn zin niet af. Anders wacht even voordat hij iets zegt.

'Nou?'

Ola geeft eerst geen antwoord. Hij blijft roerloos naar het eiland staren, maar haalt dan opeens zijn schouders op en zegt: 'Ach. Ik weet niet meer wat ik wou zeggen.'

O. Daar heeft Anders niets op tegen. Hij begint het koud te krijgen aan zijn blote hoofd.

'Ik moet nu naar binnen', zegt hij terwijl hij zijn handen in zijn zakken stopt. 'We zien elkaar nog wel.'

Ola knipt zijn peuk over de reling en blijft naar het eiland aan de horizon staren.

'Vast', zegt hij.

Hoelang moet ze hier zitten?

Met een kaarsrechte rug en haar handen tussen haar dijen geklemd. Starend. Zonder dat er eigenlijk méér is om naar te staren dan haar eigen zeer keurig schoongemaakte hut. Die is zo netjes dat hij er bijna onbewoond uitziet. De kastdeuren zitten dicht en op slot. Alle oppervlakken zijn schoon en leeg. Haar laptop zit tussen de rug van de stoel en het bureau geklemd en alles wordt op zijn plaats gehouden door een strakke rubberen band. Er zou een orkaan kunnen opsteken zonder dat er hierbinnen iets werd verstoord, de hele Wodan zou de lucht in kunnen worden getild, een paar rondjes kunnen draaien en een paar keer stuiterend op het water kunnen worden gesmeten zonder dat er iets veranderde. Of wel, trouwens. Het beddengoed zou in de rondte vliegen. En zelf zou ze als een pingpongbal tussen het plafond en de muren heen en weer stuiteren.

Maar er komt geen orkaan. In de grijze mist voor het raam is alles juist windstil. De zee ligt er tussen de witte ijsschotsen als grijs ijzer bij, donkere wolken hangen daar zwaar boven, mist en nevel belemmeren het zicht op de horizon. Het is of de hemel niet langer de energie heeft boven te blijven, alsof die heeft besloten neer te dalen en zich als een deken over de aarde leggen, alsof die haar eraan wil herinneren dat deze reis een vergissing is, dat het een illusie was om te denken dat je de wereld een tijdje zou kunnen verlaten. De Noordelijke IJszee ligt in de wereld. De ijsbreker Wodan behoort tot de wereld. Wie de wereld verlaten wil, heeft slechts één uitweg. Maar ze heeft zichzelf beloofd daar niet aan te denken.

'Hou je kop erbij', zegt ze hardop tegen zichzelf en ze duwt haar vuisten tegen haar ogen. Ze wrijft zo hard dat de rode duisternis zwart wordt. Wanneer ze haar ogen weer opent, beseft ze dat het lijkt of het schip niet meer vaart. Het is heel stil; gedempte muziek is het enige geluid dat ergens vandaan komt. Het feest is kennelijk weer op gang gekomen. Mooi. Dan moet ze hier niet een beetje voor zich uit gaan zitten staren. Dan moet ze zich als een normaal mens gedragen, iemand die in het heden leeft. Verstandig. Volkomen normaal. Ze moet gewoon haar haren kammen en weer naar beneden gaan om zich onder de anderen te begeven. Omdat het toch te vroeg is om nu te gaan slapen en te laat om te werken, en omdat haar gedachten de hele tijd terug willen naar het verleden.

'Zo is het genoeg', zegt ze hardop tegen zichzelf.

Dat is blijkbaar precies wat ze moet horen, want een tel later staat ze al in de doucheruimte om zich bij de kraan te wassen. Zonder een gedachte te wijden aan degene die hem heeft afgebroken, stift ze haar lippen met wat er nog van haar lippenstift over is en ze borstelt haar haren. Dat gaat in recordtijd. Ze glimlacht naar haar spiegelbeeld en doet wat parfum op. Zo. Nu is ze mooi genoeg. En in haar broekzak heeft ze iets wat op een stiletto lijkt, voor het geval ze misschien te mooi zou zijn. Niet dat die kans zo groot is, maar toch ...

Die stiletto, die eigenlijk geen stiletto is, draagt Susanne altijd bij zich. Dat doet ze al vanaf haar vijftiende, toen ze trillend Björns kamer doorzocht, de kamer die tegen die tijd al meer dan een half jaar niet meer bewoond werd. De stiletto zat in zijn zwarte tourneetas, die leeg en stoffig onder in zijn kleerkast stond. Ze had die dag koorts en ze bevond zich in die vreemde toestand waarbij je huid een centimeter boven je spieren en botten lijkt te zitten. Dat maakte alles onwerkelijk. Dromerig.

Naderhand voelde het ook echt als een droom: het feit dat ze de deur van Björns kamer voor het eerst in maanden had geopend en naar binnen was gegaan, dat ze in haar nachtpon in het koude ochtendlicht om zich heen had staan kijken. Het duurde even voordat ze besefte dat Inez de kamer veranderd had, dat ze er eerder een monument voor een middelbare scholier van had gemaakt dan voor een idool. Zijn schoolboeken lagen in een keurige stapel op zijn bureau, alsof hij elk moment kon binnenkomen om zijn huiswerk te gaan maken, er hing maar één foto van The Typhoons aan de muur en er stond geen enkele plaat in het platenrekje. Susanne draaide zich langzaam om en kwam tot de ontdekking dat ze voor zijn kast stond. Ze bleef even naar de deur staren, maar besloot toen haar hand uit te strekken, de sleutel om te draaien en de kast te openen.

Het was alsof in die kast de tijd nog meer had stilgestaan. Hier hingen Björns enigszins versleten overhemden uit de periode dat hij nog naar school ging, zijn oude manchester jasje en zijn mooie zwarte lamswollen trui. Op de bovenste plank lag een wit T-shirt, zo netjes gestreken en opgevouwen dat het leek of het te koop was, naast een al even verblindend witte onderbroek die ook glad en gestreken was. Onder in de kast stond zijn tourneetas, de grote zwarte leren tas die bijna een jaar lang nog het meest op een thuis had geleken. Hij gaapte met zijn zilveren tanden in iets wat een spottende lach leek en ze liet zich op haar knieën zakken. Ze stak de hand in de muil en liet die tastend rondgaan op jacht naar iets, wat dan ook, wat Björn weer werkelijk kon maken.

De stiletto was half onder de zwarte bodemplaat van karton gestoken. Hij was heel smal en toen ze het koele oppervlak van het metaal tegen haar vingertoppen voelde, dacht ze eerst dat het een pen was. Het kostte wat moeite om hem eruit te wurmen en toen ze hem ten slotte los had gekregen begreep ze eerst niet wat het was. Een metalen voorwerpje met een gleuf over bijna de hele lengte en een knopje helemaal onderaan. Geen pen. Ze drukte de knop met haar duim in, maar er gebeurde niets, behalve dan dat ze onhandig was en het ding op de vloer liet vallen. Niet dat het iets uitmaakte. Ze was alleen thuis en niemand kon horen wat ze deed. Toch pakte ze het voorwerp snel op. Ze verborg het in haar hand en liep snel terug naar haar kamer en haar bed. Pas toen ze een hele tijd roerloos in bed had liggen wachten tot iemand, wie dan ook, de deur zou openen om beschuldigend naar haar te wijzen, durfde ze haar hand te openen om het ding beter te bekijken.

Wat was het eigenlijk?

Een stukje zilverig glanzend metaal. Een gleuf. Helemaal onderaan een knopje. Ze duwde er met haar nagel op, ditmaal stevig en resoluut, en op hetzelfde moment schoot het lemmet eruit, een dun en smal lemmet, met een gestreept oppervlak en een heel spitse punt. Het zou een stiletto hebben kunnen zijn als het snijvlak er niet aan had ontbroken. Het was gewoon een nagelvijl, een lange nagelvijl die eruitzag als een stiletto. Ze had alleen maar over stiletto's horen praten, en het enige wat ze in haar hoofd had, waren wat vage voorstellingen en vreemde associaties. Over Mack the Knife, bijvoorbeeld. Italiaanse maffiosi. En het beeld van iemand die een stiletto tegen de buik van een ander duwde en op het knopje drukte ...

Maar wat moest Björn met een nagelvijl die eruitzag als een stiletto? En waar had hij die te pakken gekregen? Was het een cadeau van een van zijn fans? Of was hij afkomstig van Eva? Had zij hem uit de winkel gepakt? Björn zou hem in elk geval nooit hebben gekocht. Dat wist ze zeker.

Susanne duwde het lemmet van de nagelvijl weer terug en balde haar vuist met de stiletto erin. Ze stak haar hand onder haar kussen en ging met haar ogen dicht op haar zij liggen. En opeens was hij er, opeens stond hij voor haar in haar kamer. Nee, trouwens, hij stond ergens op een weg, een grindweg die door een bos liep, en hij zag haar, hij zag Susanne net zo duidelijk als zij hem zag, en hij glimlachte en stak groetend zijn hand op. *Ik vergeef je,* zei dat gebaar. *Jij bent mijn kleine zusje en ik vergeef je ...*

Heel even staat Susanne roerloos naar haar spiegelbeeld te kijken, maar dan vertrekt ze haar gezicht tot een grimas en keert ze zichzelf de rug toe. Wat gebeurd is, is gebeurd en het is bovendien heel lang geleden gebeurd. In een andere wereld, een wereld die niet meer bestaat, een wereld die de meerderheid van de huidige mensheid op aarde zich niet eens kan heugen. Ze waren te klein. Of nog niet eens geboren.

Het feest, weet je nog. Ze zou naar het feest.

Er wordt nog steeds gedanst, maar nu alleen nog door de grootste fanatiekelingen. Jonge zeelieden en even jonge onderzoekers glijden rond over de dansvloer, met gesloten ogen en strelende handen, dicht tegen elkaar aan. Een stel oude poolvossen hangt aan de bar. Susanne moet haar ogen iets toeknijpen om te zien wie het zijn. Leif Eriksson, de stuurman. En zure Sture, de meteoroloog. Lars, een van de ornithologen, zit op de leren bank. Met hem zou ze hebben kunnen praten, maar hij slaapt.

Nee. Er is hier niemand om mee op te trekken. Voor haar niet.

Ze stapt de drempel van de bar niet over, maar blijft even in de gang staan, waarna ze zich omdraait en wegloopt. Ze zal iets te lezen gaan zoeken in de bibliotheek, een plechtige naam voor de zes volgepropte boekenkasten die in de mess staan. Wanneer ze langs de rookruimte loopt, hoort ze stemmen en even is ze in de verleiding om naar binnen te gluren, maar in de eerste plaats heeft ze al acht jaar niet meer gerookt en in de tweede plaats …

'Hoi!'

De man voor haar glimlacht breed. Ze beantwoordt zijn glimlach, ondertussen koortsachtig naar zijn naam zoekend. Wie is hij? Een onderzoeker of een bemanningslid? Een gast? Ze weet het echt niet.

'Hoi.'

'Susanne? Toch?'

Ze knikt zwijgend. De man voor haar heeft wit haar en blauwe ogen, glanzende blauwe ogen waar hij iets te vaak mee knippert. Hij heeft een van de knoopjes van zijn overhemd vergeten dicht te doen; dat staat wat open bij zijn buik. Misschien is hij een beetje dronken.

'Kom mee naar de rookruimte.'

Ze maakt een verontschuldigend gebaartje met haar hoofd, een knikje dat zich vervolgens voortplant naar de rest van haar lichaam in een poging langs hem heen te lopen.

'Nou. Ik rook niet …'

Hij gaat niet opzij, maar op de een of andere vreemde manier verplaatst hij zich toch. Hij blokkeert haar de weg. Hij is groot en stevig. Ze zou zich tegen de muur moeten persen om langs hem te komen.

'Wat maakt dat uit. Kom gewoon mee.'

Hij slaat zijn arm om haar heen en voert haar met zachte drang naar de deuropening. Ze pakt snel de stiletto in haar broekzak beet, maar glimlacht ondertussen beleefd naar de onbekende man en maakt zich los uit zijn greep. Het is langgeleden dat er verleiding en lust uitging van vreemde handen om haar schouders. Maar de man achter haar geeft zich niet zo snel gewonnen; ze is hem nauwelijks ontglipt of zijn arm ligt alweer rond haar schouders. Hij omklemt haar licht met zijn rechterhand en spreidt zijn linkerarm uit wanneer ze over de drempel stappen.

'Dit is Susanne.'

Er zit een klein groepje in de rookruimte. Twee half slapende jongens uit de machinekamer zitten elk in een fauteuil. In een derde fauteuil zit Sofia uit de mess op schoot bij haar eeuwige metgezel Martin. Een paar jonge Amerikaanse promovendi zitten op de ene bank. En Vincent, de monteur van het schip, een oude man die al een paar jaar over de pensioengerechtigde leeftijd heen is, zit op de andere bank.

'Hallo, Susanne', zegt hij.

Susanne knikt glimlachend terwijl ze haar blik door de kamer laat gaan. Hier is ze nog niet eerder binnen geweest. Vanwege de stank alleen al haastte ze zich er voorbij, maar nu staat het raam op een kier en is de stank een geur geworden. Een echt lekkere geur. En de kamer ziet er gezellig uit. Verzorgd. Huiselijk. Op de overvolle asbakken na, natuurlijk.

'*Move*', zegt de man naast haar tegen de Amerikaanse promovendi, en die schuiven snel op. Susanne laat zich naast hen neerzakken en glimlacht verontschuldigend; de man achter haar dringt zich zo op dat ze nog een beetje moeten opschuiven.

'Weten jullie waarom we zijn gestopt?' vraagt Susanne.

'De ijsloods', zegt de man naast haar. 'Die zou immers morgen aan boord komen ...'

'Vanaf Resolute', zegt Martin.

Susanne knikt zwijgend. De man naast haar schudt een sigaret uit een pakje en biedt haar die aan – het gebaar doet denken aan een reclame uit de jaren zestig – en ze ziet opeens hoe haar eigen hand zich uitstrekt en de sigaret pakt. Terwijl zij de sigaret tussen haar lippen steekt en zich vooroverbuigt om van de naamloze naast haar een vuurtje aan te nemen, gaat er een tinteling van welbehagen door haar lichaam; honderdduizenden, nee, miljoenen neuronen rekken zich uit en kijken slaperig om zich heen: *Nicotine? Is dat echt nicotine?*

O.

Het genot ontvouwt zich in haar lichaam als een waaier. Susanne sluit haar ogen. Dat ze zo veel trek had in een sigaret. Dat ze acht jaar lang heeft rondgelopen met trek in een sigaret. Daar had ze geen idee van.

'Besluitvaardigheid', zegt de man naast haar.

'Wat?'

Dat is Sofia. Dat moet Sofia zijn, dat weet ze, ook al ziet ze dat niet. Ze zal tijdens het volgende trekje haar ogen nog even dichthouden. Daarna zal ze aan de bar een glas wijn gaan halen.

'Resolute. Dat betekent besluitvaardigheid.'

Het is Martin. Susanne opent haar ogen en kijkt naar hem. Hij ziet er goed uit. Een olijfkleurige huid. Bruine ogen. Sofia vangt haar blik.

'Wat is er met jou?'

'Niets. Maar ik heb in acht jaar niet gerookt.'

Ze sluit haar ogen en neemt een derde trek. De beleving verandert: het genot is intenser, maar de tabakssmaak veroorzaakt ook een lichte misselijkheid, die snel door haar buik gaat. Daar moet je je niets van aantrekken.

'Is dat waar?'

De man naast haar legt zijn arm op de rugleuning achter haar. Ze laat het toe. Waarom niet?

'Het is waar.'

'Jezus, als ik dat had geweten ...'

Ze opent haar ogen en glimlacht fijntjes naar hem.

'Maak je niet druk. Ik neem alleen deze ene sigaret.'

'Zeker weten?'

'Zeker weten. En misschien nog één.'

Hij lacht wat en schudt zijn hoofd. Susannes glimlach wordt breder. Ergens in haar hoofd zit een gehurkt vrouwtje dat wil opstaan om te protesteren. *Roken is dodelijk!* Susanne geeft haar een duw zodat ze omvalt. En wat dan nog? We zijn hoe dan ook op weg naar de dood en als één sigaret haar zo'n licht en gelukkig gevoel geeft, haar zichzelf en haar leven zo doet vergeten, hoe oneindig veel gelukkiger zal ze dan niet zijn wanneer ze er twintig heeft gerookt? Of twintigduizend?

'Wil er iemand wat drinken?'

Dat is Vincent. Hij is half overeind gekomen en pakt zijn lege bierglas.

'Ja', zegt Susanne. 'Een glas witte wijn.'

Wanneer hij wegloopt, wordt het stil en dat is goed. Het lichaam wil tijd hebben om te genieten; dat is nu volkomen ontspannen, haar huid soepel als een versleten handschoen, haar spieren warm en zwaar van het bloed. Ze leunt achterover en laat haar nek rusten tegen de arm van de onbekende man. Een gedachte schiet door haar hoofd – *Er komt af en toe iemand in mijn hut. Is hij dat misschien?* – maar ze ziet die zonder angst onder ogen. En wat dan nog? Wat zou ze eraan kunnen doen?

'Alsjeblieft', zegt Vincent terwijl hij een glas voor haar neerzet. Ze recht haar rug.

'Heb je het voor me opgeschreven?'

'Zeker. Geen probleem.'

Ze knikt zwijgend, heft het glas en kijkt om zich heen terwijl ze drinkt. De beide jongens uit de machinekamer zijn nu echt in slaap gevallen. Ze zitten met hun hoofd schuin en eentje laat zijn armen langs de zijkanten van de fauteuil afhangen. De beide Amerikanen zitten zwijgend te roken. Martin en Sofia zijn bezig zich uit hun stoel te werken. Ze slaat hen gade terwijl ze het laatste van de sigaret inhaleert en haar hand in een zwijgende groet opsteekt.

'O', zegt ze terwijl ze zich vooroverbuigt om de peuk uit te drukken. 'Ik had geen idee ...'

De man naast haar rookt langzamer, maar hij imiteert haar gebaar en buigt zich ook over de tafel om zijn halfopgerookte sigaret uit te drukken. Hij kijkt nu ernstig.

'Geen idee waarover?'

'Dat ik zo'n zin in een sigaret had.'

'Als ik dat had geweten zou ik nooit ...'

Ze schuift iets opzij, voegt nog een decimeter lucht toe aan de afstand tussen hen.

'Er is me wel vaker een sigaret aangeboden, maar toen zei ik nee. Nu zei ik ja.'

Ze doen er een poosje het zwijgen toe en zitten roerloos naast elkaar op de bank. Hij heeft zijn linkerarm nog steeds achter Susanne uitgestrekt, maar nu leunt ze daar niet meer tegenaan, nu heeft ze zich iets opzij gedraaid om hem te bestuderen. Hij heeft een grof profiel, een brede vlezige neus en een ronde vastberaden kin. Eerst ziet hij niet dat zij naar hem kijkt; hij zit gewoon stil en leeg voor zich uit te staren, tot zij een kleine beweging maakt. Dan draait hij zijn hoofd in haar richting en kijkt haar aan, neemt haar zo lang op dat ze ten slotte haar ogen neerslaat.

'Zullen we naar het dek gaan?' vraagt hij dan.

Buiten is het nacht. Een schemergrijze poolnacht. Ze lopen langzaam over het schip met hun ritssluitingen bijna dicht tot aan hun kin en hun handen diep in hun jaszakken. Het is heel stil, op de zachte flarden muziek na die af toe uit de bar komen.

Ze weet nu hoe hij heet. John Nordström. Toen ze in haar hut haar jas ging halen heeft ze het persoonsregister opgeslagen dat ze netjes in de map met scheepsgegevens had gestopt die iedereen heeft gekregen, en daar stond hij in. John Nordström. Professor aan de Universiteit van Gotenburg. Twee jaar jonger dan zij.

Ze lopen in de maat, ook al zit er een halve meter tussen hen. Hun rubberen zolen ploffen zacht op het dek. Hun donsjacks ritselen wanneer de mouwen tegen het voorpand komen.

'Ik heb bijna het gevoel dat ik je ken', zegt John opeens.

Susanne draait zich naar hem toe om hem van opzij op te nemen. Hij zou naar de kapper moeten; zijn dikke witte haar piekt over zijn kraag.

'Is dat zo?'

Hij werpt haar glimlachend een blik toe.

'Ik hou van detectives.'

O. Ze knikt.

'Dan begrijp ik het.'

'Vooral van die van jou.'

Ze glimlacht op haar vriendelijkst. Een professionele glimlach.

'Dank je. Leuk om te horen.'

Het wordt weer stil. Wat moet ze zeggen? Ze schraapt haar keel.

'En wat doe jij?'

Hij geeft geen antwoord en ze lopen zwijgend een poosje naast elkaar.

'Je zou eigenlijk iets anders moeten schrijven', zegt John opeens.

Susanne blijft abrupt staan, slaakt dan een zucht en loopt weer verder.

'O.'

Ze hoort zelf hoe het klinkt. Weinig toeschietelijk.

'Iets wat niet noodzakelijkerwijs een detective is ...'

'Je zei net dat je van detectives hield.'

'Niet uitsluitend.'

Hij is blijven staan en terwijl hij over het ijs en het water staart, begint hij in zijn zakken naar sigaretten te zoeken. Susanne volgt zijn bewegingen met haar blik en voelt een scheut van verlangen naar meer nicotine door haar lichaam gaan. Ze zou morgen kunnen stoppen. Ja. Dat zal ze doen. Maar nu gaat ze roken, nu grijpen haar vingers gretig naar de sigaret in het pakje dat hij haar voorhoudt.

'Ja', zegt hij terwijl hij haar een vuurtje geeft. 'Iets anders.'

Opeens begint ze zich te ergeren – *hou nou op!* – maar ze slikt haar irritatie samen met haar eerste trekje weg. Nu proeft ze de tabakssmaak niet meer. Gek.

'We zien wel', zegt ze diplomatiek terwijl ze een stap naar voren zet. Voorzichtig, weliswaar, maar toch een stap. Hij blijft een paar tellen roerloos staan kijken naar het grijs om hen heen voordat hij haar volgt.

'Hoe komt het dat je bent meegegaan op deze expeditie?'

Ze haalt haar schouders op, heeft opeens geen zin om hem iets te vertellen, vooral niet over Elsie, de vrouw die naar zee ging.

'Ik heb een aanvraag ingediend voor het kunstenaarsprogramma. En die werd gehonoreerd. Dat is alles.'

Ze werpt hem een snelle blik toe. Hij knikt.

'Dus nu komt er een detective die zich afspeelt aan boord van de Wodan?'

De irritatie bruist door haar lichaam. *Rotvent!* Waarom houdt hij niet op met zeuren?

Ze zijn nu bij de trap die naar het voordek leidt en zij dringt snel voor, erop gebrand hem de rug toe te keren. Ze rookt alleen nog even haar sigaret op, daarna gaat ze terug naar haar hut. En morgen en alle dagen daarna zal ze ervoor zorgen dat ze hem uit de weg gaat. Haar eigen peuken kopen. In de mess nooit aan zijn tafel gaan zitten. Alleen maar van een afstand knikken en glimlachen.

Hij komt langzaam achter haar aan de trap op, maar blijft plotseling staan. Het duurt even voordat ze beseft waarom. De stilte. Heel even is de wereld om hen heen volkomen stil: geen motorgeluid, geen muziek, geen geluid van wind of water. Maar dan dringt er een zwak basgeluid door vanuit de bar en hij komt weer in beweging.

'Heb je dat gehoord?' vraagt hij.

Ze knikt, maar zegt niets. Hij lijkt het niet op te merken. Met twee treden tegelijk neemt hij de trap en staat dan naast haar op het voordek.

'Dat gebeurt niet vaak', zegt hij glimlachend.

'Nee', zegt Susanne.

Het is nu leeg op het voordek, maar in het laboratorium brandt licht. Daar is iemand. Waarschijnlijk een promovendus, te verlegen of te ambitieus om in de bar te komen feesten. Wanneer ze op de voorplecht zijn, gaan ze een stukje bij elkaar vandaan ieder op een treeplankje staan.

'De laatste vrije avond', zegt John na een poosje.

Susanne knikt, maar kijkt niet naar hem; ze wendt haar blik naar de donkere schaduw aan de horizon. Kennelijk een eiland. Met witte kubusjes op het strand. Dat moeten huizen zijn. Grote huizen misschien. Als hooischuren. Of kleine. Als de huisjes in de volkstuintjes in Landskrona. Onmogelijk te zeggen. De afstand is te groot en er is geen vergelijkingsmateriaal. Geen boom. Nog niet eens een struik.

John praat door: 'Vanaf morgen moet ik vierentwintig uur per dag de computer in de gaten houden.'

De tegenwerping ontglipt haar: 'Dat kan toch niet.'

Hij keert zich glimlachend naar haar.

'Nee. Ik heb natuurlijk ook een paar promovendi. We gaan ploegendiensten draaien.'

Ze werpt hem een snelle blik toe.

'Wat voor computer is het?'

'Een bodemcomputer. Zou je kunnen zeggen. Ik ga kaarten maken van de bodem in Peel Sound of Viscount Melville Sound. Afhankelijk van de route die we nemen. Hoewel het eigenlijk alleen maar is om de apparatuur te testen. Het gaat om de kaarten bij de Lomonosovrug.'

Ze vergeet zichzelf en wendt zich tot hem.

'Dat wil ik zien.'

'Natuurlijk.'

Hij knikt en komt dichterbij, laat dan zijn peuk in zee vallen. Die blijft eerst drijven, maar verdwijnt dan onder een ijsschots. Susanne probeert haar irritatie weer op te roepen, maar dat lukt haar niet goed. Toch doet ze een stap opzij om de afstand tussen hen te vergroten en ze bekijkt de peuk die ze in haar hand houdt. Nog één trekje. Of twee. Daarna zal ze hem in zee laten vallen, die metaalgrijze zee met zijn witte schotsen, en hij zal door honderden, nee, misschien duizenden meter water vallen tot hij een bodem bereikt waarover zij niets weet. Grind misschien. Of zand. Of een heel andere wereld, vol planten en wezens die geen mens ooit heeft gezien. Transparant. Weerschijnend. Geleiachtig. Wezens met enorme muilen, wier enige functie eten is, tot het moment waarop ze zelf worden gegeten. Kleine rode wormachtige dingen, die zelfs na miljoenen jaren nog niet hebben besloten of ze planten of dieren zijn. Diepblauwe kwallen die door de duisternis vliegen, knipperend als vuurtorentjes.

'Kijk', zegt John opeens. 'Zie je dat?'

'Wat?'

'Die lantaarn. Er loopt iemand met een lantaarn. Op dat eiland.'

Ze wendt haar blik naar het eiland. De lantaarn is heel duidelijk, je ziet hem bungelen in iets wat een mensenhand moet zijn. Maar de mens die hem draagt, zie je niet. Het is slechts een bewegend lichtje op weg naar het strand. Op dat eiland is geen leven te bekennen. Behalve van mensen, uiteraard. Een groepje Inuit dat in een dorp midden in de leegte woont. Een dorp genaamd Besluitvaardigheid. Resolute.

Susanne en John staan zwijgend naar het bewegende lichtje te kijken, volgen diens tocht door de grijze schemering naar het donkere strand, zien het een poosje heen en weer glijden aan de waterkant waarna het langzaam weer tegen de heuvel op begint te bungelen. Opeens is het verdwenen.

Susanne wendt zich naar John. Hij voelt haar blik en kijkt haar aan. Even gaat er iets door hun hoofd, en misschien denken ze dit op hetzelfde moment: *wat doe ik hier met deze vreemdeling?*

Onwillekeurig zetten ze allebei een stap achteruit. Susanne trekt haar handen op in de mouwen van haar jack. John trekt aan de al dichtgetrokken ritssluiting, alsof hij er zeker van wil zijn dat zijn keel niet te zien is. Susanne glimlacht even.

'Nee', zegt ze dan terwijl ze wat met haar voeten trappelt. 'Het wordt zo langzamerhand tijd om naar bed te gaan. Bedankt voor je gezelschap.'

John weet niet waar hij moet kijken.

'Jij ook bedankt', zegt hij dan. 'En welterusten.'

Anders wordt wakker, valt weer in slaap en wordt opnieuw wakker.

Misschien komt dat omdat hij niet alleen is in zijn hut en er een ander in het ziekbed naast zijn kooi ligt. Hij komt half overeind en leunt op zijn elleboog om over het omhooggeklapte bedhek te kijken. Robert slaapt nog. Het lijkt of hij droomt, zijn ogen bewegen snel onder zijn oogleden en hij heft opeens zijn gewonde hand op. Hij houdt die een decimeter boven het kussen, trekt dan een grimas en laat zijn hand weer zakken. Misschien heeft hij pijn. Anders werpt een blik op zijn horloge. Half vijf. Dan zal de verdoving waarschijnlijk uitgewerkt zijn. En begint de kater aan kracht te winnen.

Hij schudt zijn kussen op, gaat weer liggen, doet zijn ogen dicht en probeert de slaap te hervatten. Dat lukt niet. Hij zoekt een andere houding en spant zich in om elke gedachte uit zijn hoofd te bannen, maar dat is natuurlijk net zo onmogelijk, want onder zijn oppervlakkige gedachten zitten andere gedachten, woordloze beelden die door zijn hoofd zweven – *Eva's glimlach toen ze nog jong waren, haar spottende lach, haar rug en nek* – en die wil hij niet zien en zich ook niet heugen. Hij draait abrupt terug op zijn rug en begint achteruit te tellen, vanaf duizend naar beneden, maar ergens rond de achthonderdvijftig geeft hij het op. Hij zal met geen mogelijkheid weer in slaap vallen. Hij opent zijn ogen en kijkt naar het plafond. Hij is gewoon niet moe meer. Als het althans niet de stilte is die hem wakker houdt. Het schip ligt nog steeds stil en er is geen geluid te horen. De muziek in de bar is eindelijk verstomd. Iedereen slaapt nu.

'O!' zegt Robert met volkomen heldere stem, een stem die veel helderder is dan die waarmee hij praat wanneer hij wakker is. 'Oo!'

Anders is meteen op de been, maar op het moment dat hij zich over het ziekbed buigt, ziet hij dat Robert nog net zo diep slaapt als eerst. Anders laat zich in zijn kooi zakken. Hij blijft daar zitten en wrijft wat in zijn gezicht, waarna hij plotseling zijn armen om zichzelf heen slaat. Het is koud in de hut, veel kouder dan gisteren. Buiten voor het raam is de wereld nog steeds grijs van nevel en mist. Hij staat op en loopt naar zijn kleerkast. Hij doet die heel zachtjes open en trekt zijn ochtendjas en een paar sokken aan. Dan blijft hij met zijn handen in zijn zakken staan. Wat zal hij nu doen? Het boek dat hij gisteren uit de bibliotheek van het schip heeft gehaald was eigenlijk oersaai. Blijft de computer over. Hij kan misschien een mail versturen. Aan iemand. Aan wie dan ook.

Heel voorzichtig maakt hij de rubberen band los waarmee de stoel op zijn plek bij het bureau wordt vastgehouden. Hij tilt de stoel goed op, zodat die geen geluid maakt wanneer hij hem naar achteren trekt. Hij gaat zitten en klapt zijn laptop open. Hij denkt er zelfs aan om eerst het geluid zacht te zetten. Het geeft een raar gevoel dat zijn mailbox opengaat zonder geluid te maken. Alsof dit allemaal eigenlijk niet echt is.

Maar dat is het heus wel. Hij heeft al drie nieuwe berichten. Eentje van zijn zus. En twee van Bengt Bengtsson. Hij buigt zich naar het scherm, knijpt zijn ogen toe en wrijft over zijn voorhoofd, maar wanneer hij zijn ogen weer opendoet, blijft het feit dat hij drie berichten heeft. Waarvan twee van Bengt Bengtsson. Bij geen van beide is de onderwerpregel ingevuld.

Hij leunt tegen de rug van zijn stoel en probeert zich te vermannen. Hij doet zijn ogen nog een keer dicht en opent ze opnieuw. Het helpt niet. De naam is gekoppeld aan een gezicht. Bengt Bengtsson. De man die Landskrona ooit armer dan wie ook verliet, maar intussen rijker dan wie ook is teruggekeerd. De man die het grootste van alle grote oude huizen aan Strandvägen heeft opgekocht, het van binnen heeft gestript en weer opnieuw heeft laten opbouwen, en die bovendien een vergunning heeft gekregen voor een strandcabine, op slechts enkele meters van de oever van de Sont. De man die meer dan een jaar lang in het geheim een verhouding met Eva heeft gehad. De man die nu met haar samenwoont. Volkomen in de openbaarheid. Voor iedereen te zien. De man die dus vernederend ...

Onzin. Anders knippert met zijn ogen en recht zijn rug. Sinds hij aan boord is gegaan heeft hij immers niet één keer aan die vent gedacht, hij heeft hem opzijgeschoven en uit zijn hoofd gebannen, en hij is van plan dat te blijven doen. En Eva? In feite was hij blij dat hij van haar af was. Althans grotendeels. Dus buigt hij zich over het scherm om de mail van zijn zus te lezen.

> Dag broer. Sorry dat ik je weer moet storen, maar ik wil alleen maar zeggen dat Eva zojuist weer heeft gebeld en wil weten waar jij zit. Ze vertelde dat jullie uit elkaar zijn. Ze was nogal scherp, kun je wel zeggen. Wat is er gebeurd? Heb haar jouw mailadres gegeven. Hopelijk is dat goed. Pas goed op jezelf en laat wat van je horen als je in de gelegenheid bent. Lisbeth

O. Dat verklaart natuurlijk het een en ander. Achter hem steunt Robert weer, maar hij draait zich niet om om naar hem te kijken. Hij laat de cursor gewoon een regel zakken.

> Lieve Anders. Kreeg dit adres van je zus. Waar zit je eigenlijk? En wanneer kom je thuis? Er zijn wat dingen waar we het over moeten hebben. Zou je daarom dankbaar zijn als je me zo snel mogelijk kon bellen. Of deze mail beantwoorden. Of tenminste een telefoonnummer mailen waarop ik je kan bereiken. Het is belangrijk! Alles is niet wat het lijkt. Lieve groeten, Eva

Robert kreunt opnieuw. Zonder erbij na te denken staat Anders op om naar het bed te lopen. Robert slaapt nog steeds, maar het witte ochtendlicht dat door de patrijspoort komt, valt precies op het onderste gedeelte van zijn gezicht. Zijn huid is grauw en zijn keel ziet er korrelig uit. Ja. Anders knikt in zichzelf, als een volwassene die bemoedigend knikt bij de waarneming van een kind. Dat is juist uitgedrukt. Precies raak. Het ziet er echt uit of iemand tienduizend korreltjes – sagomeelpoeder, misschien, of rijstkorrels – in de witte huid onder Roberts stoppelbaard heeft zitten innaaien. Het zal de leeftijd wel zijn. Misschien heeft hij zelf in een bepaald licht ook wel zulke korreltjes onder zijn kin. Hij trekt de gordijnen dicht en bestudeert Robert opnieuw. De witte huid wordt roze door de kleur van het gordijn. En de korreltjes zijn verdwenen. Vrijwel helemaal.

Hij loopt terug naar de computer en verplaatst de cursor naar de volgende regel.

> Maar Anders! Waarom reageer je niet? Het is al een paar uur geleden dat ik mijn laatste mail heb gestuurd en je hebt nog steeds niets van je laten horen. Ik hoop dat alles goed met je is ...

Anders werpt onwillekeurig een blik op zijn horloge. Tien voor vijf. Wat verbeeldt ze zich wel? Dat hij de hele nacht achter de computer op haar mail zit te wachten?

> ... en dat je niet denkt dat ik eropuit ben problemen te maken. Zo is het niet. Absoluut niet. Ik vind alleen dat we hier eens goed over moeten praten voordat we iets definitiefs doen. We hebben toch ondanks alles meer dan vijfentwintig jaar samengewoond en ik wil niet dat we vijanden worden. Of onenigheid krijgen. Ik wil dat we vrienden blijven, dat we met elkaar praten als verstandige mensen, en echt kunnen zeggen wat we op ons hart hebben. Je Eva

Anders leunt achterover in zijn stoel. Hij staart naar de muur en strijkt met zijn hand over zijn kin. Hij moet zich scheren. Daar denkt hij aan. Dat is het enige wat hij nu aankan om over na te denken.

Na een poosje zet hij de computer uit. Hij klapt hem dicht en staat op, schuift de stoel weer geruisloos terug onder het bureau en zet hem vast. Daarna blijft hij aan het voeteneinde van het ziekbed opnieuw recht voor zich uit staren, peinzend.

Wat moest hij ook alweer doen?

Zich scheren.

Dat was het.

Even later staat hij in de doucheruimte zichzelf in de ogen te kijken. Zijn ogen staan net als altijd; misschien zou je kunnen zeggen dat de pupillen een tikje te groot zijn. Dat is niet zo vreemd als je in aanmerking neemt hoe schemerig het is in de hut, maar hij meent feitelijk te zien hoe ze in het licht van de badkamerlamp per seconde een tiende millimeter kleiner worden ...

Nee. Hij moet zich vermannen.

Hij strekt zijn hand uit naar de bus met scheerschuim en terwijl hij wat op zijn hand spuit, haalt hij een paar keer diep adem. Ze heeft dus wat van zich laten horen. Na – hoeveel is het nu? – ruim vier weken heeft ze eindelijk iets van zich laten horen. Geweldig. Gezien het feit hij die dag thuiskwam in een huis met vier lege kleerkasten, een lege vitrinekast – wat daar nu in had gestaan; dat weet hij niet eens meer – en een woonkamer zonder schilderijen, en eerst meende dat er was ingebroken. Wat was hij toch een idioot! Als een gek had hij rondgerend en haar naam geroepen, doodsbang dat ze ergens gewond of dood zou liggen. Ja. Zijn fantasieën herinnert hij zich net zo duidelijk als wat er werkelijk gebeurde: het beeld in zijn hoofd toen hij zijn hand uitstrekte naar de klink van de badkamerdeur en al voor zich zag wat hij meende dat hij zou zien wanneer hij de deur opende – *Eva in een plas bloed op de grond!* – en zijn totale verbijstering, zijn overdonderende verwondering, toen hij de deur eenmaal had geopend en zag dat de badkamer leeg was. Hij weet zelfs nog hoe hij een paar keer met zijn ogen moest knipperen om zichzelf ervan te overtuigen dat ze er echt niet was, dat ze niet met een nietsziende blik op de blauw-wit geruite tegelvloer naar het plafond lag te staren ...

Teleurstelling!

Het woord schiet heel even door zijn hoofd en weerhoudt hem ervan het scheerschuim op zijn wang te strijken. Hij ziet het in de spiegel, ziet hoe hij met zijn hand in de lucht staat en zijn ogen opeens voor zichzelf neerslaat.

Wat kan het hem verdommen. Hij zet zich schrap en kijkt

zichzelf weer aan. En wat dan nog? Wie zou hem daarvoor kunnen aanklagen? Niemand. Absoluut niemand. Wat hij dat korte moment ook voelde, het was snel over, heel snel. Want precies op dat moment, in de badkamer, had hij het begrepen. Hij had het badkamerkastje geopend en gezien dat haar planken leeg waren. Leeggehaald. Al haar tubes en potjes waren weg; het enige wat er nog over was, was een smoezelig tandenborstelglas, een glas dat hij oppakte om erin te kijken, alleen om te constateren dat er een grijs vlies op de bodem zat. Een akelig grijs vlies, dat een contrast vormde met al het overige in de badkamer, die glimmende, blauw glanzende ruimte. Hij had in dat glas gestaard en was daarna op het toiletdeksel neergeploft. *Eva!*

De brief lag op de keukentafel. Of het briefje. Het waren immers maar een paar regels, woorden die hij zich nu niet meer kon herinneren, woorden die hij zich overigens nooit meer zou kunnen herinneren, omdat hij het briefje verkreukelde en na lezing meteen weggooide. Het was te weerzinwekkend, te zeer doortrokken van clichés uit weekbladen. Bengt Bengtssons naam herinnerde hij zich wel. En dat het zijn eigen schuld was. Dat zij gedwongen was geweest een nieuwe liefde te zoeken ...

Hij trekt een grimas naar zichzelf in de spiegel. Godverdomme. Bah. Hij wil niet denken aan dat briefje en hij wil niet denken aan hoe hij zich daarna gedroeg. Dat hij bijna huilde. Dat hij haar op haar mobiel belde, maar dat die uit stond en uit bleef staan. Dat hij enkele dagen lang tussen de patiënten door voortdurend naar de vaste telefoon van Bengt Bengtsson belde, altijd overdag, nooit 's avonds, alsof hij reden had om bang te zijn voor die patser, alsof híj de minnaar was en Bengt Bengtsson de beledigde echtgenoot, en dat Eva de hoorn erop legde zodra ze hoorde dat hij het was ...

En nu schrijft ze. En wil ze praten. Wil ze dat ze vrienden zijn.

Nou, dat kan ze mooi vergeten. Hij steekt zijn kin naar voren en laat het scheermes over de stoppels glijden, geniet van het schone gevoel dat op elke haal volgt. Hij weet hoe zij in elkaar zit, hij weet precies hoever ze bereid is te gaan met het voorliegen van zichzelf en anderen. Hij heeft bijna vijfendertig jaar met haar leugens geleefd, en dat is meer dan genoeg; dat waren wat hem betreft genoeg leugens voor een heel leven. Neem alleen al die kwestie van de tijd. Ze heeft altijd over de tijd gelogen; het is alsof ze niet in staat is voor zichzelf te erkennen dat de tijd in zijn normale tempo verstrijkt. Ze hebben niet vijfentwintig jaar samengewoond. Ze hebben eenendertig jaar samengewoond, dat wil zeggen eerder vijfendertig jaar dan vijfentwintig, en ze zijn dertig jaar getrouwd. Hun dertigjarig huwelijk viel nog geen maand vóór ze hem verliet, en die dag, nee, die nacht ...

Hij laat zijn scheermes zakken en leunt tegen de wastafel. Kalm nou maar. Niet te snel ademen. Hier gewoon koel en analyserend staan en proberen te begrijpen wat ze nou eigenlijk schrijft: *Alles is niet wat het lijkt.* Nee, nee. En wat betekent dat? Dat ze niet samenwoont met Bengt Bengtsson? Maar wat wil ze nou? In wezen?

Het antwoord spreekt voor zich. Ze wil zowel hem als Bengt Bengtsson. Ze wil dat Anders zich aan de periferie van haar leven bevindt, voordurend bereid haar te troosten en te begrijpen, voor het geval Bengt Bengtsson niet bereid zou zijn haar continu te troosten en te begrijpen. Als ze hem althans niet als statussymbool wil – *mijn ex-man!* – bij haar diners aan Strandvägen. Heel even ziet hij het voor zich, hoe Eva dicht tegen Bengt Bengtsson aankruipt en hem een arm om haar middel laat slaan, hoe ze in de nieuw ingerichte salon staat te lachen naar haar gasten, vooral naar hem, zoals hij daar aan de rand van de groep staat en zijn gezicht in de plooi probeert te houden.

Natuurlijk. Zo wil ze het hebben. Hij kan de glimlach in haar stem al horen: *Mijn man en mijn ex-man. We zijn zulke goede vrienden, alle drie!*

Nee. Hij recht zijn rug en kijkt zichzelf in de spiegel aan. Dat gaat niet gebeuren. Hij is niet van plan dat te laten gebeuren.

'Nee', zegt hij hardop tegen zichzelf. 'Nooit.'

De vroege ochtend is landerig en de rest van de ochtend wordt nog landeriger.

Al tijdens het ontbijt breidt een lusteloze sfeer zich uit. Aan de tafel van de bemanning zijn ze al vanaf het begin stil en een beetje chagrijnig en dat wordt er niet beter op wanneer er enkele wetenschappers verschijnen die een katertje hebben. Sommige van hen groeten nauwelijks en ook al zegt niemand daar iets van, het wordt wel opgemerkt en er worden blikken gewisseld, en dat is voldoende. De jongere onderzoekers pakken alleen maar wat koffie; sommige omdat ze een beetje misselijk zijn, andere omdat ze zich zo licht als een veertje voelen na een nacht vrijen. Niettemin zijn ze allemaal ongeduldig. Ze willen zo snel mogelijk het dek op om de rozet te water te laten. De ouderen proberen ondertussen niet te laten merken hoe weinig enthousiast ze zijn. Zij weten wat de jongeren niet weten: dat het nemen van proefmonsters vandaag in eerste instantie een pedagogische waarde heeft. Maar geen van hen kan het opbrengen dat hardop te zeggen. Ze blijven gewoon wat langer dan anders met hun kopje koffie zitten, lang genoeg om het ongeduld bij de jongere onderzoekers in openlijke irritatie te doen omslaan. Uiteindelijk staan ze op om de mess te verlaten. Ze zijn nauwelijks vertrokken of de tv-verslaggever en enkele andere gasten staan ook op en lopen achter hen aan.

Wanneer Anders gaat ontbijten is het bijna leeg in de eetzaal. Aan de tafel van de bemanning zitten slechts twee chagrijnige zeelieden. Susanne zit in haar eentje aan een andere tafel. De eieren zijn al op en er zit nog maar een klein restje havermoutpap in de pan. Anders schraapt er zoveel mogelijk uit en neemt verder brood en kaas, waarna hij, niet zonder even te zuchten, aan Susannes tafel gaat zitten. Hij kiest zijn plek met zorg: met zijn rug naar de achtersteven omdat zij met haar rug naar de voorsteven zit, maar hij gaat niet recht tegenover haar zitten. Eerder schuin tegenover haar. Misschien zal ze hieruit opmaken dat hij geen zin heeft in een gesprek.

'Hoi', zegt hij niettemin, in een poging vriendelijker over te komen dan hij zich voelt.

Ze kijkt op en knippert met haar ogen, alsof ze hem nu pas opmerkt.

'Hallo', zegt ze dan.

Het blijft een poosje stil. Anders concentreert zich op zijn pap; hij wil onder geen beding hoeven denken aan datgene waaraan hij wel móét denken: Eva en haar mailtjes. Hij heeft er niet op gereageerd. En ondanks het feit dat hij een beetje langzamer ging lopen toen hij de cel met de satelliettelefoon passeerde, is hij niet gestopt. Hij heeft zichzelf ervan weerhouden naar binnen te gaan om haar nummer in te toetsen. Dat is voor het eerst. Dit is absoluut de eerste keer in bijna vijfendertig jaar dat hij zichzelf ervan weerhoudt om iets van zich te laten horen wanneer Eva hem vraagt om dat te doen. Het is weliswaar pas half tien, maar hij weet dat dit zo zal blijven. Hij zal haar mailtjes niet beantwoorden en hij zal haar niet opbellen. Vandaag niet. Morgen misschien ook niet. Misschien nooit van zijn leven.

Het geeft hem een tevreden gevoel over zichzelf. Maar ook een beetje onrustig. Want hoe zal zijn leven eruit gaan zien als hij Eva niet meer heeft? En waarom voelt hij zich zo leeg zonder haar? Waarom zou hij niet alleen kunnen leven? Of misschien zelfs wel met iemand anders?

Nee. Zo moet hij niet denken. Hij moet aan iets anders denken. Hier en nu.

Aan Susanne heeft hij niets. Die zit zwijgend met beide handen om haar kopje in de verte te staren. Uiteindelijk is Anders degene die zijn bord wegschuift, zijn koffiekopje pakt en een conversatie begint.

'Waar zit iedereen?'

Ze begint weer te knipperen met haar ogen en kijkt hem aan, een beetje verwonderd, alsof ze was vergeten dat hij daar zat, zo dichtbij.

'Ze zijn op het dek. Bezig met de voorbereidingen voor de rozet, geloof ik.'

Anders bracht net zijn kopje naar zijn mond, maar zijn beweging stokt.

'De rozet?'

Ze glimlacht even.

'De watermonsters. Ze hebben een ding dat ze in zee neerlaten om monsters te nemen nu we stil liggen. Dat wordt een rozet genoemd.'

Hij trekt een grimas. 'Waarom? Ik dacht dat er voortdurend water in het lab werd gepompt ...'

Ze knikt.

'Dat gebeurt ook. Maar dit is anders. Ze nemen monsters op verschillende niveaus in zee. Ze gaan het zoutgehalte en de temperaturen en dat soort dingen meten. Hoewel ik het ook niet precies weet. Ik geef alleen maar weer wat Ulrika verteld heeft. Ik denk niet dat ik het allemaal heb begrepen.'

Ze zet haar kopje weg en wendt haar blik af. Maar Anders laat niet los: 'Waarom wordt het een rozet genoemd?'

Ze kijkt hem aan.

'Geen idee.'

Het wordt even stil en beiden laten ze hun blik afdwalen.

'Hoe is het met de patiënt?' vraagt Susanne dan.

Anders antwoordt met een schouderophalen: 'Niet zo best. Hij werd zo-even wakker en was behoorlijk misselijk.'

'Een kater.'

Dat is geen vraag. Eerder een constatering.

'Tja. En hij heeft natuurlijk pijn. Aan zijn hand.'

'Ja. Dat begrijp ik.'

'Maar hij is nu in zijn eigen hut gaan liggen.'

'O.'

Ze lijkt matig geïnteresseerd en het wordt weer stil. Heel even schiet het hem te binnen dat Susanne de zus van Björn Hallgren is, en net zo kort overweegt hij of hij haar daarnaar zal vragen. Misschien voelt ze dat aan en wil ze hem voor zijn. Ze staat opeens op en loopt naar het koffiebuffet om zichzelf bij te schenken. Daarna komt ze terug.

'Het klonk best mooi', zegt ze dan.

Hij kijkt op, bestudeert haar. Ze ziet er vandaag anders uit. Haar ogen glanzen. Ze bloost een beetje, niet veel, maar voldoende om er niet uit te zien alsof ze erg onder problemen gebukt gaat.

'Wat?'

'Toen Ulrika vertelde over de verschillende niveaus van de zee. Het klonk alsof er in de zee vele zeeën zijn, allemaal met verschillende zoutgehaltes en temperaturen. Alsof de wateren in lagen op elkaar liggen en voorgeven iets anders te zijn. Metalen. Of vloeibare lagen gesteentes.'

Ze stopt en kijkt een beetje gegeneerd. Snel pakt ze haar kopje en ze neemt een paar grote slokken. Anders slaat zijn ogen neer; hij wil haar niet verder in verlegenheid brengen.

'Dat is een mooie gedachte', zegt hij.

'Ja', zegt ze met een plotselinge glimlach naar hem. 'Dat is inderdaad een heel mooie gedachte.'

De wereld buiten zit nog steeds onder de mist, maar nu is het de witte tint van de dag. Toch lijkt de mist dichter dan vannacht. De horizon is niet te zien en rond het schip is er nauwelijks meer dan een paar meter zicht.

Op het achterdek hangt een matroos in een hoge stellage. Hij probeert de ketting te bevestigen die de rozet moet vasthouden. Dat is niet gemakkelijk. Ulrika staat eronder, ze schreeuwt instructies en zwaait met haar armen; alle andere wetenschappers houden zich respectvol op afstand tot de ketting vastzit en goed aangespannen is. Daarna rennen ze er allemaal op af, naar hun eigen flessen.

John staat alles een beetje van opzij op te nemen. Hij rookt. Wanneer Susanne op het dek komt, blijft ze hem op haar beurt enigszins van opzij opnemen. Vandaag ziet hij er ouder uit. Grauwer. Zelfs zijn haar is meer grijs dan wit. Ze strijkt snel over haar eigen haar, dat kroezende, zandkleurige haar dat nooit van kleur of structuur lijkt te veranderen. Ziet zij er net zo oud uit? Of nog ouder? Een onaangename gedachte, die op schaamte lijkt en die ze daarom probeert te verdrijven, maar er verbergt zich een andere onder. Waarom doen ze dit, denkt ze opeens. Waarom willen mensen de zee meten en wegen?

Ze schudt even haar hoofd om zichzelf en loopt dan naar John toe, die ze op de rug klopt.

'Hoi', zegt ze glimlachend wanneer hij zich omdraait. 'Heb je een sigaret voor me? De winkel is nog niet open.'

Hij begint te grijnzen, iets wat tussen een glimlach en een grimas in zit.

'Potverdomme.'

Susanne zet een stap naar achter.

'Hoezo?'

'Ik heb je op het verkeerde pad gebracht. Sorry.'

Susanne stopt haar handen in haar zakken en trekt haar schouders op. Ze krijgt jeuk van trek in een sigaret. Ze glimlacht breed. 'Ach. Dat loopt zo'n vaart niet. Ik hou ermee op zodra ik wil.'

Hij hoort wat hij wil horen: 'Zodra je weer aan wal komt?'

'Absoluut.'

Eindelijk haalt hij het pakje uit zijn zak. Zij dwingt zichzelf ertoe haar handen in haar zakken te houden, spelend met de stiletto, tot hij zijn eigen sigaret heeft opgerookt. Dan haalt ze haar hand uit haar zak om een sigaret te pakken. Ze buigt zich over zijn aansteker. Ze geniet er nu meer van dan gisteren, maar er ligt iets onder. Iets wat een belasting en een opluchting in één is. Ze neemt nog een trekje en wendt zich dan tot John.

'Ben je al met je computerbeelden begonnen?'

Hij schudt zijn hoofd.

'Pas als we weer varen.'

Hij haalt zijn schouders op en kijkt naar de rozet. Die hangt nu in de lucht; erachter is het wit van de mist.

'En wanneer is dat?'

'Weet ik niet. Dat zal wel afhangen van wanneer we weer gaan varen. En dat hangt weer af van de ijsloods. Het is de vraag wanneer hij hiernaartoe kan komen ...'

Susanne vertrekt haar gezicht even, maar ze zegt niets. Ze staan roerloos toe te kijken hoe de rozet even aan zijn ketting bungelt voordat hij naar het zeeoppervlak begint te dalen. Met een plons belandt hij in het water, de ketting begint te rammelen en de houder begint te draaien. Susanne trekt haar schouders op. Het is koud.

'Je denkt aan de mist?'

'Ja', zegt John. 'Ik denk aan de mist.'

De mist trekt echter niet op; die lijkt gedurende de ochtend juist alleen maar dichter te worden. Iedereen op het schip wordt steeds ongeduldiger. In het laboratorium komen ze tot de ontdekking dat het kwikgehalte in de lucht absurd hoog is en tijdens een snelle vergadering besluiten ze dat dit de schuld is van Viktor, die verlegen jonge promovendus die onderzoek naar kwik doet. Hij moet op de een of andere manier een uitstoot hebben veroorzaakt, en het helpt niet dat hij probeert uit te leggen dat hij dit echt niet gedaan heeft, dat al zijn kwik veilig wordt bewaard. Hij moet weg! Hij moet zijn spullen pakken en vertrekken naar de kleine container, hoe vervelend en lastig dat ook is. Ze kunnen echt niet het risico lopen dat de monsters van de anderen besmet raken. Dus! Gewoon wegwezen!

Lars zit op het vierde dek in de mist te staren. Hij heeft het koud. Geen vogel te zien, in welke richting hij zijn kijker ook wendt, maar Göran, die in de radarcontainer op het achterdek zit, blijft koppig in zijn walkietalkie beweren dat er zich een vlucht meeuwen rond het schip beweegt.

'Ik zie ze niet', snauwt Lars in zijn walkietalkie. 'Over!'

'Kwart voor twee', roept Göran. 'En heel dicht bij jou! Over!'

'Dat kan me niets verdommen. Ze zijn niet te zien. Over!'

'Waarom ben jij zo chagrijnig? Over!'

'Ik ben helemaal niet chagrijnig. Ik zie alleen geen meeuwen. En ik hoor ze ook niet. Over!'

'Laat dan maar zitten. Over!'

'Dat doe ik toch. Over!'

Bernhard en Eduardo, de tv-verslaggever en zijn cameraman, krijgen op de brug openlijk ruzie. De wetenschappers en de bemanning doen of ze niets horen. Iedereen zit opeens heel druk naar zijn computerscherm te staren, aantekeningen in het logboek te maken of met zijn kijker de mist te bestuderen, maar ze hebben allemaal hun oren gespitst. Niet dat er iemand is die snapt waar de ruzie nou eigenlijk over gaat.

'Dat heb ik toch gezegd!' brult Bernhard.

'Ik weet wel wat je hebt gezegd', snauwt Eduardo. 'Maar ik zeg dat dat niet kan.'

'Geef mij die camera!'

'Om de dooie dood niet. Die kost een half miljoen. En hij is van mij.'

'En wie heeft de borg betaald? Nou?'

Hij steekt net zijn hand op om de camera naar zich toe te grissen wanneer Fredrik ingrijpt. Hij kijkt glimlachend op van zijn radarscherm.

'We gaan lunchen', zegt hij. 'Dus misschien kunnen jullie met de gewelddadigheden wachten tot na het eten.'

Bernhard en Eduardo kijken om zich heen en worden zich er opeens van bewust dat ze niet alleen zijn. Bernhard gaat snel met zijn hand door zijn haar en Eduardo drukt de camera tegen zijn borst. Ze voelen zich allebei een beetje in verlegenheid gebracht.

'Bovendien', zegt Fredrik, 'lijkt het erop dat de mist zo meteen gaat optrekken.'

En hij heeft gelijk. Vlak na de lunch, wanneer Susanne op het voordek stapt met in haar ene hand een pakje Marlboro dat helemaal van haar is en in de andere een pasgekochte aansteker, begint de mist op te trekken. De wind wakkert aan. De witte flarden worden dun als tulen sluiers en beginnen zich te verspreiden, de wereld buiten opent zich. Het water ziet er net zo uit als gisteren, donker en metaalachtig, maar de schotsen die erop drijven zijn witter geworden. Het zal niet lang meer duren of je kunt het eiland helemaal zien liggen.

Susanne hangt over de reling, met haar ene helft genietend terwijl ze ondertussen probeert te negeren wat er in haar andere helft gebeurt. Ze weet immers dat het levensgevaarlijk is om te roken, dat weet ze in feite met elke vezel van haar lichaam, ze heeft zelfs het gevoel dat ze weet hoe pijnlijk het is om aan roken dood te gaan, maar toch geniet ze. Ze inhaleert diep en sluit haar ogen. Binnenkort stopt ze. Zodra die slof op is die ze net heeft gekocht.

Wanneer ze haar ogen weer opent, kan ze helemaal tot het eiland kijken. Vandaag is dat donkergrijs.

Een paar uur later stijgt de helikopter op van Resolute, en opnieuw wordt het druk op het voordek: bemanning, onderzoekers en gasten verdringen zich aan de reling en zien hoe wat er van een afstand uitzag als een libel steeds duidelijker vormen aanneemt en een steeds rodere tint krijgt. Wanneer hij overvliegt, keren ze hun gezicht naar de hemel, als kinderen in vroeger tijden toen er nog weinig vliegtuigen waren, en ze zien hoe hij een tel later achter de zes etages van de Wodan verdwijnt om op het helikopterplatform op de achtersteven te landen.

Nadien trekt iedereen naar de mess. De middagkoffie wacht.

'Heb jij al eerder in deze wateren gevaren?' vraagt Anders aan Ulrika wanneer ze in de rij staan.

Ze draait zich om en kijkt hem aan, eerst wat verrast, dan glimlachend.

'Hé, hallo!'

'Hallo. Nou?'

Balancerend met haar kopje loopt ze naar een tafel voordat ze antwoord geeft. Hij loopt vlak achter haar aan. Wanneer zij het kopje op de tafel zet, ziet hij dat ze een dunne ring om de middelvinger van haar linkerhand draagt. Met een blauw steentje erin. Zou ze getrouwd zijn?

Ze trekt haar stoel naar achteren en schudt haar hoofd.

'Wel op andere plekken in de Noordelijke IJszee. Maar hier nog nooit.'

'En de ijsloods weet waar we heen moeten?'

Ze schiet in de lach.

'Dat denk ik niet. Naar wat ik gehoord heb, is de Peel Sound al vijf jaar niet meer bevaren. En De Viscount Melville Sound al acht jaar niet.'

Terwijl hij zich de kaart voor de geest probeert te halen, doet hij met een knikje voorkomen alsof hij het met haar eens is.

'Ik dacht dat dat al uitgemaakt was. Wie bepaalt wat het wordt?'

'Roland wil De Viscount Melville Sound nemen. Maar dat is alleen maar om te laten zien dat hij een macho is. Het ijs is daar nogal dik. We moeten maar zien wat de ijsloods zegt. Hoe gaat het met je patiënt?'

'Ik denk dat hij slaapt. Hij is vanochtend naar zijn eigen hut gegaan en sindsdien heb ik hem niet meer gezien.'

'Hm', zegt Ulrika. 'Ik vraag me af of er iemand voor zijn monsters zorgt.'

'Geen idee', zegt Anders.

Na een kwartier verschijnt de ijsloods. Roland loopt met hem mee naar de mess. Voor de verandering draagt hij een wit overhemd met een stropdas onder zijn blauwe uniformtrui en hij heeft een voorkomend glimlachje op zijn gezicht. De ijsloods is een lange, slanke en zeer verzorgde man, in feite langer, slanker en verzorgder dan Roland, maar hij glimlacht net zo voorkomend wanneer Roland de pasgebakken koffiebroodjes van Maria aanbeveelt. Een Zweedse specialiteit! Erg lekker. Dan gaan ze zitten aan een tafel waaraan al een heleboel wetenschappers en gasten hebben plaatsgenomen, en de voorkomende glimlach verspreidt zich over nog veertien gezichten. Iedereen stapt van Zweeds over op Engels, en het regent belangstellende vragen. Hoelang heeft hij op Resolute gewacht? Welke route gaat het nu worden? Peel Sound of Viscount Melville Sound? De moeilijke weg of de nog moeilijker weg?

'*We'll see*', zegt de ijsloods diplomatiek en hij neemt een hap van het verse koffiebroodje, waarna hij vriendelijk naar Roland knikt. Hij had gelijk. Dit is inderdaad een buitengewoon lekker koffiebroodje.

De motor start pas na nog een paar uur wachten, en in die uren staan de ijsloods en Roland op de brug over zeekaarten gebogen en meten ze zich met elkaar. Ze praten met zachte stem en zijn oneindig beleefd, maar hun glimlachjes verliezen eerst hun voorkomendheid en doven daarna langzaam uit. De ijsloods kan namelijk Viscount Melville Sound niet aanbevelen. Het is lang-geleden dat daar iemand heeft gevaren en destijds was dat, daar moet hij helaas op wijzen, een atoomijsbreker. Niemand weet wat er zal gebeuren als een gewone ijsbreker de strijd aanbindt met dat ijs. Hij kan het de Wodan natuurlijk niet verbíéden die route te nemen, maar als ze vast komen te zitten dan komen ze vast te zitten, en het zal waarschijnlijk behoorlijk in de papieren lopen om de mensen te ontzetten en het schip weer los te krijgen ...

Roland wil er zijnerzijds echter graag op wijzen dat de Wodan sterker is dan enig andere, niet-atoomaangedreven ijsbreker, en dat het schip de buitenwereld af en toe, niet altijd, dat geeft hij toe, maar toch enkele keren, versteld heeft doen staan van zijn vermogen ook door het dikste ijs te breken, niet in de laatste plaats rond de Noordpool. Want hij heeft toch wel verteld dat de Wodan vier keer de Noordpool heeft aangedaan? En dat de vijfde keer op deze expeditie gepland is?

'Ja', zegt de ijsloods. 'Maar toch ... Het ijs in Viscount Melville Sound kan wel zeven meter dik zijn. Of daaromtrent.'

'Hm', zegt Roland.

Elk met een hand steunend op tafel staan ze er roerloos bij. Het blijft meer dan een minuut stil. Dan recht Roland zijn rug en glimlacht fijntjes. Het besluit is genomen. Het wordt Peel Sound.

'In feite,' zegt de ijsloods terwijl hij zijn blik van Roland af-wendt en door de enorme ramen van de brug naar buiten kijkt, 'in feite is er in deze tijd van het jaar nog nooit een schip door Peel Sound gevaren.'

'*Well*', zegt Roland. 'Dan moeten we maar hopen dat het goed gaat.'

Er gaat een schokje door het schip wanneer het in beweging komt, een schokje dat op alle gebieden als startsignaal fungeert. Ulrika buigt zich over de invoer van vers water in het laboratorium en past de instellingen aan. Anders maakt een schaafwond schoon van een van de jongens in de machinekamer en doet er een pleister op. Vincent start de draaibank in zijn werkplaats en doet een eerste poging een moer na te maken. Fredrik bevestigt een geel-zwart gestreepte staaf aan de reling aan bakboord, een staaf die de afstand tot het ijs moet meten. John steekt de sleutel in het slot van zijn opslagcontainer en opent een beetje glimlachend de deur, alsof hij 'De Vis' wil voorstellen aan de twee promovendi en de twee matrozen die hem moeten helpen het ding het dek op te slepen. Niemand glimlacht terug; ze zijn stil en geconcentreerd bezig het zware instrument in de juiste positie te manoeuvreren. Het moet voor het avondeten de zee in en voor die tijd moeten ze controleren of alle elektronica goed werkt.

De Wodan maakt een wending en draait Peel Sound in. Achter hen verandert het zwarte eiland Resolute in een grijze wolk, die zwaar naar de horizon zakt.

De volgende ochtend zit de Wodan eindelijk in het ijs. Het echte ijs, dat midden in juli dik en zwaar tussen de eilanden ligt. Vijf meter dik en zonder een scheur. Vijf meter dik en zonder plek voor de enorme blokken die het schip losbreekt en opzij probeert te duwen.

'Taai', zegt Roland tijdens de ochtendbijeenkomst terwijl hij een blik rond de vergadertafel werpt. 'Een ongewone consistentie. Net rubber.'

Ulrika fronst haar voorhoofd. 'Moeilijk te breken?'

'Heel moeilijk.'

Het blijft even stil. Buiten voor de ramen straalt het winterlandschap hun mooi als een ansichtkaart tegemoet. De hemel hoog en blauw, met hier en daar een witte wolk. Het ijs daaronder doet zijn best daarop te lijken, maar slaagt daar niet helemaal in. Het is net een negatief: een wit oppervlak met blauwe meren van smeltwater, als een witte ijshemel met blauwe wolken.

'Vandaag zullen we nauwelijks meer dan drie à vier knopen kunnen halen', zegt Roland. 'We moeten maar kijken of het verderop beter wordt.'

Niemand reageert.

'Nou, dat was het dan.'

Notitieblokken gaan dicht. Stoelen schrapen zacht over de vloer. Iemand helpt Robert, die zijn hand in het verband heeft, om zijn stoel onder de tafel te schuiven en krijgt een vriendelijk knikje als dank. De ochtendbijeenkomst is afgelopen.

Susanne gaat na afloop op de voorplecht staan en laat zich hypnotiseren door het breken. De zon glinstert in de smeltwaterplasjes op het ijs. De horizon om haar heen vormt een wijde cirkel, een cirkel zonder begin of einde, en het enige wat ze ziet, is dit witte en blauwe: een blauw-witte hemel boven wit-blauw ijs. Ze kan een glimlach niet onderdrukken. Nu heeft ze eindelijk het doel van haar dromen bereikt. Buiten de wereld. In de geborgen leegte, in de volmaakte gebeurtenisloosheid, waar ze al haar hele leven naar op zoek is en voor terugschrikt. Het zou haar op dit moment niets kunnen schelen als ze nooit meer een huis, een krant of lantaarnpaal te zien zou krijgen, als ze nooit meer naar een feest zou gaan, nieuwe panty's zou kopen of met een ander zou praten. Ze is bereid de hele beschaving af te zweren in ruil voor het genot om in haar eentje helemaal vooraan op een ijsbreker te staan en te zien hoe die zich door het ijs werkt.

Ze hangt over de reling om naar beneden te kijken, ziet hoe het water van de Wodan over het ijs wordt gespoeld en hoe de stompe voorsteven een seconde later op het vochtige oppervlak glijdt en dat neerdrukt. Een scheur schiet snel een paar meter naar voren, maar nog breekt het ijs niet; het opent slechts een kleine wond in het oppervlak, een kleine vochtige wond die een turkooizen binnenste blootlegt. De Wodan gaat een paar meter achteruit en maakt opnieuw vaart, gooit zich er met heel zijn negenduizend ton op, en nu gebeurt het eindelijk. Het ijs breekt in enorme brokken, verandert in reusachtige ijsschotsen die zich onwillig opzij werpen. Heel even ontbloten ze hun glasblauwe lichamen voordat ze worden neergezogen in het zwarte water onder het vaartuig. Een tel later komen ze aan bakboord of stuurboord aan de oppervlakte, naakt en enorm, woest en op wraak belust, maar toch volkomen machteloos. De Wodan wringt zich verder, forceert en breekt kapot wat tientallen jaren dicht en afgesloten heeft gezeten. De eerste secondes stromen watervalletjes van de randen van de schotsen. Daarna is het opeens over. Het gebroken ijs keert zijn gewonde binnenste naar de hemel en blijft waar het is. Achter het schip sluit het zich in een wal, een wal die over enkele uren al zo hard bevroren zal zijn dat het onmogelijk is erdoorheen te komen.

Susanne heft haar gezicht op naar de zon en sluit haar ogen. Ze geniet net zo intens van het gedender van de motoren en de ijsmolen van de Wodan als ze eerder van de stilte in haar hut heeft genoten. Hier was ze dus op weg naartoe. Hier heeft ze naar verlangd. Het genot dat uitgaat van het breken van het ijs, van het verbreken van de stilte in Arctica, van het achterlaten van een wond in een landschap dat er jarenlang ongestoord en ongerept bij heeft gelegen. Ze glimlacht om die gedachte. Misschien niet helemaal zo. Maar iets in die richting.

Wanneer ze haar ogen weer opent, blijft haar blik steken bij een geel stipje op het ijs. Het duurt even voordat ze doorheeft dat het een ijsbeer is. Haar eerste ijsbeer. Ze tilt haar kijker op en stelt die in. Stijf en roerloos alsof hij opgezet is, staat de beer met zijn bek open een stukje verderop naar de Wodan te staren, waarna hij zich langzaam op zijn achterpoten verheft.

Hij staart Susanne aan en Susanne staart terug.

Een minuut later staat het dek opnieuw vol met mensen. Camera's klikken, iedereen verdringt zich bij de reling en praat en lacht. De beer is dichterbij gekomen; met naar binnen gebogen poten is hij naar de voorsteven geslenterd, maar nu stopt hij weer en verheft zich opnieuw op zijn achterpoten. Kaarsrecht staat hij hen aan te staren.

'Het moet een mannetje zijn!'

'Behoorlijk jong, denk ik.'

'De jonge mannetjes zijn het ergst. Compleet levensgevaarlijk. Op Spitsbergen ...'

'Ja. Het moet een mannetje zijn, jong, dom en overdreven moedig.'

'Maar er zijn ook vrouwtjes die een penis hebben ontwikkeld.'

'Waarom?'

'Door chemicaliën, geloof ik. Er wordt hier immers van alles naartoe gezogen.'

'Bedreigt hij ons? Staat hij daarom op zijn achterpoten?'

'Nee. Hij kijkt. Als hij dreigt, keert hij je zijn andere kant toe.'

'En trekt hij een kromme rug.'

'Maar dat zal hij niet doen. Hij snapt niet dat de Wodan groter is ...'

'Hoe weet je dat?'

'Zo werkt dat. Ze hebben immers niets om bang voor te zijn, helemaal geen natuurlijk vijanden.'

'Verdorie, we varen over hem heen ...'

'Nee hoor, hij sjokt vast wel weg wanneer hij uitgekeken is.'

Op hetzelfde moment verliest de beer zijn belangstelling voor de Wodan. Hij gaat op zijn vier poten staan en trappelt wat, waarna hij hun de rug toekeert en verder slentert.

'Hij is mooi', zegt John tegen Susanne.

Glimlachend antwoordt ze: 'Inderdaad. Heel erg mooi.'

Het blijft een poosje stil en beiden kijken uit over het ijs. De beer is opeens verdwenen. Niemand weet waar hij is gebleven.

'Hoe gaat het met je kaart?' vraagt Susanne.

'Niet zo goed', zegt John. 'Het ijs rukt aan de kettingen; het is moeilijk De Vis op zijn plek te houden.'

'De Vis?'

'Het meetinstrument.'

'O jee', zegt Susanne.

Niettemin komt hij zijn belofte na om Susanne mee te nemen op een pedagogische trip. Ze staan een poosje op de achtersteven neer te kijken op het gebroken ijs, ze zien hoe dat rukt en trekt aan de kettingen die De Vis helemaal in de diepte op zijn plek houden. John houdt zich stevig vast aan de ketting wanneer hij over de rand van het schip vooroverbuigt om naar beneden te kijken. Hij kijkt bezorgd.

'Het risico is groot dat hij helemaal kapotgaat', zegt hij.

Susanne knikt, maar ze luistert niet echt. Ze staart naar de ijswal die ze achter zich laten en naar de lage, open achtersteven. Hier is geen reling. En het schip ligt zo laag dat ze er gemakkelijk af zou kunnen stappen; ze zou haar voet op een van de enorme blokken kunnen zetten en dat beetpakken terwijl ze voorzichtig op het ongebroken ijs ernaast klimt. En dan zou ze daar kunnen blijven staan, ze zou roerloos kunnen blijven staan om het schip gewoon naar de horizon te zien vertrekken ...

En daarna? Tja. Het schip gaat waarschijnlijk niet zo snel dat ze het niet rennend zou kunnen inhalen. Vooropgesteld natuurlijk dat ze geen ijsbeer zou tegenkomen. Ze glimlacht in stilte en wendt zich tot John. Hij praat, maar ze heeft niet geluisterd naar wat hij heeft gezegd.

'... in elk geval op de computers.'

Hij loopt verder. O. Dan gaan ze zeker in zijn container naar de computers kijken. Ze steekt haar handen in haar zakken en loopt achter hem aan.

De afbeeldingen zijn nog niet klaar. Voorlopig zie je alleen nog maar cijfers en streepjes op een beeldscherm, cijfers en streepjes die Susanne volslagen onbegrijpelijk voorkomen. Een van Johns promovendi probeert het uit te leggen, maar zijn taal is niet te begrijpen. Chirp? Sonar? Multibeam echolood? Niettemin knikt ze en ze glimlacht wat. Ze doet net of ze het er helemaal mee eens is, totdat John ertussen komt. Hij heeft een andere computer aangezet.

'Kom eens hier, Susanne', zegt hij. 'Hier kun je zien hoe ze eruit komen te zien ...'

Het plaatje ziet eruit als iets uit een computergame. Knalgele bergen. Gifgroene bodems. Felrode heuvelruggen.

'Wat is dat?'

'Een baai in de archipel van Stockholm', zegt John. Hij wendt zijn blik niet van het scherm af. Susanne staat vlak achter hem, zo dichtbij dat ze zijn lichaamswarmte kan voelen. Met een schuin hoofd probeert ze niet te laten merken hoe beteuterd ze zich voelt. De plaatjes onthullen een verborgen werkelijkheid, maar niet zoals zij zich had voorgesteld. Het zijn geen foto's, alleen gecomputeriseerde tekeningen. Geen planten, geen onderwaterwezens, geen verzonken Atlantis.

'De kleuren geven de diepte aan', zegt John. 'Rood is ondiep. Groen is diep. En blauw is echt diep.'

Achter zijn rug knikt ze zwijgend en ze leunt naar voren om voor te wenden dat ze geïnteresseerd is.

Het bezoek aan het laboratorium betekent een doorbraak, maar het duurt even voordat ze dat voelt. Pas wanneer ze haar hut binnenstapt, beseft ze dat er zich personages in haar hoofd bewegen. Ze ziet hen. Ze kan hen tegen elkaar horen praten. Ze glimlacht in de spiegel naar zichzelf. Eindelijk. Ze kan aan het werk. Ze moet aan het werk.

Met een snelle beweging trekt ze het elastiek dat haar paardenstaart op zijn plaats houdt los en schudt haar haren uit. In een tiende van een seconde meent ze opeens Elsies gezicht in de spiegel te ontwaren – dezelfde kleuren, dezelfde rimpel tussen de wenkbrauwen, dezelfde smalle ogen – maar dan draait ze zich om naar haar bureau.

Haar bewegingen stokken en ze blijft staan. Het duurt even voordat tot haar doordringt wat ze ziet. Er ligt iets in haar kooi. Een vrouwenlichaam zonder vrouw.

Een paar donkerblauwe sokken, die allebei keurig een andere kant op steken.

Daarboven een wit katoenen slipje.

Een witte beha, de cups opgevuld met iets even wits, servetten misschien, of toiletpapier ...

Een strak aangetrokken riem, op de plek waar de hals had moeten zitten.

Een grof getekend gezicht op de kussensloop. Een gezicht uit een stripverhaal met zwarte kruisjes in plaats van ogen en een donkerrode openstaande mond.

Er is weer iemand in haar hut geweest. Maar ditmaal heeft hij geen geur achtergelaten.

OP EEN WINTERDAG

De beelden van de nacht zaten nog in zijn hoofd: een blond meisje dat langs een weg rende, een zwarte vogel die achter haar een duikvlucht maakte, en uit het niets dook het woord 'niets' op en verblufte hem. Toen hij zijn portemonnee uit zijn achterzak had gehaald, moest hij met zijn hand over zijn ogen strijken om de beelden te verdrijven.

'Alles goed?' vroeg de taxichauffeur.

'Het is oké', zei Björn. 'Ik ben alleen nog niet goed wakker.'

Een blond meisje rende langs ... Hij kneep zijn ogen dicht en deed ze weer open. Hij glimlachte een beetje en dwong zichzelf te zien wat hij echt zag. Straatlantaarns. De Sofia Albertina-kerk, waarvan je in de motsneeuw nog net een glimp kon opvangen. Een dikke man in een zwart leren jack die zijn schouders een beetje ophaalde terwijl hij in zijn portemonnee naar wisselgeld zocht.

'Ja. Verdorie. Om deze tijd zou je het liefst in bed liggen ...'

Björn verdreef de zwarte vogel en dwong zichzelf te reageren.

'Het gaat wel weer over.'

'Ja', zei de chauffeur terwijl hij hem het wisselgeld gaf. 'Vast wel. Zoals je zegt.'

Zijn haar was nog niet droog van het douchen; het vocht lag als een koude helm over zijn hoofdhuid. Het woord 'nergens' zeilde langs, maar hij liet er zich niet door bevangen en verbluffen. Terwijl de taxi startte en zachtjes optrok, zette hij gewoon zijn capuchon op. Hij keek in de richting van de haven. De veerboot lag er al, die had er de hele nacht gelegen, maar er werden nog geen passagiers aan boord toegelaten. Die stonden in een rijtje, een groep ineengedoken mannen met hun kraag omhoog. Hij sloeg hen een ogenblik gade, maar nee, er was geen risico. Niemand van hen zou hem herkennen, dus boog hij zich voorover om zijn tas te pakken en hij liep naar hen toe. Niemand draaide zich om. Niemand keek naar hem. Hij sloot achter in de rij aan, stak zijn handen diep in de zakken van zijn duffel en stond net zo roerloos als de anderen de duisternis in te staren. Hij genoot ervan niemand te zijn. Niettemin genoot hij er ook van dat hij wist dat hij toch niet 'niemand' was. Hij was de zanger van The Typhoons en een ster, zo groot als je in Zweden maar kon worden. En nu zou hij met de veerboot de Sont oversteken en daarna een taxi naar vliegveld Kastrup nemen. Hij zou al ingecheckt en klaar zijn wanneer de andere jongens met het vliegtuig uit Stockholm landden.

Een blond meisje rende langs een weg, een zwarte vogel maakte achter haar een duikvlucht en uit het niets dook het woord 'niets' op en verbluftte hem. Hij schudde zijn hoofd om de beelden te verdrijven en haalde daarna zijn neus op, alsof hij zichzelf eraan wilde herinneren dat hij wakker was, dat hij in feite al langer dan drie kwartier wakker was. Waarom kon hij die droom niet loslaten? Waar ging die over?

Hij graaide in zijn zakken op zoek naar sigaretten en draaide zich half om, om de vlam van de aansteker in zijn handpalm tegen de wind te beschermen. Misschien had het met de tekst te maken, met die tekst die hij al zo vaak had gezongen en die hij vanavond voor de Engelse televisie zou zingen. Stil bewoog hij zijn lippen: *Once there was a girl that I ...* Er ging een scheut van plankenkoorts door hem heen. Stel je voor dat hij de draad kwijtraakte. Stel je voor dat hij zijn tekst kwijtraakte. Of dat hij verkeerd inzette, dat hij opeens als een debiel op de Engelse televisie verscheen en niet wist hoe hij moest inzetten bij een liedje dat hij al honderden keren had gezongen.

Hij deed zijn ogen dicht en inhaleerde diep. Dat zou niet gebeuren. Dat was nog nooit gebeurd en het zou ook deze keer niet gebeuren. Hij was Björn Hallgren. Dat moest hij niet vergeten. En Björn Hallgren raakte de draad niet kwijt. Daar moest hij zich gewoon aan vasthouden. Hij veranderde van houding, verplaatste het zwaartepunt van zijn linker- naar zijn rechterheup en blies de rook uit. Hij zag hoe die zich in het donker verspreidde als een wit wolkje. Maar, dacht hij, een beetje glimlachend bij die bekende gedachte, wie is eigenlijk Björn Hallgren?

Het ouderloze kind ... De woorden gingen zo snel door hem

heen dat hij zich er niet tegen kon verweren; het duurde een seconde of twee om ze te verdrijven. Hij was immers niet ouderloos. Hij had immers zijn ma, die hij bovendien vandaag zou ontmoeten. En ergens zou hij ook wel een pa hebben, ook al was het langgeleden dat hij überhaupt aan die klootzak had gedacht. De fantasieën uit zijn kindertijd gingen door zijn hoofd – een koning, een voetballer, een acteur – en hij trok een grimas. Het was een stuk waarschijnlijker dat zijn pa een oude zuipschuit was of een zeeman in de ziektewet. Misschien zou hij binnenkort snappen dat hij de pa van een popster was, misschien zou hij opduiken zoals andere verdwenen vaders deden en met zijn *claim to fame* komen. Björn was echter niet van plan hem te ontmoeten. Hij zou geen antwoord geven op vragen van journalisten en als hij dat wel deed – echt áls – dan zou hij er de nadruk op leggen dat de bijdrage van die ouwe zeer beperkt was geweest. Een spermatozoïde. En dat was niet genoeg om Björn Hallgren te ontmoeten. Echt niet genoeg.

Hij stak de sigaret weer tussen zijn lippen, maar ontdekte dat die was uitgegaan. Hij had er niet aan gedacht hem in zijn hand te verbergen zodat hij niet nat werd in de regen. Het kon hem niks verdommen. Hij gooide zijn peuk weg en haalde zijn schouders op. Dus wie was Björn Hallgren nou? Hij glimlachte weer.

Een jaar geleden was Björn Hallgren nog een achttienjarige maagd. Een behoorlijk onrustig figuur met slechte cijfers, die 's nachts wakker lag en overpeinsde of hij ooit met een meisje naar bed zou gaan, een timide type dat op die schoolfeesten waarop hij en de andere jongens in zijn band The Moonlighters voortdurend optraden nooit van het podium durfde te stappen, een bang lulletje dat gewoon niemand van de meiden durfde te pakken die daar stonden te smachten ... Niet voordat die Ann-Sofie uit Helsingborg hem min of meer de meisjeskleedkamer achter de gymzaal in had getrokken en de zaak geregeld had. Binnen twee minuten was het voorbij, maar het waren twee gedenkwaardige minuten. Althans voor hem.

Nadien was hij niet meer dezelfde geweest. De jongens in de band hadden het gemerkt en naar hem gegrijnsd. De meiden op school hadden hem lange blikken toegeworpen. En Inez had hem een hele week met haar blik gevolgd. Ze had voortdurend een frons op haar voorhoofd gehad, een fronsje dat onthulde dat zij begreep dat hij de leiband had losgemaakt en er even tussenuit was geknepen. Alleen Susanne en Birger hadden niets gemerkt, maar dat was natuurlijk altijd al zo. Susanne was te jong. En Birger had een beperkt gezichtsveld. Had hij altijd al gehad.

Dus wie was Björn Hallgren? Als je althans van dat sterrendom afzag. Was hij alleen maar de jongen die met Ann-Sofie naar bed was geweest? Nee. Hij was de jongen die sindsdien met zeven meiden naar bed was geweest – nee, acht! Hij was bovendien de jongen die gisteren nonchalant tegen de muur van een portiek in Stora Norregatan, vlak naast parfumerie Salomonsson, stond te leunen, de jongen die had gezien hoe Eva's gezicht opfleurde en begon te stralen toen ze de winkel uit kwam en hem in de gaten kreeg.

'Björn!'

Hij schrok en draaide zich om. Hij verjoeg de gedachte dat hij nu ook al mensen kon laten verschijnen door aan ze te denken en staarde haar aan.

'Eva? Ben jij dat?'

Vandaag fleurde ze niet op, en stralen deed ze evenmin. Ze zag bleek, bijna wit in haar gezicht, en had grote donkere ogen. Of donker opgemaakte ogen.

'Ja', zei ze buiten adem, maar opeens leek ze door een plotselinge verlegenheid te worden getroffen en ze sloeg haar ogen neer. 'Ik ben het.'

'Wat doe jij hier?'

Hij hoorde zelf hoe ruw dat klonk en probeerde zijn woorden meteen in een verontschuldiging te verpakken.

'Het is nog zo vroeg.'

Ze keek naar hem op, haar ogen groot en vochtig.

'Ik wilde je alleen maar wegbrengen. Naar het vliegveld.'

Björn haalde zijn schouders op en deed een stapje achteruit. Het was een nauwelijks merkbare beweging, een heimelijk afstand nemen, maar het was voldoende om Eva's gezicht heel even helemaal te laten verschieten. Maar daarna glimlachte ze opeens, een stralend witte glimlach, die gevolgd werd door een ondeugende glimp in haar ogen.

'Ach, ik maak maar een grapje. Ik moest vandaag toch naar Kopenhagen. En toen bedacht ik dat ik van de gelegenheid gebruik kon maken om jou eerst weg te brengen.'

Hij liet zijn schouders zakken, maar zijn rug was nog steeds recht en gespannen. Hij kwam niet dichterbij.

'Wat ga je dan doen in Kopenhagen?'

Ze glimlachte weer. 'Een paar vriendinnen zien. Winkelen. Kleren kopen.'

'Daar heb je gisteren niks over gezegd ...'

Ze haalde haar schouders op en wierp hem een snelle blik toe. 'Een meisje mag toch wel geheimen hebben ...'

Op dat moment zette de rij zich in beweging. Tijd om aan boord te gaan. Eva stak haar arm in de zijne en liet haar wang langs de mouw van zijn duffel gaan.

'Maar als je geen gezelschap wilt, kan ik best op de volgende veerboot wachten', zei ze.

Björn likte snel zijn lippen en keek haar glimlachend aan.

'Nee', zei hij. 'Natuurlijk mag je me wegbrengen.'

Met haar handtas in een stevige greep ging Elsie op de rand van de bank zitten. Ze keek om zich heen.

Het was druk in de lobby; er waren mensen van allerlei leeftijd en nationaliteit in beweging, ze liepen in en uit, de trappen op en af, gingen in de donkere rode pluchen fauteuils zitten en stonden eruit op, wierpen een blik op zichzelf in een van de in gouden lijsten gevatte spiegels, waarna ze zich omdraaiden en met een snel gebaar een piccolo wenkten, een jonge of een oude man, gekleed in een enigszins versleten, rood met goud fantasie-uniform. Achter de receptie stonden vier mannen die gekleed waren in ouderwetse jacquets en een jonge vrouw in een zwart mantelpakje. Twee van deze mensen stonden met een ernstig gezicht voorovergebogen naar gasten aan de andere kant van de balie te luisteren, de andere drie hadden hun blik gericht op papieren en mappen. De vrouw in het zwarte mantelpakje glimlachte naar een oudere mevrouw, maar die beantwoordde haar glimlach niet; terwijl ze haar handtas opende, wierp ze haar slechts een snelle blik toe, waarna ze zich half afwendde.

Het was heel stil. Van buiten kwam wel geluid – van de auto's op straat en van de pianomuziek in de bar – maar in de lobby zelf werd bijna geen geluid gemaakt. Je kon zien dat de mensen met elkaar praatten, maar als je er een paar meter vandaan stond, kon je niet horen wat er werd gezegd. Misschien had de architect bij het ontwerpen van de ruimte toevallig een gulden snede getroffen, misschien waren hoogte en breedte er exact op berekend alle geluiden te dempen. Als het althans niet kwam door de kamerbrede vloerbedekking. Of door het feit dat je automatisch zachter ging praten wanneer je deze lobby betrad. Om niet te storen. Om niet op te vallen. Om niet buitenspel te staan.

Want het was beslist een spel, dat zich hier afspeelde. Een stilzwijgende overeenkomst tussen al die mensen die hier passeerden. *Op dit moment ben ik iemand anders, op dit moment woon ik in die wereld die niemand van ons heeft gezien, maar die iedereen toch heeft bezocht.* De man die ginds tegen de receptiebalie leunde, zag er weliswaar uit als een Engelse kolonel, maar hij was vast ergens directeur van een brouwerij. Of misschien van een bouwbedrijf. En de vrouw die net opstond en met haar hand over haar rok streek, zag er dan wel uit als een Amerikaanse filmster, maar in feite was ze een callgirl die pas in het vak zat en zich ongerust maakte of ze de man die haar had laten komen wel zou herkennen. Om nog maar te zwijgen over het paar met de kromme neuzen op de bank naast haar. Ze zagen eruit alsof ze Britse landadel waren – hij in een pak van Harris tweed en zij in een jumper van kasjmier – maar de reisgids op haar schoot was Spaanstalig. Misschien waren het Argentijnen. Andere mensen uit Latijns-Amerika zeiden immers altijd dat Argentijnen Italianen waren die Spaans spraken maar zich verbeeldden dat ze Engelsen waren. De blik van de vrouw kruiste die van Elsie; ze glimlachte even en legde op hetzelfde moment haar hand op de reisgids, alsof ze de onthullende tekst wilde verbergen.

En zijzelf dan? Ze liet haar blik naar de spiegel aan de overkant van de lobby gaan om zichzelf te bekijken. Een beige vrouw van tegen de veertig. Gekleed in een twinset en een strakke rok, lichtblauw en donkerblauw, met een zwarte handtas op schoot. Ze zou lerares kunnen zijn. Misschien zelfs wel een wetenschapper uit Oxford of Cambridge. Of een gezelschapsdame, vooropgesteld dat je kon pretenderen dat gezelschapsdames nog voorkwamen, dat er ergens in een van de honderden kamer van het Strand Palace Hotel een oude dame haar oorbellen zat in te doen terwijl haar gezelschapsdame beneden in de lobby zat te wachten ...

Maar zo was het natuurlijk niet. Elsie slaakte een diepe zucht en schoof wat op de bank naar achteren. Ze leunde achterover en ontspande haar schouders. Een Zweedse marconiste. In burger. Voor wie een kamer was geboekt in een hotel dat iets duurder was dan de hotels waarin ze tot dusver had gelogeerd. Zwijgend wachtend op haar zoon. Een zoon die ze al meer dan een jaar niet had gezien. Het spiegelbeeld schudde bijna ongemerkt zijn hoofd en meteen keek ze weg; ze liet haar blik door de lobby gaan, op zoek naar iets anders om naar te kijken en aan te denken. De brouwerijdirecteur stopte zijn portefeuille in de binnenzak van zijn colbert en streek met zijn hand over zijn snor. Het meisje dat eruitzag als een filmster liep gearmd met een man in een donkergrijs pak naar de lift, en het stel op de bank naast haar stond opeens op om naar de uitgang te lopen. Een portier in een lange rode jas tikte even de rand van zijn zwarte hoed aan in een soort militaire groet.

Elsie wierp een blik op haar horloge. Sinds ze de lift naar de lobby had genomen waren er pas vijf minuten verstreken. Het vliegtuig uit Kopenhagen was nog niet eens geland. Het zou nog meer dan een uur duren voor hij arriveerde, misschien wel twee. Ze zou eigenlijk naar buiten moeten gaan. Langs The Strand wandelen. Een park in de buurt opzoeken. Of zich naar Oxford Street haasten en dan weer terug. Kleren kopen. Als niet wist wat ze moest doen, kon ze altijd nog kleren kopen ...

Toch verroerde ze zich niet. Ze bleef zitten waar ze zat en bestudeerde haar spiegelbeeld aan de muur tegenover haar. Heel even wenste ze dat ze zichzelf ervan kon overtuigen dat ze inderdaad een wetenschapper uit Oxford was, of een leraar aan een of andere *public school,* of – als het echt niet anders kon – gezelschapsdame van een vals Engels oud mens, en dat deze overtuiging zo sterk zou zijn dat de werkelijkheid erdoor werd veranderd. Het maakte haar niet uit wat ze zou zijn, als het maar niet was wat ze was.

Iemand die een ander in de steek liet.

Iemand die ertussenuit kneep.

Een moeder die nooit ...

Ze rechtte haar rug en onderdrukte die gedachte; ze richtte liever haar blik op een man die door de lobby liep, een echt knappe man, als je althans van het wat steviger soort hield, en dat deed zij. Het was een man die eruitzag alsof hij uit zijn maatpak zou kunnen barsten, alleen maar door zijn spieren een tikje aan te spannen, een man met een flink ontwikkelde kaak en een charmante lok op zijn voorhoofd, zo'n lok die zich daar puur toevallig bevond, een lok die naar voren was gevallen zonder dat hij het had gemerkt, precies zoals een lok altijd naar voren viel wanneer …

Nee. Op het moment dat die gedachte door haar hoofd schoot, stond ze op, en in de spiegel zag ze haar eigen beweging en haar enigszins bangelijke manier van kijken. *Zo niet! Nooit zo!* Een tel later was het alweer voorbij. De vrouw in de spiegel glimlachte rustig naar haar. Ze trok haar jas aan, hing haar tas over haar schouder en draaide zich om, op weg naar de uitgang. Het rare was dat ze het gevoel had dat ze ogen in haar nek had gekregen, het was alsof ze onder het lopen haar eigen rug in de spiegel kon zien …

Ze deed haar ogen dicht. Terwijl ze diep ademhaalde, onderdrukte ze alle gedachten, op één na. Een wandeling. Dat had ze nodig.

De lucht buiten was zo koel dat hij haar de adem benam, zo koel dat hij, gek genoeg, schoon aanvoelde, ook al was het buiten op straat een gedrang van auto's. Ze hoorde ze, maar zag ze niet echt, want net toen ze het trottoir op stapte en de luifel van het hotel achter zich liet, brak de zon in een spleet tussen de wolken door en moest ze haar ogen toeknijpen. Met haar hand boven haar ogen sloeg ze rechts af en ze liep verder. Trafalgar Square. Daar moest ze heen, minstens, en daarna terug.

De zon had zich maar even vertoond, hij was alweer weg en nu hing de hemel laag boven de straten. Er stond zo'n frisse wind dat ze al na een paar honderd meter koude knieën had. Dat gaf niets. Integendeel. Wie het koud heeft, denkt niet. Als ze het maar koud genoeg had, zou ze zich misschien kunnen inbeelden dat ze alle tijd van de wereld had, niet slechts een uur of twee, tot het moment dat ze haar zoon weer zou zien … Even ging er een droombeeld door haar hoofd. Ze zag zichzelf van de rode bank opstaan en hem van een afstand bestuderen, zag zichzelf blozen en met trillende hand over haar rok strijken. Die gedachte schoof ze echter resoluut terzijde en ze richtte haar blik de wereld in.

Het was een gewone vrijdagmiddag in Londen, een dag in het begin van december, volkomen hetzelfde als alle andere dagen dat ze hier had gelopen, vlak nadat ze was afgemonsterd of vlak voordat ze zou aanmonsteren, en toch was alles anders. Het duurde even voordat ze besefte wat het was. De mode. De laatste keer dat ze in Londen was geweest – wanneer was dat? – hadden de jonge meisjes nog getoupeerd haar gehad, hoge hakken en deinende stijve rokken. Nu waren er helemaal niet meer van zulke meisjes. Ze hadden allemaal recht haar, lage hakken en korte mantels. Heel korte mantels. Sommige kwamen nauwelijks tot de onderrand van hun onderbroek.

Elsie wierp een snelle blik op de weerspiegeling van zichzelf in een etalage. Zag ze er ouderwets uit in haar oude jas? Ze kon dat niet goed vaststellen. Waarschijnlijk wel. Maar ze was dan ook niet meer zo jong, en er was geen wet die voorschreef dat vrouwen die de veertig naderden aan de mode moesten meedoen. Die konden rustig een oude taart worden, vooral als ze geen zin hadden om te worden blootgesteld aan de spot die vrouwen – haar gedachte maakte een wijde boog rond het woord 'oudere', want zo oud was ze immers niet – ten deel viel die zichzelf jonger probeerden voor te doen dan ze waren. Maar eigenlijk maakte het ook niet uit. Je kon ook worden bespot omdat je een oude taart was. In feite kon je overal wel om worden bespot. Behalve natuurlijk als je een man was. Dan schoot je gewoon het pak aan waarvan de klassenmaatschappij had bepaald dat je dat diende te dragen. Kostuum en bolhoed als je boekhouder of ambtenaar was. Een jas en een trui als je een matroos of een gewone arbeider was. Er ging een oud zeemansgrapje door haar hoofd: 'Hoe noem je een inwoner van Liverpool in een pak? De verdachte.'

Elsie sloeg haar ogen neer om haar glimlach te verbergen, maar dat lukte niet zo goed. Die speelde nog om haar lippen toen ze weer opkeek en een tienermeisje in de gaten kreeg dat recht op haar af kwam, een meisje met grote, zwartopgemaakte ogen, in witte netkousen met een grote ladder erin, een knalroze mantel, slechts een fractie langer dan een colbert, met aan de mouwranden een zweem van winters vuil. Ze zag eruit als een lappenpopje, een versleten en stukgeknuffelde pop, door haar zesjarige eigenaresse in haar allermooiste kleren gestoken.

Elsie kon een brede glimlach niet onderdrukken. Hun blikken kruisten elkaar en heel even keken ze elkaar strak in de ogen, ze keken, en begrepen elkaar verkeerd. De mond van het meisje ging open, ze keek oprecht gekwetst, maar daarna sloeg ze haar ogen neer, alsof ze zich echt schaamde, en ze passeerde Elsie snel. Elsies glimlach doofde uit; heel even wilde ze zich omdraaien om achter het meisje aan te rennen, om haar bij de arm te pakken en te zeggen dat ze het zo niet bedoeld had. Helemaal niet zo! Maar dat deed ze uiteraard niet. Ze stopte gewoon haar handen in haar zakken en trok haar schouders op, alsof het schuldgevoel dáár zat en alsof ze dat van zich af wilde schudden. Dat hielp natuurlijk niets. Dat had nog nooit geholpen.

Eindelijk had ze Trafalgar Square binnen haar blikveld. Wachtend op het groene licht stond ze bij het zebrapad over het plein uit te kijken. Het lag er ongewoon verlaten bij. De duiven dromden weliswaar rond het standbeeld van Nelson, maar er bewogen zich slechts enkele tientallen mensen over het grijze plaveisel. Waarschijnlijk toeristen. En een enkele Engelsman op weg naar zijn werk. Of naar de tandarts. Of naar een minnares die ...

'*Come on, luv*', zei een man achter haar. Ze keek op, zag dat het licht op groen was gesprongen en liep door. Niet dat ze wist wat ze hier te zoeken had. Wat moest je nou helemaal met beroemde plaatsen, behalve er een poosje naar staan kijken? De tijd laten verstrijken, de secondes en minuten voorbij laten tikken, je wat verder naar de rand van het graf en de grote vergetelheid laten voeren.

Ach. Ze trok haar schouders op en schudde haar schouderbladen los. Dat was toch belachelijk, een echt ontzettend belachelijke manier van denken. Ze had toch behoefte aan een wandeling gehad, of niet? Was wandelen niet wat ze op zee het meest miste? Het maakte niet uit hoeveel rondjes ze aan dek liep, het werd nooit zoals een wandeling aan land, en al helemaal niet zoals een wandeling door Londen naar Trafalgar Square.

'*Excuse me, miss*', zei opeens een stem. '*Could you?*'

Naast haar stond een meisje met een fototoestel, een jonge vrouw met donker haar en een witte glimlach, en vlak naast haar stond een volkomen eendere vrouw. Ze waren identiek. Ze droegen zelfs hun scheiding aan dezelfde kant in hun haar, en ze waren identiek gekleed in ouderwetse jassen en plooirokken. Absoluut geen inwoners van Londen. Toeristen uit Italië of Spanje, te oordelen naar de heiligenmedaillons die ze om hun hals droegen. En tweelingen. Absoluut eeneiige tweelingen.

Ze reageerde met een glimlach. Natuurlijk. De beide jonge vrouwen sloegen hun arm om elkaar heen, leunden met hun hoofd naar elkaar toe en glimlachten naar de camera. En terwijl ze het toestel voor haar oog bracht, ging er opeens een schrijnend gevoel van gemis door haar heen. *Ooit had ik ook ...*

Toen ze terugliep, begon het te regenen, een zware vuile Londense regen, die zich een weg zocht tussen alle haarsprietjes en haar kapsel weldra totaal zou ruïneren. Zonder erbij na te denken tastte ze in de halsopening van haar jas, op zoek naar een sjaal die er niet was. Daarna wierp ze een snelle blik op haar horloge en nam een besluit. Een kop koffie. Ze zag al een bordje. TEAROOM. Ze glimlachte bij zichzelf. Het was alsof haar gedachten dat bordje tevoorschijn hadden gelokt.

Ze ging aan een tafeltje bij het raam zitten, knoopte haar jas een stukje open en keek om zich heen. Ze was bijna de enige klant. Aan een tafel wat verderop in het etablissement zaten twee oudere dames die zacht in gesprek waren. Verder was het er leeg. Buiten op straat was het harder gaan regenen, de mensen liepen op een drafje, een vrouw met een plastic regenkapje op, een man met een paraplu, een jongen die de kraag van zijn jas had opgezet maar niet had dichtgeknoopt. Wat waren er veel mensen op de wereld! Elk van hen was de hoofdpersoon in zijn eigen verhaal; vol van zijn eigen woorden en zijn eigen herinneringen, maar ook van de halfverdrongen wijsheid dat dit een keer allemaal zou worden uitgewist, zou ophouden te bestaan, er niet meer zou zijn. De stad zou blijven voortleven, de warenhuizen zouden elke ochtend hun deuren openen, er zou koffie worden geserveerd, er zouden kranten worden gedrukt, geld zou in andere handen overgaan, er zouden kleren worden genaaid die zouden verslijten om vervolgens te worden weggegooid, maar ieder van hen die dit leven schiep, was onverbiddelijk op weg naar de dood. Niemand ontkwam daaraan.

Elsie sloot haar ogen. Wat had ze vandaag toch? Waarom dacht ze de hele tijd aan dingen waar geen zinnig mens aan diende te denken?

Ze keek in haar kopje, alsof ze het antwoord daar zou kunnen vinden en ze zuchtte zo luid dat de beide vrouwen aan het andere tafeltje hun gesprek onderbraken en even naar haar keken. Ze probeerde geruststellend naar hen te glimlachen en pakte haar kopje op. Ze wendden hun blik af en hervatten hun gesprek.

Nervositeit. Dat was natuurlijk de reden. Ze was nerveus. Bang. Zenuwachtig. Ze zag op tegen de aanstaande ontmoeting. Zoals ze altijd opzag tegen haar ontmoetingen met Björn. Bang dat hij deze keer, uitgerekend deze keer, de twee vragen zou stellen die hij nooit had gesteld, die twee vragen die tussen hen in stonden, die altijd tussen hen in hadden gestaan en die met het jaar opzwollen en groter werden. Weldra zouden ze zich niet meer in hetzelfde gebouw kunnen bevinden; de onuitgesproken vragen zouden alle ruimte innemen.

Misschien was het tijd om ze eindelijk te beantwoorden.

'LONDEN', ZEI TOMMY glimlachend.

'*Yes!*' zei Peo terwijl hij achteroverleunde en met zijn hand over de leren zitting streek. 'Londen.'

Björn zei niets. Hij glimlachte slechts, met zijn rug naar de chauffeur toe gezeten op de neergeklapte reservestoel.

'Naar het Str-a-a-nd Palace Hotel', zei Niclas.

'Het strandpaleis', zei Bosse. Toen de zwarte limousine van de platenmaatschappij startte en naar de uitrit draaide, zocht hij steun tegen het portier om in evenwicht te blijven. Hij zat ook op een reservestoel.

'Is er behalve ik al eerder iemand van jullie hier geweest?' vroeg Tommy terwijl hij in zijn zak naar zijn sigaretten begon te zoeken.

Niemand reageerde, er schudde zelfs niemand zijn hoofd, omdat die vraag al eerder gesteld en beantwoord was, en omdat het antwoord Tommy pluspunten opleverde en de anderen minpunten. Iedereen zat zwijgend door de ramen naar de onbekende wereld buiten te kijken. Slechts één ding was vanzelfsprekend: de zwarte taxi achter hen. Met daarin de verslaggever en de fotograaf van *Fotojournaal*.

Misschien kwam het doordat Björn te weinig slaap had gehad. Of doordat hij nerveus was. Weer plankenkoorts had. Maar dit was een eigenaardig gevoel: dat niets echt was. Het was alsof hij in een dagdroom zat. Alsof hij zelf een droomfiguur was geworden. Alsof hij de andere jongens kon wegdenken, alsof Karl-Erik niet voorin naast de chauffeur van de platenmaatschappij zat ...

Björn knipperde met zijn ogen en keek om zich heen om alle kleuren op te zuigen – Tommy's knalrode colbertje, de zwarte kraag van Peo's overhemd, het witblonde haar van Bosse – en alle details buiten voor het autoraam. Rijtjeshuizen van rode baksteen. Handbeschilderde bordjes boven winkels. Een meisje in een blauwe jas en witte kousen. Een vrouw met een sjaaltje om haar hoofd en een zwarte boodschappentas in haar hand. Dat was echt. Allemaal. Dat moest hij onthouden. Hij kon zichzelf niet toestaan om te denken dat het maar een droom was. Wat nooit van zijn leven zou kunnen gebeuren, was namelijk gebeurd. Het gebeurde op dit moment.

'Nou, kerels', zei Karl-Erik vanaf de voorbank. 'Voelt het goed?'

'Het voelt verrekte goed', zei Tommy, die zijn sigaret aanstak.

'Fantastisch', zei Peo.

'Buitengewoon', zei Niclas.

'Gewoon geweldig', zei Bosse.

Het werd even stil.

'En Hallgren?' zei Karl-Erik.

Björn knipperde met zijn ogen.

'Ja, hoor. Te gek.'

'Je mist je meisje niet?'

Tommy begon te grijnzen. Björn ging met zijn hand door zijn pony.

'Wat?'

Karl-Erik klonk geamuseerd.

'Dat meisje op het vliegveld?'

'O', zei Björn.

'Hoe heet ze?'

'Eva.'

Het was weer even stil en Björn staarde door het raam naar buiten.

'Is dat jouw vriendin?' vroeg Peo ten slotte.

Björn ging verzitten; hij wist niet goed wat hij hierop moest zeggen. Was ze zijn vriendin? Nee. Jawel. Op de een of andere manier was ze dat waarschijnlijk wel. Op de een of andere manier had ze zichzelf tot zijn vriendin gebombardeerd door vanochtend bij de veerboot op te duiken. Als het althans niet was toen ze zich op het vliegveld om zijn hals wierp, precies op het moment dat de fotograaf van *Fotojournaal* zijn camera omhoogbracht. Als Karl-Erik niet had ingegrepen zou ze in het volgende nummer zijn gekomen. Dat zou niet goed zijn geweest. Helemaal niet goed.

'Het is gewoon een meisje', zei hij.

Tommy begon weer te grijnzen.

'Oo', zei hij terwijl hij Peo een por in zijn zij gaf. 'Het is gewoon een meisje.'

Peo grijnsde terug.
'Een meisje, dus.'
Björn hoorde hun gelach terug in Karl-Eriks stem toen die zei: 'En nu wacht je moeder je op in het hotel.'
Te gek. Hij was bezig het pispaaltje van iedereen te worden. Hij rechtte zijn rug en begon in zijn jaszak naar sigaretten te zoeken.
'Inderdaad. Daar zal ze wel zijn.'
'Is het langgeleden dat jullie elkaar hebben gezien?'
Het was een jaar, twee weken en vier dagen geleden. Maar dat kon hij natuurlijk niet zeggen, dus trok hij onverschillig zijn schouders op.
'Een jaar', zei hij. 'Geloof ik.'
Hij boog zich over het vuurtje dat Tommy hem gaf.
'Hoe laat zouden we ook weer repeteren?' vroeg hij toen.
'Om zes uur', zei Karl-Erik. 'Maar we moeten er uiterlijk om half vijf zijn. Dan weten jullie dat.'

Ze zat op een rode pluchen bank in de lobby en stond meteen op toen hij binnenkwam. Heel even bleef ze hem alleen maar onbeweeglijk staan aankijken. Daarna streek ze snel over haar rok en glimlachte aarzelend. Zijn bewegingen stokten en hij bleef net zo onbeweeglijk staan. Hij probeerde zijn ogen eraan te laten wennen dat dit Elsie was, die ogen die anders zo gewend waren aan Inez. Eigenlijk leken ze niet zo heel erg meer op elkaar. Inez had kort haar en krullen, Elsie had haar haren op de een of andere manier opgestoken. Inez liep meestal in iets gebloemds rond, iets wat misschien een jurk was, maar net zo goed kon zijn wat je een duster noemde – hij had het verschil nooit goed begrepen – terwijl Elsie in een strakke rok met een truitje en een vest was gekleed. Als een meisje. Ze droeg zelfs een gouden ketting. Hij wist dat Inez net zo'n ketting bezat, maar hij wist ook dat ze die alleen bij nette kleren droeg. Verder was Inez dichtbij. Elsie was ver weg. Nee. Hij sloot zijn ogen en corrigeerde zijn gedachtegang. Elsie was dichtbij. En Inez ver weg. Op dit moment.
Hij spreidde zijn armen uit en glimlachte. Een echt zelfverze-

kerde glimlach achter een echt zelfverzekerd gebaar. Een gebaar dat perfect paste.

'Ma', zei hij.

Ze stapte naar voren, maar bleef toen weer staan.

'Björn.'

Haar stem begon te trillen, hij voelde meer dan dat hij het zag dat de andere jongens ook bleven staan om naar hen te kijken, dat ze elke intonatie en beweging registreerden. Nu was het een kwestie van evenwicht. Niet gespannen lijken. *Cool.* Dat was het woord. Je moest *cool* zijn.

Elsie kreeg vochtige ogen en snelde naar hem toe. Ze liet zich in zijn open armen vallen en heel even realiseerde hij zich dat hij minstens vijf centimeter gegroeid moest zijn sinds ze elkaar voor het laatst hadden gezien. Toen waren ze even lang geweest, maar nu was hij zo veel langer dat zij haar hoofd wat naar achteren moest buigen om naar hem te kijken toen ze vlak bij elkaar stonden. Zij voelde het ook, want ze zette een stap achteruit en glimlachte.

'Je bent gegroeid!'

Hij glimlachte terug. 'Nee, hoor. Jij bent gekrompen.'

Dat waren de juiste woorden, de woorden die de wereld weer in beweging zetten, die alles werkelijk maakten. Elsie lachte en stapte nog verder achteruit, de jongens van de band moesten ook lachen en Björn draaide zich om om hen voor te stellen. Karl-Erik stapte naar voren en rechtte zijn rug.

'En dit is Karl-Erik', zei Björn. 'Van de platenmaatschappij.'

'En jouw manager', zei Karl-Erik, waarna hij snel Elsies hand naar zijn mond bracht. Even staarde Elsie hem verbijsterd aan, maar toen schoot ze in de lach.

Daarna was het tijd voor de lunch. Een gemeenschappelijke lunch. Karl-Erik betrad als eerste de grote eetzaal, de anderen volgden, met Elsie voorop en Björn als laatste. Het was een grote, donkere ruimte met glas-in-loodramen, donkere meubels en knisperende witte tafellakens. Eigenlijk geen ruimte die bij een popband paste, vond Björn terwijl hij zich tussen twee tafels door wrong. Hoewel het natuurlijk de vraag was hoe een ruimte die bij een popband paste eruitzag. Hij haalde even zijn schouders op om zichzelf. De ober bleef bij een ronde tafel staan en maakte een lichte buiging in de richting van Karl-Erik, die deze buiging met een kort knikje beantwoordde – de tafel werd goedgekeurd – en zich vervolgens tot Elsie wendde en een stoel voor haar naar achteren trok. Ze aarzelde even en zocht oogcontact met Björn, maar leek zich in de situatie te schikken. Ze sloeg haar ogen neer en ging zitten. Niclas kwam links van haar terecht. Björn zag hoe ze Niclas een snelle blik toewierp en daarna weer opkeek in zijn richting. Hij haalde licht zijn schouders op – *niets aan te doen* – waarna hij voor zichzelf een stoel naar achteren trok en plaatsnam. Ze bewoog haar lippen een beetje – *maar ik ben teleurgesteld* – en boog zich toen over het menu dat de ober haar aanreikte. Björn wendde zijn blik af.

Terwijl iedereen op de ober wachtte, werd het even stil. Heel stil.

'Dus u zit op zee', zei Karl-Erik ten slotte.

Elsie nam een slokje water.

'Ja.'

'Ik heb vroeger in mijn jeugd ook gevaren.'

Ze draaide zich naar hem toe en probeerde te glimlachen.

'O ja? Waar hebt u dan gevaren?'

Karl-Erik vertrok zijn gezicht.

'In de archipel van Stockholm. Het was op de veerboten naar Waxholm.'

Tommy was de eerste die lachte, maar omdat hij lachte, lachten Niclas, Peo en Bosse ook. Elsie keek verbouwereerd, maar toen schoot ook zij in de lach. Björn volstond ermee te glimlachen, met zijn handen onder zijn kin. Bij de deur zag hij de verslaggever en de fotograaf van *Fotojournaal* staan aarzelen, alsof ze de eetzaal niet goed durfden te betreden. Mats, zo heette de verslaggever. Een stoere vent die vaak bloosde. Hij was maar een paar jaar ouder dan Björn en was ook nog nooit in Londen geweest. Misschien kwam hij nauwelijks in restaurants. Daar leek het haast wel op. De fotograaf was echter ouder en wat wereldwijzer.

Hij stapte nu eindelijk over de drempel en kwam op hen af, met het zware flitsaggregaat over zijn ene schouder en beide handen rond zijn Leica. Mats kwam er struikelend achteraan, zijn wangen vlamden. Dat had ik kunnen zijn, dacht Björn. Ik had Mats kunnen zijn. Maar dat ben ik niet. Ik ben Björn Hallgren. Ik ben Björn Hallgren geworden.

Karl-Erik onderbrak zichzelf en keek naar de fotograaf.

'Nee maar, Jonsson', zei hij. 'Zijn we jullie vergeten?'

De fotograaf antwoordde niet; hij tilde alleen het fototoestel op en richtte dat op Björn, die automatisch zijn kin naar voren stak en de camera een glimlachje gaf. Het zou een mooie foto worden. Alle foto's van hem werden mooi. Veel mooier dan de werkelijkheid.

'We moeten een andere tafel hebben', zei Karl-Erik. 'De pers moet ook eten.'

Hij gebaarde naar de kelner, die onmiddellijk verder rende naar een collega, die op zijn beurt op een drafje naar hun tafel kwam. Een andere tafel? Vanzelfsprekend. Ongebruikte servetten werden teruggelegd, de stoelen werden naar achteren geschoven, iedereen stond op en begon opnieuw op een rij naar het andere einde van de eetzaal te marcheren. De ober stelde zich op bij een wat grotere tafel en trok zijn wenkbrauwen op. Karl-Erik knikte. Het was goed.

Ditmaal ging Elsie dicht bij Björn staan, zo dichtbij dat het volkomen vanzelfsprekend was dat ze naast elkaar aan Karl-Eriks linkerhand kwamen te zitten terwijl Mats en Jonsson aan zijn rechterhand plaatsnamen.

Elsie wachtte totdat het gesprek om hen heen op gang was gekomen voordat ze het nieuwe servet op haar schoot legde, de blik op haar glas richtte en met zachte stem vroeg: 'Is alles goed?'

Er ging een steek door Björns buik. Het was een snelle pijn. Die kwam op en verdween in de tijd dat hij zijn hand naar zijn eigen servet uitstak, en liet geen sporen na.

'Alles is perfect', zei hij glimlachend. 'Zoals je ziet.'

'Hoe is het met Inez en Birger?'

Hij hield haar het broodmandje voor. Het was een bewust gebaar, een volwassen gebaar. Want hij was nu volwassen. Hij was zelfstandig en verdiende zijn eigen geld. Hij was beroemder dan zij ooit geweest was. Of zou worden.

'Eigenlijk net als altijd. Zo'n beetje.'

Ze pakte een broodje, maar liet dat meteen weer vallen.

'Oei, wat is dat warm!'

Hij antwoordde niet, maar stak zijn hand in het broodmandje om hetzelfde broodje te pakken en liet dat op haar schoteltje vallen. Het was echt heel warm, maar niet zo warm dat hij het niet zonder een spier te vertrekken kon aanpakken. *Ik kan dat*, ging het snel door zijn hoofd. *Jij kunt dat niet.* Hij glimlachte snel om die gedachte te verbergen.

'Versgebakken.'

Ze keek hem niet aan, maar staarde slechts naar het broodje op haar schoteltje. Nog steeds heel zachtjes pratend zei ze: 'Hoe is dit allemaal in zijn werk gegaan?'

Zijn glimlach werd breder, maar hij liet haar op zijn antwoord wachten. Er schoten een paar herinneringen door zijn hoofd: hij zag het tuinhek voor het huis in Landskrona, voelde de smaak van ijzer op zijn tong, en wist, hoewel hij het eigenlijk helemaal niet wist, dat dit over een dag ging toen hij nog klein was en net tot het besef was gekomen dat alle andere kinderen een vader en een moeder hadden. En wat had hij? Een Inez en een Birger. Een tel later was hij jaren ouder en liep hij langs het kindertehuis in Landskrona, een grijs gebouw met een grijs balkon en een paar witte spijlenbedden in het zonlicht. De zekerheid dat hij daar zou zijn terechtgekomen, dat ze hem daar ooit naartoe had willen brengen, drong langzaam in zijn lichaam door, vervulde hem, vervulde elke vezel in zijn lichaam. Hij knipperde met zijn ogen om de herinnering te verdrijven, dwong zichzelf ertoe aan al het andere te denken, het fijne, dat wat goed was, wat hem zover gebracht had dat hij nu in een hotel in Londen zat en het zich kon veroorloven om van de menukaart te kiezen wat hij maar wilde. Hij moest denken aan toen hij in de vijfde klas van de lagere school toneelspeelde. Aan toen hij bij Inez zijn wil wist door te drijven en zijn haar liet groeien. Aan toen hij voor het eerst voor de hele klas optrad en zong, 'Love me tender' was dat, en met zijn ene helft diep verzonken was in de melodie en met zijn andere zag hoe een paar meisjes opeens hun rug rechtten en hem met grote ogen opnamen, wijd opengesperde ogen die in de toekomst konden kijken, ogen die toen al onthulden dat deze dag zou komen.

Hij pakte zijn servet, vouwde dat uit op zijn schoot en streek het glad. Elsie zat hem nu met opgeheven hoofd op te nemen, maar ze richtte haar blik op haar bord toen ze zei: 'Ik wist niet eens dat je kon zingen ...'

Hij antwoordde glimlachend: 'Er zijn nog steeds mensen die zich afvragen of ik dat echt kan ...'

Zo deed je dat. Zo deden alle volwassenen dat. Antwoorden met een grapje. De ernst op de grond laten vallen, in de rode pluizen van de vloerbedekking laten opgaan en verdwijnen. Maar tegelijkertijd ging er opnieuw een steek door zijn buik en hij sloeg snel zijn ogen neer. Hij keek naar zijn eigen bord en probeerde het beeld van Inez te verdrijven, de Inez die heel even in Elsies gezicht te herkennen was geweest. Een jonge Inez. Of althans een jongere. Een Inez die naar hem keek zonder die twijfel, zonder die ongerustheid die nu al een paar jaar lang als een sluier over haar gezicht lag. De Inez die hij zich nauwelijks kon herinneren. Hij schraapte zijn keel en stond op het punt iets te zeggen, tot hij zich realiseerde dat hij eigenlijk niets te melden had. Niet aan Elsie. Aan Inez zou hij wel het een en ander te melden hebben. Maar aan Elsie niets. Absoluut niets.

De atmosfeer tussen hen begon te trillen. Zij verwachtte dat hij meer zou vertellen, ze hield haar adem in en wachtte, nog steeds zonder hem aan te kijken, maar toen hij niets zei, keek ze langzaam op en deed ze haar mond open. Hij draaide snel zijn hoofd weg om zich over zijn broodje te buigen. Zonder zich door haar blik te laten vangen begon hij het open te snijden.

Ze werden gered door Karl-Erik. Die boog zich glimlachend over naar Elsie en zei: 'U gaat vanavond toch wel mee?'

Ze keek hem aan en beantwoordde zijn glimlach.

'Ja, graag', zei ze. 'Als dat mag.'

'ZE ZIJN ER nu twee uur', zei Eva terwijl ze op haar horloge keek.

Susanne wierp een blik op haar eigen horloge. Ze waren er nu een uur, maar daar wilde ze niets over zeggen, en ze knikte slechts. Ze stemde met Eva in. Het zou immers een beetje onnozel zijn om erop te wijzen dat het in Londen een uur vroeger was dan in Landskrona. Alsof Eva dat niet wist.

Eva had haar al rond tien uur gebeld. Haar stem had anders geklonken, een beetje ademloos. Konden ze elkaar zien wanneer haar moeder haar in de parfumerie afloste? Om half een? Susanne was nog niet eens aangekleed. Het was immers zaterdag en het gaf nog steeds een beetje een gevoel van luxe om op zaterdag vrij te zijn. Ze had zich net gerealiseerd dat het genot nog groter werd als je de ochtend besteedde aan het wassen van je haar en het vijlen van je nagels, dus stond ze slechts gekleed in een ochtendjas bij de telefoon. Het was puur geluk dat Inez juist met een stapel wasgoed naar de kelder was verdwenen zodat niemand kon horen hoe ademloos ze klonk toen ze op de uitnodiging inging. Vervolgens had ze Inez de hele ochtend in de gaten gehouden. Zodra de deur achter haar dichtging – Inez moest eerst naar Lydia en dan naar de markt; ze ging 's zaterdags altijd naar Lydia en naar de markt – haalde ze snel het geschenkenzakje tevoorschijn dat ze van Eva had gekregen. Het had haar bijna een half uur gekost om zich op te maken en het was mooi geworden, echt mooi, maar Eva had nog geen woord gezegd over haar gezicht. Susanne was daar teleurgesteld over en tegelijkertijd beschaamd, ook al wist ze niet goed waarvoor ze zich schaamde.

'Ik geloof dat ik wel een gebakje wil', zei Eva. Haar stem klonk nu bijna net als anders. Susanne knikte weer, maar dacht ook aan het geld in haar portemonnee. Had ze genoeg voor een gebakje?

'Hoeveel kost dat?' vroeg ze voorzichtig.

Eva glimlachte, een warme, vriendelijke glimlach. Bijna volwassen.

'Ik betaal. Maak je niet ongerust.'
'Ik dacht alleen ...'
'Het geeft niet. Ik betaal.'
Het bleef een poosje stil. Een serveerster in een zwarte jurk en een wit schortje ruimde de tafel naast hen af en reageerde met een knikje toen Eva een gebaar in haar richting maakte. Ze kwam eraan. Eva keek haar met een glimlachje na. Ze vouwde haar handen en plaatste die onder haar kin. Ze keek Susanne aan en haar glimlach werd nog breder.
'Ik wist niet dat hij zo lang was.'
Susanne keek verward: 'Wie?'
'Tommy. Dat hij zo lang was.'
Susanne knikte. Een van de jongens uit de band was heel lang, dat wist ze, maar ze had er nooit echt bij stilgestaan dat dit degene was die Tommy heette. Maar nu wist ze dat en ze zou het niet meer vergeten.
'Inderdaad. Hij is lang.'
'Hoe vaak heb jij ze ontmoet?'
Susanne schoof enigszins schuldbewust op haar stoel heen en weer.
'Eén keer maar. Dat was toen ze een maand geleden in Malmö speelden. Toen zijn we met z'n allen gegaan.'
Eva's wenkbrauwen schoten de lucht in. 'Je vader en moeder ook?'
Susanne knikte zwijgend.
'Ik was er ook', zegt Eva. 'Maar ik had geen beste plaats ...'
De serveerster stond opeens bij hun tafel. Eva glimlachte naar haar.
'Twee koffie, alsjeblieft. En twee marsepeingebakjes.'
Ze wierp Susanne een blik toe. Of niet? Susanne knikte weer. Ze zag hoe Eva nog een glimlach op de serveerster afvuurde en haar jas begon open te knopen. Susanne keek snel om zich heen. Ze was nooit eerder in deze tearoom geweest; eigenlijk had ze in al haar veertien jaren nog nooit een tearoom in Landskrona bezocht. In Malmö wel een keertje, in Lund twee keer en in Kopenhagen vier keer. Maar in Landskrona nog niet eerder. Inez

vond dat niet nodig. Koffie hadden ze thuis immers ook.

'Mocht je ook achter het podium?'

Susanne keek op en glimlachte bij de herinnering.

'Ja. We mochten achter het podium voordat ze begonnen. Om ze even gedag te zeggen.'

Hoewel er van dat gedag zeggen niet zoveel was terechtgekomen. Björn was anders dan anders; onder het omkleden praatte hij hard en schel, alsof hij niet wilde dat iemand anders er een woord tussen kreeg. En van de andere jongens uit de band hadden ze maar een glimp opgevangen. Die lange Tommy was op de gang langs hen heen gelopen en had groetend zijn hand opgestoken, de andere drie waren in de kleedkamer gekomen om Inez en Birger een hand te geven, maar ze waren meteen weer weggegaan en hadden geen praatje gemaakt. Een van hen had geen overhemd aangehad; hij had alleen een handdoekje om zijn nek. Hij heette Peo. Dat dacht ze althans. Hij had haar geen hand gegeven, hij had alleen maar even gezwaaid in haar richting toen hij naar de deur glipte. Ze had teruggezwaaid en zich ontzettend dom gevoeld toen ze dat deed.

Daarna waren ze in de zaal naar het concert gaan luisteren. Ze zaten helemaal vooraan en waren geen millimeter van hun plek geweken toen de meisjes het podium begonnen te bestormen. Inez en Birger hadden elkaar alleen maar even met opgetrokken wenkbrauwen aangekeken, met iets wat je als een zeer ironische blik moest omschrijven. Zelf had ze de armleuningen van haar stoel stevig beetgepakt en geprobeerd zich vast te houden. Het was net of ze in een bootje zat tijdens een storm en ze moest haar best doen om niet in het water te vallen toen een ouder meisje letterlijk over haar heen klom. Ze wist nog hoe verbijsterd ze was geweest toen ze een tel met haar hoofd onder de rok van dat meisje zat, toen ze de witte onderrok zag en de spleet tussen de kousen en het onderbroekje. Het volgende moment plantte het meisje een hak in haar dijbeen, een hak die vreselijk zeer deed en een kleine blauwe plek achterliet die er meer dan een week over had gedaan om weg te trekken.

Onderweg naar huis hadden Inez en Birger in de auto zitten grinniken en kletsen, maar zelf had ze geen woord kunnen uitbrengen. Ze wist niet of ze nu blij of verdrietig was om wat ze had meegemaakt. Of dat ze alleen maar afgepeigerd was. Ze was gegrepen door de muziek; het was een puur genot geweest om de bas helemaal door haar lichaam te voelen pompen, haar ogen te sluiten en die donkere stem te horen die uit Björns keel kwam, een stem die de hele zaal vulde, die zich een weg naar het plafond zocht en onder de stoelen kroop, en die totaal niet leek op zijn praatstem, en om letterlijk haar trommelvliezen te voelen vibreren toen de lange gitarist zijn solo speelde. Tegelijkertijd was het angstaanjagend geweest om te zien hoe de meisjes naar voren stormden, hoe ze gilden en zich in de richting van het podium wierpen – eentje was er al half op, maar een lijfwacht pakte haar bij haar benen en trok haar naar beneden – en hoe andere doodstil naar Björn stonden te staren en alleen maar huilden. Waarom huilden ze? En wat was dat meisje van plan geweest als het haar echt gelukt was om op het podium te komen?

'Jezus, wat zitten ze ons aan te staren! Ze weten zeker wie we zijn.'

Eva boog zich half fluisterend over de tafel. Susanne keek verward om zich heen.

'Wie dan?'

'Die meiden daar.'

Eva maakte bijna ongemerkt een gebaar met haar hoofd en Susanne keek in de richting die ze bedoelde. Er zat een groepje meisjes in een hoek, vier stuks, maar geen van hen zat te staren. Er wierp er alleen eentje een blik in Susannes richting, waarna ze zich vooroverboog en iets tegen de anderen fluisterde. Eva had haar belangstelling echter al verloren.

'Ik heb hem weggebracht', zei Eva. 'Ik ben helemaal tot Kastrup meegegaan.'

Susanne ging er niet op in, omdat ze niet wist wat ze hierop moest zeggen.

'We hebben op de boot ontbeten.'

Susanne probeerde zich te vermannen.

'O.'

'Hij zei dat je moeder pap had gekookt voordat hij wegging. Maar dat hij daar maar één schep van genomen had. En dat snap ik best. Pap!'

'Ze kookt altijd pap.'

'Maar Björn houdt daar niet van.'

Eva haalde een sigaret uit haar pakje en stak die aan. Susanne volgde haar bewegingen; ze zag hoe Eva de lucifer liet branden nadat ze de sigaret had aangestoken en hoe ze haar blik op het trillende vlammetje bleef richten.

'Ik weet het', zei Susanne toen. 'Ik hou er ook niet van. Maar dat helpt niet.'

Eva luisterde niet naar haar; ze had haar glanzende blik nog steeds op de uitdovende vlam gericht.

'Ik moest me haasten om thuis te komen. Op het vliegveld heb ik als een speer de bus genomen om de veerboot te halen. En toen ik in Landskrona was, heb ik een taxi genomen.'

De serveerster zette een kopje voor Eva neer en glimlachte een beetje naar Susanne terwijl ze de rest op tafel zette. Susanne wist niet goed wat die glimlach betekende. Vond ze dat Susanne er jong uitzag? Kinderlijk? Of herkende ze haar? Wist ze dat Susanne de zus – of, nou ja, het nichtje – van Björn Hallgren was?

Eva staarde naar haar gebakje en prikte wat met haar vorkje in de groene marsepein. Ze keek somber.

'Moesje houdt er niet van als ik een taxi neem. Onder ons gezegd is ze best gierig.'

Susanne knikte, maar ze zei niets. Moesje? Het was moeilijk voor te stellen dat Eva mevrouw Salomonsson 'moesje' noemde. Dat was hetzelfde als dat zij Inez 'ma' zou noemen. Ondenkbaar. Het was al een wonder dat ze haar ouders mocht tutoyeren. Inez tutoyeerde Lydia nog niet eens. Eva liet de lucifer in de asbak vallen en ging zachter praten. 'Ik heb de winkel pas om kwart over tien geopend. En toen had ik mijn winkeljas nog niet eens aan.'

Susanne besefte dat ze iets moest zeggen. Het maakte niet uit wat.

'O jee', zei ze uiteindelijk.

Er ging een trotse glimlach over Eva's gezicht.

'Ja, hoor. Maar volgens mij viel het niet op. De mensen komen immers meestal toch pas na half elf.'

Susanne knikte en nam een hap van haar gebakje. Ze voelde hoe de zoetigheid zich langs haar gehemelte verspreidde.

'De volgende keer mag ik mee', zei Eva.

Susanne slikte en zette grote ogen op.

'Echt waar?'

Eva knikte glimlachend.

'Dat zei hij. Hij zei dat als hij weer naar Londen gaat, dat ik dan mee mag.'

'O.'

Dat was een zuchtje, een volkomen onwillekeurig zuchtje, dat Eva wel leek te bevallen. Ze drukte snel haar sigaret uit en legde toen haar hand op die van Susanne.

'Rustig maar', zei ze met een nog bredere glimlach. 'We zullen wel iets verzinnen zodat jij ook mee mag.'

'Goeie genade', zei Inez terwijl ze haar sjaaltje losmaakte. 'Hoelang moet u er nog zo bij zitten, moeder?'

Nog steeds met haar armen over elkaar en leunend tegen de deurpost glimlachte Lydia wat en ze haalde haar schouders op.

'Nog een week. Ongeveer.'

Inez trok haar laarzen uit, maar bleef er even mee in haar hand staan terwijl ze keek waar ze ze kon neerzetten. Uiteindelijk liet ze ze op een gereedschapskist vallen. Ze trok haar jas uit en hing die op. Met haar hand steunend tegen de muur wurmde ze zich tussen een stapel dozen en de halspiegel door.

'U had tijdens de renovatie bij ons moeten komen logeren, moeder', zei ze terwijl ze de donkere badkamer binnengluurde. De kale leidingen gaapten haar aan. De muren waren bedekt met iets bruins. Kon dat houtvezelplaat zijn? Kon je werkelijk houtvezelplaat in een badkamer toepassen?

'Het gaat best zo', zei Lydia. 'Je zult wel koffie willen?'

'Kunt u dan koffiezetten, moeder?'

'Jawel, hoor. De keuken is bijna klaar.'

Ze keerde Inez de rug toe en liep naar de keuken. Inez liep achter haar aan en stapte over nog een doos. Vlak voor de keukendeur bleef ze staan en ze keek om zich heen. Het raam zat op zijn oude plek, maar de rest was anders. Nieuwe kastjes en nieuwe blikken. Een groen fornuis. En een even groene koelkast en diepvries. Maar boven het aanrecht zaten nog steeds geen tegels, en dat had ook nog geen formicablad.

'Avocado', zei ze terwijl ze zich op een stoel aan de keukentafel liet zakken.

'Sorry?'

Lydia trok vragend haar wenkbrauwen op en draaide de kraan open. Zoals altijd was ze onberispelijk. Ze zag eruit alsof ze net uit de koelkast was gehaald. Een witte bloes. Een grijze rok die bij een mantelpakje hoorde. Glimmend gepoetste zwarte schoenen met een sleehak. Keurig opgestoken grijs haar. Inez streek snel over haar eigen haar en kneep haar in sokken gestoken voeten samen.

'De kleur van het fornuis en de koelkast. Dat noem je avocado.'

Lydia haalde haar schouders weer op.

'Tja. Dat kan best. Ik neem gewoon wat ze me aanbieden.'

Dat was niet helemaal waar, en dat wisten ze allebei. Lydia kreeg in de hele badkamer tegels, en niet alleen in een rand boven de badkuip, zoals de andere huurders. Bovendien was het haar door te onderhandelen gelukt om er een extra kamer bij te krijgen van de flat naast de hare, omdat de oude huurder pas was overleden en omdat zij in feite een complete kamer, die ooit de slaapkamer van de meisjes was geweest, kwijtraakte nu alle flats eindelijk een eigen badkamer kregen. Ze had er niet eens argumenten voor hoeven aandragen. Bertilsson, de eigenaar van het gebouw, had haar wensen genoteerd, hoewel die slechts in zorgvuldig geformuleerde bijzinnen naar voren waren gebracht, en hij had ze daarna als kant-en-klare voorstellen geretourneerd. Het enige wat Lydia hoefde te doen was knikken. Misschien had ze er ook een bijzin over een groen fornuis tussengevoegd. Inez wist het niet, maar ze kwam niet op het idee het te vragen. Lydia was niet iemand aan wie je zomaar alles vroeg. Maar binnenkort, heel binnenkort, zou ze oud zijn en dan ...

'Is Björn al vertrokken?' vroeg Lydia. Ze zette een kopje voor Inez neer.

'Ja. Hij is vanochtend vroeg vertrokken.'

'Vanaf Kastrup?'

'Ja.'

Lydia wierp een blik op haar polshorloge.

'Dan zal hij er nu wel zijn ...'

Inez keek op haar eigen horloge.

'Inderdaad. Dat denk ik wel.'

'Dus dan zal hij Elsie nu ook wel hebben ontmoet.'

Inez' blik dwaalde af naar buiten en ze ging er niet meteen op in. Ze liet slechts een geluidje aan haar keel ontsnappen. Dat kon je als een instemming interpreteren. Of als een tegenwerping. Dat maakte eigenlijk ook niet uit. Terwijl Lydia de koffie inschonk, wierp ze Inez een snelle blik toe.

'Ja, ja', zei ze toen en ze ging ook aan tafel zitten. Ze pakte haar koffiekopje. 'Het komt vast wel goed.'

Is dat zo? Die gedachte kwam opborrelen, en Inez pakte snel haar eigen kopje op om zich daarachter te verschuilen. Vanaf de andere kant van de tafel glimlachte Lydia en ze duwde een schaaltje met koekjes in Inez' richting. Er lag een servet onder de koekjes, een Japans servetje van rijstpapier, met roze randen en blauwe bloemen. Inez keek ernaar en knipperde met haar ogen. Niet verdrietig zijn. Er is niets om verdrietig over te zijn.

'Hoe gaat het met hem? Financieel dus.'

Lydia hield haar hoofd schuin. Inez wendde haar blik af van het servetje en keek op.

'Ik weet het niet. Volgens mij tamelijk goed. Birger regelt dat.'

'Birger?' zei Lydia. 'Ja, ja.'

'Birger is behoorlijk goed met geld', zei Inez.

'Dat geloof ik best', zei Lydia en ze glimlachte haar zuurste glimlach.

Inez sloot haar ogen en opende ze weer. Rustig, gewoon rustig blijven. Ze stak haar hand uit naar een koekje, een kruimelig koekje van zandtaartdeeg, en had dat al bijna in haar koffie gedoopt voordat ze eraan dacht waar ze was. Lydia nam natuurlijk geen koekje, zij zat alleen met haar lepeltje in haar kopje te roeren, hoewel ze geen suiker in de koffie had genomen.

'En met Birger gaat het goed?' vroeg ze toen.

Dat was ook een rare vraag. Lydia en Birger hadden elkaar immers nog geen etmaal geleden gezien; ze gaven les op dezelfde school en brachten alle pauzes in dezelfde lerarenkamer door. Inez had echter geen idee hoe vaak ze elkaar eigenlijk spraken. Lydia en Birger waren geen van beiden erg genegen over hun contacten op school te vertellen.

'Dank je', zei ze na een poosje. 'Met Birger gaat het goed.'

'En met Susanne?'

Inez hapte zorgvuldig een randje van haar koekje; een fijne regen van kruimels viel in haar kopje.
'Ja, hoor', zei ze ten slotte. 'Met Susanne gaat het ook goed.'
'Gisteren liep ze opgemaakt op school rond', zei Lydia. 'Heel erg opgemaakt.'
Inez pakte haar kopje om zichzelf de tijd te geven na te denken. Susanne opgemaakt? Op school? Rustig. Gewoon rustig blijven.
'Inderdaad', zei ze toen terwijl ze haar kopje weer wegzette. 'Ze experimenteert een beetje, op dit moment.'
Lydia pakte zelf haar kopje en keek haar aan.
'Ja. Het zal de leeftijd wel zijn.'
'Inderdaad. Dat zal het wel zijn. En dan die cursus.'
'Welke cursus?'
'Een studiekring over de kunst om je op de juiste manier op te maken.'
Lydia trok haar wenkbrauwen op.
'O, warempel', zei ze en ze glimlachte weer. 'We moeten maar hopen dat die cursus aanslaat. Uiteindelijk.'
Het koekje was op. Inez staarde in haar nog halfvolle kopje en probeerde iets te verzinnen om te zeggen, maar slaagde daar niet echt in. Lydia wendde haar hoofd naar het raam om naar buiten te kijken. De motsneeuw van vanochtend was opgehouden, maar het was nauwelijks licht geworden. Decemberduisternis. Lydia en Inez bleven een poosje zwijgend zitten en keken elkaar niet aan.
'Komt ze met hem mee naar huis?' vroeg Lydia ten slotte.
Inez keek met een vragende blik op.
'Wie?'
'Elsie. Komt ze met Björn mee naar huis?'
Inez liet haar schouders wat zakken en heel even meende ze zichzelf van buitenaf te kunnen zien: een slap figuur dat in een stoel hing. Een lappenpop, zo dodelijk verveeld dat ze haar hoofd nauwelijks rechtop wist te houden. Een zus die genoeg had van haar zus. Een echtgenote die genoeg had van haar man. Een moeder die genoeg had van haar dochter. Een dochter die genoeg had van haar moeder. Iemand die haar plichten vervulde en daar genoeg van had. Iemand die er genoeg van had om mens zijn.

Ze vermande zich, rechtte haar rug en streek haar haren uit haar gezicht.

'Ik heb werkelijk geen idee.'

Lydia kreeg een rimpel tussen haar wenkbrauwen.

'Maar je hebt haar gisteren toch nog gesproken.'

Inez keek haar moeder aan en de verveling was opeens als sneeuw voor de zon verdwenen. Wat ze nu voelde was iets anders, iets wat net zo van levensbelang was als haar beenmerg en net zo onzichtbaar, iets wat haar in leven hield en dat er toch het best mee gediend was als ze er geen aandacht aan besteedde.

'Inderdaad.'

'Heb je dat niet gevraagd?'

'Natuurlijk heb ik dat gevraagd.'

'Wat zei ze toen?'

'Dat ze dat niet wist, natuurlijk.'

Lydia gaf geen antwoord. Inez pakte haar kopje.

'Misschien moet u haar dat zelf maar vragen. Ze logeert in het Strand Palace Hotel in Londen. Ik heb het telefoonnummer.'

Eindelijk sloeg Lydia haar ogen neer.

'Nee', zei ze. 'Zo bedoelde ik het niet. Ik vroeg het me gewoon af.'

Toen Inez wegging, sloegen haar hakken luid op het marmer van de trap. Dat was mooi, dat was een geluid dat overeenkwam met deze dag, ja, met heel haar leven. Ze duwde de glazen portiekdeur open, maar bleef op het trottoir staan om haar sjaal uit haar jas te trekken. Ze vouwde er netjes een driehoek van en knoopte hem om haar hoofd. Nadat ze alle knopen van haar jas had dichtgedaan trok ze haar handschoenen aan. Zo. Nu was ze op alle mogelijke dingen voorbereid. Probeer het eens, was haar onduidelijke gedachte. Kom maar op. Als jullie durven.

Ze schudde die van zich af en liep verder, met grote stappen en een rechte rug. Haar handtas sloeg tegen haar heup en na een poosje bleef ze buiten adem staan, maar niet zodanig buiten adem dat ze daarna zachter ging lopen. Ze maakte haar passen juist nog iets groter en merkte met enige tevredenheid op dat ze in elk geval niet zweette. Misschien dat ze afkoelde van de verwensingen, die verwensingen die met elke stap die ze zette aan de oppervlakte kwamen. *Jezus allemachtig, godverdomme nog aan toe.* Ze glimlachte en knikte naar een bekend gezicht aan de overkant van de straat, een gezicht zonder naam, dat waarschijnlijk toebehoorde aan een ouder van een van die verrekte leerlingen met wie ze te stellen had, een van die halvegaren die nauwelijks wisten waar bij hun thuis het fornuis stond, een van die giebelkonten die meenden dat ze zo ontzettend bijzonder waren dat ze nooit van hun leven eten zouden hoeven koken. Ha! Dat kon je je misschien inbeelden wanneer je een jonge tiener was, maar als je twintig was en zwanger, dan stond je toch maar mooi achter dat fornuis. Omdat alle kerels blijkbaar erfelijk belast waren en schreeuwden en tekeergingen, en omdat ze steeds harder leken te schreeuwen en tekeer te gaan als je ze niet om de vier uur met eten de mond snoerde.

Ik ga ervandoor, dacht Inez. Ik trek me nergens meer wat van aan en ik vertrek.

Die gedachte was haar zo vreemd dat haar bewegingen stokten; ze vroor vast op de plek waar ze stond en staarde een paar tellen recht voor zich uit. Daarna draaide ze zich snel naar links, in de richting van een etalage. Het duurde even voordat ze besefte dat het een drukkerij was, dat ze naar een paar losse proefmonsters van kaartjes stond te kijken. *Voor al uw blijken van medeleven na het overlijden van mijn man betuig ik u mijn oprechte dank.*

Geluksvogel, ging het even door haar hoofd, maar ze voelde zich meteen zo schuldig dat ze snel om zich heen keek. Aan de overkant van de straat liepen een paar vrouwen, maar die keken haar kant niet op, die zagen niet wat zij dacht.

Ze liep weer verder, maar nu langzamer en met kleinere stappen. Ze moest kalmeren. Ze moest zich beheersen. Ze moest proberen net zo rustig en netjes te zijn als ze was wanneer Björn thuis was. Want dat was haar uiteindelijk gelukt; ze had er geen woord over gezegd dat hij 's avonds laat verdween en ze had niet laten blijken dat ze wakker lag tot hij midden in de nacht terugkwam. Ze had er niets van gezegd dat hij de pap niet wilde eten die zij die ochtend had gekookt, en ze had zich er alleen maar glimlachend bij neergelegd dat hij niet wilde dat zij hem naar de veerboot bracht. Ze was rustig en kalm geweest, ook toen hij zijn duffel aantrok en zijn sjaal omdeed. Ze had haar impuls om naar voren te stappen en haar armen om hem heen te slaan bedwongen en in plaats daarvan slechts haar hand opgestoken om even te zwaaien. Tot ziens! Veel plezier. Doe Elsie de groeten. Hij had teruggezwaaid, maar slechts heel kort, en hij had de deur dichtgedaan en was vertrokken.

En wat restte er nu? Tienduizend aardappels schillen. Vijftienduizend gehaktballen draaien. Twintigduizend sneetjes brood snijden. Miljoenen liters melk uit de winkel naar huis slepen. Tientallen dagen, uren, minuten en secondes om te leven. Die zinloos waren. Stom. Dood.

Ik wil niet! Wil niet! Wil niet!

Ze kreeg opeens knikkende knieën van haar inwendige schreeuw en heel even dacht ze dat ze midden op het trottoir in elkaar zou zakken. Ze kreeg haar woede echter weer onder controle en dwong zichzelf ertoe het tempo te verhogen. Wie kon het wat schelen wat zij wilde? Niemand. Birger niet. Lydia niet. Susanne niet. Björn niet. Haar zelf niet eens. Ze kon zeuren en schreeuwen wat ze wilde, maar ze was toch niet van plan het op te geven. Even schoot er een droombeeld door haar hoofd. Ze zag zichzelf languit op het trottoir met haar benen liggen schoppen als een koppig kind van twee, en ze haalde haar neus op voor zichzelf. Ja, ja. En waar zou dat goed voor zijn?

Maar ik wil niet! Ik wil echt niet!

Inez begon te slingeren, maar hernam zich en voerde het tempo nog wat op. Met een verontschuldigende glimlach en terwijl ze de riem van haar schoudertas verschikte, wrong ze zich langs twee oude vrouwen die gearmd op het trottoir liepen. Het duurde bijna een minuut voordat ze zich realiseerde dat ze op een drafje liep. Toen bedaarde ze, en ze begon weer gewoon te lopen. Vlot, maar niet té vlot. De Tuppaschool lag nu voor haar. Weer zo'n rood bakstenen paleis in deze stad van rode bakstenen paleizen, en gedurende enkele seconden mocht ze van zichzelf toegeven dat dit de plek op aarde was waar ze zich het ongelukkigst voelde, ook al zag het gebouw eruit als een sprookjeskasteel. Er drong zich een dagdroom op en ze zag zichzelf ergens aan een bureau zitten, in Lund was het, en zij was lector aan de universiteit, nee, ze doceerde literatuurgeschiedenis en het was nu zaterdagmiddag, maar omdat ze alleenstaand was, had ze haar flat al schoongemaakt en voor de lunch genoegen genomen met een broodje. Nu kon ze de rest van de dag aan haar onderzoek wijden. Heel even overpeinsde ze wat ze dan zou onderzoeken. Selma Lagerlöf misschien, en de twaalf jaren die de auteur uitgerekend in Landskrona had doorgebracht, maar die gedachte schoof ze terzijde en ze stond zichzelf toe door de flat te lopen. Drie kamers met een keuken, alleen voor haar. Een slaapkamer, een woonkamer en een werkkamer. Een open haard in de woonkamer. Een badkamer met schone, pasgestreken handdoeken, keurig voorzien van haar initialen. Een lampje op de vensterbank in haar werkkamer, een Deens lampje met een geplisseerde kap, de enige lamp die brandde in de hele straat ...

Ach. Ze bleef bij het zebrapad staan en liet een auto passeren. Wat had het voor zin om te fantaseren over een leven dat nooit het hare zou worden? Ze was geen docent literatuurgeschiedenis en zou dat ook nooit worden, ze had haar keuze negentien jaar geleden gemaakt, ze had van de vruchten ervan genoten en zat nu met de gebakken peren. Ze was de vrouw van Birger en de moeder van Susanne, de dochter van Lydia en – ze grimaste om zichzelf – de stiefmoeder van Björn. Of de tante. Een stiefmoeder of tante op wie hij niet eens bijzonder dol was. Iemand die hem in de weg stond, hem wilde vasthouden, hem wilde dwingen om thuis te blijven en voor altijd te zijn wat hij niet wilde of zou kunnen zijn. Haar zoon. Haar eigen beminde zoon.

Maar hij is weg!

Ze dwong zichzelf haar hand groetend op te steken naar een collega aan de overkant van de straat, dwong zichzelf te glimlachen en er volkomen onbewogen uit te zien. De kooklerares maakt een verkwikkende wandeling voordat ze naar de markt gaat; ze draagt een mooie sjaal van Hermès om haar hoofd en een tas van echt leder over haar schouder, ze steekt een in handschoen gestoken hand op en werpt haar collega – een onderwijzeres van de basisschool met blond haar – een warme, witte glimlach toe. Je mocht niet zien dat ze verdriet had. Er mocht van alles gebeuren, maar dat mocht niet te zien zijn. Opnieuw verschikte ze haar tas. Ze bleef staan en keerde zich naar een winkelruit. Een poosje bleef ze roerloos naar haar eigen spiegelbeeld staan kijken voordat ze zich realiseerde dat ze in feite voor het raam van een tearoom stond. Binnen zag ze een rug die haar bekend voorkwam.

Susanne. Haar dochter. En voor haar zat dat meisje dat ...

Inez draaide zich pijlsnel om en stak met een kaarsrechte rug de straat over. Met snelle stappen liep ze door over Rådhustorget, zonder te blijven staan om al die dingen te kopen die op haar boodschappenlijstje stonden.

JOELEND EN DRINGEND stonden de meisjes buiten voor de studio. Elsie keek naar hen toen de zwarte limousine zich langzaam in de groep boorde en die uiteendreef. Enkelen bogen zich voorover en legden hun handpalm op de ruiten. Daarachter kon je een glimp van hun bleke gezichten opvangen. Ze probeerden op een drafje het tempo van de auto bij te houden. *Who is it? I don't know. I think it's ...*

Björn zat met een rechte rug op een van de klapstoelen. Hij hield zich met één hand stevig vast aan een leren riem die aan het plafond hing en staarde zwijgend voor zich uit. Hij was bleek en dat stond hem wel; in het witte gezicht werden zijn donkere ogen glimmend en groot. Misschien dat de zwarte kleding hem nog bleker maakte: de col van zijn trui, het lange colbert met de grote kraag. Die Tommy, bijvoorbeeld, droeg een rood overhemd onder een zwart leren jack. En een van de anderen droeg een turkooizen broek. Dat zag er absurd uit.

Ze waren nu alle vijf stil. Zwijgend en met een rechte rug zaten ze strak voor zich uit te staren. Het was of ze geen van allen hun nek durfden te verdraaien om naar buiten te kijken, alsof geen van allen het aandurfde de blikken van de meisjes buiten te kruisen, alsof geen van allen durfde te kijken naar de borsten die tegen de ruiten werden geperst, naar de glimlachjes die de coupé deden oplichten, naar de tong die tussen de lippen van het achterste meisje heen en weer ging.

Misschien waren ze gewoon nerveus. En misschien was Björn het meest nerveus van allemaal.

Karl-Erik was voor de verandering ook stil. Hij zat naast haar, zo dicht naast haar dat zijn dijbeen de hele tijd tegen dat van haar duwde. Hij zweeg echter op een andere manier dan de jongens. Met een glimlach volgde hij de meisjes buiten, af en toe in stilte knikkend, als een bemoedigende leraar naar een paar goede leerlingen. Goed gedaan. Echt goed gedaan.

Opeens werd het donker om hen heen. Ze waren door een

poort gereden en die poort ging achter hen dicht. Het gegil verstomde en iemand slaakte een diepe zucht. Een tel later werd het weer licht en reden ze een binnenplaats op.

'Oké, jongens', zei Karl-Erik. 'Het wordt playbacken.'

Tommy kwam half overeind.

'Nee, zeg, maar potverdomme ...'

Karl-Erik stak zijn hand op. 'Je hoort wat ik zeg. Playbacken.'

Tommy liet zich terugzakken op zijn stoel. Hij leunde voorover zodat zijn haar naar voren viel en zijn gezicht verborg. Hij leek wel een kind. Een kind dat bezig was het hoofd in de schoot te leggen.

'Maar je had toch beloofd ...'

Karl-Erik haalde zijn schouders op en stak zijn handen in zijn broekzakken.

'Ik heb beloofd dat ik zou doen wat ik kon. Maar in dit programma playbackt iedereen. Zo is het gewoon.'

'Maar toch', zei Niclas.

Elsie keek naar hem en ze realiseerde zich dat hij tot dat moment eigenlijk nog niet veel meer dan zijn naam had gezegd. Hij zag er onberispelijk uit, in zijn witte overhemd, gebloemde stropdas en glimmende zwarte schoenen. Nu haalde hij zijn hand door zijn pasgewassen haar en keek hij Karl-Erik met een ernstige blik aan.

'Heb je echt gedaan wat je kon?'

Karl-Erik leunde tegen de muur en nam Niclas met een kille blik op.

'Iedereen playbackt in dit programma. Manfred Mann heeft dat gedaan. The Stones. Zelfs The Beatles. Dus waarom zouden The Typhoons het niet doen?'

Tommy's lange been schoot uit; hij schopte tegen een prullenbak, maar slechts zachtjes, zodat die maar een paar centimeter verschoof.

'Wat hebben we hier dan verdomme te zoeken? Dan hadden we de plaat wel gewoon kunnen opsturen.'

Karl-Erik zuchtte. Hij rechtte zijn rug en sloeg zijn armen over elkaar. Nu leek hij nog meer op een leraar, al was het dan een leraar die er buitengewoon goed uitzag.

'Je hoeft je niet dommer voor te doen dan je bent, Tommy. Je weet donders goed waarom we hier zijn.'

Het bleef even stil. Elsie merkte dat ze haar adem inhield. Ze sloot haar ogen en dwong zichzelf ertoe even diep adem te halen. Ze leunde achterover tegen de muur. Er stonden maar drie stoelen in de kleine kleedkamer, en daar zaten Tommy, Niclas en die Peo, met zijn turkooizen broek, al op. Björn zat op de vensterbank op zijn nagels te bijten. Het leek wel of hij niet luisterde. Bosse stond met zijn ogen dicht te leunen tegen de muur tegenover haar. Zijn haren waren zo helblond dat ze zich afvroeg of hij er waterstofperoxide overheen had gegoten.

'Bovendien,' zei Karl-Erik terwijl hij fronste naar Tommy, 'bovendien zou je verrekte dankbaar mogen zijn dat we hier zijn.'

Weer bleef het een paar seconden stil. Karl-Erik stond wijdbeens midden in de kleedkamer, nog steeds met zijn armen over elkaar, en liet zijn blik van de een naar de ander gaan. Geen van hen keek terug. Björn zat door het raam naar buiten te staren en beet nog steeds op zijn nagels.

'Zijn we het eens?'

Karl-Eriks stem was een octaaf gedaald. Misschien had hij verwacht dat het stil zou blijven, maar opeens haalde Björn zijn vinger uit zijn mond en zei: 'Ik weet niet hoe dat moet.'

De anderen staarden hem aan, maar dat leek Björn niet te zien. Hij keek nog steeds naar buiten.

'We hebben nooit eerder geplaybackt. Hoe doe je dat?'

Tommy rechtte zijn rug en trok zijn wenkbrauwen op. Vervolgens keek hij een beetje glimlachend van de een naar de ander. Elsie voelde dat ze hard op haar onderlip beet. Ze stopte daarmee en ging met haar tong naar de pijnlijke plek.

'Tja', zei Tommy, zich rechtstreeks tot Karl-Erik wendend. 'Nou hoor je het zelf.'

De studio was groot en donker. Helemaal vooraan was een klein podium, dat op dit moment nog leeg was omdat de uitzending pas over een paar uur zou beginnen, maar voor het podium verdrong zich al wat publiek. Het was een groep opvallend welvarende tieners, fris gewassen, met schone haren en gekleed in de allerlaatste mode. Elsie moest heel even denken aan dat meisje dat ze vanochtend gezien had, dat lappenpopje in haar aftandse roze jas en met een grote ladder in haar witte kousen. Die zou hier nooit zijn binnengelaten. De verkeerde soort. Zij zelf was trouwens ook maar ternauwernood toegelaten. Een bewaker had haar bij de deur tegengehouden en pas nadat Karl-Erik had ingegrepen, had hij toegegeven. Tegelijkertijd was hij heel zorgvuldig in het opsommen van de voorwaarden. Elsie moest buiten beeld blijven, ze mocht niet zo enthousiast worden over haar zoon dat ze in de lichtcirkel trad die onder aan het podium gevormd werd en in beeld kwam. In dit programma mocht niemand van boven de vijfentwintig in beeld komen. De illusie moest in stand blijven. Jeugd was het enige wat bestond. Goed verzorgde jeugd.

Het licht van een paar schijnwerpers gleed over het publiek vooraan bij het podium en zorgde ervoor dat het haar en de huid van kleur veranderden: van een lichte, bijna ijsblauwe tint naar warm oranje.

'Ze testen het licht', zei iemand naast Elsie. In het Zweeds.

Ze draaide zich om en zag een jonge man naast haar staan, maar het duurde even voordat tot haar doordrong wie dat was. Mats. Die wel erg jonge verslaggever van *Fotojournaal.* Ze knikte glimlachend, maar wist eigenlijk niets terug te zeggen. Mats wierp haar een blik toe, nam haar van boven tot onder op, waarna hij vervolgde: 'Hebt u ze weleens horen spelen? Live, dus?'

Elsie glimlachte verontschuldigend.

'Nee. Helaas niet. Ik zit immers op zee, zoals je weet.'

'Maar u bent toch de moeder van Björn? Zijn echte moeder?'

Elsie sloeg haar ogen neer. 'Inderdaad. Maar Björn is bij mijn zus opgegroeid. We zijn tweelingen. Kopieën van elkaar.'

Waarom zei ze dat altijd? Waarom was dat een repliek die haar altijd voor op de tong lag wanneer iemand bij haar naar Björn informeerde? Ze hoorde immers zelf hoe het klonk. Alsof ze zich verdedigde. Inez was bovendien waarschijnlijk niet echt meer een kopie van haar, al tientallen jaren niet meer. Ze was een vreemdelinge geworden, een grimmige, chagrijnige vreemdelinge, die beslag op Björn had gelegd en net deed of zij zijn moeder was. Daarom weigerde ze ook om een bijdrage in het levensonderhoud te aanvaarden. Heel Björns leven had ze dat geld op de bank gezet, op een rekening op zijn naam. Alsof het een soort schadevergoeding was, geen geld voor kost en onderwijs ...

'Maar zijn vader dan?' vroeg Mats. 'Wie is zijn vader?'

Heel even opende zich de vloer voor Elsies voeten. Ze bleef roerloos in de diepe duisternis staan staren, die duisternis die ze niet alleen vandaag maar alle dagen zo handig wist te ontwijken. Ze deed haar ogen dicht, maar langzaam, veel langzamer dan ooit tevoren, alsof ze ervan overtuigd was dat de minste beweging, het minste geknipper van haar oogleden haar ten val zou brengen. Toen ging het zwarte gat weer dicht, ze kon het voelen gebeuren, maar ze wist tegelijkertijd dat dit slechts aan de oppervlakte was, dat de grote duisternis op de loer lag onder een dun vlies van cement en verf. Ze deed haar ogen open en keek Mats aan. Hij was de eerste. Niemand had haar die vraag gesteld sinds de dag waarop Björn was geboren. Vóór die tijd, ja, maar niet erna. Lydia niet. Inez niet. Zelfs die sullige man van de kinderbescherming niet. Niemand. Zelfs Björn niet. Maar nu stond deze jonge verslaggever vlak naast haar en stelde de vraag op een alledaagse conversatietoon, zonder te zien en te begrijpen dat het een vraag was die je niet mocht stellen. Een verboden vraag. Nu zag ze ook dat hij een notitieblok in zijn ene hand hield en een pen in de andere. Hij glimlachte wat, maar zijn glimlach doofde zachtjes uit toen ze hem aankeek. Elsie slaakte een zucht.

'Neem je me een interview af?'

Ze hoorde haar eigen stem. Die was koel. Gewoonweg kil. Mats ging snel met zijn tong over zijn bovenlip.

'Nou, ik ...'

Elsie bleef hem strak aankijken. 'Is dat wat je doet? Probeer je me te interviewen?'

Mats' wangen werden donkerrood, hij bloosde zo hevig dat je

dat zelfs in de zwakke weerschijn van de lichten bij het podium kon zien.

'Ik wilde alleen maar ...'

Hij raakte van zijn apropos en heel even keek hij erg onzeker. Toen klapte hij zijn notitieblok dicht en begon in zijn zak te wroeten. Hij haalde een pakje sigaretten tevoorschijn en begon meteen in zijn andere zak te wroeten, waarschijnlijk op zoek naar lucifers. Zijn blos was verdwenen toen hij zich weer naar haar wendde en hij sprak met een heel gewone stem: 'Ik wilde alleen ... We moeten in elk nummer immers iets over hem hebben. Hij is zo populair.'

Elsie knikte.

'Jawel', zei ze. 'Dat begrijp ik wel. Maar ik wil echt niet geïnterviewd worden.'

Mats haalde zijn schouders op en streek een lucifer aan.

'Nee, nee. Dan maar niet. Ook al snap ik niet waarom niet.'

Elsie wendde haar blik af. 'Dat hoef jij ook niet te snappen.'

'Susanne!' riep Birger vanuit de hal. 'Je hebt bezoek.'

Bezoek? Susanne staarde zichzelf aan in de spiegel. Er zat nog een restje eyeliner in haar rechterooghoek. Ze scheurde een pluk watten af, bevochtigde die onder de kraan en begon te boenen terwijl ze riep: 'Ik kom eraan.'

Ingalill stond natuurlijk in de hal te wachten. Een Ingalill die waarschijnlijk chagrijniger was dan anders omdat Susanne niets van zich had laten horen. Ze belde haar immers altijd op zaterdagochtend om af te spreken wat ze 's middags zouden gaan doen, maar dat had ze vandaag niet gedaan. Ze had niet gebeld, ze had er niet eens aan gedacht om te bellen. En nu stond Ingalill stug te kijken in de hal. Vermoedelijk.

'Susanne?'

'Ja, ik kom al! Ik ben onderweg, hoor!'

Haar stem was scheller dan anders, ze wist zeker dat je dat door de deur van de badkamer heen tot in de hal kon horen. Zo had ze nooit durven roepen als Inez er was geweest, maar die was nu niet thuis, en dus riep Susanne zo'n beetje zoals ze wilde. Voor Birger was ze niet bang. Haar bewegingen stokten. Ze was aan hen gaan denken als Inez en Birger, niet als mama en papa. Nou ja. Dat was misschien ook gewoon logisch. Ze wierp een laatste blik in de spiegel. Alle make-up was weg, maar haar haren begonnen lang te worden. Haar pony hing helemaal tot over haar wenkbrauwen. Dat wilde ze zo houden. Dat was een signaal aan zowel Ingalill als Inez, een duidelijk signaal, ook al was het dan woordloos. Susanne was tegenwoordig een ander. Iemand die niet van plan was zich nog te laten koeioneren. Niet door haar zogenaamd beste vriendin en ook niet door haar zogenaamde moeder. Als die zogenaamde moeder althans nog genegen was om een keer te verschijnen.

Buiten was het al donker. Dat zag ze toen ze op de overloop kwam. De straatlantaarn was aan en ze wierp snel een blik op haar horloge. Half vier. Waar was Inez eigenlijk gebleven? Het was toch onderhand al leeg op de markt en alle winkels waren dicht ... Maar wat maakte het uit.

Ze liep langzaam de trap af, misschien te langzaam. Ingalill stond op de deurmat, gekleed in de oude jas die ze altijd droeg. Die bruine. Die lelijke bruine, als je eerlijk was. Zelf droeg ze geen mantel meer. Ze had in het begin van het najaar een parka gekregen, en toen ze Ingalill daar zag staan, ging er een rilling van triomf door haar heen. Ingalill was alles wat Susanne niet was. Lang en stevig. Puisterig. Kort geknipt met krullen. Zelf had ze de laatste maanden een gedaanteverwisseling ondergaan, en opeens boezemde al het nieuwe haar geen angst meer in. Zij, die altijd een grijze muis was geweest, verborgen tussen andere grijze muizen, was opeens iemand geworden die nagekeken werd, waar ze ook liep. Nu, op dit moment, kon ze dat voor het eerst voor zichzelf toegeven. Zelfs scholieren uit de eindexamenklas en leraren die ze nooit had gehad keken haar na wanneer ze balancerend met haar blad door de kantine liep of de trappen op rende om op tijd bij de volgende les te zijn. En toen Inez en zij naar de stad waren gegaan om een nieuwe winterjas te kopen, de week nadat The Typhoons voor het eerst in de toptien waren gekomen, had ze het gevoel gehad alsof alle mensen die ze tegenkwamen hun best moesten doen om hen niet aan te staren. Dat lukte niet iedereen. Mevrouw Jacobsson, die bekendstond om haar financiële reukvermogen, was met haar neusvleugels begonnen te trillen zodra ze haar winkel binnenkwamen. En terwijl Susanne de ene jas na de andere paste, meende ze te kunnen zien hoe de andere klanten verstolen blikken op haar wierpen. Ze probeerde zichzelf door hun ogen te bekijken en kwam weldra tot de conclusie dat een gewone jas niet goed genoeg was. Uiteindelijk viel haar keus op een zwarte parka met beige voering. Niet omdat ze die mooi vond, maar puur omdat ze bang was dat ze iets koos wat fout of lelijk of niet modieus was, en waarvan alleen al de saaiheid het beeld van Björn zou overschaduwen. Toen ze de winkel uit stapten, kwamen ze Monika Andersson tegen, die ook aan Svanegatan woonde. Ze was vijf jaar ouder dan Susanne en had zich nog nooit verwaardigd om te groeten, maar nu zwaaide ze dan toch met haar hoofd in iets wat een knikje leek en daarna wendde ze haar blik af alsof ze verlegen werd.

Zij wist dus wie Susanne was. Iedereen wist opeens wie Susanne was. En sindsdien waren er twee maanden, nee, bijna tweeënhalve maand verstreken, en alles begon nog meer te veranderen. De parka was mooi geworden. Zijzelf was mooi geworden. Althans bijna. Binnenkort zou ze mensen misschien gaan tegenspreken. Openlijk.

'Hoi', zei ze tegen Ingalill. Maar ze glimlachte niet.

Ingalill wist niet waar ze kijken moest. Alsof ze onzeker was. Dat was ook nieuw.

'Hoi.'

Het bleef even stil. Ingalill slikte. 'Zullen we een stukje gaan lopen?'

Susanne gaf niet meteen antwoord. Even moest ze denken aan alle geniepigheden van Ingalill door de jaren heen, al haar chagrijnige opmerkingen, haar eeuwige superieure toontje, en ze verlangde er opeens naar om het haar betaald te zetten, om ervoor te zorgen dat die gek zich net zo dom en minderwaardig voelde en als zij zich duizenden, nee, tienduizenden keren had gevoeld. Maar ze kreeg ook een ander gevoel in haar buik, een oud en vertrouwd gevoel. Ingalill had niets van wat Susanne allemaal had. Geen thuis. Geen parka. Geen grote broer. Geen ouders met geld. Geen Eva. Misschien was het niet zo vreemd dat ze zo opschepte over haar goede cijfers. Ze had immers niets anders om over op te scheppen.

'Tja, ik weet niet ...'

Ingalill schraapte haar keel. Ze was echt onzeker.

'Ze zullen nu wel met de kerstetalages beginnen ...'

Susanne leunde tegen de trapleuning.

'Maar ik heb geen zin om etalages te bekijken.'

'We kunnen toch langs Linjen lopen.'

Susanne haalde haar schouders op.

'Dat kunnen we wel doen.'

Zwijgend liepen ze naast elkaar in het donker. Ze zeiden geen woord, totdat ze de eerste straatlantaarn op Linjen naderden.

'Je hebt me vandaag niet gebeld', zei Ingalill.

Susanne wierp haar een snelle blik toe, maar Ingalill keek haar niet aan. Ze liep licht gebogen, alsof ze haar lengte wilde verbloemen. Haar haren bewogen in de wind. Waarom had ze dat jongenskapsel? Waarom deed ze geen fatsoenlijke poging om er normaal uit te zien?

'Nee', antwoordde Susanne en ze beet zich snel op haar onderlip. Dat was het verkeerde antwoord. Bijna alsof ze toegaf dat er iets was gebeurd. Ze stak haar handen in de zakken van haar parka en zocht naar een uitweg. Die was er niet. Het was gewoon een kwestie van zich niet gewonnen geven.

'Ik heb zitten wachten', zei Ingalill. Haar stem werd krachtiger. Ze klonk niet meer zo onzeker. Maar Susanne was niet van plan zich bang te laten maken.

'O. Maar waarom belde je dan zelf niet?'

'Dat heb ik gedaan. Maar er werd niet opgenomen.'

Het bleef een poosje stil. Het enige wat je hoorde, was het schrapen van hun zolen over het grind.

'Nee', zei Susanne ten slotte. 'Ik ben een poosje weg geweest.'

Weer een lange pauze. Ingalill wachtte op een uitleg. Maar die was ze niet van plan te geven. Ingalill zou het moeten vragen. Ook al moest het van ver komen.

'Waar was je dan?' vroeg ze uiteindelijk.

Susanne deed net of ze het niet hoorde.

'Sorry', zei ze. 'Wat zei je?'

Ingalill snauwde: 'Ik vroeg waar je was.'

Nu was Ingalill weer de oude. Dezelfde half spottende toon als anders. Susanne voelde hoe de kou zich door haar lichaam verspreidde. Het was niet de gewone winterkou; dit had niets te maken met de koude wind van de Sont of met het feit dat ze haar wanten had vergeten. Dit was iets anders. Een totaal nieuw soort kou die langs haar ruggengraat omhoogging, in haar buik kietelde en opeens haar hoofd vulde. Ze was bang. Maar niet zo bang als voorheen. In feite was ze minder bang dan ze ooit was geweest. Ze gooide haar hoofd in de nek.

'Ik heb koffiegedronken. Met Eva.'

'Welke Eva?'

Ze stelde zich aan. Ingalill wist heel goed om welke Eva het ging.

'Eva Salomonsson.'

Ingalill reageerde niet meteen. In plaats daarvan sloeg ze af, ze liep een pad in dat naar een uitkijkplaats over het water voerde. Susanne volgde haar, maar zette een paar snelle passen zodat ze naast haar kwam. Ze was niet van plan om ooit nog twee stappen achter Ingalill aan te scharrelen. Die tijd was voorbij.

Het licht om hen heen veranderde. Hier waren geen straatlantaarns, maar het was alsof de zee straalde, alsof zich een grijs schemerlicht verspreidde over het pad waarop zij liepen. Aan de overkant van het water glinsterde Kopenhagen. Een andere wereld. In Susanne stak een klein verlangen de kop op; daar wilde ze heen, ze wilde achttien zijn en oud genoeg om op een avond als deze naar Kopenhagen te gaan ...

'Je beseft toch wel dat ze misbruik van je maakt?'

Ingalill was blijven staan. Ze stond half afgewend over de Sont uit te kijken. Susanne zette nog een stap naar voren. Ze passeerde Ingalill. Ging voor haar staan om haar het uitzicht te belemmeren.

'Wat bedoel je?'

Haar stem klonk anders dan anders. Het was een volwassen stem. Een leraressenstem. Ze haalde diep adem om verder te gaan, maar Ingalill was haar voor.

'Tja, je beseft toch wel dat Eva Salomonsson nooit koffie met jou zou zijn gaan drinken als jij niet de zus van Björn Hallgren was geweest?'

Susanne wist niet wat ze daarop moest zeggen. Ze draaide zich abrupt om en wendde haar blik weer naar Kopenhagen. Ze weigerde Ingalill aan te kijken.

'En je zult toch ook wel snappen dat ze had uitgezocht hoe jij heette voordat ze met haar moeder naar de cursus kwam? Nou? En dat ze daarom juist jou uitkoos om op te maken? Zodat ze na afloop bij je kon aanhaken. Om Björn te ontmoeten. En daarin lijkt ze dus te zijn geslaagd.'

Susanne beet op haar lip, maar reageerde nog steeds niet.

'Je bent hooghartig geworden', zei Ingalill achter haar. 'Weet je dat? Verrekte hooghartig. Maar waarom verbeeld je je dat je iets hebt waarom je hooghartig zou zijn? Nou? Jíj bent toch niet degene die in de toptien staat? Of naar Engeland mag?'

Susanne bleef roerloos staan. Elke spier in haar lichaam was gespannen, ze had haar vuisten gebald in haar zakken, haar rug was kaarsrecht. Maar ze had geen tranen in haar ogen. Voor het eerst van haar leven onderging ze Ingalills waarheden zonder tranen in haar ogen te krijgen. Ingalill begon zachter te praten, heel zacht. En spottend.

'Ik wist natuurlijk wel dat je niet erg slim was', zei ze. 'Dat wist ik wel. Maar dat je zo dom bent dat je heel gewoon geslijm niet herkent, dat had ik nooit kunnen denken.'

Susanne hield haar ogen enkele seconden gesloten en wist dat wanneer ze ze weer opende niets ooit nog zou zijn zoals vroeger. Heel even treurde ze om zichzelf en haar leven, om degene die ze was geweest en degene die ze moest worden, heel even zag ze het kinderlijke medelijden dat ze met Ingalill had, smelten als een sneeuwkristal en veranderen in een druppel water, een druppeltje dat even snel verdampte en verdroogde. Zo. Nu was het weg. Ze opende haar ogen, bleef nog een tel roerloos staan en draaide zich toen om.

'Hoe vaak heb je me dom genoemd?'

Ingalill viel stil. Ze was het niet gewend om te worden onderbroken.

'Weet je dat? Even vaak als jouw vader je moeder dom noemt?'

Daar viel de eerste steen uit de muur, die muur van stilte die Ingalills geheimen had omgeven sinds ze in de eerste klas zaten. Susanne zag het gebeuren: ze zag een donkerrode baksteen versplinteren en verpulveren, zag hoe de scheuren zich naar de andere stenen verspreidden, hoe die een tel later braken en vielen, en opeens lag alles wat voor die tijd geheim was geweest in het volle daglicht. Ingalills vader was niet langer een held die Shakespeare kon citeren en er bewust voor had gekozen af te zien van uiterlijk succes en materiële dingen. Hij was een werkloze alcoholist, een waardeloze dronkelap die altijd met de andere dronkelappen in het park bij de schouwburg zat. Bovendien een type dat Ingalills moeder sloeg, haar één keer zo hard had geslagen dat ze er bijna aan was overleden. Dat had Ingalill haar nooit vergeven. Of de scheiding. In de wereld van Ingalill was haar vader het slachtoffer van haar moeders valsheid. Maar die wereld bestond nu niet meer. Susanne had een gat in de muur geslagen en Ingalill had het zien gebeuren. Je zag het aan haar gezicht toen ze snel een stap achteruit zette. Susanne begon te grijnzen, een lelijke grijns, dat voelde ze. Een grimas die haar lelijk maakte. En gevaarlijk. Echt gevaarlijk. Ze liet de grijns overgaan in een glimlach. 'Dat schreeuwde hij toch altijd? Nou? Voordat hij haar sloeg? Dat ze dom was?'

Susanne zette een stap naar voren. Er schoot iets door haar hoofd. Ze realiseerde zich opeens dat Ingalill helemaal niet zoveel groter was dan zij. Susanne reikte haar tot de kin. Maar dat kwam misschien omdat ze niet langer in elkaar kroop. En Ingalill dat wél deed.

'Ik heb hem een keer gehoord. Toen jij naar de wc was. Je klinkt precies zoals hij. Weet je dat? Misschien word je wel net zo … Maar misschien heb je daar niets op tegen. Je pa is immers zo slim.'

Ze schoot in de lach. 'Jawel. Dat heb je zo vaak gezegd. Hoewel hij eerlijk gezegd niet zo verschrikkelijk slim klonk toen de politie hem een tijdje geleden oppakte … Hij klonk net als welke andere dronkelap dan ook. Hij vloekte en schreeuwde en zo. Daar zat geen woord Shakespeare bij.'

Ingalill ging nog een stap achteruit, maar Susanne volgde haar.

'Ik kwam er op dat moment net langs. Met mijn moeder.'

Ingalills stem begon te trillen. 'Dat is niet waar!'

Susanne kon niet ophouden met glimlachen. 'Jawel, hoor. Het is wel waar. Het was bij de schouwburg. Maar ik moest van mijn moeder beloven dat ik niets tegen je zou zeggen. Omdat het zielig voor je was. Dus heb ik niks gezegd.'

'Je liegt.'

Ingalill sprak nu met scherpe stem. Bijna schel. Dat had een eigenaardige uitwerking op Susanne: een stille warmte verspreidde zich door haar hele lichaam. In haar buik. In haar polsen. Daarna in haar tenen. Haar wangen. Het was alsof de bloedsomloop na een oponthoud van God mocht weten hoelang weer op gang kwam. Ze was niet bang meer. Helemaal niet bang.

'Ik lieg niet. Jíj bent degene die liegt. Je hebt altijd gelogen.'

Zelfs haar stem klonk rustig. Susanne stak haar handen in haar zakken en hield haar hoofd schuin. Ze kon zich nu niet meer inhouden; de woorden stroomden er gewoon uit.

'Waarom denk je dat ik je dat liet doen? Nou? Met je eeuwige geklaag over alles wat ik heb en alles wat ik doe? Omdat ik medelijden met je had. Snap je? Ik, die stomkop, vond je zielig, jij, die zulke ontzettend mooie cijfers hebt en zo weergaloos slim bent. Maar wie is hier eigenlijk dom? Nou? En wie is hier lelijk? Wie is er eigenlijk de lelijkste van ons twee?'

Langzaam welde er in Ingalills rechteroog een traan op. Ze knipperde hem weg, maar ze zei niets en verroerde zich niet. Susanne zette een stap naar achteren en wierp haar een geringschattende blik toe.

'Ik ben niet dom, Ingalill. Ik ben nooit dom geweest. Ik heb betere cijfers dan jij voor Zweeds en Engels. En ik ben net zo goed in geschiedenis. Jij bent alleen beter in wiskunde en scheikunde. Maar wie heeft er wiskunde en scheikunde nodig? Nou? Kun je me dat vertellen?'

Susanne staarde Ingalill een ogenblik zwijgend aan. Wat een kluns was ze! Zo lelijk! Zo ontzettend lelijk! Vooral nu ze bekken stond te trekken om haar tranen te bedwingen. En stond te snotteren. Ja, heus! Ze snotterde. Susanne trok een gezicht van walging, maar draaide zich opeens om en liep weg. Ze was er zelf door verrast, maar kon er niets aan doen. Haar lichaam had een besluit genomen. Haar voeten hadden een besluit genomen. Die liepen gewoon en namen de rest van Susanne mee. Toch slaagde ze erin om zich onder het lopen om te draaien en over haar schouder te roepen: 'Ik heb lak aan je, Ingalill. Ik heb werkelijk lak aan je.'

Ingalill reageerde niet. Zwart als een schaduw stond ze met haar gezicht naar de zee gewend.

Zo DADELIJK, DACHT Björn. Zo dadelijk gebeurt het.

Hij haalde diep adem, deed zijn handen dicht en weer open, en schudde met zijn hoofd zodat zijn haren hem in de nek kietelden. Niclas stond vlak voor hem; hij zag bleek en er glinsterden een paar zweetdruppels op zijn bovenlip. Tommy had hun de rug toegekeerd, maar je zag dat hij ook gespannen was, hij had een rechtere rug dan anders en stond volkomen roerloos. Peo stond vlak achter hem met een al even rechte rug, maar hij was niet zo stil; hij hield zijn stokken vast alsof hij al achter zijn drumstel zat en bewoog ze onophoudelijk, alsof hij een lied speelde dat geen van hen kon horen. Af en toe liet hij zijn hele lichaam schokken, alsof dat een heel ander ritme volgde. Bosse was eigenlijk de enige die volmaakt ontspannen leek. Hij had zijn handen in zijn zakken en deed niet eens pogingen door de donkere coulissen te gluren; hij stond erbij alsof hij aan iets anders dacht.

'Toi, toi, toi', zei Karl-Erik achter hen met zachte stem. Niemand reageerde, ze keken hem zelfs niet aan. Ze werden volledig in beslag genomen door de woorden van de presentator op het podium. Mike, heette hij. Hij had een vreemd kapsel dat ze geen alleen ooit eerder hadden gezien, met een korte pony en kortgeknipt haar op zijn hoofd terwijl de rest van het haar tot op zijn schouders hing, en hij sprak een onduidelijk soort Engels dat behoorlijk moeilijk te verstaan was.

'*Did I tell you that I love you*', riep hij nu en het publiek reageerde met gebrul.

Zij zouden als eersten spelen. Na hen traden er twee Engelse bands op. Twee heel bekende Engelse bands. Met de jongens van een van die bands hadden ze een poosje geleden kennisgemaakt. Tommy's hand had getrild toen hij die naar Eric Burdon uitstak, en Björn had toen naar hem geglimlacht; hij had precies op dezelfde manier geglimlacht als Tommy voor de repetities in de kleedkamer naar hem had gedaan. Tommy had heel even zijn ogen neergeslagen, maar zich vermand en smalend iets over dat playbacken gezegd. Niemand had gereageerd. Het was alsof de woorden gewoon op de grond vielen, en de jongens van The Animals hadden zich al omgedraaid en waren met elkaar begonnen te praten. Net goed voor die klootzak.

Björn had niets tegen playbacken. Niet nu hij gerepeteerd had. Het was eigenlijk een opluchting dat hij niet hoorbaar zou hoeven zingen, dat de microfoon en de versterkers uit stonden en dat er een zwart rubber doek op de drums lag. Het enige waar hij om hoefde te denken was dat hij op precies dezelfde manier in zichzelf zong als op de plaat. Dat was geen probleem. Hij zong altijd zoals op de plaat. Maar Tommy was kwaad dat hij niet met een extra solo mocht komen, een van die varianten waar hij tijdens hun optredens altijd mee van start ging. Hij vond zichzelf een genie, een muzikaal genie, en had zich voorgesteld dat de wereld daar vandaag achter zou komen.

'*... and there they are, all the way from Sweden ...*'

Mikes stem ging verloren in een schel gegil. Het publiek was in vorm.

Nu, dacht Björn. Nu gebeurt het.

Tommy stapte het podium op en stak zijn hand op naar het publiek. Peo volgde hem. Hij schoot achter zijn drumstel en zwaaide groetend met zijn stokken. Niclas en Bosse slopen onmiddellijk achter hem aan het podium op, maar Björn hield zich in. Hij wachtte tot ze hun gitaren hadden omgehangen. Daarna stak hij beide armen omhoog en stapte met een snelle glimlach naar het publiek het podium op.

'*... and Björn Hallgren!*' riep Mike.

Het publiek reageerde met gebrul. Alsof ze werkelijk wisten wie hij was.

Hij hield de uitgeschakelde microfoon dicht bij zijn mond, zo dichtbij dat hij het koele metaal bijna tegen zijn lippen voelde. Hij zong, maar niet bijzonder hard, niet zo hard dat behalve hijzelf iemand het kon horen. Hij zong gewoonweg voor zichzelf. Die gedachte sprak hem aan. Na het eerste refrein moest hij ervan glimlachen, en die glimlach werd onmiddellijk beantwoord met toenemend gemurmel van het publiek. Hij liet zijn microfoon een tel zakken, bracht hem weer omhoog en deed zijn ogen halfdicht. Hij liet zijn blik over de meisjes gaan die helemaal vooraan stonden, meisjes wier gezichten de hele tijd van kleur verschoten omdat de schijnwerpers die over hen heen gleden voortdurend van kleur verschoten. Hij liet op een van hen zijn ogen rusten. Een droommeid. Een slank blond meisje met een lange pony, gekleed in een rode jurk. Zo'n meisje, dacht hij terwijl hij weer begon te zingen en zichzelf ertoe dwong zijn blik af te wenden en recht in de camera te kijken die achter haar zweefde. Zo'n meisje zou ik willen hebben. Als ik er al eentje wil, als dit niet voldoende is, hier op een afstand staan en haar en honderden andere grieten zien … Zijn blik gleed weer naar haar en ze glimlachte naar hem. Het was een aarzelende glimlach, bijna trillend, en er ging een rilling van puur geluk door hem heen. Een tel later was hij haar vergeten. Hij wendde zich met halfgesloten oogleden in een andere richting, maar het gevoel bleef hangen, dat vibreerde in hem, ging als gekietel over zijn ruggengraat, bezorgde hem kippenvel op zijn armen. Hij boog zijn hoofd voorover en liet zijn blik over het publiek vlak voor het podium glijden, zag een meisje met donker haar dat haar handen voor haar mond had geslagen, alsof ze een kreet wilde onderdrukken, zag een lange jongen met echt lang haar, haar dat tot ver op zijn rug hing. De jongen nam hem met een ernstig gezicht op, knikte in de maat van het liedje of misschien knikte hij gewoon om zijn waardering te laten blijken. Hij zag een andere jongen, een jongen met een halflang pagekapsel zoals hij zelf had, zijn schouders op en neer bewegen en met zijn heupen draaien als een meisje.

Nu kwam Tommy met zijn solo, die korte solo, die ook op de plaat stond en Björn draaide zich half om. Hij hield zijn microfoon naar beneden en schudde alsof hij echt genoot van de prestatie van die debiel. Daarna keerde hij de band opnieuw de rug toe en begon weer te zingen. Hij hoorde zijn eigen stem niet meer, of beter gezegd, die hoorde hij juist wel, hij hoorde zijn eigen opgenomen stem, maar niet de stem waarmee hij op dit moment zong.

Ik ben een spiegel, dacht Björn terwijl hij dichter naar het voetlicht stapte. Ik besta niet. Ik ben alleen hun spiegelbeeld. Maar ik vind het te gek. Ik vind dit momenteel echt te gek.

En toen was het voorbij. Afgelopen. Over. Opeens stond hij tussen de donkere coulissen naar het podium te staren en hij hoorde hoe het publiek dat hem net nog had toegejuicht nu nog harder juichte voor Eric Burdon. En daar hadden ze reden toe. Dit was heel wat anders dan het magere popdeuntje dat ze zelf hadden geproduceerd. Dit was muziek. Echte muziek. Bovendien was Burdons stem heel speciaal. Het was alsof die een afspiegeling van hem was: een gedrongen, stevige jongen met een gedrongen, stevige stem.

Björn deed een stap naar voren en gaf iemand een por met zijn elleboog. Tommy wendde zich naar hem toe; zijn gezicht was volkomen neutraal, zonder een zweem van spot of superioriteit.

'Potverdomme', zei hij met zachte stem. 'Potverdomme, wat zijn ze goed.'

Björn knikte.

'Ja. Verrekte goed.'

Iemand legde een hand op zijn schouder.

'Nee, hoor', zei Karl-Erik. 'Jullie zijn veel beter.'

Björn maakte een kleine beweging, een heel discrete beweging waardoor hij Karl-Eriks hand van zich af schudde.

'Nee', zei hij. 'Dat zijn we niet.'

Naast hem schudde Tommy zijn hoofd.

'Nee', zei die op precies dezelfde toon. 'Dat zijn we echt niet.'

'STEL JE NIET aan', zei Inez hardop tegen zichzelf. Een tel later keek ze bezorgd om zich heen. Dat irriteerde haar. Die beweging was net zo vals als de gedachte die ze had gehad voordat ze in zichzelf begon te praten. Ze wist immers dat er niemand was die haar had gehoord. Er was niemand op de pier. Er was niemand in heel Borstahusen.

Dus waarom probeerde ze zichzelf voor de gek te houden? Waarom had ze zichzelf die gedachte toegestaan: *waar ben ik?* Ze wist immers heel goed waar ze was. Ze was op een plek waar ze al honderd keer eerder was gewest, op een plek waar ze dagen- en wekenlang had liggen zonnen toen Björn en Susanne nog te klein waren om zelf te gaan zwemmen. Op de pier in Borstahusen. Het vissersdorpje vlak bij Landskrona. Maar nu was het winter, en donker om haar heen. Echter niet zo donker dat ze niet kon zien waar ze liep. Verder was het winderig en ijzig koud, maar niet zo koud dat ze rechtsomkeert moest maken. Ze sloeg alleen de kraag van haar jas op en stak haar handen onder haar oksels. Ze vroor liever dood dan dat ze naar huis ging.

Hoewel, ook dat was niet waar. Ze was niet van plan dood te vriezen. Maar ze was wel van plan hier nog een poosje roerloos te blijven staan totdat ze ophield zichzelf voor de gek te houden. Dat was een straf. Een rechtvaardige straf. Bovendien vond ze het zowel prettig om zichzelf die straf op te leggen als om hem opgelegd te krijgen. Een genot.

Ach. Wat had ze toch? Waarom kon ze niet eerlijk tegen zichzelf zijn? Was ze niet altijd een eerlijk mens geweest? Fatsoenlijk. Oprecht. Dus waarom stond ze zichzelf hier in hemelsnaam voor de gek te houden terwijl ze over een zwart water uitkeek, een water dat af en toe over de rand van de pier sloeg en het asfalt nat maakte? Ze zou eigenlijk naar huis moeten gaan. Dat zou ze moeten doen. Naar huis, om eten te koken voor de eeuwig hongerige Birger en de net zo eeuwig chagrijnige Susanne, naar huis, om op de bank voor de tv naar iets te gaan zitten staren, om het even wat, iets wat op zaterdag als amusement werd uitgezonden. Naar huis, om zich daarna aan Birgers gegrinnik en gehum te ergeren en …

Hield ze van hem? Nee. Dat had ze nooit gedaan.

Ze deed haar ogen dicht. Dit was een ware gedachte. Oprecht. En toch een gedachte die ze nooit eerder had gehad.

En Susanne? Hield ze van haar?

De wind wakkerde aan en dwong Inez ertoe haar ogen weer te openen. Ze ging snel een paar stappen naar achteren. Dwong zichzelf er vervolgens toe te blijven staan en weerstand te bieden. Dwong zichzelf ertoe te antwoorden.

Houd ik van Susanne? Ja. Jawel. Dat doe ik toch.

Ze liet haar hoofd hangen. Keek naar haar laarzen. Haar zwarte, glimmend gepoetste leren laarzen. Even dacht ze aan haar ijskoude tenen, in een poging aan zichzelf te ontsnappen.

Toch?

Toch.

Waarom had Susanne in een tearoom gezeten met dat meisje? Dat veel oudere meisje. De achttienjarige Eva Salomonsson. Er was natuurlijk maar één antwoord op die vraag en dat was een onaangenaam antwoord, dat jeukte en irriteerde, en waardoor ze zowel medelijden met Susanne kreeg als jaloers op haar werd. Eva was er natuurlijk niet op uit met Susanne om te gaan. Ze had haar zinnen op Björn gezet. Of beter gezegd: op Björns beroemdheid.

Inez haalde zo luid haar neus op dat ze het ondanks de wind zelf kon horen. Waardoor kwam het dat mensen zo naar beroemdheid hunkerden? Het leek wel of heel dit krankzinnige najaar Björn een gedaanteverwisseling had laten ondergaan, hem had doen geloven dat hij werkelijk was wie hij leek te zijn, alsof alles wat er over hem in de kranten stond hem ertoe aanzette alle deuren naar vroeger te sluiten, alsof hij opnieuw geboren was, alsof hij nooit …

In haar herinnering kwam een gezicht op. Glanzend donker haar. Een witte glimlach. Mollige armpjes die zich naar haar uitstrekten. Een kleine Björn. Die het fijn vond om bij haar op schoot te zitten, die zijn hoofdje tegen haar borst vlijde, die zich in haar armen overgaf aan de slaap. Wat deed hij nu? Op dit moment?

Bij die gedachte schoof ze de mouw van haar jas wat omhoog om een blik op haar pols te werpen, maar al toen ze dat deed, wist ze dat het een onnozel gebaar was, zinloos, bijna een leugen. De tijd zou immers niet zichtbaar zijn in het donker, dat wist ze, ook al had ze een lichtgevende wijzerplaat. Die had immers nooit gewerkt. En bovendien maakte het niet uit hoe laat het was. Ook al wist ze tot op de kleinste microseconde hoe laat het was, dan nog zou ze niet weten wat Björn op dit moment deed. Behalve dan dat hij in Londen was. Met Elsie. Zijn moeder. Zijn echte moeder.

'Eigenlijk moet ik naar huis', zei ze hardop tegen zichzelf, maar ze corrigeerde zichzelf meteen. 'Ik moet naar huis gaan.'

Toch kwam ze niet in beweging; met haar flapperende sjaaltje en haar handen onder haar oksels gestoken bleef ze over het water staan staren. Het eiland Ven lag als een duisternis tussen Zweden en Denemarken in en ze bekeek het bekende silhouet. Wat moest het daar nu donker zijn. Geen enkele straatlantaarn, slechts een paar aan- en uitgaande gele lichtjes van de huizen ... Nee, trouwens. Een van die lichtjes bewoog. Of was dat eigenlijk wel zo? Jawel. Iemand was met een zaklamp op weg naar het strand. Ze glimlachte: misschien was ze niet helemaal alleen op de wereld. Er stonden ook op andere oevers mensen die probeerden het een en ander op een rijtje te zetten.

Bij die gedachte draaide ze zich om in de richting van het binnenland. Het was avond in Borstahusen. In enkele van de kleine rijtjeshuizen brandde licht. Er woonden hier nog steeds een paar vissers. Toen ze arriveerde, had ze gezien dat hun netten op het plein bij de pier te drogen hingen. De wind tilde haar sjaaltje op en de ijzige kou zocht zich een weg onder haar opgezette kraag. Dat bracht haar ertoe naar het strand te lopen.

Hoelang zou ze erover doen om thuis te komen? Een half uur. Minstens. Of drie kwartier. Omdat ze met frisse tegenzin liep. En wat moest ze zeggen wanneer ze thuiskwam? Zou ze zeggen dat ze op de pier in Borstahusen had gestaan, zomaar op een dag in december, dat ze daar langer dan een half uur in de wind had gestaan en had geprobeerd zichzelf niet meer voor de gek te houden? Nou, bedankt. Ze wist precies wat er ging gebeuren als ze dat zou doen. Birger zou beginnen te praten en te praten, en na een half uur zou haar eigen herinnering zijn uitgewist en vervangen door iets wat hij had geconstrueerd. Waarschijnlijk zou dat over haar behoefte aan beweging gaan en dat ze daarom had besloten een lekker lange wandeling te maken ... Inderdaad. Dat klonk suf genoeg.

En wat moest ze koken, nu ze niets had gekocht op de markt? Even ging er een droombeeld door haar hoofd: ze zag Birger en Susanne aan de keukentafel zitten met mes en vork in de aanslag, leeg naar de keukendeur starend. Volkomen passief. Met open monden als jonge vogels. Erop wachtend dat zij zou komen om hen vol te stoppen met eten zoals ze hen altijd met eten volstopte.

Trek je niks van hen aan, dacht ze op hetzelfde moment dat ze haar voet op het plein bij het rijtje huizen zette.

Ja. Dat was ze inderdaad van plan te doen. Ze was hen beu. Allebei. Ze zou ervandoor gaan.

Die gedachte was al zo vertrouwd en toch zo absurd dat ze ervan moest glimlachen. Tja, warempel. Waarheen dan? Als je zo vrij mocht zijn. De wind begon opnieuw aan te wakkeren; hij rukte aan haar jas en liet het achterpand flapperen, en ze voelde meer dan dat ze zag dat vlak naast haar een visnet danste in de wind.

'Ik moet naar huis', zei ze opnieuw hardop tegen zichzelf, maar toch bleef ze staan en ze greep de paal naast zich vast. De wind pakte het visnet en liet dat over haar gezicht gaan. Zonder na te denken bij wat ze deed, stak ze haar hand op om het weg te duwen. Ze moest immers naar huis. Maar ze wilde niet. Ze wilde echt niet.

Dat was de waarheid. Dat was op dit moment het enige wat ze over zichzelf en haar leven kon zeggen zonder ook maar een beetje te liegen.

Natuurlijk liep ze toch weer verder. Ze voelde zelfs of haar handtas wel goed over haar schouder hing, ze pakte de rand van haar handschoenen en trok er wat aan, ze nam de beide punten van de sjaal in haar handen om te voelen of die wel stevig geknoopt was, maar dat deed er niets aan af. Ze wilde niet naar huis. Dat was een feit, een feit waar ze niet langer omheen kon.

Nu liep ze op de straat met de kinderkopjes. Een stukje verderop brandde de eerste straatlantaarn, die ze had proberen te ontwijken toen ze hiernaartoe liep. Ze was nu echter niet meer van plan zich nog te verstoppen, ze was nu van plan dwars door het vuilgele licht ervan te lopen naar de duisternis aan de andere kant. Want nu was ze een ander. Iemand die voor zichzelf toegaf dat een deel van het leven ten einde was. Björn was immers weg. Voor altijd. Hij was volwassen geworden en beroemd, en hij was naar Engeland gereisd. Hij zou Elsie ontmoeten. En ook al zouden hij en Elsie allebei naar Landskrona terugkeren, dan nog zou niets ooit meer worden zoals vroeger. Hij zou nooit meer op haar schoot zitten. Hij zou nooit meer aan haar borst slapen.

Dus bleef de rest van het leven over. Haar leven. Ze was niet van plan dat te verspillen. Ze was niet van plan dat te laten verspillen. En behalve het onmogelijke van de klok terugdraaien en voor eeuwig met een kleine Björn leven, was er maar één ding dat ze wilde.

Er waren volwassenen die in Lund studeerden. Dat wist ze. En ook al had Birger smalend gelachen toen hij vertelde over die vroegere havenarbeider die opeens als doctorandus in de natuur- en scheikunde en met een grote studieschuld op zak op het lyceum was verschenen – *op drieënveertigjarige leeftijd!* – zij trok zich daar totaal niets van aan. Het was mogelijk. Het werd gedaan. Dus waarom zou zij dat dan niet kunnen? Heel even ging dat oude droombeeld weer door haar hoofd, dat over een docentschap en een driekamerflatje in Lund, maar ze weerstond de verleiding om zich erdoor te laten meeslepen. Zo zou het niet gaan. Het kon op duizenden manieren gaan, maar zo niet ...

Ze zou moeten pendelen. Uiteraard. Ze zou een paar dagen per week naar de colleges en werkgroepen in Lund kunnen reizen en verder thuis kunnen studeren. Misschien zou ze op Elsies kamer op zolder kunnen gaan zitten, die kamer die al jaren niet meer gebruikt werd en waar Inez alleen af en toe naar binnen ging om schoon te maken en te stofzuigen. Ze zou de inrichting zelfs kunnen veranderen. Dat oude bed en die toilettafel eruit kunnen gooien en een bureau kopen, een echt mooi bureau en een Deense lamp met een geplisseerde witte kap ...

Inez bleef staan en sloot haar ogen. Wat verbeeldde ze zich wel? Waar moest ze het geld voor een bureau vandaan halen? Of voor een Deense lamp? Het geld op de bank stond op Birgers naam, en de gedachte alleen al dat hij een uitzondering zou maken om geld op te nemen zodat zij een bureau en een lamp zou krijgen was absurd. Hij had nog nooit een öre van die rekening gehaald; integendeel, hij zat jaloers op het spaarbankboekje te broeden als een draak op zijn schat. Elke maand moest zij een briefje van honderd kronen aan hem overhandigen, een briefje van honderd dat hij in zijn portefeuille stopte naast zijn eigen briefjes van honderd, waarna hij zijn overjas dichtknoopte en naar de bank liep om het geld op de rekening te zetten. En het gekke was dat zodra dat biljet van honderd haar portemonnee had verlaten het niet meer van haar was. Dan was het van hem. Bij de gedachte alleen al dat ze hem om iets zou vragen of iets van hem zou eisen of verlangen werd ze fysiek misselijk. Ze zag voor zich hoe hij zijn lippen toekneep, hoe hij ...

Ik verafschuw hem, dacht ze terwijl ze haar ogen opende. Ik ben een vrouw die haar man in feite verafschuwt.

Ze was er beduusd van. En voelde zich behoorlijk schuldig.

Toen ze thuiskwam zat hij in de woonkamer, maar toen hij haar hoorde stond hij meteen op om naar de hal te lopen. Terwijl zij haar laarzen uittrok, stond hij in de deuropening van de vestibule naar haar te kijken. Met zijn handen in zijn broekzakken. Zijn leesbril op zijn neus. Met een uitdrukking die op verdriet leek.

'Dag', zei hij na een poosje.

Ze wendde haar blik af en richtte die op het schoenenrekje, waar ze haar schoenen voor binnenshuis zocht. Ze droeg binnen altijd speciale schoenen. Ze vond het goedkoop om op kousenvoeten rond te lopen. Zoals Birger deed.

'Dag.'

'Waar ben je geweest?'

Ze wilde hem nog steeds niet aankijken en richtte daarom de blik op haar eigen gezicht in de spiegel. Haar bleke gezicht. Haar lelijke gezicht. Haar liefdeloze gezicht.

'Wandelen.'

Hij reageerde niet meteen, maar schommelde wat heen en weer en probeerde te glimlachen. 'Ik was net van plan de politie te bellen om te vragen of ze over de radio een oproep wilden doen.'

Ze wierp hem heel even een blik toe en wrong zich snel langs hem heen naar de keuken, maar zei verder niets. Hij liep achter haar aan.

'Om je te laten opsporen.'

Ze zeilde de keuken binnen, pakte haar schort en knoopte die vast. Nu voelde ze pas hoe stijf haar vingers waren. Hoe verkleumd tot op het bot ze was. Birger stond nu in de deuropening van de keuken. Hij had zijn handen uit zijn zakken gehaald en zijn armen hingen slap naar beneden. Onhandig. Hij fronste zijn voorhoofd.

'Is er iets?'

Ze keerde hem de rug toe en deed de diepvries open. Ze loog: 'Wat zei je?'

Hij schraapte zijn keel.

'Is er iets?'

Ze wroette rond in de diepvries. En inderdaad, daar lag dat ingevroren kipgerecht. Dat kon ze ontdooien voor de maaltijd. Ze kneep even haar lippen op elkaar – *niet reageren!* – maar draaide zich om en keek hem aan. Mijn man, dacht ze. Dat figuur is echt mijn man.

'Waar is Susanne?'

Hij bleef in de deuropening staan, nog steeds met afhangende armen, maar opeens keek hij haar aan. Hij rechtte zijn rug en stopte zijn handen weer in zijn zakken.

'Ze is naar buiten gegaan. Met Ingalill.'

Inez sloeg haar ogen neer, maakte het ingevroren pakketje open en deed de inhoud in een pan.

'O.'

Het was te vroeg om de tafel al te gaan dekken, maar toch was ze genoodzaakt de kast open te doen en er een paar borden uit te halen. Als ze hem maar niet hoefde aan te kijken.

Toen ze zich omdraaide, stond hij echter niet meer in de deuropening.

Echtscheiding. Dat woord alleen al was onaangenaam. Onfris als vuil ondergoed. Ze had er nooit eerder aan gedacht. Niet in deze keuken. Niet in relatie tot zichzelf. Niet als iets wat Birger en haar zou kunnen treffen.

Maar nu terwijl ze een pan op het fornuis zette en rijst afmat, dacht ze eraan. Ze probeerde het woord. Proefde het. Zette het in verschillende zinnen.

Ik wil scheiden.

Ik zou een echtscheiding willen.

Sorry, lieve Birger, maar ik wil echt een scheiding.

Nee. Het ging niet. Ze zou het niet over haar lippen kunnen krijgen. Dat was volkomen onmogelijk.

Na een poosje ging de deur weer open en dicht. Susanne was er weer. Inez kon haar in de vestibule horen stommelen; ze trok haar laarzen uit en liet ze met een plof op de grond vallen, ze liet de kleerhangers rammelen toen ze haar jas ophing en ze mompelde wat, maar zonder dag te roepen.

Chagrijnig, natuurlijk. Zoals gewoonlijk.

Inez draaide zich om naar het fornuis en begon te roeren in de diepgevroren klomp in de pan. Ze zette het vuur zachter en staarde naar de muur. Hoe zou het voor Susanne zijn als zij van Birger ging scheiden? Heel even herleefde er een herinnering: ze zag zichzelf en Elsie zwijgend en roerloos in het kamertje staren dat het hunne zou worden, en ze hoorde Lydia's geforceerd vrolijke gekwetter achter zich. *Natuurlijk is het mooi! Natuurlijk wordt het mooi!*

Nee. Dat kon ze Susanne niet aandoen. Dat nooit.

Toen de tafel gedekt was, stak Inez een kaars aan. Ze bleef een poosje doodstil staan met het luciferdoosje in haar hand, maar stak het daarna in de zak van haar schort en riep: 'Het eten is klaar!'

Geen reactie. Het was stil in huis. Heel stil.

De geur die van het fornuis kwam, was veelbelovend. Daar was geen twijfel over mogelijk. Het kipgerecht was lekker, maar toch ging er een steek van schuldgevoel door haar heen dat ze het zichzelf gemakkelijk had gemaakt, veel te gemakkelijk, en dat irriteerde haar. Waarom mocht zij geen vrije zaterdag hebben? Zoals iedereen? Ze verhief haar stem: 'Zeg, ik heb net gezegd dat het eten klaar is!'

Dat was voldoende. Ze hoorde hoe Susanne de kraan van het fonteintje in de wc opendraaide en dat Birger in de woonkamer zijn krant opvouwde. In haar achterhoofd speelde even een geniepigheidje – *hopelijk raakt hij niet oververmoeid dat hij zich naar de keuken moet slepen!* – maar dat duwde ze snel weg. Ze knoopte haar schort los, hing die op zijn plek en ging aan tafel zitten.

Birger was de eerste die binnenkwam. Hij keek haar niet aan, maar richtte zijn blik op de tafel. Zoals gewoonlijk wreef hij zich in zijn handen en hij slenterde naar zijn stoel. Even schoot er een fantasie door Inez heen. Ze zag voor zich hoe ze zich over de keurig gedekte tafel boog en naar hem blies. Als een kat. Misschien voelde hij dat, misschien dat hij haar daarom een snelle blik toewierp en even snel zijn ogen weer neersloeg. Susanne kwam vlak na hem binnen. Ze keek niemand aan; ze streek alleen een pluk haar opzij en duwde die achter haar oor.

'Dag', zei Inez.

Susanne trok haar stoel naar achteren en ging zitten.

'Dag', zei ze afwezig.

Het werd weer stil. Inez bestudeerde Birger, die als vanzelfsprekend als eerste opschepte. Hij vulde zijn bord, maar keek haar niet aan.

Ik kan hem wel aan, dacht ze. Dat lukt wel. Als ik mijn best maar doe.

Susanne strekte zich uit naar de rijst.

Haar kan ik ook wel aan. Dat zal niet zo moeilijk zijn.

Inez schonk een glas melk voor zichzelf in, legde haar servet op schoot en zei: 'Ik heb een besluit genomen.'

De bewegingen stokten. Van beiden. Ze lieten hun vorken zakken en keken haar eindelijk aan.

'Proost', zei Karl-Erik. 'En het spijt me.'

Elsie streek licht met haar servet over haar bovenlip en hief toen haar glas.

'Er is niets om spijt van te hebben.'

Hij hield zijn hoofd schuin.

'Zeker weten?'

'Zeker weten.'

Karl-Erik plantte zijn ellebogen op tafel en leunde naar voren.

'Ik ga nooit met hen mee. Soms moeten wij, volwassenen, hun even niet op de lip zitten.'

Elsie glimlachte, maar ging er niet op in.

'Want in wezen zijn het natuurlijk nog maar kinderen', vervolgde Karl-Erik. 'Echte kleuters. Onder ons gezegd en gezwegen. En die feestjes van hen kunnen behoorlijk vermoeiend zijn.'

Elsie glimlachte nog steeds. Het was een beleefde glimlach, een glimlach met gesloten lippen, die meer verborg dan onthulde. Maar misschien was het nodig om ondanks alles een antwoord te produceren.

'Dat zal best.'

'En vanavond zal het wel erger zijn dan anders ...'

Elsies glimlach stierf weg. Karl-Erik fronste zijn voorhoofd en stak zijn hand op in een stopteken.

'Maar jij hoeft je niet ongerust te maken. Björn drinkt nooit te veel. Nooit. En hij gebruikt ook geen wiet. Dat weet ik absoluut zeker. Het is een goeie jongen. Buitengewoon goed.'

Elsie liet haar glimlach weer oplichten. Hoelang moest ze deze vent nog verdragen? Was hij van plan een driegangenmenu te nemen? En kon zij er in dat geval al tussenuit knijpen voordat het dessert werd opgediend? Nee. Dat kon ze niet. Daar was ze te netjes voor opgevoed.

'Dank je', zei ze. 'Leuk om te horen.'

Hij keek tevreden.

Aan het eten mankeerde niets. Integendeel. En het restaurant was gezellig, met echte tafellakens en kaarsen in lege wijnflessen. Het leek eigenlijk eerder of ze zich in Parijs dan in Londen bevonden. Afgezien van de kloeke serveerster met haar harde lach en een kapsel dat strak in de lak zat. Die kon alleen maar uit de Engelse arbeidersklasse afkomstig zijn.

Karl-Erik praatte verder. Het enige wat zij hoefde te doen was glimlachen en knikken en er misschien af en toe een vraag tussen vlechten. Niet dat dit zo gemakkelijk was. Hij had het immers over een werkelijkheid die zij niet kende, en over mensen over wie zij nooit had horen praten. Maar anderzijds had ze natuurlijk jarenlange ervaring in gesprekken met mannen over dingen die zij niet kende, en over mensen over wie ze nooit had horen praten. Maar met hen was ze nooit alleen. Ze ging nooit met andere bemanningsleden uit als ze met minder dan drie personen waren. Nooit. Ze was in feite in geen jaren met een man in een restaurant geweest. Vanavond was voor het eerst. Ze begon te rillen. Ze wist niet hoeveel ze had gemist. Maar ze wist absoluut waaraan ze had weten te ontkomen.

'Of niet?' vroeg Karl-Erik.

Ze knipperde met haar ogen en staarde hem heel even aan, maar trok een aangepast gezicht en glimlachte weer. Ze had geen idee waar hij het over had, maar nam aan dat ze het met hem eens moest zijn.

'Inderdaad. Absoluut.'

'Nou, dat is dan mooi. Dan regel ik dat morgen.'

Jezus christus! Waar had ze mee ingestemd?

'Hoewel ...'

Haar stem begon te trillen. Karl-Eriks glas bleef halverwege in de lucht steken.

'Ach. Ik bel gewoon mijn secretaresse. Het gaat op kosten van het bedrijf, begrijp je. En jij moet toch naar huis, of niet?'

Naar huis? Ging hij haar reis naar huis boeken?

'Ja, maar ik weet niet ...'

Hij nam een slok van zijn witte wijn.

'Nee, maar ik wel. Je reist met ons mee.'

O. Dat was dan besloten. Zij ging naar huis. Of althans naar Zweden.

Na het hoofdgerecht haalde hij een sigaar tevoorschijn en terwijl de serveerster de borden afruimde, haalde hij het cellofaan er zorgvuldig af. Elsies blik dwaalde af naar het raam. Buiten was het donker. Wanneer er een auto voorbijreed, blonk het asfalt op. Misschien regende het.

'Je zegt niet veel', zei Karl-Erik terwijl hij zijn sigaar aanstak. 'Je lijkt op je zoon.'

Elsie rechtte haar rug en probeerde zich te vermannen.

'Ik ben waarschijnlijk gewoon een beetje moe.'

'Maar je wilt toch wel een dessert?'

Zucht. Dus werd het een dessert. Vooruit maar weer met de beleefde glimlach.

'Als jij dat neemt, dan ...'

'Dat dacht ik wel. Alle vrouwen willen toch een dessert. Mijn vrouw ...'

'Dus je bent getrouwd?'

Karl-Erik grimaste.

'Geweest.'

Het werd even stil en ze lieten allebei hun blik naar buiten glijden.

'Nou', zei Karl-Erik ten slotte. 'Vertel.'

Elsie was zo verbaasd dat ze vergat te glimlachen.

'Vertellen? Wat moet ik vertellen?'

'Wie je bent', zei Karl-Erik. 'Wat je hebt gedaan. Vertel over je leven.'

'Björns vader heet Jörgen', zei Elsie.

Nee. Dat had ze vast niet gezegd. Dat kon ze niet hebben gezegd. Dat was onmogelijk.

Nadien kon ze zich niet goed herinneren hoe het echt was geweest. Toen ze in de badkamer van haar hotelkamer voor de spiegel stond en de haarspelden uit haar Grace Kellyrol haalde, probeerde ze het zich te herinneren, maar dat lukte maar niet.

Haar gedachten stuiterden continu terug naar die zin. *Björns vader heet Jörgen.*

Met haar haarborstel in haar hand liet ze zich op de toiletpot zakken. Dat kon ze niet hebben gezegd. Ze kon niet hebben gezegd wat ze zichzelf tot vandaag had verboden om ooit tegen wie dan ook te zeggen. Niet tegen Inez. Niet tegen Lydia. Zelfs niet tegen Björn. Maar tegen Karl-Erik had ze het gezegd. Een wildvreemde.

Ze stond op en bekeek haar eigen beeld in de spiegel. Dat was niet mooi. Haar haren hingen. Haar mascara was uitgewist. Haar lippenstift eraf gelikt. Ze zag er bleek en flets uit, grauw in haar gezicht, grauw om haar lippen en ze had een paar smalle varkensoogjes die zich nog verder vernauwden toen ze erin staarde. Bah. Ze wendde zich af en trok haar badjas aan. Nog voor ze de badkamer uit was, deed ze het licht al uit om zichzelf niet meer te hoeven zien, maar het eerste wat ze in de donkere ruit zag toen ze de kamer in stapte, was een wazig wezen. Weer haar spiegelbeeld. Ze trok meteen de gordijnen dicht. Ze keerde zich om, klaar om iets nuttigs te ondernemen. Iets wat al haar gedachten zou stoppen.

Nee. Ze had het niet gezegd. Dat wist ze bijna zeker. En als ze het had gezegd, dan had Karl-Erik het in elk geval niet gehoord. Dat wist ze absoluut zeker. Anders had hij op weg naar huis vast niet gelachen en grappen lopen maken. Of haar in de lobby op haar wang hebben gekust. Nee. Het was allemaal verbeelding. En dat was de schuld van die Mats. Hij was met die vraag gekomen, die vraag die haar herinneringen in werking had gezet. Onzin. Gewoon onzin. Ze trok de ceintuur van haar badjas strakker om haar middel en keek om zich heen. Wat nuttigs, dus. Maar wat? Haar kleren waren opgeruimd en hingen netjes op hun hangers in de kast. Haar ondergoed en kousen waren gewassen en hingen in de badkamer te drogen. Haar koffer stond leeg en dichtgeklapt tegen de muur. Haar schoenen had ze 's middags nog gepoetst. Alle drie de paren.

Björns vader heet Jörgen.

Was er geen radio op de kamer? Nee. Kennelijk niet. En van

een tv was natuurlijk geen sprake. Het boek op het nachtkastje had ze de afgelopen nacht, toen ze niet kon slapen, voor de derde keer gelezen. Het was een slecht boek. Echt slecht. Een echt belachelijk verhaal over een schrijver ...

Verleid. Dat was het woord dat ze nadien voor zichzelf gebruikt had. Ze had aan zichzelf gedacht als een meisje dat verleid was. Maar van verleiding was niet echt sprake geweest. Waar wel sprake van was, was dat hij haar omver had geduwd op het gras. Dat hij haar in haar gezicht had geslagen en ze een bloedneus had gekregen. Dat hij haar bij haar keel had gegrepen en haar zo stevig had vastgehouden dat ze er blauwe plekken aan had overgehouden ...

Nee. Niet zo denken. Geen herinneringen ophalen. Zichzelf niet dwingen om eraan terug te denken hoe zij ... *Nee!*

Het hielp echter niet. Ze stond midden in de kamer en kon het opnieuw voelen gebeuren: hoe ze door het Svandammspark liep met Jörgen, die zijn arm om haar schouders had geslagen. Het was stil, heel stil tussen hen, en ze liet haar gedachten gaan op dezelfde rustige maat waarin ze wandelden. Even gingen die gedachten naar het schoolfeest waar ze net stiekem was weggeslopen. Jörgen had ervoor gekozen buiten op het schoolplein te blijven staan in plaats van binnen te komen. Hij stond met een ernstige blik in de schaduw onder een boom te wachten tot zij naar buiten kwam. Toen brak zijn brede glimlach door, die warme, brede glimlach die uitsluitend voor haar bestemd was. Heel even overpeinsde ze waarom hij niet op het feest wilde komen, waarom hij zich nooit met haar aan anderen wilde vertonen. Ze liet zich echter direct troosten door de gedachte dat hij feitelijk vier jaar ouder was en er vast niets aan had om met een hoop middelbare scholieren op te trekken. Behalve met haar. Hij wilde wel bij haar zijn. Ze leunde met haar hoofd tegen zijn schouder; het tweed van zijn overjas beroerde licht haar wang en ze zuchtte tevreden. Hij reageerde daarop door zijn arm steviger om haar schouders te slaan.

Het was donker in het park. Herfstachtig donker. Aan de overkant van de vijver kon je de lichten van een paar vrijstaande huizen zien, maar aan deze kant was het donker. De watertoren, die een stukje verderop stond, zag je niet eens; je zag alleen de lantaarn die aan de voet ervan in het park stond. Dat was mooi. Ze slaakte een tevreden zucht. Ze was een meisje dat door een park liep samen met een jongen, nee, trouwens, een jongeman, en alles om haar heen was stil, rustig en mooi. Ze hoefde niet aan haar krankzinnige vader en haar rare moeder te denken, of aan haar zus, die eeuwig ontevreden was, die alleen maar zat te klagen over alles wat Elsie zei en deed, die niet eens wist waarom ze klaagde. Maar Elsie wist dat wel. Afgunst. Daar kwam het door. Inez was jaloers op Elsie, hoewel ze niet wist waarop ze jaloers was nu ze tegenwoordig bijna net zo'n grote cupmaat had als haar zus. Ze had tegen Inez nooit met een woord over Jörgen gerept. Hij was haar geheim. En zij dat van hem. Maar het was een gloeiend heet geheim, een geheim dat haar deed stralen, trillen en schijnen, en hij was de enige die wist waarom ze straalde, trilde en scheen. Maar de mensen zagen het licht. Ze voelden de warmte. Ze zagen en voelden dat, en waren jaloers op haar.

Jörgen had het zo gewild, al vanaf het begin. Hij had iets gezegd over een lijst van leraren die konden waarnemen en waar hij op stond, en dat het daarom ongepast was, hoogst ongepast, dat iemand hen samen zou zien. Dus daarom hielden ze zich in de schaduw op wanneer hij naar Landskrona kwam om zijn ouders te bezoeken. Hij woonde immers in Lund. Hij studeerde medicijnen en zou dokter worden. En Elsie, had hij een paar weken geleden op een avond gefluisterd, zou zijn doktersvrouwtje worden …

Die avond had hij met haar naar bed gewild. Hij had er bij haar om gebedeld en hij moest bijna huilen toen zij zwijgend haar hoofd schudde. Hij had haar zelfs bij haar schouders gepakt en door elkaar geschud, maar toch had ze niet anders kunnen doen dan nee zeggen. Daar was ze later die avond verdrietig om geweest en ze had zichzelf verwijten gemaakt. Misschien had ze ja moeten zeggen. Hij hield immers van haar. Zij hield immers van hem. En ze wilde immers niet dat hij het moeilijk had.

Misschien dat hij nu ook net aan dat moment dacht. Misschien dat hij haar daarom steviger om haar schouders pakte en naar het grasveld dreef waarop je eigenlijk niet mocht lopen, naar een treurwilg in de buurt. Die had zijn bladeren nog niet laten vallen; ze kon voelen hoe die langs haar heen streken toen hij de takken uiteenboog en iets tegen haar fluisterde. Ze hoorde echter niet wat hij fluisterde, ze hoorde slechts zijn stem, en ze zag voor haar geestesoog hoe de bladeren van de treurwilg eruitzagen, dat ze bruin en verdroogd waren en begonnen te krullen. Weldra zouden ze eruitzien als verdroogde peulen, dacht ze, en glimlachend wendde ze zich tot hem en ze stelde zich voor dat hij terugglimlachte.

Maar misschien deed hij dat niet.

Ze kon zich na afloop glashelder herinneren wat er gebeurd was, maar toch kon ze niet echt geloven dat het werkelijk gebeurd was, of dat Jörgen daar echt was. Een vreemdeling pakte haar bij haar haren en een tel later lag ze op de grond, op een bed van treurwilgbladeren. Ze ritselden onder haar en heel even was dat het enige wat ze meekreeg. Geritsel. Een tel later voelde ze hoe diezelfde vreemdeling haar in het gezicht sloeg. Haar keel werd dichtgeknepen, iemand greep haar bij haar keel en zijn duimen kwamen in het midden tegen elkaar. Haar handen vlogen omhoog in een poging ze los te wrikken, maar dat ging niet, want ze kreeg geen lucht. Er liep iets in haar keel – slijm? was dat slijm? – dat haar luchtwegen blokkeerde, iets wat zacht, warm en zilt was. *Bloed!* Het was bloed. En op hetzelfde moment liet de vreemdeling haar met zijn ene hand los en daarmee ging hij naar haar rok, hij graaide daarbeneden rond om die rok over haar dijen omhoog te stropen, legde vervolgens zijn andere hand op haar gezicht, kneep haar mond en neusgaten dicht, en ze schudde met haar hoofd, probeerde zich los te wringen om naar lucht te happen, en ondertussen dacht ze aan haar onderbroekje. Ze hoopte innig en bad tot God dat haar onderbroekje in orde was, dat het niet verwassen zou zijn of sporen van menstruatiebloed zou dragen. Toen drong hij in haar. Scheurde haar kapot. En ze kwamen allebei tot bedaren, bleven een ogenblik roerloos liggen, waarna hij opeens haar hals kuste en fluisterde: 'Ik hou van je, Elsie. Ik hou van je ...'

Dat was de stem van Jörgen. Dat was absoluut de stem van Jörgen.

Na afloop moest hij huilen. Hij huilde, smeekte om vergeving en lag zo zwaar op haar dat ze nauwelijks kon ademen. Toch sloeg ze haar armen om hem heen en drukte hem nog steviger tegen zich aan. Ze bleef doodstil liggen en liet haar wangen nat worden van zijn tranen. Natuurlijk vergaf ze hem. Dat zou ze zeggen. Zodra ze haar spraakvermogen terug had, zou ze dat zeggen.

Maar het duurde een tijd voordat de woorden terugkwamen. Eerst stonden ze op en Elsie ontdekte dat ze een schoen kwijt was. Haar voet zakte door de droge bladeren in de donkere aarde en ze voelde hoe koud het was, hoe haar tenen krompen en kromtrokken. Ze trok haar been op en zocht steun tegen de boom terwijl ze zich vooroverboog en met haar hand de grond aftastte, op zoek naar haar schoen. Daar was hij. Ze werd duizelig van de beweging en liet zich weer op de grond zakken, ging met haar rug tegen de stam van de boom zitten om de veters los te maken. Terwijl ze haar schoen aantrok en de veters dichtknoopte, voelde ze hoe de kou door haar mantel kroop, door haar rok, door haar vochtige onderbroekje, hoe die haar kleren veranderde en ijskoud maakte. Ze stond op, nog steeds met haar hand tegen de boom, om de rest van haar kleding te schikken. Ze hoorde meer dan dat ze zag hoe Jörgen zich omdraaide en zijn gulp dichtmaakte.

Op hetzelfde moment kwam de wereld tot bedaren. Gedurende een microseconde werd het volkomen stil om hen heen, en de duisternis, die zojuist nog een heel gewone herfstachtige duisternis was geweest, verdiepte zich en werd zwart als fluweel.

Ik ben zwanger, dacht Elsie. Precies in deze tel ben ik zwanger geworden.

Ze kon pas weer praten toen ze bij de portiek van haar flat stonden. Jörgen had eigenlijk ook niets gezegd. Hij had alleen een sigaret opgestoken en haar bij de arm genomen, haar geleid alsof ze een zieke of gehandicapte was die ondersteund moest worden. Dat deed hij tot ze op straat kwamen en naar haar huis begonnen te lopen. Toen sloeg hij zijn arm om haar heen en hij gaf haar een kneepje.

'Gaat het wel met je?' zei hij zacht.

Haar antwoord bestond uit een knikje. Ze zette haar ene voet voor de andere.

'Zeker weten?'

Ze knikte opnieuw. Ze waren er. Ze kon nu haar eigen huis zien. Jörgen gooide zijn peuk weg en bleef staan voordat ze in het licht van de portiek waren gekomen. Hij liet haar los en wilde net wat zeggen toen iemand anders begon te praten.

'Elsie? Ben jij dat?'

Het was Inez. Ze stond aarzelend te kijken in het licht van de portiek. Jörgen ging snel een stap naar achteren, dieper de schaduwen in. Elsie stapte naar voren en keek naar haar zus, die andere uitvoering van zichzelf. Haar haren zaten keurig gekamd onder haar alpino. Haar sjaal was zorgvuldig geknoopt. De ceintuur om haar trenchcoat was stevig aangetrokken.

Maagd, dacht Elsie. Zij is nog maagd.

'Ik ben het.'

Ze zag Inez zoekend naar de schaduwen kijken, speurend naar Jörgen, en ze voelde het meer dan dat ze het zag, dat hij zich had omgedraaid.

'Ga je niet naar binnen?'

'Nog niet.'

'Maar ...'

Achter haar bewoog Jörgen; ze kon zijn ongeduld voelen en nam dat onmiddellijk zelf over.

'Ik kom zo. Zeg maar dat ik mijn schoenen was vergeten en terug moest. Of zoiets.'

Daarna draaide ze zich om en ze verdween in de schaduwen in de richting van Jörgen.

Björn danste. Hij had zijn armen om Caroline heen geslagen en drukte haar stevig tegen zich aan, genoot ervan haar lichaam zo dicht tegen zich aan te voelen, haar borsten, haar heupen, haar enigszins bolle buik, haar wang tegen de zijne, haar adem in zijn oor. Ergens op de achtergrond hoorde hij gelach, gelach van Tommy, en Peo's schelle stem. Die kreeg altijd een schelle stem wanneer hij dronken was, en Björn had dat graag aan Caroline willen vertellen als hij er maar op had kunnen komen wat het woord 'schel' in het Engels was. Of als hij het over zijn hart had kunnen verkrijgen haar los te laten. Maar dat kon hij niet. Hij wilde haar voor altijd omhelzen, met haar versmelten, met haar een Siamese tweeling worden. Ze droeg een rode jurk en had een lange pony. Ze rook lekker naar zeep en een soort parfum ...

'Verdomme', riep iemand in het Zweeds. 'Verdomme, dat Robban niet ...'

Dat was Niclas. Dronken. Of zo stoned als een garnaal. Wat donderde het.

De muziek stopte en Caroline maakte zich los uit zijn omhelzing. Ze glimlachte naar hem. Hij glimlachte terug en pakte haar hand. Hij was niet van plan los te laten voordat de ochtend aanbrak.

De telefoon ging. Elsie werd met een schok wakker. Ze keek om zich heen. Zacht licht van een klein nachtlampje, rode vloerbedekking, een lithografie van een huis met een rieten dak aan de muur. Het duurde even voordat ze besefte waar ze was, en in die tijd rinkelde de telefoon opnieuw. Ze pakte de hoorn en drukte die tegen haar oor.

'Hallo?'

Het bleef even stil. Daarna klonk er een voorzichtige stem. Bijna fluisterend.

'Elsie?'

'Inez?'

'Ja.'

Het bleef weer stil. Elsie begon een beetje bang te worden. Ze haalde diep adem.

'Is er iets gebeurd?'

'Nee, hoor. Ik wilde alleen ...'

Weer stilte.

'Ja?' zei Elsie.

Inez' stem werd luider en leek nu bijna weer op de stem waarmee ze altijd sprak.

'Ik wilde Björn alleen even bellen om te horen hoe het gegaan is. Maar hij neemt niet op. Dus toen heb ik naar jou gevraagd.'

'O.'

'En jij was er wel.'

Elsie deed haar ogen dicht. Vergeef me een keer, dacht ze. Vergeef me dat ik hem gebaard heb. Vergeef me dat ik hem aan jou heb gegeven ...

'Nou, Björn is naar een of ander feest', zei ze terwijl ze moeizaam uit bed kwam en keurig in de houding ging staan. Waarom wist ze niet.

'O.'

Inez' stem klonk neutraal. Alsof het haar niet kon schelen.

'Een nafeest.'

Elsie liet zich weer op de rand van het bed zakken en streek met haar vrije hand over het witte laken. Ze zou zo weer slapen. Echt diep slapen.

'Hoe is het dan gegaan?'

'Het optreden? Nou, volgens mij ging het behoorlijk goed. Hoewel ze natuurlijk moesten playbacken.'

'Wat?'

'Playbacken. De plaat werd gedraaid en zij moesten net doen of ze speelden en zongen.'

Het bleef even stil.

'Wat raar', zei Inez toen.

Elsie glimlachte naar het zwarte bakeliet, maar lette goed op dat ze die glimlach niet in haar stem liet doorklinken.

'Ja, dat kun je wel zeggen.'

Opnieuw een stilte, maar ginds in Landskrona schraapte Inez haar keel.

'En nu is hij dus naar een feest?'

'Ja.'

'Zonder jou?'

Elsie knikte.

'Inderdaad.'

'Maar wat heb jij vanavond dan gedaan?'

'Gedineerd. Met die Karl-Erik.'

'Hm.'

Dat geluid kon ongeveer alles betekenen. Maar Inez zei verder niets meer.

'Ik kom met hen mee naar huis', zei Elsie ten slotte, alleen om de stilte te verbreken. 'Ik kom naar Landskrona. Kan ik net zoals anders bij jullie logeren?'

'Jawel', zei Inez. 'Dat gaat best. Voorlopig.'

Waakzaam rechtte Elsie haar rug.

'Wat bedoel je?'

'Je kamer', zei Inez. 'Die wilde ik veranderen. Dit najaar.'

Je kamer? Het duurde even voordat Elsie begreep welke kamer Inez bedoelde. Dat zolderkamertje met oude meubels die niet meer gebruikt werden. Een oud bed uit de meisjeskamer bij

Lydia. De grote schemerlamp, die in hun kamer in Gotenburg had gestaan. Wrakstukken uit het verleden. Ze streek een pluk haar uit haar gezicht.

'Ik wist niet dat dat mijn kamer was. Ik dacht dat het een logeerkamer was.'

'Jij bent de enige logee die we ooit hebben. Maar ik was van plan die kamer voor de zomer te veranderen.'

Er klonk iets nieuws door in Inez' stem. Een vreemde intonatie. Verlegen, maar trots. Bijna triomfantelijk.

'O ...'

'Het wordt mijn werkkamer. Wanneer ik in Lund literatuurgeschiedenis ga studeren. Volgend najaar.'

Nu kwamen de woorden er hortend en stotend uit, alsof ze moeilijk lucht kreeg. Elsie fronste haar voorhoofd en zocht naar de juiste woorden. Ze vond ze: 'Wat goed. Dat was immers wat je wilde.'

Opnieuw werd het even stil.

'Meen je dat?'

'Ja.'

'Echt?'

'Absoluut.'

'Birger vindt het ook. Hij zegt dat het tijd wordt dat ik eindelijk doe wat ik altijd heb willen doen. Maar ik had nooit gedacht dat hij dat zou zeggen.'

De stem behoorde opeens aan een klein meisje toe. Een tamelijk verwonderd en timide klein meisje. Elsie moest haar best doen om net als anders te klinken.

'Natuurlijk vindt hij dat.'

Inez' stem werd weer volwassen en een beetje bezorgd.

'Maar waar moet jij logeren wanneer ik jouw kamer heb genomen?'

Elsie haalde haar schouders op. Daar wilde ze niet aan denken.

'Dat zien we dan wel weer.'

Inez' stem fleurde op. Ze had een idee gekregen.

'Er is in Lydia's flat een kleine eenkamerflat die leegstaat. Vlak naast die van haar. De buurman is overleden. Ik praat wel met Bertilsson.'

'Met wie?'

'Met de huisbaas, je weet wel. Hij is op dit moment aan het renoveren.'

Elsie vertrok haar gezicht. Wilde ze weer in die flat wonen? Wilde ze naast Lydia wonen? Nee, bedankt. Liever niet.

'Dank je, maar ...'

'Je kunt het je nu veroorloven. Omdat Björn zijn eigen geld verdient. Nu hoef je immers geen kost en inwoning meer te betalen.'

'Jawel, dat weet ik, maar ...'

'En je moet je bedenken dat er woningnood is. Het is niet gemakkelijk om een eenkamerflat te pakken te krijgen. Met een bad en een echte keuken.'

'Ja, maar ...'

'Nou, heel goed. Dan praat ik wel met hem. Het wordt heel mooi, dat zul je zien.'

Toen Elsie de hoorn had neergelegd, bleef ze zitten. Opeens klaarwakker. Nou. Dan was ze nu eigenaresse van een flatje. Want die huurbaas zou geen enkele kans krijgen om te ontsnappen wanneer Inez en Lydia hem te lijf gingen. Hij zou dat flatje aan Elsie moeten verhuren, of hij dat nu wilde of niet, ja, in feite ongeacht of Elsie dat nu wilde of niet. Ze waren allebei kansloos, zij en Bertilsson.

Een eigen flat. Een thuis. Wat zou dat met haar doen?

Ze zou worden zoals alle anderen. Een mens met een anker. Een vluchteling die uitgevlucht was.

Bij die gedachte begon ze te snotteren en heel even had ze het idee dat het een snik was, dat ze op het punt stond in huilen uit te barsten, maar ze stond op en rekte zich uit. Onzin. Waarom zou ze in huilen uitbarsten om een eenkamerflat in Landskrona? Een eenkamerflat waarin ze misschien – maar alleen misschien! – een paar keer per jaar zou verblijven. Ze was immers niet van plan aan wal te gaan wonen. Er kon van alles gebeuren, maar dat niet. Het grootste gedeelte van het jaar zou dat flatje leeg en onbewoond staan, met de jaloezieën naar beneden, en het stof zou vallen, rustig en stil als de eerste sneeuw ...

Hoelang geleden was het dat ze een thuis had gehad? Of zelfs maar een kamer die ze de hare kon noemen?

Tijdens de marconistenopleiding. In Kalmar. Achttien jaar geleden. Of zeventien.

Het was een best een mooi kamertje, op de begane grond van een oude villa. Met eigen ingang. Keurig gemeubileerd met twee fauteuils en een rond koffietafeltje. Plus een bijzonder bureau, opklapbaar, dat je in een kast kon veranderen als je wilde verbergen dat je schreef. En verder een bed, lekkerder dan alle andere bedden die ze ooit had gehad, een bed waarin ze zich door de hele eerste zondag had geslapen ... Ja. Zo was het. Ze was 's middags om vier uur pas wakker geworden en dat was opgemerkt, dat begreep ze, want zodra zij het rolgordijn optrok, rende er een jongetje door de tuin dat riep: *'Mama, het meisje is nu wakker!'*

En dat was ze. Echt wakker. Een heel ander mens dan toen ze de avond ervoor insliep. Een nieuwe mens die al het oude was vergeten, iemand die zich Lydia, Inez en Björn alleen herinnerde als personages uit een verhaal, met een vaag uiterlijk en karakter, iemand die vermoedde dat er verder ooit een vader in dat verhaal was voorgekomen, maar die zich niet echt goed meer kon herinneren hoe die eruitzag, hoe hij heette of waar hij was gebleven. Zelfs Jörgen was tijdens haar slaap van gedaante veranderd. Hij was niet langer het grote verdriet in haar leven, niet de grote verrader, zelfs geen leugenaar. Hij was gewoon een verzinsel. Een fantasiefiguur. Voor de helft aan zijn eigen fantasie ontsproten en voor de andere helft aan die van haar. Het loonde helemaal niet de moeite om aan hem te denken. Ze zou vergeten dat ze de dag na hun gemeenschap in het park al had geprobeerd zijn adres te achterhalen, dat ze hem wilde bellen of schrijven om hem te vertellen dat haar vader was overleden, dat die eigenlijk al dood was op het moment waarop zij elkaar in de armen vielen, ook al was dat dan niet helemaal wat ze hadden gedaan. Er was aan de geneeskundige faculteit in Lund echter geen student die Jörgen heette, verklaarde een secretaresse snibbig. Niet één. En in de telefoongids van Landskrona stonden maar drie Vilhelmssons: een buschauffeur, een weduwe en een leraar, maar geen van allen had ooit van ene Jörgen gehoord. Dat verzekerde de weduwe behoorlijk scherp, de buschauffeur onverschillig en de leraar met een glimp van nieuwsgierigheid in zijn stem. Ze kreeg pas antwoord op haar vragen in de vierde maand, toen haar buik zichtbaar begon te worden, de wanhoop totaal was en het moment van bekentenis en straf dichterbij kwam. Toen had ze op een dag van school gespijbeld en de trein naar Lund genomen. Dat was een enorm misdrijf, maar noodzakelijk, en een misdrijf dat toch met een zweem van opluchting gepaard ging, omdat ze wist dat wanneer dit misdrijf aan het licht kwam, al het andere ook aan het licht zou komen. Ze had uren door de straten gezworven, vreemde straten met gebouwen die ze nooit eerder had gezien. Ze had vreemde mensen bestudeerd voordat ze eindelijk een heel bekend gezicht in de gaten kreeg. Ze bleef abrupt stilstaan en probeerde te begrijpen wat ze zag. Jörgen. Dat was toch Jörgen? Maar hij stond op een plek waar ze hem niet had verwacht te zullen zien. Achter de toonbank in een herenmodezaak. Een herenmodezaak die bovendien Vilhelmsson & Zoon heette.

Nu, vele jaren later, zag ze zichzelf als een stripfiguurtje, zoals ze daar met open mond voor de etalage stond, een stipfiguurtje met een tekstballon boven haar hoofd. 'POF!' stond er in de ballon. Dat stond er altijd wanneer de dromen van een stripfiguur de grond in werden geboord. Deze stripfiguur was zich er echter niet van bewust dat ze een stripfiguur was. Integendeel, ze dacht een levende persoon te zijn en daarom duwde ze de glazen deur van de winkel open. Ze ging naar binnen, nog steeds met open mond, mag je aannemen, en ze liep op hem af. Gewoon om te kijken of hij het echt was. Gewoon om zijn stem te horen. Gewoon om tot in detail de expressie op zijn gezicht in zich op te nemen toen hij haar in de gaten kreeg: eerst de verbijstering, een moment van schaamte, daarna de vlug bedwongen aandrang om te vluchten, de snelle blik naar links, die verried dat de oudere man die iets verderop bezig was een klant te helpen bij het passen van een overjas, zijn vader was, en daarna, slechts een fractie van een seconde later, de triomfantelijke blik in zijn ogen, toen hij zich herinnerde wie hij was en wie zij was, het plan dat werd geboren, de rug die zich rechtte en de linkerhand die over de toonbank naar voren schoot, die linkerhand met de glimmende verlovingsring. En daarna die glimlach, die werkelijk valse glimlach, die ze eigenlijk wel herkende, die glimlach die ze eerder had gezien zonder die ooit werkelijk te zien, en waarvoor ze nu achteruitdeinsde terwijl Jörgen zich vooroverboog en vroeg: 'En waar kan ik u mee helpen, dametje?'

Hij was het. Dat was zijn hand. Dat waren zijn lippen. Dat was zijn stem. En heel even, in een zucht, zag ze, voelde ze en wist ze dat hij gevaarlijk was, heel gevaarlijk, dat hij de gevaarlijkste persoon was die ze ooit had ontmoet, en ze mompelde iets over een vergissing, dat ze verdwaald was, mijn verontschuldigingen, neem me niet kwalijk dat ik stoor, en het volgende moment stond ze weer op straat. En ze rende. De hele weg naar het station rende ze, en ze bleef rennen toen ze weer in Landskrona was, ze rende door de kraamkliniek en de bevalling, rende terug naar Landskrona, rende rond, rond in een soort eeuwige paniek, en ten slotte rende ze naar Kalmar en die huurkamer en dat bed waarin ze uiteindelijk vergetelheid vond. Want zo was het. Jörgen was nu weg. Louter een verzinsel. Een monster van de verbeelding. Iemand die haar nooit meer kwaad zou kunnen doen.

Maar waarom was ze destijds zo bang geworden? Wat had ze gedacht dat hij haar zou aandoen?

En nu, vele jaren later, sloeg Elsie haar armen om zichzelf heen en zakte ze terug op haar bed, in haar eigen omarming, en ze wiegde een paar keer heen en weer. Toen realiseerde ze zich wat ze deed en hoe dat eruitzag, en dat ze zich gedroeg als een krankzinnige.

'Stomme idioot!'

Het klonk als gesis. Ze liet zichzelf los en knipperde snel het vocht in haar ogen weg, dat vocht dat alleen maar ontstaan was omdat ze een paar minuten recht voor zich uit had zitten kijken zonder met haar ogen te knipperen. Ze stond op en probeerde weer vat op de werkelijkheid te krijgen. Ze bevond zich niet in Kalmar. Ze was in Londen. Samen met haar zoon. Een zoon die bovendien beroemd was, iemand die door de meisjes werd nageschreeuwd, een jonge vent met geld op de bank en voorbeeldig gedrag. Een zoon om trots op te zijn, dus. Geen schande.

Schande. Dat woord viel niet langer te vermijden. Ze moest het toegeven. Ze had zich voor hem geschaamd. Ze had zich geschaamd puur voor het feit dat hij bestond. Ze was hem ontvlucht. En ze was bang voor hem geweest, omdat hij Jörgens zoon was. En pas nu, nu hij negentien jaar oud was, drong dat tot haar door. Ze sloeg haar handen voor haar gezicht, verborg zich voor zichzelf terwijl ze werd overspoeld door een gevoel van schaamte over de schaamte.

'Goeie genade', jammerde ze. 'O, goeie genade …'

'*Here?*' zei Björn toen de taxi stopte voor het rode bakstenen huis.

'*Here*', antwoordde Caroline.

Glimlachend draaide ze zich naar hem toe, en die glimlach was zo verleidelijk dat het hem duizelde en hij er heel even verbijsterd over was dat iemand zo mooi kon zijn, zo zijdezacht, zo heerlijk geurend ...

'*Please*', zei hij. 'Ga niet weg. Laat me niet alleen.'

Ze schoot in de lach. '*Please what?*'

Hij had Zweeds gepraat. Dat was misschien maar een geluk ook; hij wilde immers niet dat ze hem doorhad.

'Kunnen we elkaar morgen zien?' vroeg hij daarom in het Engels.

Haar glimlach werd nog breder.

'We kunnen elkaar morgen zien ... Dat hebben we toch al afgesproken.'

'En daarna kun je naar Zweden komen; ik stuur wel ...'

Ze kuste hem op zijn wang.

'We zien wel. We hebben het er morgen wel over.'

Hij probeerde zich te beheersen, nam haar rechterhand in zijn beide handen en kuste haar vingertoppen.

'Tot ziens', zei hij.

'Ja', zei ze. 'Tot morgen.'

En ze glipte de auto uit, de drie stoeptreden op naar de voordeur.

De reis terug naar het hotel was lang en aangenaam. Het was donker in de auto en heel stil. De chauffeur was een schim, een brede schim, die pas sprak toen ze weer in het centrum waren en de lichten van de stad om hen heen oplichtten.

'U moest naar het Strand Palace Hotel?'

'Ja', zei Björn.

'Dat is een mooi hotel.'

'Inderdaad. Dat is zo.'

'Heel mooi.'

Het bleef even stil. Terwijl Björn de rugleuning van de voorstoel pakte, boog hij naar voren.

'Sorry, maar die wijk ...'

Hij hoorde zelf hoe jong hij klonk. De chauffeur hoorde het ook, dat kon je merken aan de intonatie waarmee hij antwoordde.

'Waar dat meisje woonde?'

'Wat is dat voor wijk?'

De chauffeur haalde zijn schouders op.

'Tegenwoordig moeilijk te zeggen. Vroeger zou ik hebben gezegd dat het een gewone middenstandswijk was, maar nu ... Ik weet het niet echt.'

'O ...'

De chauffeur schakelde over naar een lagere versnelling.

'Ze zijn een aantal huizen aan het verbouwen. Tot flats, kleine flats voor jonge mensen ...'

Björn kon zich niet inhouden.

'Denkt u dat zij in zo'n flat woont?'

De chauffeur haalde opnieuw zijn schouders op.

'Ik heb geen idee', zei hij. 'Maar het was een mooi meisje. Werkelijk waar. Vreselijk mooi.'

'Hé, *loverboy!*'

Björn draaide zich abrupt om bij de receptie. Hij had de sleutel van zijn kamer al in zijn hand. Bosse stapte net de lobby binnen; hij waggelde een beetje, en Peo, die achter hem liep, stak zijn hand uit en hield die een paar centimeter achter zijn rug.

'Dus je bent in elk geval thuisgekomen', zei hij tegen Björn.

'Ja, hoor', zei Björn. 'Waar zit de rest?'

'Ik heb verdomme geen idee', zei Peo. 'En het kan me ook niks schelen. Nu ga ik slapen.'

Bosse maakte een misstap en begon te lallen: 'Maar potverdomme ...'

Peo wierp hem een blik toe. 'En hij gaat ook slapen.'

Björn trok zijn wenkbrauwen op en knikte naar Bosse. 'Hulp nodig?'

Peo aarzelde even.

'Ja', zei hij toen. 'Ja, dank je.'

Terwijl Peo de sleutels ging halen, liet Bosse zich op een van de rode banken zakken. Met rollende ogen zat hij daar even. Björn boog zich naar hem over en zei: 'Kom. We gaan naar boven.'

Bosse knipperde een paar keer met zijn ogen, maar stond toen op eigen kracht op. Hij ging voor Björn staan en legde lallend zijn handen op diens schouders. 'Hoe hou je het verdomme vol?'

Björn glimlachte.

'Wat?'

'Met al die grieten. Hoe hou je het verdomme vol?'

Björns glimlach doofde uit.

'Daar heb jij geen moer mee te maken', zei hij met zachte stem. 'Dat heb jij echt totaal geen moer mee te maken.'

DOOR HET IJS

'ANDERS', ZEGT ULRIKA. 'Heb je even?'

Anders kijkt op en gedurende een seconde ziet hij haar recht in de ogen. Er schiet een gedachte door zijn hoofd. *Zij bestaat! Ulrika bestaat echt!* Hij glimlacht. Hij kan gewoon niet ophouden met glimlachen. Ze heeft bruine ogen. Haar blik is ernstig, maar volkomen open en zonder veinzerij.

'Neem een kop koffie', zegt hij terwijl hij de stoel naast zich naar achteren trekt. 'Roland ging net vertellen over ...'

'Later', zegt ze. 'Ik denk dat je moet komen. Nu. Meteen.'

Pas dan dringt het tot hem door dat ze zijn hulp nodig lijkt te hebben. Met een knikje naar de anderen aan de koffietafel, maar zonder een woord te zeggen staat hij op. Ulrika loopt met snelle stapjes door de mess en begint te praten zodra ze op de gang zijn gekomen. Haar stem is echter zo zacht dat hij zich voorover moet buigen om te kunnen horen wat ze zegt.

'Die Susanne ...'

Ze doet er even het zwijgen toe en hij krijgt de impuls om zijn arm om haar heen te slaan, maar weet die op het laatste moment te onderdrukken.

'Ja?'

'Ze heeft overgegeven. Bij het laboratorium.'

'Is ze zeeziek?'

Ze werpt hem een blik toe.

'Nee. Er staan toch ook helemaal geen golven.'

Hij voelt zich dom. Ze heeft natuurlijk gelijk. Er staan geen golven, maar hij zoekt snel naar een argument dat zijn woorden kan ondersteunen.

'Zojuist waren ze aan het pompen. Er zijn mensen die daar zeeziek van worden.'

Ze knikt. Inderdaad. Ze weet dat er mensen zijn die zeeziek worden wanneer de stuurman het hele schip heen en weer laat schommelen om het hardste ijs te breken.

'Maar dit is wat anders. Ze lijkt een beetje ...'

'Een beetje wat?'
'Raar.'
O. Dan zullen het 'de zenuwen' wel zijn, gaat het even door hem heen, maar die gedachte verdringt hij. Hij moet onbevooroordeeld blijven.
'Waar is ze dan?'
'Op het voordek', zegt Ulrika. 'Bij het lab.'

Ze zit op het dek, met haar benen opgetrokken en haar hoofd op haar knieën. Even is hij geïrriteerd en hij staat op het punt om tegen haar te zeggen dat ze moet opstaan, dat ze niet in een dunne spijkerbroek zo op het koude dek moet gaan zitten, om haar erop te wijzen dat er voor vrouwen een goede reden is om hun onderlichaam niet aan kou bloot te stellen en dat die reden urineweginfectie heet. Op hetzelfde moment ziet hij echter dat Ulrika naast Susanne hurkt en haar hand op Susannes hoofd legt. Het is een eenvoudig gebaar, maar zo teder dat zijn irritatie verdwijnt en hij voor hen blijft staan, niet wetend wat te doen. Susanne draagt haar haren los en die verbergen haar gezicht. Ze heeft geen laarzen aan. Ook geen jas, alleen een dunne blauwe trui. Iets verderop ligt haar braaksel. Hij laat zich ook op zijn hurken zakken.
'Hallo, daar', zegt hij. 'Hoe is het?'
Ze mompelt iets, maar hij kan niet verstaan wat.
'Kun je me aankijken?' vraagt hij.
Ze antwoordt iets, maar weer kan hij niet verstaan wat ze zegt. Hij legt zijn hand op haar voorhoofd – ijskoud en nat – en tilt haar hoofd voorzichtig op. Heel even staart ze hem aan, dan doet ze haar ogen langzaam weer dicht. Hij laat haar los.
'We moeten haar naar binnen brengen', zegt hij tegen Ulrika.
Ulrika knikt en pakt Susannes rechterarm. Zelf pakt hij de linker. Ze krijgen haar half omhoog, maar dan maakt ze een beweginkje en ze glijdt uit hun greep, terug op het dek.
'Wil niet ...' zegt ze.
Anders en Ulrika kijken elkaar even aan, maar buigen zich

vervolgens voorover om haar opnieuw bij haar armen beet te pakken en overeind te trekken.

'Je moet', zegt Ulrika.

Susanne is heel bleek. Zweetdruppeltjes parelen op haar neus.

Wanneer ze op de gang komen, wordt ze wat meegaander en ze begint zelf te lopen, zij het met kleine stapjes en halfgesloten ogen.

'Ik werd gewoon misselijk', zegt ze wanneer ze in de onderzoekskamer komen. 'Het gaat nu wel weer.'

Anders kijkt haar aan. Hij vindt niet dat het er goed uitziet. Helemaal niet. Ze zweet nog steeds en haar gezicht is lijkbleek. Haar rechterhand trilt een beetje en op haar borst zitten vlekken van het braaksel.

'Jawel, maar ik wil je toch even onderzoeken', zegt hij. 'Al was het maar voor mijn eigen gemoedsrust. Ga hier maar zitten.'

Hij strijkt met zijn hand over de onderzoeksbank en zij gaat zitten, maar terwijl ze dat doet, ontdekt ze de vlekken op haar borst.

'Getsie', zegt ze en ze trekt haar trui uit. Het is een snelle beweging, maar voldoende om weer wat kleur op haar wangen te brengen. Daarna is het alsof ze bijkomt. Ze knippert een paar keer met haar ogen, kijkt eerst naar Anders en dan naar Ulrika, en veegt vervolgens met de rug van haar hand haar neus af. Ze draagt een zwarte beha en de huid van haar buik is heel wit. Alsof ze daar nooit zon heeft gehad.

'Heb ik overgegeven?'

Ulrika glimlacht haar toe, maar zegt niets. Anders knikt.

'Ja. Mag ik even achter je oor kijken?'

Haar hand schiet omhoog en ze voelt even achter haar oor.

'De pleister tegen zeeziekte zit er nog.'

'Jawel, maar ...'

Ze kijkt hem aan en het lijkt of ze besluit niet moeilijk meer te doen. Ze brengt alleen haar hand omhoog om haar haren op te tillen. Hij buigt zich voorover en pulkt met zijn wijsvinger aan de pleister, zonder eigenlijk te weten waarom.

'Wil je even gaan liggen?' zegt hij terwijl hij zijn stethoscoop pakt. Zonder tegenwerpingen gehoorzaamt ze. Hij buigt zich weer voorover en zet het klokje op haar linkerborst. Daarbinnen tikt het keurig, alleen iets sneller dan normaal.

'Ik ga wel even een schone trui uit je hut halen', zegt Ulrika achter Anders' rug.

Susanne krijgt hartkloppingen.

'Nee', zegt ze. 'Nee ...'

Ulrika is echter al weg.

'Maar waarom?' zegt Ulrika een poosje later.

Ze staan met z'n drieën in Susannes hut. Susanne heeft de deur achter hen dichtgedaan, maar zelf slechts een paar stappen naar binnen gezet. Ze staat met haar rug tegen de kastdeur.

'Ik weet het niet', zegt ze. 'Ik heb echt geen idee.'

De vrouw zonder lichaam ligt nog in haar kooi. De blauwe kniekousen wijzen nog steeds elk een kant op en ze liggen zo ver uit elkaar dat het lijkt of ze haar benen spreidt. Het onderbroekje is glad en wit. Het ziet er nieuw uit, net als de beha.

'Is dat jouw ondergoed?'

Anders is verbaasd wanneer hij zijn eigen stem hoort. Hij is verbaasd dat hij zich überhaupt in deze hut bevindt en dat hij ziet wat hij ziet.

'Ja.'

Susanne doet haar best om normaal te klinken, dat hoor je, maar dat helpt niet. Haar stem is heel iel.

'Ook jouw riem?'

Ze knikt, maar zegt niets. Ulrika doet een stap naar voren om het kussensloop te pakken, maar houdt zich in voordat ze het heeft aangeraakt en trekt haar hand terug.

'Kruisjes in plaats van ogen', zegt ze halfluid. 'En een riem om de hals ...'

Susanne ziet weer bleek; ze strekt haar vingers uit naar de deur van de kast. Misschien gaat ze flauwvallen. Of weer overgeven.

'Ga zitten', zegt Anders terwijl hij de rubberen band losmaakt waarmee de stoel aan het bureau is bevestigd. Ze laat zich zakken zonder te merken dat hij nog geen tijd heeft gehad om ook de laptop weg te halen, maar dat geeft niet, omdat ze zich meteen vooroverbuigt en haar hoofd tussen haar knieën houdt. Dat is een beweging die hij herkent, een beweging waardoor hij gek genoeg meer vertrouwen in haar krijgt. Hij haalt de laptop achter haar rug omhoog en zet hem op het bureau.

'Is dit een grap?' vraagt hij dan.

Er ontsnapt een geluidje aan Susannes keel. Ulrika doet een stap naar voren en legt haar hand op Susannes rug.

'Nee', zegt ze. 'Het is geen grap. We moeten het aan Roland vertellen.'

'Nee', zegt Susanne terwijl ze haar rug recht. 'Nee, alsjeblieft ...'

'Natuurlijk moeten we het vertellen', zegt Ulrika.

Toch gaat niemand van hen Roland halen. In plaats daarvan wordt het stil en tijdens die stilte laat eerst Ulrika zich op de bank zakken en daarna Anders; ze zitten half schuin naar de kooi en de vrouw zonder lichaam te staren. Ze proberen te bevatten wat ze zien.

'Ik had mijn deur op slot gedaan', zegt Susanne uiteindelijk. 'Ik doe mijn deur altijd op slot.'

Ulrika knikt, maar Anders zit er zwijgend en roerloos bij.

'Ik heb mijn deur op slot gedaan sinds het begon ...'

'Begon?'

Ulrika spreekt ook met een iel stemmetje. Susanne knikt.

'Hij is hier eerder geweest. Om dingen te doen.'

Anders schraapt zijn keel.

'Wat dan?'

'Mijn bed overhoophalen. Al mijn spullen uit de kast trekken. De muren onder plassen ...'

'De muren onder plassen?'

'Ja. Daarom heb ik die trui in zee gegooid. En die handdoek. Waar Roland mij een standje voor gaf.'

'Maar, jezus christus ...'

Het klinkt alsof Ulrika haar oren niet kan geloven. Mooi. Dan is hij niet de enige. Susanne voelt dat, ze recht snel haar rug en strijkt haar haren van haar voorhoofd.

'Maar ik heb niets gezegd. Ik zou vandaag ook niets gezegd hebben als ...'

Ulrika knikt.

'Ik snap het.'

Wat snapt ze? Anders werpt haar een snelle blik toe, maar ze kijkt hem niet aan, ze heeft haar blik juist op de kooi gericht.

'Bah', zegt ze dan.

'Ja, bah', zegt Susanne terwijl er een glimlachje over haar gezicht gaat. Haar linkerhand verdwijnt in haar broekzak en ze haalt een elastiekje tevoorschijn. Snel pakt ze haar haren bijeen om er een paardenstaart van te maken en ze staat op. Nu ziet ze er weer net zo uit als anders. Bleek, maar niet ziekelijk bleek.

'Ik heb een heel lage bloeddruk', zegt ze. 'Dan ga je af en toe van je stokje. Of je wordt misselijk.'

Dan zet ze twee stappen naar de kooi om de vrouw zonder lichaam met een paar snelle bewegingen te vernietigen. Met haar armen vol draait ze zich naar hen om en kijkt hen aan.

'Bedankt voor jullie hulp', zegt ze. 'Nou ga ik het dek schoonmaken.'

Eerst weten Anders en Ulrika niet zo goed waar ze moeten blijven. Ze blijven in de gang naar Susanne staan kijken wanneer die de deur van de bezemkast opent, een emmer laat vollopen met water en een zwabber pakt. Susanne werpt hun een snelle blik toe wanneer ze weer uit de kast stapt en glimlacht wat.

'Het gaat nu wel weer', zegt ze. 'Het is allemaal in orde.'

Dat betekent dat ze wil dat zij weggaan en haar met rust laten, maar geen van beiden kan het over zijn hart verkrijgen dat te doen. Ze staan daar maar naar haar te kijken, met afhangende armen. Verderop in de gang beweegt echter wel iemand. Anders draait zich om en ziet Robert uit zijn hut komen. Hij houdt zijn gezonde hand op de deurklink en neemt hen op.

'Grote schoonmaak?'

Susanne werpt Anders een snelle blik toe, een blik waarin geen smeekbede in zit, maar wel een duidelijke boodschap. *Niets zeggen!* Dan draait ze zich om en glimlacht naar Robert.

'Inderdaad, daar is het tijd voor.'

Hij glimlacht terug. 'Wanneer je klaar bent met je eigen hut mag je die van mij wel doen ...'

Haar glimlach wordt nog breder. 'Ik denk niet dat jij je dat kunt veroorloven ...'

Hij schiet in de lach. 'Nee. Dat is waarschijnlijk zo. Een arme onderzoeker heeft niet zoveel middelen ter beschikking. Wij moeten zelf schoonmaken.'

Susanne gaat er niet op in, maar ze verroert zich ook niet; ze staat kaarsrecht met de steel van de zwabber in haar hand wat te glimlachen en ze wacht tot Robert is gepasseerd. Maar die is blijven staan; met een verwachtingsvolle glimlach staat hij naast hen. Er ontstaat een vreemde sfeer. Het is net of ze allemaal wachten, maar niemand van hen weet waarop. Uiteindelijk strekt Anders zijn hand uit. Hij raakt Roberts verband even aan. Dat is vuil geworden.

'Ik denk dat we dit even moeten controleren', zegt hij.

Robert trekt zijn wenkbrauwen op. 'Nu?'
Anders knikt. 'Ja.'
Hij geeft Susanne en Ulrika snel een knikje en loopt dan door, met zijn beweging Robert ertoe aanzettend hem voor te gaan. Hij drijft hem voor zich uit als een dier.

VERDOMME, DENKT SUSANNE terwijl ze met haar hele gewicht tegen de deur duwt om op het dek te komen. Verdomme nog aan toe.

Ze stapt over de hoge drempel en hoort hoe de wind begint te gieren, ze voelt hoe die haar haren pakt en aan de plukken rukt die niet netjes in de paardenstaart zitten, hoe die haar halfopen jas grijpt en het voorpand laat flapperen, hoe die zich een weg zoekt onder haar schone T-shirt en ijskoud over haar buik strijkt.

Godverdomme!

Maar vloeken helpt niet. Geen vloek ter wereld kan ongedaan maken wat er is gebeurd. Het feit dat Ulrika en Anders de vrouw zonder lichaam hebben gezien heeft haar hachelijke situatie duidelijk en werkelijk gemaakt, ook voor haarzelf. Nu kan ze zich niet langer verstoppen. Ze heeft zich blootgegeven. Ze staat te kijk. Volledig zichtbaar. Maar zo mag ze niet denken. Eigenlijk kan ze zichzelf niet toestaan om überhaupt te denken. Weg, dus.

Ze zet de zwabber en de emmer neer en trekt de ritssluiting van haar jas dicht. Ze haast zich om dit af te handelen, zodat dit hele verhaal als afgedaan kan worden beschouwd en kan worden vergeten. Ze pakt de zwabber weer, doopt die in de emmer en zet de vijf stappen naar het braaksel. Ze zwabbert, pakt de emmer, spoelt en zwabbert opnieuw en opnieuw. Ten slotte pakt ze de emmer op en loopt ermee naar de reling. Ze aarzelt even, maar tilt hem dan op en laat het vuile water over het binnenste lopen van het ijs dat net is opengebroken en naar de hemel toegekeerd ligt, en dat weldra, over slechts enkele seconden, weer in het zeewater zal worden geduwd, zal worden afgespoeld en schoongemaakt. Enkele bruine klonters blijven op het turkooizen oppervlak plakken, gelig water spoelt over al het ijskoude schone, en zij staat er als bevroren naar te staren en ziet hoe het bruine ijs rondwentelt en hoe het vuil, haar vuil, dat het gesloten systeem van de ijsbreker Wodan niet mag verlaten, langzaam in de duisternis onder het ijs wordt gevoerd. Dan is het voorbij. De vrouw zonder lichaam is weg. Het braaksel is weg. Het hele verhaal zou voorbij zijn, ware het niet dat Anders en Ulrika het hebben gezien …

Schande.

Nee. Dat niet. Absoluut niet. Zij hoeft zich immers nergens voor te schamen. Of wel? Zij heeft toch niets misdaan. Zij was alleen maar een beetje misselijk. Moest alleen maar een beetje overgeven, maar heeft zelf de rommel opgeruimd. En nu gaat ze haar vieze trui en wat ondergoed halen, en misschien ook een ondergekliederd kussensloop, een kussensloop met belachelijke kruisjes in plaats van ogen, en dat naar de wasserette brengen om een was of twee te draaien. En daarna gaat ze naar de eetzaal om te eten en naar de lezing van die dag te luisteren, ze gaat midden in de mess tussen de anderen zitten, ze zal net zo zijn als alle anderen, ze zal zichzelf omturnen in een glimlachende, vriendelijke en praatgrage buitenkant en haar binnenkant volkomen leeg en blanco maken. Dat is niet moeilijk. Dat heeft ze al honderden keren gedaan. Of duizenden.

De deur naar de gang gaat heel zwaar open, nog zwaarder dan anders, en terwijl ze daarmee bezig is, wordt ze opeens bang dat het opnieuw zal gebeuren, dat ze weer misselijk zal worden en opnieuw zal moeten overgeven. Dan haalt ze diep adem en ze neemt een besluit. Zo zal het niet gaan. Ditmaal niet. Nooit meer.

Terwijl ze met de emmer en zwabber door de gang sjouwt, moet ze een beetje lachen om haar eigen gedachte. Ergens diep in haar hoofd zit een almachtige eenjarige in een luiertje van celstof die er rotsvast van overtuigd is dat ze alles kan beslissen, een koppig wereldvorstje dat weigert de realiteit van het bestaan te accepteren. Als ze heeft besloten nooit meer te zullen overgeven, dan zal ze ook nooit meer overgeven, ongeacht wat de vijfjarige, de zestienjarige, de vijfendertigjarige en de vijftigjarige, die zich naast haar verdringen, te zeggen hebben over zeeziekte, buikgriep en – zij het met afgewend gezicht en tamelijk zachte stem – te veel drank. Ze mogen zeggen wat ze willen. Ze zal nooit meer overgeven.

Ze spoelt de zwabber heel goed uit terwijl ze haar jongere ikken aan een nauwkeurig onderzoek onderwerpt. De eenjarige is de enige die terugkijkt. Ze draagt een rood gebreid jurkje met een zijden strik onder haar kin en kijkt haar oudere ik met een serieuze blik aan terwijl de vijfjarige haar de rug al toekeert en net doet of ze bezig is met een pop, de zestienjarige zich afsluit in haar eigen verdriet, de vijfendertigjarige diep in de ogen van een man kijkt en de vijftigjarige net doet of ze volledig opgaat in het lezen van een boek. Susanne haalt haar neus voor hen op. Wat verbeelden ze zich wel? Alsof zij niet alles van hen weet, alsof zij de schaamte niet kent die de reden is dat zij hun blikken afwenden. Ze kunnen voor haar niets verbergen. Zij weet alles.

Niet waard om ...

Nee. Weg met Inez en haar schelle stem. Ze was destijds immers hysterisch. Ze wist niet wat ze zei. Bovendien heeft Susanne daar al voldoende op zitten herkauwen; dat is een platgetreden pad van zelfmedelijden dat ze waarachtig niet van plan is opnieuw te begaan. Ze zet de zwabber en de emmer op hun plaats en doet het licht in de bezemkast uit. Een tel later staat ze in de gang en sluit ze haar ogen. Wat moest ze ook weer doen? O ja. Wassen. Wat betekent dat ze weer terug moet naar haar hut om de vuile was op te halen. En, nee, ze is niet van plan aan haar angst toe te geven. Haar hand gaat weliswaar meteen naar haar broekzak en sluit zich om de stiletto, maar dat betekent niet dat ze zo bang is dat ze niet van plan is naar haar hut te gaan om haar was te halen. Nee, hoor. Een dreigement is één ding, en de vrouw zonder lichaam kun je absoluut als een dreigement beschouwen, maar een leren riem aanhalen om een fictieve hals is iets heel anders dan die rond haar eigen hals aanhalen. Bovendien is ze er helemaal klaar voor de stiletto te gebruiken, met of zonder lemmet. Als je hem in de ogen van een belager steekt, heb je geen lemmet nodig ...

Ze sluit haar ogen. Bij de les blijven. Fantasieën over geweld kan ze voor haar volgende boek bewaren.

Toch gaat er een rilling van angst door haar heen wanneer ze haar hand op de deurklink legt. Heel even moet ze denken aan wat er minder dan twee uur geleden gebeurd is, dat ze ontzettend veel zin had om aan het werk te gaan, dat de personages van haar nieuwe roman in haar hoofd begonnen te bewegen, dat Elsie haar opeens in de spiegel opnam en dat zij zich vervolgens omdraaide en de vrouw zonder lichaam in de gaten kreeg. Het bloed trok letterlijk uit haar weg, dat voelde ze gebeuren; elk bloedvat opende zich, alsof ze gaapten, en opeens had ze het gevoel dat ze viel, dat ze gewoon naar beneden viel, honderd meter, duizend meter, tienduizend meter, tot alles grijs en mistig werd. Meer kan ze zich niet herinneren. Ze weet niet hoe ze op het dek is gekomen. Ze weet niet meer dat ze moest overgeven. En ze heeft geen idee hoelang ze daar gezeten heeft voordat Ulrika langskwam ...

Wat maakt het uit. Hier en nu. De vuile was ophalen. Die in de wasmachine stoppen. Maar nu eerst: de deur opendoen.

En dat doet ze. Ze duwt de klink van haar hut naar beneden en doet de deur open.

Misschien zit er wel iets in, in die zeemansregel, denkt ze even later wanneer ze het wasgoed in de machine stopt. Misschien is het beter om de deur niet achter je op slot te draaien, maar die wijdopen te zetten en alleen het gordijn dicht te trekken wanneer je alleen wilt zijn. Zoals de zeelieden doen, maar de onderzoekers en de gasten niet. De zeelieden weten hoe belangrijk het is om iedereen te kunnen wekken als er brand op het schip zou uitbreken. Dan rent er een matroos door de gangen die op alle deuren bonkt en waarschuwend roept, is er verteld. Susanne ziet het voor zich; ze kan zich voorstellen hoe Ola door de gang stormt, hoe hij met een gebalde vuist op alle gesloten deuren bonkt en die opent, maar haar deur niet kan openen. Hij voelt alleen aan de klink en constateert dat de deur op slot zit, en dan rent hij verder. En zij draait zich in haar hut nog eens om in haar slaap en merkt niet hoe rook en gassen beginnen binnen te dringen ...

Drie minuten duurt het voordat je dood bent. Slechts drie minuten.

Maar aan de andere kant, denkt ze wanneer ze de wasserette verlaat en de deur achter zich dichtdoet, kan ze zich moeilijk voorstellen dat ze zou kunnen slapen in een hut met de deur wijdopen. Ze knippert een paar keer met haar ogen en probeert het zich voor te stellen, maar dat lukt niet. Het enige wat ze ziet, is dat ze roerloos in bed op haar geheime bezoeker ligt te wachten. En dan, op een vroege ochtend, net wanneer de grijze nacht overgaat in een even grijze dageraad, zou ze heel even haar ogen sluiten, en precies op dat moment zou er iemand door het gordijn naar binnen glippen. Een tel later zou zij wakker worden omdat hij een riem om haar keel deed, die hij zo stevig aanhaalde dat ...

Haar bewegingen stokken. Haar hand schiet omhoog naar haar keel, ze beschermt die tegen de aanval, en ze voelt hoe de wereld weer voor haar ogen begint te draaien. Maar ditmaal is ze daarop voorbereid, nu weet ze wat haar te wachten staat wanneer ze eraan toegeeft. Dus haast ze zich de trap op naar de brug in plaats van naar beneden naar de mess en de maaltijd te gaan. Als ze maar voorkomt dat haar bloeddruk verder zakt. Want ze is niet van plan opnieuw over te geven. Nooit van haar leven.

En het helpt. Wanneer ze zes verdiepingen hoger is, trekt er een zwarte schaduw langs haar ogen. Een tel later is die verdwenen. Dat is het teken. Haar bloeddruk is weer normaal. Dus opent ze de witte deur naar de brug niet, maar draait ze zich om. Ze begint de trappen af te rennen. Tijd om te gaan eten. En honger heeft ze. Haar maag is helemaal leeg.

Anders draait zich om en blijft even staan balanceren met zijn volgeladen dienblad, maar dan ziet hij haar rug. Ze zit aan een tafel helemaal achter in de mess met die John te praten of, beter gezegd, John zit met haar te praten, en zij zit zo druk te knikken dat een pluk haar over haar in het blauw gestoken rug heen en weer danst. Aan Johns rechterkant zit Sture zuur te kijken, eigenlijk nog zuurder dan anders, en naast Ulrika zit Jenny, die met de professor mee knikt. Maar de stoel links van haar is leeg. En alle andere tafels zitten vol. Of althans bijna vol. Het is gewoon logisch dat hij daar gaat zitten. Naast Ulrika.

Wanneer hij zijn stoel naar achteren trekt, knikt ze hem toe en ze glimlacht snel, maar niet meer dan dat. Ze richt haar blik weer op John, die doorpraat. Anders luistert maar met een half oor. De Vis? Welke vis?

Lars, de ornitholoog, komt er nu aan. Hij zet zijn muts af en propt die in zijn zak. Met een snelle beweging trekt hij zijn jack uit, maar dan herinnert hij zich kennelijk dat je geen jassen mag meenemen in de mess. Hij draait zich dan ook abrupt om en botst bijna tegen Susanne op, die net over de drempel stapt. Ze geeft een gil en ontwijkt hem, maar werpt hem tegelijkertijd een stralende glimlach toe, een witte, vreugdevolle glimlach, waarop Lars met een lachje reageert. Een tel later is haar glimlach uitgedoofd en ze werpt Anders een blik toe. Een volkomen lege blik. Ze kijkt hem aan zoals je een vreemdeling aankijkt, een tamelijk oninteressante vreemdeling bovendien, iemand die je nooit weer zult zien, en ze keert hem de rug toe om een dienblad te pakken.

Anders voelt zich gekwetst en wordt een beetje verlegen. Dat is natuurlijk belachelijk. Wat had hij dan verwacht? Dat ze aanbiddend naast hem zou lopen, alsof hij Androclus was en zij de eeuwig dankbare leeuwin?

'Of niet?' vraagt Ulrika even later en ze legt haar hand op zijn arm. 'Dat is toch zo?'

Hij draait zich om en kijkt haar aan.

'Sorry', zegt hij. 'Ik heb even gemist waar jullie het over hadden.'

'Ja', zegt Roland een poosje later en hij stopt zijn handen in zijn broekzakken terwijl hij zijn blik over het publiek laat gaan. Ze zitten helemaal achter in de mess bij elkaar, een stuk of vijftig mensen, iedereen die op dit moment niet in de machinekamer, de keuken of een laboratorium aan het werk is, en ze kijken beleefd verwachtingsvol naar hem op. Het is tijd voor de dagelijkse lezing. Een laatkomer schraapt met zijn stoel. Roland schraapt zijn keel en verheft zijn stem.

'Helaas is het zo dat Katrin, die vanavond de lezing zou verzorgen, problemen met haar stem heeft gekregen ...'

Katrin zit slechts twee stoelen van hem verwijderd en glimlacht onzeker wanneer Anders zich naar haar toe draait. Het is de aarzelende glimlach van iemand die schoolziek is, waar ze een gebaartje naar haar keel op laat volgen. Hij weet haar meteen gerust te stellen door haar zijn betrouwbare doktersglimlach te schenken. Hij zal zich niet opdringen. Als ze echt problemen met haar stem had en daar iets aan had willen doen, dan was ze wel naar hem toe gekomen, dat weet hij, maar als het zo is dat ze ondanks haar briljante wetenschappelijkheid zelfs dit kleine groepje collega's, zeelieden en wat loslopend volk niet durft toe te spreken, dan kan hij daar niets aan doen. Susanne zit naast haar, maar ze kijkt niet in zijn richting. Met haar handen om haar knie gevouwen zit ze enigszins voorovergebogen Roland vastberaden aan te kijken.

'Dus nu heeft Ulrika beloofd wat foto's te laten zien en te vertellen over een expeditie van een paar jaar geleden ...'

Anders recht zijn rug. Nu ziet hij eindelijk Ulrika, die achter Roland over haar laptop gebogen staat. Ze drukt op een paar toetsen en kijkt over haar schouder naar het filmdoek. Er verschijnt een foto: een diepblauwe duisternis met een paar grove pilaren op de voorgrond.

'Black smokers', zegt Ulrika. 'Of *Black chimneys.* De pilaarsteden van de zeebodem. Kies zelf maar.'

Het wordt heel stil in de mess. Ulrika laat een kunstmatige pauze vallen en kijkt met een snelle glimlach om zich heen. Haar stem is hoger dan anders.

'Ik heb er eentje van gezien. Dat is nu een paar jaar geleden, maar toch ... Ik zat met de Alvin, een Amerikaanse minionderzeeër, in de Stille Oceaan op een van die plekken waar de platen van de continenten elkaar raken. Het duurde maar zes uur, maar het waren zes uren die ...'

Ze zwijgt en laat haar blik over hen heen gaan. Ze kijkt hen aan alsof ze ieder afzonderlijk de maat neemt. Dan haalt ze diep adem en het lijkt of ze een besluit heeft genomen. Haar stem daalt naar zijn gebruikelijke toonhoogte en ze stopt haar handen in haar zakken om te onderstrepen hoe ontspannen ze is.

'Wetenschappelijk leverde het niet zoveel op, maar we hielden er wel een aantal tamelijk mooie foto's aan over. Ik dacht dat ik die vanavond wel kon laten zien nu er iemand uitgevallen is.'

En dan gaat ze over op haar gewone lezingentoon. Aanvankelijk glimlacht ze wat wanneer ze vertelt over de minionderzeeër.

'Het is aan boord zo krap dat je niet kunt bewegen, en van naar de wc gaan is geen sprake. Je zit continu in dezelfde houding, gewoonweg opgesloten op je plek, dus het is niets voor mensen met aanleg voor claustrofobie, maar wat je ziet wanneer je daar ligt, maakt alles goed. De werelden van de zeebodem zitten vol verrassingen. Het is fantastisch. Totaal uniek. Vooral de pilaarsteden. Hoewel de Zweedse benaming eigenlijk helemaal fout is, want het gaat niet om pilaren noch om steden. Het is geen verzonken Atlantis, ook al is het verleidelijk om in die richting te fantaseren. Het zijn gewoon heetwaterbronnen, buitengewoon mineraalrijke heetwaterbronnen. De pilaren zijn holle buizen die zijn opgebouwd uit de mineralen die met het hete water uit scheuren in het inwendige van de zeebodem mee omhoog zijn gevoerd. Maar dat maakt ze echt niet minder interessant. En vooral de gebieden waar veel zwavel zit, zijn interessant, omdat dit ertoe leidt dat er een kleed van zwavelbacteriën ontstaat' – ze laat een foto van iets wits en troebels zien – 'hetgeen er op zijn beurt weer toe leidt dat er andere organismen worden aangetrokken ...'

Anders' aandacht wordt getrokken door een beweging verderop in de rij. Susanne heeft haar rug gerecht en zit er kaarsrecht bij. Nu pakt ze de armleuningen van haar stoel en ze strekt zich uit. Het lijkt of ze wil opstaan om naar de foto's toe te lopen die op het filmdoek voorbijschieten. Ze ziet er net zo uit als anders, misschien zelfs wel een tikje netter dan anders, en er is niets wat erop duidt dat ze zich misschien bedreigd voelt. Integendeel. Ze maakt een tevreden, opgewekte en heel belangstellende indruk. Buitengewoon belangstellend, zou je zelfs kunnen denken, althans vergeleken met Katrin, die naast haar zit en die niet weet waar ze haar schuldbewuste blik moet richten en die af en toe haar keel schraapt. Vermoedelijk is dat geschraap bedoeld als alibi. Maar dat zal zijn vruchten afwerpen; dat weet hij. Als ze daar nog even mee doorgaat, zal ze behoorlijk hees zijn wanneer deze lezing afgelopen is.

Hij draait zich weer om en kijkt naar Ulrika. Ze gebruikt tijdens het praten een witte aanwijsstok, die ze nu eens in haar linker- en dan weer in haar rechterhand houdt.

'... en rond die grote pilaren is een heleboel leven aangetroffen, van zowel planten als dieren die zich zonder licht en fotosynthese kunnen redden. En daarom zouden de gebieden rond de grote heetwaterbronnen heel goed de plekken kunnen zijn waar ooit het leven is ontstaan. Maar dat weet men natuurlijk niet zeker. Het zou immers zo kunnen zijn dat het leven op een nog dieper niveau is ontstaan, dat er al leven bestond in het hete water dat in die gebieden uit de zeebodem omhoogspuit ...'

Anders wordt opeens overspoeld door een golf van rust die zijn lichaam zwaar maakt, een heel aangename zwaarte die hem met de wereld en de werkelijkheid verbindt. Ulrika bestaat. Hij heeft haar gevonden. Ze staat daar vooraan, onlangs benoemd als professor in de oceanografie, met bruine ogen en sproeten, flodderig gekleed in een zakkige broek en een versleten fleece trui, en ze staat te praten over het ontstaan van het leven. Zakelijk. Rustig. Wetenschappelijk.

Opeens realiseert hij zich dat hij de hele dag nog niet aan Eva heeft gedacht. Niet één keer.

Maar dat duurt niet lang meer. Wanneer hij later in zijn hut komt en de computer aanzet, heeft hij geen keus. Eva heeft vier mails gestuurd. Allemaal voorzien van uitroeptekentjes. Hij ziet haar keurig gemanicuurde wijsvinger boven het toetsenbord van de computer zweven. Daar zit het uitroepteken. *Tjoff!*

Hij begint met de vierde mail. Die als laatste werd verstuurd.

Lieve Anders. Sorry hoor, maar ik word nu toch best boos. Ik weet dat je best kunt reageren, want je hooggeëerde zus heeft zich namelijk verwaardigd te vertellen dat ze mail van je gehad heeft. Dus je hoeft niet net te doen of je niet bereikbaar bent. Ik weet dat je dit leest en ik moet zeggen dat ik dit het toppunt vind – ECHT HET TOPPUNT – dat je niet wilt reageren. Maar dat is typisch iets voor jou, echt typisch iets voor jou. Ja, ik ben ontrouw geweest! Ja, ik ben bij je weggegaan! Maar dat was gewoon helemaal je eigen schuld en dat weet je best! Ik had mijn redenen, dat weten de goden, en als die het niet weten, dan moet althans heel Landskrona weten wat een verrekt saaie kloothommel jij bent! Daar kun je op vertrouwen!!! Ik had gedacht – onnozel als ik ben – dat we na de scheiding tenminste nog een zinnige relatie zouden hebben, maar jij stomme KLOOTZAK laat het niet eens tot een scheiding komen, want jij moest natuurlijk zonodig weggaan en onvindbaar worden voordat de papieren ondertekend zijn. Jij bent niet de enige in de wereld die plannen heeft! Wij zouden naar Parijs gaan om daar in augustus te trouwen, maar daar heb jij een stokje voor gestoken door gewoon te verdwijnen! Godverdomme, zeg ik dan! Godverdomme!!! Eva

Anders zit met een schuin hoofd te lezen en pas wanneer hij daarmee klaar is, realiseert hij zich dat dit de houding is die hij altijd aanneemt wanneer Eva hem uitscheldt. Al vijfentwintig jaar staat hij met een schuin hoofd haar woede-uitbarstingen aan te horen.

Hij gaat met de cursor naar de derde mail, maar hij blijft

even roerloos zitten en opent die niet. Dan laat hij de cursor nog verder omhooggaan. *Delete. Delete. Delete.* Zo. Nu zijn ze weg. Alle drie. Nu zweeft haar woede ergens anders rond en die zal daar voor altijd blijven zweven, zonder ooit zijn doel te bereiken. Hij gaat nu haar vierde mail beantwoorden. Zonder zijn hoofd schuin te houden.

Even staart hij recht voor zich, maar dan begint hij te typen.

> Eva. Vervelend dat je uit je doen bent door het uitblijven van een reactie. Wat de scheiding betreft, heb ik geen bezwaren. Helaas heb ik er geen papieren over gezien en ik weet dus niet wat ik moet ondertekenen. Maar ik ben van plan zo snel mogelijk een mail te sturen naar Jonas Lindberg in Malmö, die jij je misschien wel herinnert. Hij heeft ons twintig jaar geleden een keer bezocht, maar ik geloof dat jij hem niet mocht. Maar omdat hij advocaat is en een oude vriend uit Lund, ben ik van plan hem de bevoegdheid te geven de hele zaak voor mij af te handelen. Anders

Een tel later drukt hij op de toets om de mail te versturen. Hij doet zijn ogen dicht en blijft weer even stil zitten. Hij probeert iets te voelen. Verdriet. Opluchting. Woede. Maar het is leeg van binnen. Hij voelt niets, behalve een stil verlangen om de hut te verlaten en het dek op te gaan om naar het ijs te kijken. Hij doet zijn ogen weer open en kijkt om zich heen.

Ik zie, denkt hij, maar hij geneert zich meteen voor zijn eigen gedachte. Natuurlijk ziet hij. Hij heeft immers altijd goede ogen gehad. Dan staat hij op en probeert er geen acht op te slaan dat hij zich ook lichter voelt. Veel lichter. Hij zet gewoon de computer uit en bevestigt die tussen de stoel en het bureau, er goed op lettend dat de rubberen band die de laptop op zijn plek moet houden werkelijk zit waar hij moet zitten. Vervolgens pakt hij zijn blauwe jack en loopt naar de deur.

Buiten aan dek waait het flink. En het miezert. Nadat Anders over de drempel is gestapt blijft hij meteen staan om zijn capuchon op te zetten. Daarna steekt hij zijn handen diep in zijn zakken. Ook al trekt hij zijn schouders op en duikt hij ineen, het helpt allemaal niet. De regen prikt met duizenden ijsnaaldjes in zijn wangen en de wind strijkt met een ijzige hand over het kuiltje van zijn keel. Het duurt echter niet lang of hij beseft dat het niet uitmaakt. Hij laat zijn schouders weer zakken. Nee. Het maakt echt geen zier uit. De regen en de kou, die op dit moment zijn rust zouden kunnen verstoren, bestaan niet. Kunnen gewoonweg niet bestaan.

Nu ben ik vrij, denkt hij. Eindelijk.

Toch observeert hij zijn eigen gedachte met enige aarzeling. Waarom is hij al die jaren bij haar gebleven als dit is wat hij eigenlijk wilde? Waarom zou hij bij haar zijn gebleven als zij niet was weggegaan? Want dat zou hij hebben gedaan. In een parallel universum, een van de miljoenen universums die volgens zijn eigen hoogst fantasierijke interpretatie van de multiversumtheorieën van de natuurkunde bij elke menselijke keuze ontstaan, is ze niet weggegaan. Daarin zitten ze samen op een terras in een Italiaans stadje vakantie te vieren. Eva is chagrijnig, omdat hij niet vrolijk is. En ze heeft gelijk. Hij is niet vrolijk, omdat hij nooit vrolijk is. En Eva is chagrijnig, omdat ze altijd chagrijnig is. Zo ziet hun leven eruit. Zo zag zijn leven er tot een maand geleden uit.

Hij schudt zijn hoofd en loopt naar de achtersteven, nog steeds met zijn handen in zijn zakken. Op slechts een paar meter van hem vandaan komen enorme, rondtollende grijsblauwe blokken omhoog. De ijsmolen van de Wodan dreunt en buldert. Het gedreun omsluit hem, groeit uit tot muren rond zijn gedachten. Hij steekt het achterdek over en loopt met gebogen hoofd naar beneden te staren om niet over een kabel of een staaldraad te struikelen, maar per ongeluk stoot hij met zijn schouder tegen een rode container. Hij haalt er zijn handen niet eens bij uit zijn zakken. Hij schudt alleen even zijn schouderbladen los en loopt door. En dan is hij er eindelijk. Dan staat hij op de open achterplecht van de Wodan te bestuderen wat er achter het schip ligt. Een paar meter open kielzog en daarachter een bevroren wal van gebroken ijs, die als een muur in het landschap ligt. Een muur die daar zal liggen tot de dag waarop de opwarming van de planeet zo ver is gevorderd dat het ijs louter nog een herinnering en een sprookje is …

IJs is wanorde die er geordend uitziet, denkt hij glimlachend. Dat heeft hij ergens gelezen. Want moleculair gezien is ijs oneindig veel beweeglijker dan water. Maar hier niet. Achter de Wodan ziet het gebroken ijs er inderdaad precies zo uit als de wanorde die het is.

Het kielzog is heel donker. Bijna zwart. De motregen die er hangt, is als een nevel, een nevel die nuances van grijs en wit draagt. Dat zijn Eva's kleuren. De kleuren van de oorspronkelijke Eva, de kleuren die haar omringden toen hij haar voor het eerst zag. Heel even is hij weer een jongeman, een senior co-assistent die met zijn zes maanden in de psychiatrische kliniek bezig is. Een arts in opleiding die bijna klaar is, maar nog niet zoveel heeft gezien en nog niets begrijpt, en die daarom in volle ernst overweegt zich in de psychiatrie te specialiseren. Hij staat in een deuropening van het Sankt Mikael, de grote psychiatrische kliniek ten zuiden van Stockholm die er al meer dan zeventig jaar is, maar nog maar veertien jaar zal bestaan, en kijkt een grijs met witte kamer in. Er ligt een patiënte met haar ogen dicht. Slaapt ze? Ja, daar is hij van overtuigd, ook al zal hij zich later in zijn leven, telkens opnieuw, afvragen of zijn eerste observatie wel klopte. Op dat moment is hij er echter van overtuigd dat ze slaapt. Ze ligt op haar rug, met de mouw van haar ziekenhuispyjama opgetrokken zodat haar linkerarm ontbloot is. Die arm beschrijft een witte curve op de grijze deken van het bed en de huid is zo dun dat hij op een paar meter afstand de blauwe lijnen van de bloedvaten al meent te kunnen zien. Ze heeft heel blond, keurig gekamd haar, dat een enigszins gouden tint heeft. Haar wangen zijn wit en worden een beetje overschaduwd door lange donkere wimpers, en haar lippen – die half geopende lippen – zijn zo bleekroze dat het lijkt alsof ze eigenlijk helemaal geen kleur hebben.

Een sprookjesprinses, denkt hij, maar een tel later geeft hij zichzelf in gedachten een por. Wat is dat voor onzin? Hij is daar namelijk als haar nieuwe arts, hij mag noch wil noch kan haar beschouwen als iets anders dan een patiënt. Een patiënt die hier bovendien door de politie naartoe is gebracht, door twee bleke politiemannen die er volkomen van overtuigd waren dat ze krankzinnig was. Ze had immers gevochten. Ze was een meisje, een volkomen normaal meisje met een normaal postuur, dat niettemin twee avonden geleden was opgepakt toen ze een Engelse popster te lijf ging. Hij lag met twee gebroken vingers, een kleine ribbreuk en een behoorlijk gehavend gevoel van eigenwaarde in ziekenhuis Karolinska. Op de afdeling werd al over haar geroddeld; enkele van de jongere verpleegsters hadden gefluisterd dat ze haar herkenden, dat zij degene was die een paar jaar geleden verkering had gehad met Björn Hallgren. Destijds. Toen. Ten tijde van de gebeurtenis. Hij moest hun een waarschuwing geven. Hij had zijn keel geschraapt, getracht autoritair te klinken en zijn handen in de zakken van zijn witte jas gestoken. Je roddelt niet over patiënten, vooral niet in een psychiatrische kliniek. En nu stond hij in diezelfde witte jas voor haar en probeerde voor zichzelf net zo autoritair te klinken. Het is zijn taak om niet sentimenteel te worden. Het is zijn taak om een definitieve diagnose te stellen en de juiste behandeling te bepalen. Een geheime fantasie over groot succes schiet zo snel door zijn hoofd dat hij geen tijd heeft om er acht op te slaan; pas later, vele jaren later, zal hij eraan terugdenken. Dus schraapt hij liever even zijn keel. Dus klopt hij even op de deurpost. Dus stapt hij ten slotte haar eenpersoonskamer binnen, met wat naar hij hoopt een vriendelijke, vertrouwenwekkende doktersglimlach is.

'Juffrouw Salomonsson', zegt hij met zachte stem, maar hij voelt zich een beetje belachelijk. 'Juffrouw' is niet een woord dat zijn generatie pleegt te gebruiken, maar geneesheer-directeur Sandström is op dit punt zeer resoluut. In deze kliniek worden patiënten door niemand getutoyeerd.

Eva slaat haar ogen op en kijkt hem aan. Haar ogen zijn vochtig.

'Dokter', zegt ze met zwakke stem. 'Help me!'

Vijfendertig jaar later staat hij op het achterdek van de ijsbreker Wodan en hij sluit zijn ogen bij de herinnering. Wat dacht hij destijds? Dacht hij überhaupt iets? Ergens moet hij zich toch bewust zijn geweest van wat er gebeurde, dat weet hij, dat kan hij voor zichzelf niet langer ontkennen. Maar hij herinnert zich ook dat er een rilling van verrukking door hem heen ging toen hij het liet gebeuren. Hij begon steeds vaker naar haar kamer te gaan, zocht daar een aanleiding toe, ook als die er niet was. Na een paar dagen ging hij in haar bezoekersstoel zitten, en na nog een paar dagen begon hij in het diepste geheim aan een gesprekstherapie, een informele gesprekstherapie, hield hij zichzelf voor, want hij was immers niet opgeleid als psychotherapeut.

'Ik ben niet gek', zei Eva, tijdens een van de eerste keren dat hij aan haar bed zat. 'Je moet me geloven. Ik ben niet gek.'

'Dat weet ik', antwoordde hij. 'Maar je bent broos.'

Dat vond ze een fijn woord, dat was duidelijk; ze zuchtte er even bij en zakte dieper weg in haar kussen.

'Ja. Broos.'

'En wat er gebeurd is ...'

Tranen welden op en ze begon met haar ogen te knipperen zodat ze over haar bleke wangen liepen. Verrukt merkte Anders op dat ze kon huilen zonder te snotteren en lelijke grimassen te trekken, maar die gedachte verdrong hij snel. Half fluisterend zei Eva: 'Ik wil er niet over praten ...'

Hij deed er even het zwijgen toe.

'Maar dat moet je misschien wel. Vroeg of laat.'

Ze tastte naar zijn hand, maar die kneep hij snel dicht in een laatste poging zich af te schermen. Toch kon hij de rilling die door zijn lichaam ging niet tegenhouden. *Willen*, dacht hij, maar zonder te durven formuleren wat hij wilde. Een tel later ontspande hij zijn hand weer. Hij had zijn handpalm geopend en zag hoe haar bleke hand zich in die van hem vlijde.

'Nog niet', zei ze zacht. 'In de toekomst. Maar nu nog niet.'

Daarna tilde ze snel zijn hand op en streek er langzaam mee over haar lippen.

En daarna gebeurde het. Een kus. Hij had verlof, een vrije avond. Een etentje in het Stadshotel in een stad twintig kilometer verderop en daarna een tweepersoonskamer. Hemelse gelukzaligheid. Gevolgd door dat andere. Wat moest gebeuren.

'Blijf even zitten', zei geneesheer-directeur Sandström een paar maanden later na een artsenoverleg. Anders, die juist wilde opstaan, liet de armleuningen van zijn stoel los en liet zich terugzakken, maar zijn blik bleef haken aan de drie artsen die op weg waren naar de deur, en hij kon zich niet van hen losmaken. Een van hen, een vrouw van in de veertig, draaide zich om en schudde steels haar hoofd. Het was een lichte beweging, heel zacht en discreet, maar toch voldoende om hem een rilling over zijn ruggengraat te bezorgen. Hij rechtte zijn rug en richtte zijn blik op geneesheer-directeur Sandström.

'Ja?'

Sandström bestudeerde hem over de rand van zijn bril heen en deed er even het zwijgen toe.

'Dus de jonge dokter Jansson stelt zich een toekomst in de psychiatrie voor?'

Anders slikte. 'Neem me niet kwalijk?'

Sandström leunde naar voren en tikte met zijn wijsvinger op de vergadertafel. 'Ik vraag of de jonge dokter Jansson zich een toekomst in de psychiatrie voorstelt?'

Anders schraapte zijn keel en probeerde zijn stem te vinden: 'Ja, inderdaad, maar ik moet natuurlijk nog ...'

'... wat senior co-schappen lopen. Inderdaad. Dat weet ik. En dat is misschien maar een geluk ook.'

'Neem me niet kwalijk?'

'Sorry, maar hebt u slechte oren, dokter Jansson? Ik zei dat dat misschien maar een geluk is ook.'

Anders haalde diep adem, alsof hij antwoord wilde geven. Er kwam echter geen antwoord. Hij wist niet wat hij moest zeggen en probeerde niet met zijn ogen heen en weer te schieten.

'Huisartsengeneeskunde is misschien wel wat', zei Sandström. 'Of chirurgie. Misschien zelfs orthopedie. Als het maar op simpele kennis is gestoeld. Op mechanismen. Montagewerk.'

Sandström stond op en begon zijn papieren bij elkaar te rapen. Anders zat nog steeds roerloos naar hem te kijken.

'Ik ben me er natuurlijk van bewust dat de psychiatrie niet zo'n hoge status heeft onder jonge artsen', vervolgde Sandström. 'Maar ik weet natuurlijk ook dat het een specialisme is dat niet alleen mechanische kennis vereist. Het vereist ook intelligentie. Een behoorlijk scherpe intelligentie.'

Er kwam een geluidje uit Anders' keel, maar Sandström stak zijn hand op en legde hem het zwijgen op.

'Ik weet zeker dat de jonge dokter een ander specialisme vindt. En vanaf nu is juffrouw Salomonsson mijn patiënte. Persoonlijk ben ik van mening dat dokter Jansson zijn studieboeken in de psychiatrie weer tevoorschijn moet halen en zich in het bijzonder moet wijden aan de hoofdstukken over theatrale persoonlijkheidstypes.'

Hij zeilde door de kamer en terwijl hij zijn hand op de deurklink legde, draaide hij zich glimlachend om. 'Of gewoonweg de hoofdstukken die gaan over emotioneel instabiele persoonlijkheden. Goedemiddag.'

Hij deed de deur open en verdween.

Anders opent zijn ogen en schudt zijn schouderbladen los. Hij werpt een laatste blik op het kielzog en het ijs, en draait zich dan om en loopt door naar de voorplecht. Hij moet naar binnen. Bij de herinnering aan dat moment heeft hij nooit rustig kunnen stilstaan. Hij heeft zichzelf zelfs nooit toegestaan om er goed over na te denken, hoewel het hem glashelder voor de geest staat, hoewel hij zich er elk detail nog steeds duidelijk van herinnert. Sandström droeg een lelijke das onder zijn witte jas, een grijze jarenveertigdas met wijnrode strepen, waarvan de knoop een beetje scheef zat. Een pluk van zijn achterovergekamde haar viel telkens weer op zijn voorhoofd, hoewel hij die even vaak met zijn rechterhand weer naar achteren streek. Zelf hield hij een hoornen vulpen in zijn rechterhand, een geweldig mooie Parkerpen die hij voor zijn eindexamen had gekregen en die op de een of andere mysterieuze wijze precies op dat moment verdween en die hij later nooit meer terug kon vinden, hoewel hij een paar keer naar die vergaderkamer terugging om te zoeken. Zijn studieboeken in de psychiatrie haalde hij echter nooit meer tevoorschijn. Integendeel, hij leerde zichzelf aan om wanneer de psychiatrie ter sprake kwam een spottende glimlach te onderdrukken, maar toch ook te laten doorschemeren. Hij was toch geen dokter geworden om voor een stel gekken te zorgen? Hij was dokter geworden omdat hij zieke mensen wilde genezen. En daarom, zo hield hij zichzelf na verloop van tijd voor, had hij voor de huisartsengeneeskunde gekozen. Dat paste bij hem, zei hij tegen andere jonge artsen. Een breed specialisme. En een gebied waarvoor in de toekomst grote bedragen voor onderzoek zouden worden uitgetrokken, daar was hij van overtuigd, en misschien zou hij ...

Onintelligent!

Het woord treft hem als een oorvijg, en hij wordt er zo hard door geraakt dat hij even moet blijven staan om op adem te komen. Dat was wat Sandström bedoelde. Dat hij dom was. Onnozel. En hoewel Anders die gedachte nooit van zijn leven, in al die jaren die sindsdien zijn verstreken nog geen milliseconde, zo bewust tot zich liet doordringen dat ze zijn rust kon verstoren, had hij zich laten overtuigen. Binnen een mum van tijd lag heel het beeld dat hij van zichzelf had in gruzelementen: hij was niet langer de beste van de klas, geen getalenteerde student, geen jonge arts met wetenschappelijke ambities. Hij was hoogstens een hardwerkende doorsnee student die met pure vlijt door zijn artsenopleiding wist te komen. Daarom schoof hij al zijn ambities aan de kant. Daarom kwam hij in het gezondheidscentrum in Landskrona terecht. En daarom is hij daar gebleven. Al die jaren.

Op de trap op weg naar het voordek blijft hij staan om de leuning te pakken; hij houdt die zo stevig vast dat zijn knokkels wit worden en hij haalt nog dieper adem. *Eva!* Is er iets in zijn leven dat niet haar schuld is? Hun leven samen gaat door zijn hoofd; hij ziet haar lachen, hij ziet haar met haar hoofd op de keukentafel huilen. Hij ziet haar in woede een vaas naar zijn hoofd gooien; het is een zware vaas, die hij van zijn moeder heeft geërfd en er staan ook nog bloemen in, tien uitgebloeide tulpen, waarvan de rode kroonbladeren van de stelen loslaten en een milliseconde een muur tussen hen scheppen. Hij werpt zich opzij en redt daarmee zichzelf en haar, en hij ziet, uiteindelijk, haar bleke gezicht en donkere ogen wanneer ze zich naar hem toe wendt en hem minachtend opneemt. En tegelijkertijd weet hij, ook al wilde hij dat destijds niet voor zichzelf toegeven, dat dit een minachting was die hij deelde.

De wind grijpt zijn capuchon, blaast die van zijn hoofd, en de ijskoude regen schrijnt op zijn kale schedel, doet hem even in elkaar duiken. Daarna wordt hij erdoor gewekt. Getroost. Kinderen hebben ze nooit gekregen. En nu pas, nu hij op het dek van de ijsbreker Wodan staat, kan hij voor zichzelf toegeven dat dit niet alleen verdrietig was. Het was ook een opluchting. Want wat zou iemand als Eva met een klein kind hebben gedaan? En hoe zou hij dat hebben kunnen voorkomen? Hij is immers nooit in staat geweest haar tegen te houden. Hij wist gewoon niet hoe dat moest. Hij was zeker niet intelligent genoeg.

Hij recht zijn rug en knippert met zijn ogen. Kijkt om zich heen en loopt dan de trap op. Misschien was minachting het enige waardoor ze bij elkaar bleven, haar minachting voor hem en zijn minachting voor haar. Op het voordek blijft hij een ogenblik staan om zijn capuchon weer op te zetten. Hij laat zijn hand naar de achterzak van zijn spijkerbroek gaan en haalt zijn portemonnee tevoorschijn. Hij doet hem open en pakt de oude foto in het plastic mapje, de foto van een jonge Eva, blond en glimlachend. Terwijl hij verder loopt, wurmt hij de foto uit het plastic. Hij kijkt er niet naar, maar richt zijn blik op het laboratorium.

Ulrika. Misschien zou ze ...

Op hetzelfde moment gaat de deur open en daar staat ze, met bruine ogen, sproeten en een glimlach.

'Hoi', zegt ze. 'Heb je zin om binnen te komen?'

DE NACHT VALT over de Noordelijke IJszee. Een nacht die begint met regen, nevel en wind. De wereld is grijs. Grijze wolken hangen laag aan de hemel. Een glimp van grijsbruine eilanden aan de horizon. Grijsblauw ijs wordt opengebroken en vormt een muur rond het schip. Maar op het dek van de Wodan valt een foto waarvan de kleuren aangenaam verbleekt zijn. Een pastelkleurig jong meisje glimlacht naar de camera. Haar wangen zijn een tikje te licht en haar lippen glinsteren zalmroze, maar haar ogen zijn nog steeds donker en haar blik is intens.

De regen kleeft de foto aan het dek vast. Iemand zet er een zware voetstap op, alsof hij hem nog steviger wil vastplakken. Daarna ligt hij daar urenlang en het meisje glimlacht de hele tijd naar de hemel, ze glimlacht zo dat de regen opdroogt, glimlacht zo dat de wind gaat liggen, glimlacht zo dat de wolken uiteendrijven en de grijze nacht midden in de zomer in een stralende winterdag verandert, glimlacht zo dat ...

Iemand loopt over het dek. Blijft staan om de foto even te bekijken, kijkt dan om zich heen om te zien of er iemand anders in de buurt is die misschien iets weet, maar ziet niemand en buigt zich voorover om de foto op te pakken. Strijkt met een want over het vochtige oppervlak en neemt de foto daarna mee naar binnen. Trekt de wanten uit en loopt naar de centrale hal, Odenplan genaamd, waar iedereen doorheen moet om in de mess te komen. Bevestigt vervolgens de vochtige foto op het magneetbord en schrijf er met een rode viltstift onder: WIE HEEFT DEZE VERLOREN?

HET IS NIET waar.

Susanne staat doodstil bij het magneetbord naar de foto te staren. Die herkent ze. Ze heeft die foto zelf genomen, heel lang geleden heeft ze die genomen, maar destijds stonden er twee personen op de foto. Björn is nu bijna helemaal verdwenen; iemand heeft hem weggeknipt, en het enige wat je nog ziet is zijn hand op Eva's schouder. Eva was gek op die foto, ze was er zo gek op dat ze vroeg of ze hem mocht houden, en Susanne glimlachte, want het was nog in de tijd waarin ze naar Eva lachte, en ze gaf haar het enige exemplaar.

En dat hangt nu op het mededelingenbord van de Wodan. Het kan niet waar zijn. Het is gewoon onmogelijk.

Vanuit de mess komt een geur van versgezette koffie en versgebakken brood, en heel even staat ze in de verleiding, maar dan beseft ze dat het onmogelijk is. Ze kan hier niet uit de hal weggaan voordat ze het antwoord weet op de vraag onder de foto, daar met grote letters opgeschreven ...

WIE HEEFT DEZE VERLOREN?

Ze laat zich op een van de aan de muur bevestigde banken zakken en blijft daar kaarsrecht en met haar handen om haar knie gevouwen voor zich uit zitten staren tot ze voetstappen op de trap hoort en iemand die begint te giechelen. Ze verandert meteen van houding, pakt een blaadje van het mededelingenbord en slaat haar benen over elkaar. Ze doet alsof ze leest, tilt alleen haar hoofd iets op en glimlacht een beetje wanneer ze Ola en Jenny ziet verschijnen. Ze laten elkaars hand los en glimlachen terug, kennelijk een beetje gegeneerd, maar niet zodanig dat ze niet al weer naar elkaar grijpen wanneer ze in de gang naar de mess zijn verdwenen.

Een tel later komt Katrin eraan. Zolang ze denkt dat ze alleen is, kijkt ze ongelukkig; ze laat lusteloos haar hoofd hangen en loopt gebogen. Het is alsof iemand een onzichtbaar juk op haar schouders heeft gelegd. Wanneer ze Susanne in de gaten krijgt, recht ze echter glimlachend haar rug. Susanne kijkt op van haar papier – het betreft kennelijk een soort enquête die de Nationale Scheepvaartraad wil houden – en glimlacht terug. Katrin maakt een gebaar naar haar keel en haalt haar schouders op. Susanne snapt niet wat ze bedoelt, maar blijft toch maar glimlachen.

Zure Sture is de volgende die eraan komt. Hij knikt slechts kort en gaat wijdbeens midden in de hal naar de monitoren staan kijken die aan de korte muur hangen. Blijkbaar controleert hij of het weerbericht wel klopt. Daarna mompelt hij iets onverstaanbaars en verdwijnt naar de mess. Vervolgens blijft het meer dan een minuut stil, zo stil en rustig dat Susanne het gevoel heeft dat de wereld is opgehouden te bestaan. Maar dan slaat er ergens een deur en klinken er allerlei stemmen, zowel mannelijke als vrouwelijke. Voetstappen trippelen de trap af en er verschijnt een hele kudde: Bernard en Eduardo, een paar vrouwelijke Amerikaanse onderzoekers en Robert, met een blinkend wit verband om zijn gewonde hand. Ze lachen en praten zo druk dat ze nauwelijks tijd hebben om haar te groeten. Bernard steekt slechts zijn hand op wanneer ze passeren en hij gaat naast een van de Amerikaanse vrouwen lopen, tegen wie hij iets zegt. Waarschijnlijk maakt hij een grapje, want ze begint te lachen, en Robert werpt Bernard een venijnige blik toe, waarna hij glimlacht en iets zegt waardoor de vrouw nog harder moet lachen.

'Zit je hier?'

Susanne kijkt opzij. John staat vlak naast haar. Hij glimlacht, maar niet breed genoeg om te verbergen dat hij er ook heel moe uitziet. Hij heeft kringen onder zijn ogen. Zij probeert zijn glimlach te beantwoorden.

'Inderdaad.'

'Heb je al ontbeten?'

'Nee. Nog niet.'

Hij stopt zijn handen in zijn broekzakken en maakt een beweging met zijn bovenlichaam, alsof hij met zijn schouders probeert te wijzen.

'Ga je mee dan?'

Susanne schudt zachtjes haar hoofd en hangt de enquête van de Nationale Scheepvaartraad weer aan de muur. Vervolgens pakt ze de dagelijkse samenvatting van het nieuws van het Zweeds persbureau.

'Zo meteen ...'

Ze probeert te lezen, maar dat lukt niet. John blijft even voor haar staan, van zijn ene been op het andere wippend, maar dan recht hij opeens zijn rug en loopt weg. Susanne kijkt hem na en opent haar mond alsof ze zijn naam wil roepen, maar doet hem weer dicht. Waarom zou ze zijn naam roepen?

Terwijl ze het nieuwsbulletin leest, bereiken haar vanuit de mess allerlei geluidjes: gerinkel van aardewerk en bestek, een lach, een zacht gebruis dat het geluid vormt van de stemmen van vele mensen die elkaar goedemorgen wensen, en heel even meent Susanne dat ze hen allemaal kan zien, dat ze in elk oog zit om hen te bestuderen. Ze knippert echter met haar ogen en dwingt zichzelf terug naar de plek waar ze echt is. Bij het mededelingenbord. Wachtend. Zonder eigenlijk te weten waarop ze wacht. Ze probeert zich op het nieuws te concentreren, maar de eerste kop – 42 DODEN BIJ NIEUWE BOMAANSLAG – vormt louter woorden en het lukt haar niet die in een context te plaatsen.

Iemand heeft naast de foto van Eva een satellietfoto opgehangen, een foto die hun route aangeeft. Het schip zie je niet, daar is het te klein voor, maar zijn spoor in het ijs vormt een dunne zwarte lijn door het witte oppervlak. Onder de foto heeft iemand met dezelfde rode viltstift een triomfantelijke uitroep geschreven: WIJ ZIJN VANUIT DE RUIMTE ZICHTBAAR! Even verheft Susannes geest zich en ze zweeft daarboven naast de satelliet. Ze kijkt neer op de witte kalot van de planeet en de zwarte lijn, laat daarna haar blik verder glijden naar de grote duisternis boven haar, een oneindig niets met kleine stralende puntjes van iets, en ze hoort zichzelf zuchten. Voordat ze het heeft kunnen voorkomen, gaat de bekende gedachte door haar hoofd, die gedachte waarin ze zoveel tijd en energie steekt om haar te onderdrukken: waarom is de hemel leeg?

Ze rekt zich uit en maakt een beweging met haar bovenlichaam, maar terwijl ze dat doet, observeert ze zichzelf en ze schaamt zich. Jawel. Ze weet het. *Waarom is de hemel leeg?* is niet alleen een oprechte vraag, eentje die ze altijd met zich meedraagt. Het was ook de titel van haar eerste boek. Een poëziebundel die werd uitgegeven toen ze nog op de universiteit zat, een dun bundeltje dat slechts in één culturele bijlage werd besproken, maar met zo'n geamuseerde minachting dat ze niet alleen besloot om nooit, echt nooit meer een woord te schrijven, maar ook om met haar studie te stoppen en een baan te nemen als schoonmaakster in het Öresundhotel in Landskrona. Dat was een langverwachte ballingschap, zo vol zat ze met onverwerkt verdriet en verse schaamte, een ballingschap die meer dan een jaar duurde, een innerlijke ballingschap, omdat ze alleen maar heen en weer pendelde tussen het hotel en de halflege tweekamerflat in de wijk Koppargården die ze had gehuurd toen de gemeente de huren verlaagde in een wanhopige poging de financiën van de gemeentelijke woningstichting te redden, een ballingschap waar pas een einde aan kwam op de dag dat ze Elsie onderweg van haar werk naar huis passeerde zonder te groeten.

Ze had de tweelingzus van haar eigen moeder niet herkend. Ze had zich niet eens omgedraaid toen haar tante haar naam riep. Ze had alleen even haar schouderbladen losgeschud en zich uit haar tantes greep om haar arm bevrijd. Ze had hulp nodig. En die kreeg ze. Elsie betaalde de therapie. Inez en Birger kwamen het nooit te weten ...

Er loopt iemand op de trap, iemand loopt met lichte stappen wat in zichzelf te neuriën, een vrolijke, opgeruimde en gelukkige persoon, die de drie treden naar de hal heel snel neemt, alsof hij rent. Het is de dokter. Anders. Terwijl hij aan zijn manchetten trekt zodat er een wit randje van zijn overhemd onder de blauwe wol van zijn trui uitsteekt, glimlacht hij naar Susanne. Hij ziet er zo fris en fruitig uit dat hij zo weggelopen zou kunnen zijn uit een wasmiddelreclame, en zijn glimlach is zo gelukkig dat het haar verbijstert.

'Heb je de loterij gewonnen?'

Die vraag floept er zo snel uit dat ze er zelf door wordt verrast, maar hij lijkt het niet verkeerd op te vatten. Hij blijft gewoon staan en zijn glimlach wordt nog breder.

'Nou, zeg. Heb jij soms een niet getrokken?'

Ze schiet in de lach.

'Geen idee. Ik wist niet eens dat er een trekking was.'

Hij strijkt met zijn ene hand over zijn kale schedel en een geur van zeep slaat haar tegemoet.

'Ja, je weet het nooit ... Misschien komen er wel meer trekkingen. Mogen we hopen.'

Susanne komt half overeind om het nieuwsbulletin weer op het mededelingenbord te hangen. Anders volgt haar beweging met zijn blik.

'Is dat de pseudokrant van vandaag?'

Susannes beweging stokt en ze overhandigt hem het witte vel. Hij werpt haar een snelle blik toe voordat hij het aanneemt en terwijl hij zich op de tekst richt, zegt hij op een geforceerd normale toon: 'Geen gekkigheden in je hut vannacht?'

Susanne laat zich op de bank terugzakken en schudt haar hoofd.

'Nee.'

Hij kan zich blijkbaar ook niet goed op het nieuws concentreren, want hij neust het slechts oppervlakkig door. Zijn hand gaat in de richting van het mededelingenbord om een magneet te pakken, maar dan stokken zijn bewegingen. Susanne volgt zijn blik. Eva. WIE HEEFT DEZE VERLOREN?

Anders strekt zijn hand uit en haalt de magneet weg. Opeens is hij niet meer zo knisperend ochtendfris, en hij kijkt ook niet meer alsof hij de loterij heeft gewonnen. Hij wordt een beetje bleek. Er glinstert een dun laagje vocht op zijn voorhoofd. Hij haalt de foto weg, maar kijkt er niet naar. Hij vouwt hem alleen dubbel en scheurt hem in vier stukken. Vervolgens wist hij de rode tekst uit. Dan draait hij zich om. Hij kijkt Susanne aan. Zij is opgestaan.

'Hoe ken jij Eva?' vraagt ze.

HET LICHT EN DE DUISTERNIS VAN DE LENTE

Inez sloeg haar ogen op. De zon zocht zich een weg door de half geopende jaloezieën en tekende strepen op het rode oppervlak van de gewatteerde deken, tamelijk smalle lichte strepen met scherpe kanten. Ze lag ze op haar zij een poosje stil te bestuderen terwijl ze haar best deed in hetzelfde ritme te ademen als Birger. Hij sliep achter haar. Het was een lichte slaap, die je louter door een beweging of door even je keel te schrapen gemakkelijk kon verstoren, maar Inez verroerde zich niet en schraapte ook haar keel niet. Ze wilde dat hij bleef slapen, ze wilde dit moment voor zichzelf.

Hoe laat was het? Nog niet eens zes uur. Ze lichtte de deken iets op en rekte zich voorzichtig uit.

Birger mompelde iets in zijn slaap; het klonk alsof hij aan het discussiëren was, maar ze kon niet goed verstaan wat hij zei. Opeens slaakte hij een zucht en begon te kermen. Inez glimlachte in stilte. Wat een geluk dat Birger nooit droomde ...

Het gekerm werd luider en ging over in gejammer, een schel geluid dat als zij dat niet verhinderde weldra zou overgaan in huilen of wakker worden, dus draaide ze zich om en gaf ze hem een zachte por tegen zijn schouder. Dat was voldoende. De nachtmerrie liet hem los en hij draaide zich om. Hij slikte en smakte een paar keer en viel daarna zo diep in slaap dat ze hem niet eens meer kon horen ademen. Beter zo.

Vandaag was het 30 april, Valborgsmässoafton, het lentefeest, dus had ze een halve dag vrij. Slechts de helft van het normale aantal tienerchagrijnen zou onderwijs krijgen in de kunst van het schoonmaken, van het wassen en van hoe een vent de mond te snoeren met voedsel. Inez glimlachte naar het plafond en rekte zich opnieuw uit. Nog maar ruim een maand te gaan dit semester. Haar absoluut laatste maand als kooklerares. Wanneer ze over een paar jaar op school terugkeerde, zou ze docente Zweeds en Engels zijn. Of lector. Hoewel ze dat van dat lectorschap niet hardop durfde te zeggen. Dan bestond het risico dat Birgers samenwerkingszin zou veranderen in concurrentiezin en zij had bepaald geen trek om zich daaraan bloot te stellen. Nog niet althans. Eerst moest ze over andere dingen de strijd aanbinden.

Eén van haar conflicten had ze echter al uitgevochten en gewonnen. Vorige week zaterdag was Elsie eindelijk naar haar nieuwe flat verhuisd. Nu was ze de buurvrouw van haar moeder in plaats van de kostganger van haar zus. Vier maanden tevoren had ze zich met al haar tegenzin en aarzeling vastgebeten in de kamer op zolder. Twee maanden had ze gewacht tot de renovatie van de nieuwe flat voltooid zou zijn, en nog weer twee maanden had ze rondgeslenterd en zich druk gemaakt over alles wat ze geacht werd aan te schaffen om daar te kunnen wonen. Een kaasschaaf en een bank, een spiegel en een douchegordijn, een keukentafel en pannen … Om nog maar te zwijgen over gordijnen. Inez slaakte een diepe zucht, zo diep dat er even een hapering in Birgers slaap optrad, en ze bleef even roerloos liggen wachten tot hij weer in zijn niet-bestaande dromen zou verzinken.

Misschien dat de gordijnen Elsie uiteindelijk in beweging hadden gekregen, en het feit dat Inez die ten slotte uit pure wanhoop zelf had genaaid en opgehangen. Elsie had ernaast gestaan en bijna continu bezwaren gemaakt, maar Inez was steeds bitser geworden en ten langen leste leek Elsie te begrijpen dat Inez haar echt het huis uit wilde hebben. Uiteindelijk had ze toen dat bed gekocht en was ze verhuisd. Zonder een leegte achter te laten.

Hoewel het misschien onrechtvaardig was om zo te denken. Elsie had immers ongemerkt een deel van Inez' taken overgenomen. Opeens hing alle kleding gewoon gewassen en gestreken in de kast, was er in alle hoeken van het huis gestofzuigd en stonden alle meubels er glimmend en afgestoft bij. En de weinige keren, om precies te zijn drie, dat Björn thuis was geweest, had ze er wel voor uitgekeken om hem niet voor zichzelf alleen op te eisen. Ze zagen elkaar tijdens de maaltijden, niet meer en niet minder. Net als Inez. Zij zag Björn ook tijdens de maaltijden. Nooit in een andere context. Geen enkele keer had hij …

Nee. Daar nu niet aan denken. Of aan het feit dat Susanne die dag met Björn in de bus mee mocht, dat ze, net vijftien geworden, drie dagen lang mee mocht op tournee en daarna de trein terug naar Landskrona zou nemen. Helemaal uit Östergötland. En dat in gezelschap van die Eva Salomonsson, Björns ... Wat ze ook was. Nee. Inez moest liever aan haar nieuwe kamer denken, leeg en verlaten op zolder, die er gewoon op stond te wachten dat zij die aan kant ging maken. De muren zou ze witten, ook al beweerde Birger dat het onmogelijk was om behang over te schilderen. Vanmiddag ging ze beginnen. Inez draaide zich om en keek op de wekker. Het was nu bijna zes uur. Misschien moest ze opstaan. Misschien kon ze zelfs voordat ze pap ging koken de zolder wel op gaan om rond te kijken ... Jawel. Dat zou ze doen.

Ze sloeg de deken terug, zette haar voeten heel voorzichtig op de vloer en bleef daarna een ogenblik roerloos zitten om naar Birgers ademhaling te luisteren. Die hoorde je niet. Ze stond op om haar ochtendjas te pakken, die op de stoel lag. Daarna deed ze heel voorzichtig de deur open en sloop ze de overloop op. Ze deed de deur net zo voorzichtig weer achter zich dicht en liep verder naar de deur van de rommelkamer op zolder. Volkomen geruisloos ging hij open en hij sloot zich met een vriendelijk klikje achter haar.

Zo. Nu was ze in haar eigen wereld. Op weg naar haar eigen kamer.

Niemand in het gezin wist dat ze de kamer in haar hoofd al volledig had ingericht, niemand vermoedde dat ze hen kon verlaten wanneer ze maar wilde en dat ze dat ook deed, telkens weer, dat ze zich hier honderd keer per dag naartoe droomde, wanneer ze eten stond te koken, stond af te wassen, naar haar werk fietste en weer naar huis; dat het alleen maar leek alsof ze met de anderen aan de keukentafel zat terwijl ze in feite de trappen op sloop en over de ruwe houten vloer van de rommelkamer liep om de deur te openen naar een kamer waarin de boeken netjes op een rij in de kast stonden en het witte lampje een vriendelijk geel licht verspreidde. Een kamer met een opnieuw beklede rotan stoel – die stond trouwens al klaar in de rommelkamer; ze streek met haar hand over de blauwgeruite stof toen ze erlangs liep – en een oneindig keurig bureau waarop de pasgeslepen potloden op een rijtje lagen. Haar kamer.

Ze duwde de klink naar beneden en deed de deur open. Even bleef ze op de drempel staan om de kamer te bekijken zoals hij er werkelijk uitzag. Lang zo aantrekkelijk niet als in haar fantasie. Nog niet. Maar vandaag zou de metamorfose beginnen. Ze zou die bruine sprei van Elsies bed trekken, een grote bundel van het oude beddengoed maken, het kleed oprollen – een versleten namaak-pers uit Birgers ouderlijk huis – en ze zou eindelijk die gebloemde gordijnen naar beneden halen en in de vuilnisbak gooien. Vervolgens zou ze alle meubels in de rommelkamer zetten, kranten op de grond uitspreiden en beginnen met het overschilderen van het oude grijsgroene behang. Ze had verf van goede kwaliteit gekocht, dik en romig, een kleur die gegarandeerd elk detail van die bloemen uit de jaren veertig zou bedekken. De kamer zou wit worden. Witter dan wit.

En dan zou Elsie geen kamer meer hebben in Inez' huis. Nooit meer.

Ze stapte over de drempel, ging op de rand van het bed zitten en keek om zich heen. De berk voor het raam begon uit te lopen, tere groene blaadjes glinsterden in het ochtendlicht. Dat was een welkomstgroet. Inez trok haar benen onder zich op, leunde tegen de muur en voelde hoe haar schouders ontspanden. Een eigen kamer. Voor het eerst in haar hele leven had ze nu een kamer voor zichzelf alleen.

Birger had natuurlijk geprobeerd dat te verhinderen. Aanvankelijk had hij instemmend geknikt en was hij het overal mee eens geweest, maar daarna begon hij geleidelijk het ene probleem na het andere op te werpen. Tochtte het raam niet? En hoe zat het daarboven eigenlijk met de isolatie? Zou het niet te koud worden? Of te warm? En was het niet ontzettend onpraktisch om op zolder te zitten? Stel je voor dat de telefoon ging, dan moest ze twee trappen af rennen om op te nemen. Zou het niet beter zijn dat ze haar boeken in een kast in de hal zette en aan de keukentafel ging studeren? Bijvoorbeeld. En als het absoluut noodzakelijk was dat ze een eigen bureau had, dan konden ze dat van hem toch delen ... Daar had hij warempel niets op tegen. Helemaal niet. En waarom was ze zo aan het ploeteren met de bekleding van die oude rotan stoel? Er stonden toch drie veel gemakkelijker fauteuils in de woonkamer? Waarom kon ze daar niet zitten lezen als ze nu zonodig in een fauteuil moest zitten?

Ze had haar poot stijf gehouden. Voor het eerst. Ze had Birger overwonnen, niet met woorden en argumenten, maar met de pure kracht van haar onverschilligheid. Wanneer hij aan de keukentafel zat en maar doorging, keerde ze hem de rug toe; wanneer hij zijn stem verhief, boog ze zich over een boek; wanneer hij haar zeurend naliep, glimlachte ze en haalde ze haar schouders op. En uiteindelijk had hij het inderdaad opgegeven en er het zwijgen toe gedaan; drie weken lang had hij geen woord gezegd over haar nieuwe werkkamer. Wat niet noodzakelijkerwijs betekende dat hij zich bij het feit neerlegde. Het betekende waarschijnlijk alleen maar dat hij een nieuwe strategie overpeinsde. Wat weer betekende dat het van levensbelang was dat hij niets over het geld te weten kwam. Elsies geld.

Inez sloeg haar armen om zichzelf heen en vertrok haar gezicht. Had ze gestolen? Kon je het als diefstal aanmerken dat ze Elsies geld in een apart vakje van haar eigen portemonnee had gestopt? Het geld dat Elsie als kostgeld meende te moeten betalen in de tijd dat ze bij Inez en Birger woonde. Nee. Je kon niet zeggen dat het diefstal was. Inez was immers degene die in deze vier maanden elke aardappel kocht en elke gehaktbal draaide, zij was degene die achter aanbiedingen aan ging en zelf brood begon te bakken om ervoor te zorgen dat ze uitkwamen met het huishoudgeld. Bovendien had ze ook nog een deel van haar eigen loon gespaard. Om nog maar te zwijgen over het feit dat ze in haar versleten oude jas was blijven rondlopen en geen nieuwe had gekocht. Ze was zelfs een winkel binnengegaan om de jas uit te zoeken die ze zou hebben gekocht als ze niet aan het sparen was geweest; ze had het prijskaartje bekeken en het hele bedrag in het geheime vakje in haar portemonnee gestopt.

In het kleine toilet had ze haar geld staan tellen. En daarin gedroeg ze zich als een dief. Een fatsoenlijk mens zou aan de keukentafel hebben gezeten, die zou elk briefje van honderd en van tien volop in het zicht op het kleed hebben gelegd. Dat kon ze echter niet. Zo ver ging haar onverschilligheid niet. Want ze wist dat zodra Birger het geld in de gaten kreeg, het van hem zou zijn. Niet dat hij dat ooit op die manier zou verwoorden. Integendeel. Het was immers hun gemeenschappelijke spaargeld, dat moest ze toch begrijpen, maar ze moest natuurlijk ook begrijpen dat ze zich warempel geen dure Deense lampen en antieke bureaus konden veroorloven. En gordijnen? Wat was er mis met de gordijnen die al in de kamer op zolder hingen? Nou? Ze ging daarboven toch studeren, niet naar de inrichting zitten kijken?

Laf. Dat was ze. En laag. Een laf persoon dat zich laag gedroeg, iemand die loog en bedroog en geheimen had, iemand die deed of ze vrolijk, open en betrouwbaar was, maar die in feite bang, gesloten en argwanend was. Ze deed haar ogen dicht. Daar nu niet aan denken. Nee, ze moest eraan denken hoe mooi het hier zou worden. Moest denken aan dat bureau dat ze bij een antiquair had gezien en waarvoor ze al honderd kronen had aanbetaald. En aan die dure Deense lamp met een witte geplisseerde kap die ze al had gekocht en heel onopvallend achter een paar oude stoelen op de rommelzolder had gezet. De gordijnen ging ze in Kopenhagen kopen wanneer de zomervakantie begon. Ze zou naar het Magasin du Nord gaan om ze gewoon aan te wijzen ... Tweeënhalve meter daarvan, alstublieft!

Ze was daar al een keer geweest. In de paasvakantie had ze Elsie op een dag min of meer gedwongen om met haar mee te gaan naar Kopenhagen. Het was een dag die tamelijk saai was begonnen met een grijze lucht boven de Sont, zweterige broodjes kaas op de veerboot en een stilzwijgen tussen Inez en Elsie dat met de minuut leek toe te nemen, een stilzwijgen waardoor Elsie voortdurend haar ogen neersloeg, maar waardoor Inez begon te kwebbelen. Over het allerbelangrijkste hadden ze nooit kunnen praten en daarom hadden ze elkaar niets te zeggen. Dus moest zij het nergens over hebben. En dat deed ze, totdat de woorden midden op de roltrap opeens op waren. Elsie had eerst niet gemerkt dat ze zweeg, die had daar gewoon met haar tas met gordijnen onder de arm opzij staan kijken, maar opeens had ze haar zus een snelle blik toegeworpen.

'Heb je zin om te lunchen?'

Inez knikte. Ze was zo uitgeput van al haar gepraat dat ze niet eens ja kon zeggen.

'Ik trakteer', zei Elsie.

Zwijgend hadden ze tegenover elkaar in het restaurant gezeten. Maar nadat de ober hun *smörrebröd* geserveerd had, had Elsie met haar mes en vork in de lucht Inez recht in de ogen gekeken en gezegd: 'Hoe denk je dat het met hem is? Eigenlijk?'

Inez was eerst niet in staat geweest antwoord te geven. Even had ze naar een gewone leugen gezocht, een leugen die Elsie zou kwetsen en haar eraan zou herinneren dat hoewel zij Björns moeder was, Inez dat óók was, op een andere en diepere manier. Maar ze vond er geen woorden voor, ze zat daar maar gewoon voor zich uit te staren.

'Ik weet het niet', zei ze ten slotte. 'Ik heb eigenlijk geen idee.'

En dat was nog steeds zo. In elke krant kon je over Björn lezen, bovendien belde hij elke week, hij kwam af en toe op bezoek en op dit moment sliep hij in een kamer recht onder haar, maar Inez, die zijn moeder was geweest vanaf dat hij vier maanden was, had eigenlijk geen idee hoe het met hem ging. Ze schudde haar hoofd. Ze moest er maar niet aan denken. Ze zou er nooit meer aan denken.

Ze moest maar liever aan haar kamer denken. Die kamer helemaal van haar alleen.

Björn stond in de deuropening van de keuken met een gebalde vuist in zijn rechteroog te wrijven. Als een kind. Een heel klein kindje.

'Mögge', zei hij met troebele stem.

Birger knorde vanachter de ochtendkrant een antwoord, maar Inez draaide zich om. Ze was al aangekleed en klaar, en glimlachte die heel speciale glimlach, die ze alleen voor Björn reserveerde.

'Goeiemorgen! Wil je ontbijt?'

Zij haar zat in de war, onder zijn openhangende badjas droeg hij alleen een T-shirt en een onderbroek en hij had zich kennelijk niet gewassen of gedoucht, maar daar zei ze helemaal niets van. Het was anders geweest als Susanne geprobeerd had om ongewassen en slechts gekleed in nachtpon en badjas aan de ontbijttafel te gaan zitten. Dat had geleid tot gillen, schreeuwen en in katzwijm vallen. Maar Susanne was natuurlijk Björn niet; zij kon er niet op rekenen dat haar ooit dezelfde behandeling ten deel zou vallen als hem. Hier thuis niet, nergens.

'Een ochtendhumeur?'

Björn stak zijn hand uit en terwijl hij aan tafel ging zitten streek hij snel even over Susannes hoofd. Zij maakte een schommelende beweging, alsof ze aan hem wilde ontsnappen.

'Hou op!'

Hij glimlachte even. Dat was een beloning, een soort bedankje dat ze hem nog steeds behandelde als een gewone oudere broer. Ze mocht echter niet te ver gaan, hem niet echt irriteren, dus glimlachte ze snel terug. Inez verscheen met de pappan en een stralende glimlach naast Björn.

'Je zult wel pap willen?'

Te oordelen naar zijn gezicht, dat lichte afkeer uitdrukte, wilde hij dat niet, maar toch knikte hij.

'Ja, graag. En een kop koffie.'

Haar glimlach werd nog breder.

'Komt voor elkaar.'

Jeetje, wat was ze vandaag vrolijk. Overgelukkig met Björns aanwezigheid natuurlijk. Helemaal buiten zinnen. Maar zij was niet degene die vandaag mee mocht. Dat was Susanne. Dat waren Susanne en Eva, die mee mochten in de bus van The Typhoons, eerst naar Nässjö, daarna naar Mjölby en Linköping en ten slotte naar Norrköping. Op tournee. Een kleine tournee weliswaar, van slechts drie dagen, maar toch een tournee.

Het had een maand van zeuren en bedelen gekost voordat Inez en Birger overstag gingen. Natuurlijk was het niet haar gezeur en gebedel dat uiteindelijk resultaat had opgeleverd, maar het feit dat Björn de moeite had genomen om het voor haar op te nemen. Susanne had naast Inez in de hal staan luisteren naar zijn stem aan de telefoon, die als een smal stroompje uit de hoorn kwam, een stroompje dat maakte dat zowel zij als Birger en Elsie volkomen stil en roerloos bleven staan terwijl ze Inez bestudeerden, die de zwarte hoorn stevig tegen haar oor hield. Björn klonk heel overtuigend. Natuurlijk zou hij op haar passen. Uiteraard. Natuurlijk was er geen drank of hasj in hun tourneebus. En als ze zich al zo verschrikkelijk bezorgd maakten hoe het met Susanne zou gaan tijdens die onbeduidende dagen, dan moesten ze zich over hem ook wel enorm ongerust maken, maar daar had hij eigenlijk nooit iets van gemerkt ...

Die laatste zin maakte hij niet af en dat had een grote impact. Inez was erbij gaan zitten en haar ogen gingen naar Birger. Ze keek hem aan met een heel eigenaardig gezicht. Haar ogen waren helemaal vochtig en enkele seconden stond ook hij met een afwezige uitdrukking op zijn gezicht te kijken. Toen draaide hij snel zijn hoofd naar Elsie om haar op te nemen. Een stijve en vastgevroren Elsie, die pas na grote inspanning leek te kunnen knikken, geknik dat aan Birger werd doorgestuurd en uiteindelijk als antwoord bij Inez terechtkwam.

'Ja', zei die met een iele stem. 'Natuurlijk vertrouwen we jou, Björn. Natuurlijk doen we dat. Dus zeker, ze mag mee.'

Maar Susanne vertrouwden ze niet. Dat was duidelijk. Zowel Birger als Inez was heel die laatste week tegen haar aan het zeuren. Niet roken! Niet drinken! Niet – *ahum, ahum* – met iemand meegaan naar de kamer! Wat dachten ze wel? Dat ze in Norrköping op de trein zou stappen als een rokende, zwangere alcoholiste? Ze was toch niet gek.

Birger vouwde zijn krant op en keek op zijn horloge. Dat was het signaal, het eeuwige signaal van elke ochtend dat het tijd was om naar school te gaan. Susanne pakte haar beker met chocolade om die te legen. Daarna haalde ze diep adem en ze zocht naar een andere toon dan ze anders 's ochtends om deze tijd altijd aansloeg.

'Mijn tas staat in de vestibule', zei ze. 'Wil je die alsjeblieft niet vergeten ...'

Dat klonk smekend. Veel te smekend. Björn keek op van zijn half leeggegeten papbord en had een enigszins verwarde uitdrukking op zijn gezicht.

'Wat?'

Heel even begon de wereld te trillen. Hij was het vergeten. Hij was vergeten dat hij Eva en haar had beloofd dat ze mee mochten op tournee. En nu zouden ze niet mee mogen. Nu zou hij een excuus verzinnen ...

'O ja', zei Björn. 'Natuurlijk. Ik was het gewoon vergeten.'

Susanne zat hem kaarsrecht aan te staren. Ze probeerde hem met haar blik te onderwerpen.

'Om kwart over twaalf. Bij het lyceum. Eva komt daar ook naartoe.'

Hij pakte de krant en knikte, maar keek haar niet aan.

'Natuurlijk. De bus zal er staan.'

Susanne bleef naar hem kijken, ze zoog zich vast en probeerde hem puur met haar wilskracht te dwingen.

'Zeker weten?'

Björn trok een geïrriteerd gezicht.

'Zeker weten. Maak je maar niet druk.'

Birger was zoals gewoonlijk de eerste die wegging. Hij stond op en trok zijn colbert aan, gaf Inez plichtmatig een kus op haar wang, kneep Björn even in zijn schouder en haalde daarna zijn fietssleutel tevoorschijn om te vertrekken. Inez fladderde in de keuken rond en ruimde de tafel af, timide pratend. Zou Björn zo goed willen zijn de kaas in de koelkast te leggen wanneer hij klaar was? En kon hij verder voor Susannes treinkaartje zorgen, zodat dit niet kwijtraakte? Misschien moest hij ook voor haar geld zorgen, zodat dat ook niet kwijtraakte, en als dat toch gebeurde, zou hij dan misschien zo goed willen zijn om geld voor haar voor te schieten? Och jee, was het al zo laat? Ze moest zich haasten en Susanne moest zich ook haasten. Tot ziens! En ze verdween uit de keuken.

Maar Susanne was nog niet klaar met Björn. Terwijl ze de rits van haar parka dichttrok, liep ze terug naar de keuken.

'Kwart over twaalf', zei ze opnieuw. 'Je vergeet het niet?'

Björn zocht in de zakken van zijn badjas naar zijn sigaretten. Hij haalde een verkreukeld pakje John Silver tevoorschijn, waarin hij begon te wroeten. Ging hij binnen roken? In de keuken van Inez?

'Geen zorgen', zei hij, waarna hij een sigaret in zijn mond stak. 'Maak je maar niet druk.'

Buiten voelde het als een zaterdag, hoewel het gewoon donderdag was. Susanne pakte haar schooltas stevig vast en met enigszins toegeknepen ogen tegen de ochtendzon liep ze verder. Ze sloeg haar ogen neer en keek naar haar voeten. Haar schoenen met crêpezolen waren versleten en stoffig. Wanneer ze in de bus zat, zou ze die uittrekken en haar witte laarzen aantrekken, die ze bij elkaar had gespaard met de verdiensten van een bijbaantje van een paar uur op de zaterdagen, in de winkel van mevrouw Salomonsson. Ze waren mooi. En modern. Zo modern dat Inez en Birger beiden hun ogen ten hemel hadden geslagen toen ze die liet zien.

Ze wierp een snelle blik op haar horloge. Tien over half acht. Ze moest binnen vijf minuten bij de telefooncel zijn om zich nog te kunnen opmaken. Dat was onderweg naar school de plek waar ze altijd stopte om zich een gezicht aan te meten dat geschikt was voor de zus van een rockster. Dat was net zo belangrijk als dat ze haar lessen perfect kende. Niemand zou kunnen zeggen dat ze niet hip genoeg was om Björns zus te zijn, maar er zou ook niemand kunnen zeggen dat ze zo hip was dat ze de school verwaarloosde. Integendeel. Wanneer het schooljaar er aan het einde van dit semester op zat, zou ze voor elk vak betere cijfers hebben dan Ingalill. Zelfs in wis- en scheikunde.

Hoewel ze in dezelfde klas zaten, hadden ze al bijna vijf maanden geen woord gewisseld. Susanne negeerde Ingalill. Ze deed net of ze niet bestond, ze liet haar blik gewoon heel snel over haar heen glijden en sloeg haar ogen meteen neer als Ingalill haar toevallig aankeek. Het was een beetje leeg geworden rond Ingalill, om het voorzichtig uit te drukken. Om eerlijk te zijn was ze totaal alleen komen te staan. Wanneer ze in de pauzes in haar eentje met haar neus in een boek bij het hek stond en net deed of ze daar enorm in opging, bemoeide zich geen van de andere meisjes met haar. Niemand ging in de kantine vrijwillig naast haar zitten en niemand verdrong zich na de gymnastieklessen onder dezelfde douche als zij. Aan de andere kant was er ook niemand die openlijk gemeen tegen haar was, niemand pestte haar of was hatelijk, en als zij een keer iets tegen een van de andere klasgenoten zei, dan kreeg ze een snelle glimlach als reactie. En een grimas zodra ze zich had omgedraaid.

Misschien was ze daar verbitterd over. Dat was moeilijk te zeggen. Les na les had Susanne Ingalill van achteren bestudeerd, ze zat immers twee rijen achter haar, om de tekens te duiden. Ingalills nagels waren nu zo ver afgekloven dat haar vingertoppen er gezwollen uitzagen, ze was zwaarder geworden en had vetrollen op haar buik, en verder knipte en waste ze haar haren niet meer. Zo leek het althans; het gebeurde wel dat ze naar school kwam met haren die zo vet waren dat je de sporen van de kam nog kon zien. Maar verder leek ze niet bijzonder aangeslagen. Integendeel. Ze liep niet meer in een rok rond, wat ze altijd had gedaan, maar had een spijkerbroek gekocht. Aanvankelijk was die elk maandag glad en netjes gestreken; er zat zelfs een persvouw in, wat achter haar rug tot enig gelach en opgetrokken wenkbrauwen leidde. Dat had ze blijkbaar gemerkt, want de volgende maandag was de spijkerbroek schoon, maar volkomen verkreukeld. Vorige week had ze haar oude winterjas niet meer aangetrokken en was ze verschenen in een legerparka. Groen, natuurlijk, en overduidelijk per postorder besteld bij het restantendepot van het leger, wat op zijn beurt moest betekenen dat haar vader uit de ontwenningskliniek was gekomen en weer was gaan drinken. Die parka zou helemaal goed zijn geweest als iemand anders hem had gedragen, iemand die wijs genoeg was om het koordje onderaan aan te trekken zodat de jas die ballonvorm kreeg, maar dat had Ingalill natuurlijk niet begrepen. Ze droeg echter wel een FNL-button op haar parka, een tamelijk grote van metaal met een gele ster en de tekst 'Met het FNL pro Vietnam'. Waar ze die nu te pakken had gekregen? In andere steden had je FNL-groeperingen, dat had Susanne in de krant gelezen, maar niet in Landskrona. In de gang had ze haar wenkbrauwen opgetrokken over die button en een ironische beweging met haar hoofd gemaakt in de richting van Maggan, een van die meisjes die voortdurend achter haar aan liepen, maar Maggan had alleen maar naar de button gekeken en er geen bal van gesnapt. Zij wist niet wat het FNL was, zo bleek, en Susanne had echt geen zin gehad om het haar uit te leggen. Ze had haar gewoon de rug toegekeerd en was het klaslokaal binnengegaan. Maggan had zich daarna de hele dag uitgesloofd. Alsof ze bang was. Belachelijk.

Susanne zuchtte en diepte moeizaam haar spiegeltje op uit haar schooltas. Ze zette het met een geroutineerd gebaar op de plank voor zich en begon wat gekleurde dagcrème op haar vingertoppen te knijpen. Olijfkleurig. Een nieuwe tint. Gelukkig dat Eva bestond. En gelukkig dat die zo gul was met proefmonsters uit de winkel. Susanne zou het zich nooit hebben kunnen veroorloven om gekleurde dagcrème, oogschaduw, eyeliner, mascara, lippenstift en poeder te kopen, maar toch moest ze dat allemaal hebben. Ze kon toch niet met haar gewone gezicht tussen alle meiden rondlopen, ze moest mooi zijn, mooier, de mooiste, aangezien ze nu eenmaal Björns zus was. Of nichtje dan. Als ze overdag onopgemaakt rondliep, zou dat betekenen dat ze de betovering verbrak die hem omgaf en die daardoor ook haar omgaf, en die je zelfs weleens bij Birger en Inez kon voelen. Om over Elsie nog maar te zwijgen. Die was daar helemaal door omsloten, die betovering was als een glinsterende jas die om haar schouders hing en maakte dat de hele stad zich omdraaide om haar na te staren. Geen wonder. Ze was immers Björns moeder. Zijn echte moeder, niet alleen maar een reservemoeder zoals Inez.

Susanne zette een stap achteruit, schudde even haar hoofd en bekeek haar spiegelbeeld. Roze lippen. Zwartopgemaakte ogen, met een dun cleopatralijntje dat naar haar slapen wees. Een gladde huid die geelbeige was geworden. Snoezig. Echt snoezig. Ze klapte de spiegel dicht, propte de proefmonsters in haar tas, draaide zich om en duwde de deur van de telefooncel open. Halverwege stokte ze.

Ingalill kwam net langslopen. Een Ingalill wier mond zich langzaam in een spottende lach spleet, een donkere streep in haar witte gezicht. Een Ingalill die niet groette, die haar blik alleen maar even over Susanne liet glijden, waarna ze snel een extra grote stap nam om de jongen weer in te halen naast wie ze net nog had gelopen, maar die haar nu al twee passen voor was.

Henrik. Die jongen uit de parallelklas. Die onnozele sukkel die het dons nog niet van zijn bovenlip had geschoren. Die …

Nu had Ingalill hem ingehaald. Nu liep ze met grote stappen naast hem. Nu draaide ze zich naar hem toe en ze liet haar ogen fonkelen. Glimlachend zei ze iets. Heel even wierp ze een blik over haar schouder naar Susanne, waarna ze zich naar Henrik toe boog en iets fluisterde. Gefluister waardoor hij zijn hoofd snel omdraaide om haar blik te volgen. Hij haalde zijn schouders op en schoot in de lach.

Susanne stond hen roerloos bij de telefooncel na te kijken. Ingalill had haar haren gewassen; haar witte lokken trilden als een aureool rond haar hoofd. En nu lachte ze. Nu lachte ze behoorlijk hard en schel.

Een klik van de deur. En weg was ze. Alle drie waren ze eindelijk weg.

Björn leunde achterover tegen de rug van de keukenstoel. Hij richtte zijn blik op de grijze keukenkastjes en liet de stilte tot zich doordringen. Er reed geen auto voorbij buiten op straat. Er speelde op de achtergrond geen muziek op de radio. Er lachte niemand. Het was gewoon stil.

Als hij zijn ogen dichtdeed, kon hij zichzelf een seconde of twee doen geloven dat alles anders was, dat hij een heel gewone kortgeknipte bovenbouwer was die in een heel gewone keuken zat, een alledaagse knul die zo naar boven zou lopen om zijn manchester broek aan te trekken. Iemand die alleen al bij het idee van een broek in een Schotse ruit gegeneerd zou lachen. Een hoogst normale middelbare scholier die weldra, over nog geen maand, een witte studentenpet zou incasseren als beloning voor een aantal jaren ingetogen plichtsbetrachting, en die daarna verder zou gaan naar ...

Hij deed zijn ogen open en inhaleerde diep. Tja, waar zou hij naartoe zijn gegaan als hij echt die kortgeknipte knul was geweest die altijd zijn huiswerk maakte? Hij haalde zijn schouders op om zijn eigen gedachten. Geen idee. Geen flauw idee. En zo was het altijd geweest. Hij had immers nooit geweten wat hij wilde. Alleen wat hij níét wilde.

Op dit moment wist hij precies wat hij niet wilde. Hij wilde niet opstaan om te gaan douchen. Hij wilde zijn Schotsgeruite hippe broek niet aan. Hij wilde zijn tas niet pakken. Hij wilde niet in de tourneebus van The Typhoons worden opgesloten. Hij wilde niet dat Eva en Susanne meegingen in de bus. Hij wilde Tommy's stem niet horen en het liefst die van Peo, Bosse en Niclas ook niet. Hij wilde nooit meer met de anderen hoeven dringen in een krappe kleedkamer van een of ander stom volkspark. En het liefst van alles wilde hij niet avond aan avond op een podium hoeven staan om eeuwig dezelfde liedjes te zingen ...

De roes van de eerste maanden was over. De tournees waren alledaags geworden en bovendien nogal grijs en alledaags. Het was niet meer zo geweldig om Björn Hallgren te zijn, het was niet aantrekkelijk om herkend te worden, het gekrijs van de meisjes was niet lekker, het was zelfs nauwelijks lekker om ongebreideld zijn keuze uit hen te kunnen maken. Toch deed hij dat, toch nam hij na afloop van bijna elk optreden een meisje mee naar de bus of naar zijn hotelkamer, om er eentje af te werken. Afwerken was precies het juiste woord. Toch deed hij dat, avond aan avond, nacht na nacht, al was het maar om Tommy, en daarmee ook Bosse, Peo en Niclas, te irriteren en Tommy's blauwe ogen groen van jaloezie te zien glimmen wanneer Björn zich wendde tot het mooiste van alle mooie meisjes die om hen heen dromden, en zijn onweerstaanbare glimlach afvuurde. Hij was altijd degene die als eerste mocht kiezen. Want hij was Björn Hallgren. Alleen hij.

Tegenwoordig was de stemming in de bus nogal druilerig. Tommy klaagde over alles en iedereen, en omdat Tommy klaagde, klaagden Bosse, Peo en Niclas ook. Het was te warm of te koud. De afstand tussen de restaurants was te groot. De hotels waren te slecht, om nog maar te zwijgen over de podia waar ze moesten optreden. De achterbak van een vrachtwagen op de Grote Markt in Alingsås. Nou? En een of ander bouwsel in een gymzaal in Arvidsjaur. Zo wankel, dat je dacht dat je zo tussen die planken door zou schieten. Om nog maar te zwijgen over dat nieuwe liedje, dat Karl-Erik hun door de strot had geduwd; dat was zo ongelooflijk sullig. Hoe kon hij zich nou verdomme verbeelden dat de mensen die echt luisterden naar de muziek van The Typhoons een Zweedse tekst wilden horen? Nou? Het was tijd om de kop erbij te houden. Muzikaal gezien dan. Want ze deden dit toch niet uitsluitend voor het geld, ook al zou je dat kunnen denken als je zag hoe sommigen …

Björn reageerde niet meer op Tommy's gezeur. In plaats daarvan draaide hij hem de rug toe, en hij bleef doodstil uit het raam van de bus zitten kijken zonder iemand zijn gezicht te laten zien. Hij deed net of hij het niet hoorde, hoewel hij natuurlijk elk woord hoorde en elke speldenprik opmerkte. Hij dwong zichzelf aan iets anders te denken, maar dat lukte niet echt. Het was tegenwoordig moeilijk om na te denken; elke poging ging verloren in al dat lawaai, al die stemmen, al die geluiden. Alleen wanneer het een keer helemaal stil werd, kon hij met zichzelf in contact komen.

Hoe is het met je?

Niet zo best.

Nee. Ik weet het.

Niets is nog leuk. Het is allemaal één lange dinsdag.

Inderdaad.

En Tommy heeft natuurlijk gelijk. Ik zou het nooit toegeven als hij het kon horen, maar ik ben inderdaad niet bijzonder muzikaal. Ik kan zingen, maar ik hoor de muziek niet zoals Tommy die hoort. Ik begrijp de muziek niet. Niet zoals hij dat kan.

Nee. Maar dat is het hem misschien juist.

Hoezo?

Jij bent misschien net als de mensen die luisteren. Die zijn waarschijnlijk ook niet bijzonder muzikaal. Ze luisteren immers naar jullie. Naar jou.

Ach.

Maar het maakt toch niet uit of jij muzikaal bent of niet. Dat is toch ook niet de reden waarom jij bij The Typhoons zit.

Niet lullig zijn.

Jij bent de lieveling van Zweden. Dat stond in een ingezonden brief in de *Week-Revu*.

Natuurlijk. Verdomme.

Maar Caroline is niet komen opdagen. Ook al ben je knap.

Zou het iets hebben uitgemaakt als ze wel was gekomen?

Nee. Misschien niet.

Je verlangt niet eens naar haar.

Dat doe ik wel.

Nee. Je wilt alleen hebben wat je niet kunt krijgen. Zoals gewoonlijk.

Oké. Ik verlang niet naar Caroline. Maar ik verlang wel naar een heel gewoon dagelijks leven. Naar school gaan. Een boek lezen. Repeteren met The Moonlighters.

Ook dat kun je niet krijgen. Je bent met school gestopt. En boeken ... Probeer het eens. En kijk of je het commentaar in de bus kunt verdragen. Bovendien willen The Moonlighters niet met je repeteren. Dat zeggen ze in elk geval.

Dat weet ik. Jaloers.

Niet alleen dat. Het kan natuurlijk ook komen doordat ...

Björn schudde zijn hoofd om de stem te verdrijven en drukte zijn peuk diep in de half opgegeten pap. Gestoord was hij niet. Alleen een beetje eenzaam. Hij zuchtte en keek in de keuken om zich heen. Hij zou wel moe zijn. Hij moest zich waarschijnlijk gewoon vermannen, een keer diep zuchten en zijn zegeningen tellen, zoals hij anders ook deed. Hij had immers een eigen appartement, weliswaar een eenkamerappartement met een douche en een keukenhoek aan de achterkant van Karl-Eriks villa in Solna, maar toch een eigen woonruimte met meubels die hij van zijn eigen geld had gekocht. Hoeveel negentienjarigen in Zweden hadden eigen woonruimte? Bijna niemand. Bovendien had hij een spaarbankboekje, dat door Birger werd beheerd en waarop het bedrag met elk optreden en elke verkochte plaat toenam. Binnenkort, dat had Birger gisteravond nog gezegd, zou Björn meer dan vijf jaar kunnen studeren zonder dat hij een studiebeurs hoefde te nemen, en als antwoord had hij geknikt en gezegd dat dat goed was, nee, méér dan goed. Dat het fantastisch was. Maar eigenlijk was dat natuurlijk een soort leugen; dat wist hij op het moment dat hij het zei. De dag dat hij weer moest gaan studeren was immers ook een dag van nederlaag, een dag waarop hij zowel tegenover zichzelf als tegenover de rest van de wereld toegaf dat hij geen popster meer was. En wat was een afgedankte popster? Vergane glorie. En binnenkort zou hij de jongste van de wereld zijn die vergane glorie was. Want de neergang was begonnen. Je merkte het nog nauwelijks, maar hij wist het. Hij wist het absoluut zeker. Ze zouden nooit meer een nummer-1-hit scoren. Over een jaar zou het afgelopen zijn met The Typhoons. Voorbij. Louter een herinnering.

Hij wist nu al hoe gespleten hij zich zou voelen wanneer die dag kwam. Niet dat hij het idiote gedoe zelf zou missen. Integendeel. Hij had er schoon genoeg van. Hij had schoon genoeg van de mensen die hem stonden aan te staren. Hij had er schoon genoeg van dat er aan hem werd getrokken en dat hij werd gekrabd en betast door een stel krankzinnige tienergrieten, en hun gejank was hij al even beu. Hij was de giechelende jonge meisjes zat die bloosden en keken of ze zouden flauwvallen wanneer ze om een handtekening vroegen, en hij was het net zo zat om met meiden naar bed te gaan die na afloop niets te melden hadden, meiden die hij niet alleen gekozen had om Tommy dwars te zitten, maar ook omdat hij groggy was van die whisky en die joints die ze overeenkomstig de wetten der idolatie na elk optreden moesten consumeren. Hij had schoon genoeg van de fotografen die tegen hem zeiden hoe hij zijn hoofd en zijn handen moest houden. Hij was de hele zooi beu.

Aan de andere kant was hij bang voor de schande. Misschien zou hij erdoor worden verpletterd. De schande dat er niemand meer keek. De schande dat de fotografen zich in een andere richting zouden wenden. De schande dat nieuwe jonge meisjes hem zouden zien en hem niet zouden herkennen, dat de oudere meiden hun gezicht zouden vertrekken wanneer ze zijn naam hoorden. Björn Hallgren. *Yesterday's news.* De schande dat niemand, absoluut geen enkele zinnige meid verkering zou willen hebben met iemand die zijn beste tijd gehad had, die niet eens eindexamen had gedaan. Vergane glorie. Iemand die misschien zelfs gewoonweg op een school voor volwassenenonderwijs zou terechtkomen, samen met een hoop grieten die op de middelbare school zwanger waren geraakt, plus een enkele gek die in onderwijs geloofde als in het paradijs. Ja, godallemachtig … Wat een geweldige vooruitzichten had hij!

En dan die Eva.

Björn schudde zijn hoofd en stond op. Hij pakte zijn papbord en begon af te ruimen. Zij zou natuurlijk verdwijnen wanneer hij als idool in rook opging, maar dat was niet echt iets wat hij zou betreuren. Soms was hij bijna bang voor haar, zonder goed te begrijpen waarom …

Hoe kwam het verdomme dat ze zichzelf als zijn vriendin was gaan beschouwen? Had hij iets gezegd of gedaan waardoor zij zich dat verbeeldde? Nee. In het begin was hij een paar keer met haar naar bed geweest, vlak nadat The Typhoons in de Engelse topveertig kwamen, en sindsdien had ze zich als klit aan hem vastgezogen. Ze had hem van het station opgehaald toen hij met de trein uit Stockholm kwam, maar ze had nooit verteld hoe ze wist dat hij uitgerekend met die trein zou aankomen. Ze had hem helemaal in Norrland in hotels en pensions opgebeld en alleen maar gelachen toen hij vroeg hoe ze wist waar hij zat. Om nog maar te zwijgen over die keer in februari, toen ze bij hem in Solna aan de deur had geklopt. Ze stond daar gewoon op een normale maandagmiddag dat ze niet hoefden op te treden en toen hij opendeed, keek ze hem met een uitgestreken gezicht aan, om een seconde later in een witte glimlach uit te barsten en met een lach in haar stem te verklaren dat ze had gevonden dat ze gewoon moest langskomen, nu ze die dag toevallig toch in Solna was. Ze moest inkopen doen voor de winkel, maar ze had nu een paar uur vrij. Mocht ze binnenkomen?

Het had hem een paar maanden gekost om erachter te komen waar ze haar informatie vandaan haalde. Van de secretaresse van Karl-Erik, die één keer per maand een lijst met alle geplande optredens en hotelboekingen van The Typhoons naar Inez en Birger stuurde, een lijst die vervolgens op het prikbord in de keuken werd gehangen, waar Susanne, zijn kleine zusje dat er niet meer zo klein uitzag, hem gemakkelijk kon overschrijven en aan Eva doorgeven. Als het althans niet zo was dat Eva zelf af en toe in gezelschap van Susanne de keuken binnenglipte en heel snel plaatsen en telefoonnummers noteerde.

Tegelijkertijd moest hij misschien toegeven dat hij haar had aangemoedigd. Een beetje. Of dat hij althans niet ronduit had gezegd dat hij niet meer zo vreselijk geïnteresseerd was. Hij had volstaan met wat gemompel over het *Fotojournaal* en Karl-Erik, en dat hij geen meisje mocht of kon hebben dat in de openbaarheid kwam, en als reactie had zij gelachen en gezegd dat het prima was, zolang zij maar wist wat ze wist. Hij was daar sprakeloos van geweest. Wat wist ze dan? Maar in plaats van dat te vragen had hij haar naar zich toe getrokken en haar met een kus het zwijgen opgelegd. Vervolgens had hij haar nog maar een keer afgewerkt, een nummertje gemaakt waarbij hij stiekem wraak nam door haar weg te fantaseren en Caroline, de altijd even magische Caroline van zijn dromen, haar plaats te laten innemen.

Hij pakte de vaatdoek van de kraan en ging er snel mee over de keukentafel, maar zijn bewegingen stokten en hij keek uit het raam. De zon scheen, maar het was buiten zo stil dat de ontluikende tuin er eerder uitzag als een plaatje. Niets bewoog. Er vloog nog geen vogel voorbij. Er fluisterde geen wind in de berk. Geen vlinder vloog rond op zoek naar bloemen die er nog niet waren.

Hij wist niet waar het gezang vandaan kwam. Het kwam gewoon.

'Zonlicht over water,' zong hij, 'helder stroomt de vloed ...'

Opeens stopte hij, glimlachend om zichzelf, en hij hing de vaatdoek terug over de kraan. Maar daarna haalde hij opnieuw diep adem om door te gaan met zingen. 'Borrelend geklater ...' Midden in het vers moest hij lachen, om zichzelf en om de favoriete psalm uit zijn jeugd. Hij moest lachen bij de herinnering aan de vraag van de juffrouw of er iemand was die een voorstel had voor een Lutherse psalm bij het ochtendgebed. Hij had als achtjarige zijn vinger opgestoken en gezegd dat hij die psalm, juist die psalm wilde zingen. Nummer 521. En de juffrouw had wat gelachen en geknikt, waarna ze naar het orgel was gelopen en was gaan zitten.

Daar verlangde hij naar terug. Hij wilde weer een mager jongetje zijn, ook al wist hij wat daarvoor de prijs zou zijn, want zelfs in die tijd was niets gemakkelijk of vanzelfsprekend geweest. Toch wilde hij daarnaar terug, naar Inez' lachende ogen en naar Birgers betrouwbare gehum, naar dat klaslokaal en dat dunne jongetje dat het nooit was gelukt om te begrijpen hoe de andere jongens dachten ... Hij ging even met zijn hand over zijn gezicht en knipperde met zijn ogen. Wat verbeeldde hij zich wel? Hij snapte immers nog steeds niet hoe anderen dachten. Jongens noch meiden.

Inez noch Birger. Eva noch Susanne. Om nog maar te zwijgen over Elsie. Die was helemaal verrekt onbegrijpelijk. Want hoe zat een mens in elkaar dat zijn eigen kind in de steek liet?

Sinds ze uit Londen waren teruggekomen was ze van haar voetstuk gevallen. Al zijn kinderlijke dromen over haar waren ineengestort en uitgewist. Doordat ze überhaupt in de buurt was, doordat ze in dit huis rondliep, tijdens de maaltijden mee aan tafel zat, doordat ze slechts gekleed in een ochtendjas van de zolder naar beneden kwam rennen. Daardoor was ze in zijn ogen gekrompen. Hij kon haar immers geen donder schelen, dat was wel gebleken; ze zat daar maar gewoon aan de keukentafel haar bleke glimlach te lachen, zonder ooit iets te zeggen. Ze vroeg nooit hoe het met hem ging of hoe hij het had. Ze kwam nooit naar zijn kamer om op de rand van het bed te gaan zitten praten. Ze stelde nooit voor om op een dag met z'n tweetjes, alleen zij, moeder en zoon, de veerboot naar Kopenhagen te nemen, zodat hij als een gewone jongen zou kunnen rondlopen zonder een hele massa gillende meiden achter zich aan. Ze vroeg nooit of ze in Solna mocht langskomen en ze nodigde hem natuurlijk ook niet uit in haar nieuwe flat. Ze zweefde gewoon rond als een hol glimlachend spook, een spook dat wel het een en ander uit te leggen had, maar dat nooit een woord zei over wat hij wilde weten. Hoe? Bijvoorbeeld. En wie? En waarom? Vooral waarom.

Hij hield zich in en plofte neer aan de keukentafel. Hij zakte wat in elkaar, maar rechtte snel zijn rug. Hij walgde van haar. Dat was de waarheid. Hij walgde van dat wijf. Hij begon te snikken en streek met zijn hand langs zijn neus, wreef daarna stevig in zijn ogen. Verdomme, wat had hij branderige ogen. Misschien werd hij wel ziek. Heel even zag hij zichzelf in zijn jongenskamer in bed liggen met koorts en griep, hij zag iemand met de voet de deur openduwen en met een blad naar binnen komen. Elsie? Nee. Inez. Nee. Een andere vrouw, een wezen dat uit zowel Inez als Elsie bestond ...

Nooit van zijn leven!

Hij liet zijn hand met een klap op de tafel neerkomen en stond op. Hij schoof de stoel onder de tafel en vulde zijn longen. Begon weer te zingen. Dezelfde melodie. Dezelfde psalm.

Want hij wilde van zijn gedachten af. En hij wilde van Elsie af. Hij wilde van Inez af. Hij wilde van alles en iedereen af. Hij wilde terug naar een plek die nooit had bestaan en die niet meer bestond.

Op het moment dat Elsie haar hand op het tuinhek legde, bleef ze een ogenblik roerloos staan om naar haar witte vingers te kijken die het zwarte ijzer omsloten. Toen nam ze een besluit en gaf het hek een duw. Er was immers geen reden om daar te staan twijfelen. Ze had toch alle recht van de wereld om het huis van haar zus binnen te gaan, ook al was haar zus toevallig niet thuis? Elsies zoon was daar immers. En wie kon beweren dat Elsie geen recht had om haar eigen zoon te bezoeken?

In de roze ochtendzon lag de tuin voor haar te koketteren. De knoppen van de forsythia zwollen op, enkele waren al opengebarsten en vertoonden een dun streepje geel, maar de rododendron hield zijn harde knoppen nog steeds resoluut gesloten. Een paar sneeuwklokjes in het bloemperk bogen het hoofd, maar achter hen strekte een paarse krokus zich uit naar het licht en maakte zich op om zijn kroonbladeren te openen. Het gras glinsterde lichtgroen en de aarde in de bloemperken glansde donker van het vocht. Het was lente. Eindelijk was het lente geworden.

Het tuinhek rammelde even toen ze het achter zich dichtdeed, en weer bleef ze staan. Hou nou op, zei ze snel tegen zichzelf. Vorige week woonde ik toch nog in dat rode bakstenen huis …

Maar nu woonde ze er natuurlijk niet meer. Nu woonde ze aan Sankt Olovsgatan in een grijs eenkamerflatje, muur aan muur met haar eigen moeder. Haar heel stille moeder. Avond aan avond had ze zitten luisteren of ze ook geluiden uit Lydia's flat hoorde, maar ze hoorde niets. Geen stemmen uit de radio. Geen muziek. Nog niet eens een hak die op het parket tikte … Toch had ze niet durven opstaan om het trappenhuis in te lopen en bij haar moeder aan te bellen. Ze was juist zelf steeds stiller geworden en steeds onbeweeglijker. Gisteren had ze niets gedaan: niet gelezen, niet gewassen, geen eten gekookt. Terwijl de schemering langzaam naar binnen drong en overging in duisternis had ze alleen maar roerloos op de rand van haar bed zitten luisteren naar de stilte. Toen het nacht werd, had ze zich niet eens uitgekleed of haar tanden gepoetst; ze had alleen haar schoenen uitgetrokken en was onder de sprei gekropen en in slaap gevallen …

Dat was niet goed. Toen ze daar zo zat, wist ze dat al. Er waren immers dingen die ze diende te doen. Brieven schrijven naar enkele rederijen, bijvoorbeeld, om te informeren of er ergens een marconiste nodig was. Eens een schilderij aan de muur hangen. Iets bereiden in een van al haar nieuwe potten en pannen. Dat was ze van plan geweest en dat had ze willen doen, maar toch niet gedaan. Ze had daar maar voor zich uit zitten staren naar de muur.

Misschien dat ze daarom vanochtend met een schok wakker was geworden en had besloten dat dit niet opnieuw mocht gebeuren. Dat kon ze niet toestaan. Dus had ze snel haar kleren uitgetrokken en was ze naakt naar de badkamer gevlogen. Ze was onder een douche gaan staan die zo koud was dat ze ervan klappertandde. Vervolgens had ze haar eigen bevelende blik in de badkamerspiegel ontmoet. Kleed je aan. Zet koffie. Drink die op. Ga naar buiten. Praat met Björn voordat hij op tournee gaat. Vertel alles. Kom terug. Schrijf brieven naar die rederijen. Zorg dat er iets gebeurt. Iets goeds. Iets wat de betovering verbreekt. Iets wat je maakt tot degene die je ooit was, die je zou moeten zijn, tot degene die je eigenlijk bent.

Ze was veranderd. Dat was de waarheid. Tijdens de tien dagen die waren verstreken sinds ze haar intrek had genomen in haar eigen kleine Gehenna was ze door de eenzaamheid uit het lood geslagen, verlamd en veranderd. Na het welkomstetentje in Lydia's glimmende, gerenoveerde keuken op de eerste avond had ze haar moeder slechts drie keer gezien. Eén keer in het trappenhuis. Eén keer toen ze haar had gevraagd of ze haar ochtendkrant mocht lezen. En een derde keer toen ze boodschappen ging doen en bij Lydia aanbelde om te vragen of ze voor haar ook iets moest meenemen. Dat hoefde ze niet, zei Lydia. Ze gaf er de voorkeur aan zelf inkopen te doen en ze hoopte dat Elsie dat begreep. Ze waren immers volwassen mensen. Zelfstandig. Onafhankelijk.

Toen ze nadien naar de winkel liep, was dat met een gebogen rug, maar dat had ze pas gemerkt toen ze haar eigen spiegelbeeld in een ruit in de gaten kreeg. Ze had die gebogen gestalte een spottende blik toegeworpen, maar pas toen was tot haar doorgedrongen dat zij dat zelf was. Toch had het haar enkele secondes gekost om genoeg energie te verzamelen om haar rug te rechten. Naar zee, had ze gedacht. Ik moet weer naar zee ... Ze was er echter niet in geslaagd die gedachte vast te houden. Nog voor ze weer thuis was, was die al weggezakt en toen ze eindelijk weer in haar eigen keuken zat, was ze volledig verdwenen. Er stond een oranje melkpak op het aanrecht, maar het had haar bijna een uur gekost voordat ze het kon opbrengen om op te staan en het in de koelkast te zetten.

Maar vandaag was alles anders. Vandaag had ze gedaan wat ze al een paar dagen niet had kunnen opbrengen. Douchen. Koffiezetten. Koffiedrinken. En van huis vertrekken zonder een timide blik op Lydia's deur te werpen, ja, zelfs zonder op haar horloge te kijken om te zien of Lydia al weg was. Vandaag zou ze in Inez' keuken bij Björn gaan zitten en een hele poos met hem alleen doorbrengen, langer dan ze ooit met hem alleen had doorgebracht. Ze zouden met elkaar praten. Ze zou eindelijk die vragen beantwoorden die hij nooit gesteld had. En dat zou goed zijn. Werkelijk goed.

Ze nam de drie stoeptreden heel snel en trok ondertussen haar handschoenen uit. Daarna tilde ze haar hand op om aan te bellen, maar ze verstijfde. Waarom zou ze aanbellen? Een paar weken geleden was ze naar believen in- en uitgelopen. Ze liet haar hand zakken en legde die op de deurklink, die zware zwarte deurklink, waarvan ze de zachte vorm altijd prettig had gevonden, maar zonder het voor zichzelf onder woorden te kunnen brengen of ooit aan iemand te vertellen. Ze drukte de klink naar beneden en duwde de deur zachtjes open. Ze deed haar lippen van elkaar om vrolijk hallo te roepen, maar bleef met open mond staan. Om te luisteren.

Hij zong. Björn stond in de keuken te zingen. En hij zong een psalm.

'HALLO!'

Ze begon te roepen en vond dat ze redelijk gewoon en opgewekt klonk, maar ze bleef een tikje langer in de vestibule staan dan nodig was. Het was nu helemaal stil in huis; in de keuken bewoog niemand meer. Er schoot een fantasie door haar hoofd: Björn was op de vloer in elkaar gezakt, hij lag net zijn laatste adem uit te blazen. Ze rechtte haar rug – *wat ontzettend onnozel!* – en verdrong die fantasie, ondertussen snel met haar hand over haar haren strijkend. Ze deed haar best om die beweging zo zacht mogelijk te maken, alsof ze zichzelf ervan wilde overtuigen dat ze totaal ontspannen was. Toen stapte ze de hal in. Op hetzelfde moment verscheen Björn in de deuropening van de keuken. Hij had zijn handen diep in de zakken van zijn wijnrode badjas gestoken, en met zijn ogen knipperend van verrassing keek hij haar aan.

'Ben jij het?'

Elsie verschikte haar handtas, die aan haar schouder hing, en probeerde te glimlachen.

'Inderdaad.'

Het bleef even stil, lang genoeg voor Elsie om de onuitgesproken vraag te kunnen horen. Wat heb je hier te zoeken? Björn was degene die zich het eerst hervond. Er blonk iets op in zijn ogen, maar dat verborg hij meteen door zijn openhangende badjas dicht te slaan en de ceintuur vast te knopen. Vervolgens probeerde hij er redelijk beleefd en welopgevoed uit te zien. Alsof zij een vreemdelinge was.

'Wil je koffie?'

Elsie knikte, maar ze zei niets. Björn stopte opnieuw zijn handen in de zakken van zijn badjas en liep naar de keuken. Elsie sloop zachtjes achter hem aan. Je hoort mijn voetstappen niet, dacht ze. Ik had misschien een paar schoenen moeten meenemen, een paar schoenen met harde hakken, om hier niet op kousenvoeten rond te sluipen ...

Inez' keuken was even netjes als altijd, hoewel de afwas van het ontbijt nog in de gootsteen stond. De geraniums stonden in het gelid op de vensterbank, een tinnen schaal met rode appels stond op de tafel met een keurig gestreken linnen servet eronder. Aan het prikbord hing zoals gewoonlijk Björns tourneeschema, naast Susannes lesrooster en een oude ansichtkaart die ze zelf ooit had verstuurd uit Jamaica. Elsie schraapte zachtjes haar keel.

'Ik kwam alleen maar even afscheid nemen', zei ze.

Björn draaide zich niet om. Hij had de kraan opengedraaid en was druk bezig om water voor de koffie in een pan te doen.

'Ga je weer naar zee?'

Zijn stem klonk net als gewoonlijk, maar toch een tikje anders. Er klonk iets nieuws in door, maar ze kon er niet goed de vinger op leggen wat dat was. Ze trok een stoel naar achteren en ging aan tafel zitten.

'Nee. Nog niet. Maar jij gaat immers op tournee.'

Hij zette de pan op het fornuis en stond nog steeds met zijn rug naar haar toe.

'Ja, ja. Maar dat is toch maar drie dagen.'

'Maar je komt na afloop toch niet weer hiernaartoe?'

'Nee, dat niet. We hebben volgende week een paar optredens in Stockholm. En daarna moeten we repeteren voor de nieuwe plaat. Wil je een koffiebroodje?'

'Nee, dank je.'

Het werd weer stil. Elsie boog zich naar voren om wat te pulken aan een riempje van haar tas. Dat was blijkbaar een keer nat geworden, want het was helemaal stijf en naar buiten opgekruld. Ze rolde het stevig de andere kant op in een poging het weer recht te krijgen. Björn sloeg opeens zo hard een keukenkastje dicht dat ze opkeek, nog steeds met haar duim en wijsvinger in een stevige greep om het riempje.

'Is alles wel goed?'

Buiten kraste ergens een kraai, maar verder was het stil. Björn gaf geen antwoord, hoewel hij haar gehoord moest hebben. Hij bleef met de rug naar haar toe koffiezetten. Elsie herhaalde haar vraag, maar nu op een angstiger toon.

'Hoe is het? Is alles wel goed?'

Hij draaide zich abrupt om en gedurende enkele seconden keken ze elkaar recht in de ogen. Björns blik was donker en glansde, zijn huid was glad en ivoorwit, en zijn glanzende pagekapsel viel op de kraag van zijn ochtendjas. Wat is hij knap, schoot het door Elsie heen. Was Jörgen ook zo knap? Ze knipperde een paar keer snel met haar ogen om die gedachte te verdrijven.

'Dank je', zei hij. 'Alles is helemaal uitstekend.'

Het nieuwe geluid dat in zijn stem doorklonk, was krachtiger geworden. Hij keerde haar weer de rug toe en pakte een koffiekopje. Dat zette hij met zo'n resolute beweging voor haar neer dat het op het schoteltje rinkelde. Ze bleef roerloos zitten wachten tot hij een kopje voor zichzelf zou pakken, maar dat deed hij niet. Hij pakte slechts de koffiekan om voor haar in te schenken en zei: 'Melk?'

Ze schudde haar hoofd. Björn bleef even stil naast haar staan, maar zette de kan toen terug op het fornuis. Hij leunde tegen het aanrecht en sloeg zijn armen over elkaar. Een poosje bleef hij haar met een priemende blik aankijken. Daarna stak hij zijn kin opeens naar voren en zei: 'Had je wat?'

Nu hoorde ze wat dat nieuwe in zijn stem was. Kilte. Afstandelijkheid. Argwaan. Elsie sloeg haar ogen neer. Toen ze haar stem eenmaal had hervonden klonk die bijna zwak: 'Neem jij geen koffie?'

Hij bewoog even, zette zijn benen wat uit elkaar zodat hij steviger zou staan. Niemand zou hem omvergooien. Dat zag je. Niets zou hem ten val kunnen brengen.

'Nee.'

Er was geen ruimte om te smeken om een soort verwantschap en saamhorigheid, geen hoop dat hij mededogen zou tonen vanwege haar nervositeit, of troost zou geven enkel en alleen omdat hij de enige was die haar zou kunnen troosten. Hij had zijn positie ingenomen, duidelijker dan ooit tevoren. Elsie pakte haar kopje en nam een slok koffie. Ze ging met haar wijsvinger over de zoom van het gesteven servet, tilde haar kopje opnieuw op en nam nog een slok. Björn bleef naar haar kijken, zijn ogen hielden haar vast toen hij herhaalde: 'Had je wat?'

Zijn stem begon een beetje te trillen. Van ongeduld. Of woede. Elsie boog haar hoofd een beetje om aan zijn blik te ontsnappen en keek naar haar rechterhand, die op de keukentafel lag.

'Ja. Dat wil zeggen ... Ik dacht misschien dat jij ...'

Het bleef een paar seconden stil.

'Dat ik wat?'

Elsie keek niet op. In plaats daarvan bleef ze naar haar eigen hand kijken, die ze optilde en waarmee ze over de rug van haar linkerhand ging. Wie nam dat besluit? Ik niet, dacht ze. Haar hand nam zijn eigen besluiten, die wilde troosten ...

'Sorry. Maar wat dacht je?'

Elsie deed haar ogen een tel dicht. Dit kan gewoon niet. Ik moet me concentreren. Ze tilde haar hoofd op om Björn aan te kijken.

'Nou, ik dacht dat je misschien meer zou willen weten over de omstandigheden rond je geboorte.'

Dat was natuurlijk ook een manier om de zaak te formuleren. Belachelijk. Haar blik gleed weer weg, maar slechts heel even, daarna dwong ze zichzelf om Björn opnieuw in de ogen te kijken. Hij maakte een beweginkje, alsof hij wilde ontsnappen, maar toch bleef hij staan waar hij stond, wijdbeens en met zijn armen over elkaar. Elsie zette zich weer schrap.

'Wie je vader is. En zo.'

Hij ging wat steviger tegen het aanrecht staan.

'En waarom zou ik dat willen weten?'

Zijn stem klonk nu echt anders. De toon was openlijk vijandig.

'Alle kinderen willen toch ...'

Hij onderbrak haar. 'Ik ben geen kind.'

'Je bent toch mijn kind. Nog steeds.'

'Is dat zo?'

Elsie haalde diep adem. 'Natuurlijk ben je dat. Hoe oud je ook wordt, je zult altijd ...'

Björn rechtte zijn toch al rechte rug nog meer. Hij had nu vochtige ogen.

'Ik ben toch nooit jouw kind geweest.'

De kille klank in zijn stem was nu weg; zijn stem was nu hoger, bijna schel. Elsie bleef hem strak aankijken en voelde een bekende kilte over haar rug gaan. De weegschaal sloeg nu over naar haar kant. Hij wordt zwakker, dacht ze. Maar ik word sterker. Ja. Zo is het. Nu, op dit moment, ben ik sterk.

'Je bent altijd mijn kind geweest.'

'Dat heb ik anders nooit gemerkt!'

Dat was voldoende. Haar kracht was een leugen, gezichtsbedrog, een illusie, dat wist ze op het moment dat ze die voelde wegstromen. En Björn wist het ook; dat kon je zien. Hij zoog die op en perste zijn over elkaar geslagen armen nog steviger tegen zijn lichaam. Zijn ogen waren niet vochtig meer.

'Ik ben opgegroeid bij Inez en Birger. Die hebben voor me gezorgd. Die zijn mijn ouders geweest. Dat zijn mijn ouders. Dat is genoeg.'

Elsie drukte haar handtas tegen haar buik.

'Maar ...'

'Jij hebt je nooit ene moer van mij aangetrokken. Nooit.'

'Alsjeblieft, Björn ...'

'Jij bent iemand die af en toe op bezoek komt. Een keer per jaar. Of om de twee jaar. Het is niet de moeite waard om je van iemand als jij iets aan te trekken.'

Elsie sloot haar ogen, maar Björns stem liet zich niet buitensluiten.

'Het kan best zijn dat je me op de wereld hebt gezet. Maar je bent nooit mijn moeder geweest. Want je hebt mij niet gewild. Nooit.'

'Dat wilde ik wel, maar ...'

'Ik weet toch wat ik weet! En dat is genoeg.'

Elsie slaakte een zucht en deed een nieuwe poging om ertussen te komen: 'Je weet niet hoe het was ...'

'Het kan me toch geen bal schelen hoe het was!'

Zijn stem sloeg over en werd schel, hij draaide zich abrupt om, keerde haar de rug toe en steunde op het aanrecht. Elsie zakte wat in elkaar en onderdrukte een snelle impuls om nog dieper weg te zakken, om gewoon voorover te gaan liggen met haar wang op het grijze formicablad van de keukentafel en zo te blijven zitten tot ze door honger of dorst zou zijn verteerd. Voor de zekerheid tilde ze haar armen op om haar hoofd in haar handen te steunen. Dat zou ze hem niet aandoen. Als ze stierf, zou het door ziekte of een ongeluk zijn, niet door iets waar hij bij betrokken was. Heel even kwam er een beeld voor haar geestesoog: ze zag haar eigen hoofd in een grijze zee duiken, heel even maar, zo snel dat ze niet eens de tijd had om haar mond open te doen en om hulp te roepen voordat de kou haar te pakken kreeg en weer onder water trok, de grote stilte in, die zoveel leek op de grote stilte van dit moment in deze keuken. En na de stilte kwam de duisternis …

Ze knipperde met haar ogen en duwde die gedachte weg. Onzin. Fantasieën. Ze slaakte een zucht en begon opnieuw: 'Ik wilde toch alleen maar …'

Hij onderbrak haar weer, maar zonder zich om te draaien en haar aan te kijken: 'Ik wil het niet horen. Kun je dat niet begrijpen? Ik wil je onzin echt niet horen!'

Zijn stem hield haar tegen. Het was een oude stem, moe en gelaten. Ze bleef een poosje doodstil zitten kijken naar zijn wijnrode rug. Hij stond volkomen stil, ademde nauwelijks. Zo oud en toch zo jong. Pas negentien jaar. Bijna twintig. Net zo oud als zij geweest was toen ze aan de marconistenopleiding in Kalmar begon, en even gevoelig, misschien nog gevoeliger. Ze onderdrukte resoluut de woede die opeens in haar buik opspeelde, dat slangetje met zijn spelende tong dat haar er zwijgend aan herinnerde hoeveel hij haar destijds had gekost. De slang fluisterde over de schaamte en de angst, de pijn en de eenzaamheid, en lachte daarna zijn reptielenlachje en herinnerde haar aan alles wat hem was overkomen. De idolenstatus. Het succes. Het geld. Ze haalde diep adem en dwong zichzelf haar verstand te gebruiken. Het maakte immers niet uit. Dit ging niet over wat de wereld een van hen had aangedaan. Dit ging over wat zij hém had aangedaan.

'Vergeef me', zei ze ten slotte, maar haar stem klonk droog. Alsof ze het niet meende.

Hij reageerde niet. Misschien had hij haar niet gehoord. Hij bewoog nog steeds niet en had haar de rug toegekeerd. Zij bleef een poosje even bewegingloos zitten, maar stond toen opeens op en schoof de stoel weer onder de tafel. Het was onmogelijk. Nutteloos. Zinloos. Björn was niet van plan haar aan te kijken of met haar te praten. Heel zachtjes liep ze door de keuken, maar toen ze bij de deur was aangekomen bleef ze staan en wierp ze een laatste blik op hem. Nog steeds bewegingloos. Zijn glanzende haar viel naar voren en verborg zijn gezicht. Ze kon hem niet zien. Niet echt. Ze stapte over de drempel en liep geruisloos de hal in.

GODVERDOMME!

Hij scheurde een stuk keukenrol af en snoot zijn neus. Toen er opnieuw tranen dreigden op te wellen wierp hij zich op het aanrecht. Wat een zooi! Hij moest zichzelf niet toestaan om te denken. Hij mocht niet denken!

Hij deed zijn ogen dicht en probeerde zijn woede te vinden. Die kreeg hij te pakken. Die blies hij op. Die liet hij gisten en opzwellen. Dat klotewijf! Die verdomde heks! Dat hielp. Even bleef hij roerloos staan en bedwong zijn tranen. Verborg ze. Vergat ze. Daarna boog hij zich voorover om de kraan open te draaien. Hij vulde zijn handpalmen met koud water en spetterde dat in zijn gezicht. Bleef daarna opnieuw een poosje bewegingloos staan en liet het water op zijn badjas druppelen. Hij verdrong alle gedachten. Merkte dat een klein deel van hem totaal onbewogen was en dat er in een ander deel alleen ruimte was voor verlangen. Hij verlangde echter niet naar Caroline, niet naar Elsie, niet naar succes. Zelfs niet naar geld. Hij verlangde naar niets. Naar rust op een plek die nergens was.

'Ik zal niet om mezelf rouwen', zei hij hardop.

Bij die woorden wierp hij snel een blik om zich heen. Dat was natuurlijk belachelijk, want niemand had hem gehoord. Hij was weer alleen. Volkomen geborgen en alleen. Hij scheurde opnieuw een stuk van de keukenrol en droogde zijn gezicht er zorgvuldig mee af. Hij deed het kastje onder de gootsteen open om het papier weg te gooien en draaide zich om. Hij zag uit over de keuken.

Zo. Nu was hij zichzelf weer.

Björn Hallgren. De popster.

'Is HET WAAR?! Is dat werkelijk Elsie Hallgren?'

Op het asfalt bij de telefooncel wandelde een kwikstaartje; zijn staartveren wipten. Elsie drukte de hoorn steviger tegen haar oor en rechtte aarzelend haar rug.

'Ja. Natuurlijk ben ik ...'

De vrouw van de rederij barstte in lachen uit.

'Soms denk je echt dat God bestaat.'

'Pardon?'

'O, neem me niet kwalijk. Ik bedoelde niet ... We hadden het alleen net over jou.'

'Is dat zo?'

'Ja, we probeerden je telefoonnummer te achterhalen.'

'Ik heb nog geen telefoon.'

'Maar dat maakt niet uit. Want nu bel jij. Precies op het moment dat we jou wilden bellen. Het is namelijk zo dat de marconist op de Anastasia ziek is geworden. En het schip vertrekt vanavond al. Uit Malmö. Kun jij dat doen?'

'Wat? Ik weet niet ...'

De vrouw luisterde niet.

'Wacht heel even. Ik geef je Arne.'

Het bleef even stil. Elsie deed haar ogen dicht. Bestond God? Misschien. Want nu mocht ze verdwijnen. Vandaag al zou ze mogen verdwijnen.

'Elsie!'

Ze hoorde de glimlach doorklinken in zijn stem. En het bekende Gotenburgse dialect.

'Arne', zei ze en ze zag hoe het kwikstaartje opeens bleef staan bij de telefooncel, heel even, waarna het zijn vleugels uitsloeg en opsteeg.

'Klopt het dat je een marconist nodig hebt?'

'DAAR ZIJN ZE!'

Eva's stem sloeg over, heen en weer schietend tussen haar gewone enthousiasme en iets wat op angst leek. Susanne wierp haar een snelle blik toe. Wat had zij nou? Maar ze zei er natuurlijk niets over en trok een afgepast verwachtingsvol gezicht. Ze volgde Eva's blik. Björn zei natuurlijk ook niets; hij zat met zijn ogen dicht en deed net of hij sliep, maar hij sliep niet. Dat wist Susanne. Dat kon je zien aan zijn ademhaling. Puf, puf, puf. Veel te snel. Alsof hij kwaad was, alsof hij bang was dat hij alleen al door zijn ogen op te slaan iemand zou kunnen ombrengen. Als ze had geweten dat hij zo chagrijnig zou zijn, dan was ze nooit meegegaan op tournee. Nooit van haar leven.

Al toen de rode bus van de band bij het lyceum in Landskrona kwam voorrijden was hij snibbig en dwars geweest. Hij wilde niet naar buiten komen om handtekeningen uit te delen aan de meiden die daar stonden te wachten. Allemaal schoolkameraden van haar, maar daar had hij zich natuurlijk niets van aangetrokken! Hij had alleen boos door het raam naar buiten zitten kijken en daarna het gordijn dichtgetrokken zodat ze hem niet zagen. Hij had haar en Eva nauwelijks begroet. Toen Eva hem benaderde, had hij gewoonweg vijandig gekeken. Hij was niet opgestaan en had haar ook niet gekust of omhelsd. Toen zij vroeg hoe ze zouden rijden, had hij slechts eenlettergrepige antwoorden gegeven. Eerst naar het vliegveld van Ängelholm. Omdat de andere bandleden daar zouden landen. En ja, ze hadden haast. Verdomd veel haast, dus als ze nou maar wilden gaan zitten ...

Zelfs Hasse, de roadie die de bus bestuurde, merkte hoe laatdunkend hij klonk en probeerde de boel glad te strijken door een paar belachelijke schuine moppen te vertellen. Dat had Eva de mogelijkheid geboden wat verder naar voren in de bus te gaan zitten en te proberen of ze hem met haar lach voor zich kon innemen. Dat was uiteraard uitstekend gelukt, en nu zat ze op de voorste rij kippig door het raam te staren. En daar waren ze inderdaad. Bosse, Peo en Niclas dromden lachend en roepend naderbij. Tommy een paar passen achter hen. Hij lachte of schreeuwde niet; hij keek in feite net zo chagrijnig als Björn, maar dat duurde niet lang. Hij wendde zich opeens glimlachend naar rechts en stak zijn arm uit om de jongen naast hem op de rug te slaan. Hij was klein van stuk, tamelijk mager, maar droeg heel modieuze kleding. Ruches aan zijn overhemd. Een zwart schippersjack. Een roodgeruite broek, aan de onderkant zo wijd dat de pijpen bij elke stap die hij zette opzij flapperden en een paar zwarte schoenen met vierkante gespen onthulden. Susanne had over zulke schoenen in *Fotojournaal* gelezen, maar kon zich niet herinneren hoe ze genoemd werden. Ze waren niet te koop in Zweden. Alleen in Londen.

Hasse drukte op een knop zodat het portier opengleed, stond op en rende bijna naar buiten. Hij kende die knul blijkbaar ook, want hij spreidde zijn armen uit alsof hij van plan was hem te omhelzen, maar hij liet zijn linkerarm zakken en voerde met zijn rechterarm iets uit wat het midden hield tussen een omhelzing en een klap op de rug. Toen de nieuwe jongen zich naar Hasse over boog, viel zijn haar over zijn wangen. Het was asblond, een dermate nietszeggende kleur dat het eigenlijk helemaal geen kleur was. Bijzonder knap was hij niet, maar iets, misschien zijn kleding of kapsel, maakte hem toch aantrekkelijk. Of althans hip ... En dat was belangrijk. Niets was voor een jongen belangrijker dan hip te zijn.

Tommy zei iets en Hasse wierp snel een blik in de richting van de bus toen hij reageerde. Nu vertelt hij over Eva en mij, dacht Susanne. En Tommy vindt het niet prettig dat we erbij zijn. De asblonde jongen zei iets, en heel even keek Tommy verbouwereerd, maar daarna schoot hij in de lach. Het probleem leek de wereld uit. Tommy lachte nog steeds toen hij met een paar grote stappen naar de bus liep, maar opeens bleef hij staan en zette een stap achteruit. Opnieuw zei hij iets tegen de onbekende jongen, die iets terugzei, waarop Tommy nog harder moest lachen dan de vorige keer. Peo, Bosse en Niclas moesten ook lachen. Hasse boog zich snel voorover en gaf de nieuwe jongen weer een klap op zijn rug. Een echte grappenmaker, die knul. Susanne sloot haar ogen en dwong zichzelf ertoe rechtvaardig te denken. Een aardige knul. Iemand die de stemming verbeterde. Misschien dat hij Björn ook tot leven wist te wekken. Ze wierp hem een snelle blik toe. Hij had zijn ogen nog steeds dicht, maar hij luisterde wel degelijk, dat zag je.

Eva had zich van het raam teruggetrokken en zat met haar benen over elkaar en haar handen gevouwen op schoot recht voor zich uit te kijken. Susanne kon haar gezicht niet zien, maar ze was ervan overtuigd dat ze glimlachte. Misschien had ze zelfs dat licht in haar ogen wel ontstoken, dat lichtje dat ze naar believen kon aan- en uitzetten. Afgelopen winter had ze op een zaterdag aan Susanne laten zien hoe ze dat deed. Ze hadden naast elkaar voor de spiegel gestaan in de kleine ruimte achter de parfumerie.

'Kijk nou', zei Eva, en Susanne had gekeken. Ze had gezien hoe Eva zonder een spier te vertrekken opeens een volmaakt gelukkige, beetje gretige en lachgrage uitdrukking op haar gezicht toverde. Susanne kon een glimlach naar haar niet onderdrukken, maar het was een glimlach die even snel weer uitdoofde als dat hij ontstoken was. Want nu, slechts een tel later, zag Eva er weer net zo uit als wanneer er te veel tienermeisjes de winkel binnenkwamen. Met een donkere blik, onwillig en chagrijnig. Een tel later ging dat lichtje in haar ogen weer aan en was ze opnieuw begerig en speels.

'Maar hoe doe je dat?' vroeg Susanne.

Eva streek met haar hand over haar haren; ze had een nieuw kapsel, een lang, glad pagekapsel met slechts één klein, bijna onzichtbaar, getoupeerd plukje waar ze vaak met haar hand overheen streek. Ze glimlachte.

'Ik weet het eigenlijk niet. Het is alsof je op een knopje drukt. Dan komt het gewoon.'

'Maar ...'

Eva haalde haar schouders op.

'Het is gewoon een gave. Ik weet niet hoe het werkt. Ik doe het gewoon.'

'Alsof je een kaarsje aansteekt', zei Susanne. 'En het dan weer uitdooft.'

Eva lachte en schudde tegelijkertijd met haar haren. Het leek of ze ervan genoot om te voelen hoe zacht die haar wangen en hals beroerden, hoe anders het was dan de kapsels met veel haarlak die ze al die jaren had gehad. Als ze althans niet van Susannes woorden genoot. Dat zou ook kunnen, want ze was daar vaak op teruggekomen. Eerder die dag nog, toen ze bij het lyceum stonden te wachten; ze had naar Susanne geglimlacht en gezegd: 'Nou, is het licht aan?'

Susanne stond net haar witte laarzen aan te trekken, maar daar hield ze toen mee op, en voorovergebogen gluurde ze omhoog naar Eva. Ze zag geen licht, maar dat kon ze natuurlijk niet zeggen. Dus glimlachte ze slechts en liet ze haar blik weer naar haar laarzen gaan.

'Ja, hoor', zei ze.

Eva verplaatste haar voeten even en draaide wat met haar enkels. Het juiste antwoord, dus. Susanne trok haar andere laars aan en kwam overeind. Achter haar stonden de meisjes, een groep van haar eigen leeftijd en wat jonger. Ze vond het fijn dat die daar stonden. Ze maakten haar sterker. Ze zorgden ervoor dat ze zich bijna Eva's gelijke voelde. Want hoeveel meisjes van haar leeftijd mochten er eigenlijk mee op tournee met een band als The Typhoons? Bijna niemand. Althans hier in Landskrona niet.

Toch was ze ook best een beetje zenuwachtig. Het kon immers best zijn dat Björn opnieuw was vergeten dat hij hen moest ophalen? Dat kon toch best? En dan stond zij daar met de teleurstelling van de meisjes. De verantwoordelijkheid rustte dan volledig op haar, zonder dat ze iemand had om die mee te delen. Want Eva zou geen verantwoordelijkheid nemen; dat wist ze. Nooit was iets Eva's schuld. Al het goede was haar eigen verdienste, maar al het slechte kwam door anderen, dat had Susanne al geleerd. Om eerlijk te zijn had je niet zoveel aan haar als vriendin. Anderzijds waren ze misschien ook geen vriendinnen. Ze waren eigenlijk schoonzussen. Althans zo sprak Eva haar altijd aan: 'Hoi, schoonzusje ...'

Susanne vertrok haar gezicht. Ja, Eva klonk belachelijk wanneer ze zo bezig was, maar dat mocht je niet denken! Ze dwong zichzelf terug naar de realiteit. Björn was niet vergeten om hen op te halen. En hier was ze nu dus. In de tourneebus van The Typhoons, met een chagrijnige Björn die in de rij links van haar zat en Eva met een kaarsrechte rug helemaal voorin in de bus. En buiten stond de rest van de club te praten en te lachen. Opeens ging er een schok van heimwee door haar heen. Heel even zag ze haar kamer voor zich, een kamer waarin het schemerig was en waarin ze aan haar bureau in haar dagboek zat te schrijven. Ze kneep haar ogen dicht en duwde het beeld weg, leunde naar voren en legde beide handen op de rugleuning voor haar. Nu zag ze wat ze nog niet eerder had gezien. Eva zat zich te spiegelen. Helemaal voor in de bus zat boven aan de rand van de grote voorruit een spiegeltje en daarin zag ze Eva's gezicht, dat gladde, bleke ovaal met twee heel donker opgemaakte ogen. Eva had het licht aangestoken en dat liet ze branden toen ze haar hoofd omdraaide en naar het portier van de bus keek. Peo, Bosse en Niclas stapten net naar binnen. Buiten wachtten Tommy, Hasse en die modieuze knul.

Hij ging ook mee.

Hoe klinkt gejubel?

Dat was een van die woorden waar Susanne mee worstelde toen ze in haar dagboek schreef, een van die woorden waarmee ze zich van haar kinderlijke voorstellingen probeerde te ontdoen. Nu wist ze het. Gejubel was geen onnozel tralala in falset; het was dit allemaal: het geluid van Eva's heldere lach die zich vermengde met de donkere stem van Hasse, de enthousiaste stem van Niclas en de iets minder enthousiaste van Bosse, het waren Peo's handen die in een drumsolo op de rugleuning voor hem heen en weer schoten, en Tommy's geklok dat het midden hield tussen lachen en praten. En dat allemaal vanwege Robban. De veroorzaker van gejubel. De stemmingverbeteraar. De jongen die de bus binnenstapte en iedereen – met uitzondering van Björn uiteraard – aan het lachen maakte.

Nadat hij in de bus was gestapt was hij niettemin meteen naar Björn toe gegaan. Hij was voor hem gaan staan en had een paar keer geforceerd zijn keel geschraapt. Zo geforceerd dat de anderen wel moesten lachen. Daardoor had hij Björn er ten slotte toe gedwongen zijn ogen te openen. Robban had meteen een ironische buiging gemaakt en gezegd: 'Mijn dank is groot.'

Björn knipperde met zijn ogen.

'Waarvoor?'

'Dat je mijn plek in de band hebt ingenomen. Bedankt.'

Björn wist niet waar hij moest kijken. 'Dus jij bent ...'

'Ik ben Robban. Mijn ouders zijn je ook eeuwig dankbaar. Want over een maand doe ik eindexamen en dat kan niet iedereen zeggen ...'

Björn ging rechtop zitten, maar wist nog steeds niet goed waar hij moest kijken. Robban glimlachte en vervolgde: 'Als jij mijn plek in de band niet had overgenomen zou ik nog steeds ...'

Hij maakte zijn zin niet af. Achter hem stond Tommy net zo breed te glimlachen.

'We vonden dat Robban wel een paar dagen met ons op pad kon gaan. Net als je zus en je vriendin.'

Björn haalde zijn schouders op.

'Het is mijn zus niet. En niet ...'

Tommy schoot in de lach. 'Niet je zus en niet je vriendin. Potverdomme, zeg. Hebben jullie dat gehoord, jongens? Het is niet zijn zus en niet zijn vriendin!'

'Ik bedoelde niet ...'

Björn kwam half overeind, maar plofte meteen weer neer. Misschien had zijn blik die van Eva gekruist, een Eva die zich had omgedraaid en hem aankeek zonder licht in haar ogen, een bleke Eva wier donkere ogen zich vernauwden, een Eva die alles zag, hoorde en opmerkte.

'Ach', zei Robban. 'Wat maakt het uit. We maken er een feestje van!'

En een tel later was het inderdaad feest. Robban liep naar Eva toe en kuste haar de hand en zij lachte, ontstak het licht in haar ogen en liet het gebeuren. Terwijl Hasse de bus startte en de provinciale weg op reed, ging Robban naast Eva zitten. Tommy ging op een stoel achter haar zitten en schakelde zijn draagbare grammofoonspeler in. Eva draaide zich meteen half om en liet haar blik van de een naar de ander gaan, van Robban naar Tommy en weer terug. De stem van Mick Jagger dreunde door de bus. *'I can't get no ...'* Niclas en Bosse gingen aan de andere kant van het pad zitten en zongen mee. Peo plofte naast Susanne neer en glimlachte, hij glimlachte zo warm en intens dat haar spieren begonnen te ontspannen en ze zelf een glimlach niet kon onderdrukken. Ze vergat Björn en dacht pas weer aan hem toen ze tien kilometer verder waren. Toen draaide ze zich lachend om en ze zag dat hij er nog precies zo bij zat als eerst: met zijn ogen dicht en zijn armen over elkaar. Hij deed niet mee aan het feest.

Maar zij wel. Susanne deed absoluut mee aan het feestje van The Typhoons. En dat deed ze samen met Peo.

'In het gelid!'

Robbans stem sneed door de lucht. Er werd gegiecheld, gelachen en herrie gemaakt, maar Björn was niet van plan zijn ogen te openen om te kijken wat er gaande was. Hij was van plan hier met zijn ogen dicht te blijven zitten tot de anderen uit de bus verdwenen.

'Detachement! Voorwaarts! Mars!'

Eva lachte het hardst van allemaal. Die was natuurlijk het vrolijkst. En het wispelturigst.

'O God, help!'

Hij kon het niet helpen. Zijn ogen gingen vanzelf open. Hij zag dat Eva haar evenwicht verloor en begon te wankelen, dat ze tegen Tommy aan viel, die vlak achter haar stond. Hij zag hoe ze diens arm pakte en tegelijkertijd Björn een blik toewierp, een ijskoude blik die duidelijk maakte dat ze zich zo in de steek gelaten voelde dat ze het recht had om wie dan ook te verleiden, en vooral zijn ergste vijand. En Tommy leek daar niets op tegen te hebben, integendeel, hij maakte zich alleen maar los uit Eva's greep om beide armen om haar heen te slaan en haar stevig tegen zich aan te drukken. Haar rug tegen zijn buik. Haar achterwerk tegen zijn geslacht. Een tel later schommelde hij even met zijn onderlichaam en wreef dat tegen haar achterste terwijl hij een draai maakte om zijn blik ook even over Björn te laten gaan, maar slechts in het voorbijgaan. Daarna glimlachte hij naar Peo en Susanne, die achter hem stonden.

'Alles goed?'

Susanne knikte, maar glimlachte niet. Peo legde zijn hand op haar schouder, maar haalde die meteen weer weg.

'Stilte in de gelederen!' riep Robban bij het portier.

Eva begon te giechelen.

'In de maat, mijne heren!' riep Robban. 'In de maat!'

Björn deed zijn ogen weer dicht.

Het portier stond blijkbaar open. En buiten lag blijkbaar een wegrestaurant met een benzinepomp. Of een benzinepomp met een snackkraam. De zware geur van patat vermengde zich met benzinedampen. Hij had dat altijd een lekkere geur gevonden, vond dat het een beetje rook als de droom over zijn leven, ook al was het dan niet het leven dat hij werkelijk leidde. Toch had hij absoluut geen honger. Hij wilde niet eten. Wilde niet drinken. Wilde niet eens zijn ogen opendoen.

Maar hij moest. Ondanks alles. Om niet helemaal door de duisternis te worden opgeslokt.

Hij keek om zich heen. Alles was zoals het altijd was. Een verrekte zooi. Overvolle asbakken. Een leren jack op de grond. Een half geopende tas op de tafel achterin, die tafel die op aandrang van Karl-Erik in de bus was ingebouwd, maar waaraan nooit iemand zat. Kranten en colaflessen, truien en lege chipszakken over de rode stoelen rondgestrooid. Plus uiteraard Tommy's draagbare grammofoonspeler. Een kapotte papieren tas met gesigneerde posters op het bagagerek. De tas was omgevallen en de posters waren gehavend en waren bijna allemaal gescheurd aan de randen. Er lag een lege whiskyfles achter.

Björn bleef een poosje roerloos zitten, maar stond toen langzaam op en rekte zich uit. Buiten op de halflege parkeerplaats liep de hele band nog steeds in een rij kunstige kronkelingen te maken. Robban liep voorop; hij strekte zijn benen als een Duitse soldaat en brulde iets. De anderen volgden hem, vlak achter elkaar en perfect in de maat. Linkervoet, rechtervoet, linkervoet ... Als in een film van Richard Lester. Alleen het publiek ontbrak. Een vrouw die net uit het wegrestaurant kwam, glimlachte aarzelend naar hen, maar liep snel door, en een jonge vent in blauwe werkkleding keek naar buiten uit iets wat een garage moest zijn. Hij glimlachte niet, hij stond gewoon te staren en streek daarna met zijn hand over zijn voorhoofd. Een man van middelbare leeftijd die stond te tanken draaide zich demonstratief om en keerde hun de rug toe.

En toen, precies op het moment dat Robban buiten opnieuw iets brulde, gebeurde het. De wereld brak. Werd dubbel. Björn zag hoe Robban en de anderen in de richting van de glazen deur van het wegrestaurant bleven marcheren, maar tegelijkertijd zag hij iets heel anders. Zijn leven. Terwijl hij een keer inademde, zag hij hoe zijn hele bestaan voor hem werd uitgevouwen als een waaier, elke dag, elk uur, elke minuut die hij al geleefd had en elke dag, elke week, elk jaar van het leven dat hij nog zou leven. Het was in een mum van tijd voorbij en een tel later kon hij zich niet meer herinneren wat hij exact had gezien. Donkere dagen en lichte. Successen en nederlagen. Een begin en een einde. Dat was alles.

Hij liet zich terugzakken op zijn stoel en deed zijn ogen weer dicht. Even probeerde hij een droombeeld te scheppen waarin hij dit aan iemand zou vertellen, een dominee, een leraar of een kameraad, als hij althans een dominee had gekend, een leraar had gehad of iemand die hij zijn kameraad kon noemen, maar hij wist meteen dat dit iets was wat hij nooit van zijn leven zou kunnen beschrijven.

Iedereen gaat dood, dacht hij.

De stem in zijn hoofd reageerde meteen.

Jij gaat dood.

Iedereen gaat dood. Elsie en Inez, Eva en Tommy, Karl-Erik en Robban ...

Jij ook.

Ja. De laatste dag komt. Onvermijdelijk. Dus waarom doen we überhaupt die moeite om te leven?

Ja. Leg me dat eens uit. Waarom leef je?

Ik leef omdat ik leef.

Nee. Jij leeft omdat Elsie een vergissing heeft begaan. Jij bent een vergissing.

Dat is niet waar.

Jij bent een vergissing. Denk daar maar eens over na.

Ik wil niet.

O. Jij wilt niet.

Ik leef omdat ik leef. Dat is voldoende.

Dom. Dat ben je. Onnozel. Naïef. Zelfs nog dommer dan Robban.

Ja. Maar ik heb in elk geval eigen woonruimte.

Jazeker. Geweldig. Met rood behang en een gele vloer.

Ik dacht dat het mooi zou worden.

En werd het mooi?

Nee. Ik weet het, maar …

Is er een excuus voor je slechte smaak?

Nee, maar …

Een slechte smaak is onthullend. Dat zegt iets over wie je bent. Wie ben jij?

Ik weet het niet.

O jawel. Dat weet je wel.

Ik ben een jongen met een slechte smaak.

Meer dan dat. Je bent vulgair. En binnenkort ben je vulgaire vergane glorie.

Zo hoeft het toch niet te gaan …

Ben je van plan te stoppen met vulgair zijn? Dat kun je niet.

Ik hoef toch geen vergane glorie te worden.

Nee, nee. En hoe wou je dat vermijden?

Ik sta nog in elk nummer van *Fotojournaal*.

Niet in het volgende.

Hoe weet je dat?

Dat weet ik. En dan zul je eenzaam worden. Iedereen zal je de rug toekeren. Net als Eva.

Ik kan het weer goedmaken! Met Eva.

O. Hoe dan?

Ik kan …

Nou? Vertel op!

Een cadeau kopen.

Oo! Indrukwekkend. De juiste oplossing voor een vulgaire vent.

Zij is ook behoorlijk vulgair. En ze houdt van cadeaus.

En waarom wil je verkering hebben met een vulgaire meid?

Om jou je kop te laten houden!

Maar je kunt mij toch mijn kop niet laten houden. Ik zit immers in jou. Continu.

'Björn!'

Iemand raakte even zijn schouder aan. Bijna een streling. Het had Eva kunnen zijn als de stem niet aan Susanne had toebehoord. Hij dwong zichzelf zijn ogen te openen. Het was Susanne, een zwaar opgemaakte Susanne. Iemand zou haar moeten vertellen dat ze gele tanden kreeg van die witroze lippenstift. Hij deed zijn mond open, maar sloot hem ook meteen weer. Niet hij.

'Moet je niets eten?'

Hij schudde zijn hoofd.

'Iedereen zit nu te eten. En Hasse zegt dat er hierna geen wegrestaurants meer komen.'

'Nee. Ik wil niet.'

'Maar in Nässjö kun je niet uit eten gaan. Dan word je besprongen.'

'Ik wil niet.'

'Maar er zijn hier geen meiden. Alleen twee die het eten klaarmaken. Dikzakken. Die zullen niets doen. Ik beloof het.'

Hij sloot zijn ogen. De stem in zijn hoofd echode: *Wat vulgair!*

'Maar geen vergane glorie!'

Hij had het hardop gezegd. Hij had gereageerd. Dat was niet de bedoeling. En nu kon hij de verbijstering in Susannes stem horen.

'Wat?'

Hij deed zijn ogen weer open.

'Niks.'

'Wat bedoel je?'

'Ik bedoel niks.'

'Godverdomme, wat ben jij vervelend!'

Susanne vloekte. Het was voor het eerst in zijn leven dat hij Susanne hoorde vloeken. Hij deed zijn mond open om er wat van te zeggen, maar zover kwam hij niet.

'Jij gedraagt je zo verschrikkelijk dat ik me ervoor schaam. De rest is hartstikke aardig, maar jij zit hier maar te mokken. Wat is er eigenlijk met jou? Nou?'

Ze wachtte het antwoord niet af, maar draaide zich abrupt om en rende de bus uit. Björn bleef nog even bewegingloos zitten, maar stond toen op en haalde zijn hand door zijn haar.

Hij moest dan maar gaan eten.

Inez stapte achteruit om de muur te bekijken. Hij was wit, absoluut wit, maar toch zag je de bloemen. Slingerende witte bloemen tegen een witte achtergrond ... Het was mooi.

'Nou? Hoe gaat het?'

Ze begon te trillen van die stem, en de tiende van een seconde die het haar kostte om te beseffen dat het Birger was, was voldoende om haar lichaam totaal in paniek te laten schieten. Haar angst straalde naar alle kanten uit en ze kreeg kippenvel.

'Goeie genade! Wat laat je me schrikken!'

Birger bleef op de drempel staan en sloeg zijn ogen neer. Hij droeg een stropdas, maar had die wat losgemaakt en het bovenste knoopje van zijn overhemd ook. Zijn zaterdagse tenue.

'Sorry. Dat was niet de bedoeling. Ik wilde gewoon even kijken hoe het ging.'

Inez rekte zich uit en liet haar blik over de witte muur gaan.

'Het gaat goed. Het gaat prima.'

Birger volgde haar blik.

'Maar je ziet de bloemen wel.'

'Jawel. Maar dat geeft niet.'

Het bleef even stil en Inez boog zich voorover om de roller in de verfbak te stoppen. Ze hoorde Birger een stap in de kamer zetten.

'Heb je hulp nodig?'

De verf drupte van de roller op de kranten op de vloer en ze stapte naar voren om hem op de muur naast de deur te drukken.

'Ik heb maar één roller.'

Dat klonk afwijzend. Goed. Ze wílde hem afwijzen. Hij had zelf een werkkamer.

'O.'

Hij klonk gekwetst en heel even ging er een gevoel van schuld en medelijden door haar heen, maar ze ging meteen met de roller over de muur. Hij zat vast te overpeinzen op welke manier hij haar kon dwarsbomen. Haar kon stoppen. Haar weer terug naar de keuken kon dwingen. Dus was er geen reden om medelijden met hem te hebben. Toch probeerde ze haar woorden te verzachten.

'Zie je hoe licht het hier wordt?'

Hij stopte zijn handen in zijn broekzakken en knikte, maar zei niets. Ze wierp een snelle blik op zijn voeten.

'Pas op dat je niet in de verf gaat staan.'

Hij stapte naar achteren en belandde weer op de drempel. Goed. Daar kon hij mooi staan. Ze doopte de roller opnieuw in de bak met verf, die niet lekker rook, maar dat op de een of andere eigenaardige manier toch ook wel deed. Ze strekte zich weer uit naar de muur. Een nieuwe haal wit. Licht. Lucht. Bevrijding. Ze moest zich bedwingen om niet in lachen uit te barsten. Schilderen was best leuk werk. Ze had in geen jaren zoiets leuks gedaan.

'Wat voor kleren heb je aan?' vroeg Birger.

Aan zijn toon kon je horen dat hij precies wist wat voor kleren ze aanhad. Een oud sjaaltje om haar haren, zorgvuldig geknoopt in de nek. Een van Birgers oude overhemden, met opgerolde mouwen. Een blauwe, manchester broek van Björn waar hij uit gegroeid was. En aan haar voeten een stel klompen. Het zat allemaal al onder de witte verfvlekken. En toch voelde ze zich mooi. Nadat ze haar schilderskleding had aangetrokken had ze in de hal voor de spiegel gestaan en zich opeens tien jaar jonger gevoeld. Als ze in Malmö of Kopenhagen had gewoond had ze zo de straat op kunnen gaan. Ze zag er modern uit. Of 'in', zoals Susanne zou hebben gezegd. Maar ze deed natuurlijk net of haar dat allemaal ontging.

'Gewoon wat oude spullen.'

'Dat overhemd is toch van mij?'

Ze wierp een nonchalante blik op het overhemd terwijl ze zich opnieuw met de roller over de verfbak boog.

'Hij wás van jou. Je had hem immers weggegooid omdat de kraag begon te slijten.'

Ze kon zijn hersens bijna horen knarsen en kraken, kon bijna horen hoe hij allerlei fantasierijke redenen overwoog waarom ze van alle afgedankte overhemden die in de kelder lagen nou eigenlijk juist net niet dít had moeten nemen, maar hij zei niets. Hij zou wel aanvoelen dat ze geen spaan heel zou laten van enig argument dat hij kon verzinnen. En daar had hij gelijk in.

'Hm', zei hij slechts terwijl hij op de drempel heen en weer wipte. Het bleef lang stil, zo lang dat Inez twee hele keren met de roller over de muur kon gaan, van het plafond tot de vloer. Toen schraapte Birger zijn keel. 'Wat gaan we eten?'

Inez verstijfde, ze bleef opeens roerloos naar het vochtige witte oppervlak staan kijken en voelde hoe ze van woede begon te gloeien. Wat gaan we eten? Het was pas twee uur 's middags; hij had zijn lunch net op. Ze was namelijk met een rotgang van school naar huis gefietst om die man nog geen twee uur geleden een aardappelgerecht met gebakken ei en zelfgekweekte en ingemaakte rode bietjes voor te zetten!

'Tja, dat hangt ervan af. Wat wilde je gaan maken?'

Die woorden ontglipten haar gewoon, zonder dat ze erbij nadacht. Een tel later juichte ze van binnen van blijdschap – *ja! ja! ja!* – maar ze zorgde er natuurlijk wel voor dat ze neutraal bleef kijken en hem niet aankeek.

'Ik?'

Hij klonk oprecht verbijsterd. Alsof het nooit bij was opgekomen dat hem zou kunnen worden gevraagd om te koken. Ze dook in elkaar en ging onderaan nog een keer extra met de roller over de muur.

'Ja.'

'Moet ik koken?'

'Ja, waarom niet? Ik ben toch aan het verven? En wij zijn de enige twee die thuis zijn.'

'Maar ik kan toch niet koken ...'

'Je kunt toch lezen. Er staan verschillende kookboeken in de kast in de hal.'

Nu draaide ze zich glimlachend naar hem om, maar ze zorgde er tegelijkertijd voor dat ze de roller voor zich hield. Dat was een dreigement. Als hij dichterbij kwam, zou ze die vooruitsteken, hem vlak voor zijn gezicht houden en als hij niet helemaal wit in zijn tronie wilde worden, dan ...

De boodschap kwam aan, dat zag ze aan zijn gezicht, en een tel later werd hij woedend, dat zag ze net zo duidelijk. Maar ze wist ook dat hij niets kon doen. Behalve ziek worden misschien. Ze was bereid er een vijfje onder te verwedden dat hij dat zou doen, dat hij binnen een uur koorts of keelpijn zou hebben, of iets aan zijn maag. Maar daar zou ze zich ook niets van aantrekken. Hij kon mooi zelf voor zijn koorts of zijn keel of zijn maag zorgen. Dat moest zij ook wanneer ze ziek werd.

'Je bent niet goed wijs', mompelde Birger. Hij draaide haar de rug toe en liep naar de trap.

Maar dat ben ik mooi wel, dacht Inez. Wijs. Wijzer. Het wijst. Maar dat zei ze niet. In plaats daarvan boog ze zich voorover om hem na te roepen.

'Ik heb een nieuw bureau gekocht. Heel erg mooi. Antiek. Ik ga het volgende week ophalen.'

Ze verhief haar stem nog wat en liet haar glimlach in haar stem doorklinken: 'Heb je dat gehoord, Birger? Ik heb mijn nieuwe bureau namelijk bij een antiquariaat gekocht!'

Het gejubel was tot bedaren gekomen. Nu was het stil in de bus. Het enige wat je hoorde, was het geluid van de motor. Tommy en Eva zaten te kletsen, maar hun stemmen waren zo zacht dat je niet kon verstaan wat ze zeiden. De rest sliep, of zat althans net zoals Susanne met de ogen dicht te dommelen. Dat was lekker. Zo lekker dat ze niet echt zin had om haar ogen te openen en om zich heen te kijken.

Peo sliep. Dat wist ze bijna zeker. Hij ademde alsof hij sliep en soms, wanneer de weg een bocht maakte, kon ze voelen hoe heel zijn lichaam de beweging van de bus volgde en behoorlijk zwaar tegen haar aan leunde. Dat vond ze prettig. Ze genoot ervan een warm en rustend iemand zo dicht naast zich te hebben, om binnen het bereik van zijn lichaam te zijn. Ze was de afgelopen maanden vier keer gekust door vier verschillende jongens, maar geen van hen was zacht of warm geweest. Integendeel. Ze waren hard en hoekig, met lange vingers die overal aan haar wilden zitten en zich een weg zochten. Peo's vingers waren niet lang, ze waren breed en stomp. Hij had grote handen, maar een heel lichte aanraking ... Dat had ze gevoeld toen hij heel even haar knie beroerde en meteen, bijna op hetzelfde moment, zijn hand weer terugtrok en aarzelend glimlachte.

Ze deed haar ogen voor de helft open, net ver genoeg om zijn hand te bestuderen, die wijdopen lag te rusten op zijn zwarte spijkerbroek. Net een vogelnestje. Heel even zag ze zichzelf in dat nestje liggen, in foetushouding in elkaar gekropen en met haar handen onder haar ene wang. Maar ze begon zich voor zichzelf te generen en sloeg haar ogen op. Ze wrong zich omhoog om goed te gaan zitten en keek om zich heen. Jawel, Peo sliep. Net als Bosse en Niclas. Maar een paar rijen naar voren zaten Tommy en Eva zo dicht met hun hoofden bij elkaar dat het leek of hun voorhoofden elkaar elk moment konden raken. Eva was aan het woord. Je kon het nauwelijks horen, maar je zag het; haar hoofd ging op en neer, ze sperde haar ogen open en nu hief ze haar hand op alsof ze haar lach wilde verbergen, maar ze besefte kennelijk dat die dan tussen haar mond en die van Tommy zou zitten en liet hem weer zakken. Ze sloeg haar ogen neer. Tommy glimlachte en leunde nog iets verder naar voren; hij kwam zo dichtbij dat hun pony's elkaar raakten. Susanne wendde haar blik af en draaide haar hoofd om, om schuin over haar schouder naar Björn te kijken. Die sliep niet. Hij zat met zijn ogen wijdopen recht voor zich uit te staren. Hij zag niets. Wat zich tussen Eva en Tommy afspeelde, liet hem blijkbaar onverschillig en hij was al even ongeïnteresseerd in haar en Peo. Ze bleef hem een paar tellen strak aankijken, wilde hem ertoe dwingen haar aan te kijken, haar bestaan te erkennen, toe te geven dat zij een feit in zijn leven was, een feit waar hij absoluut niet omheen kon, maar het hielp niet. Hij zat roerloos voor zich uit te staren en zag of hoorde niets.

Wat was er met hem? Was hij ziek?

Nee. Niet ziek. Hij zag er immers niet ziek uit. En hij was uiteindelijk ook komen eten toen ze hem een standje had gegeven. Ze zuchtte, maakte haar blik van hem los en wendde zich naar het raam om naar buiten te kijken. Ze reden net door een dorpje. Rode en witte huizen. Een kruidenier. Een benzinepomp. Verder niets meer. Een paar roodbonte koeien graasden in een weiland, daarachter stonden een paar berken met hun kale takken in de lucht, daarna kwam er weer bos, dat bijna zwarte sparrenbos dat heel de provincie Småland leek te bedekken. Het zou niet lang meer duren of ze waren er.

Naast haar knorde Peo even. Vervolgens sloeg hij glimlachend zijn ogen op. Zij glimlachte terug. Zijn haren zaten in de war, dat krullerige donkere haar dat bijna niet recht te krijgen leek. Net als dat van haar. Ze had vanochtend bijna een half uur staan worstelen om het kroezige eruit te halen.

'Goedemorgen.'

Peo rekte zich uit, spreidde zijn stompe vingers, keek ernaar en balde toen zijn vuisten.

'Heb jij ook geslapen?'

Ze schudde haar hoofd.

'Nee. Alleen wat liggen dutten.'
Hij wierp een blik op zijn horloge.
'We zijn er zo.'
Nu knikte ze.
'Ja. We zijn er zo.'

De stad leek haast verlaten. Leeg. Een paar auto's, wat kinderen die aan het voetballen waren op een stuk gravel en hier een daar een stel dat een wandeling maakte, was het enige wat ze zagen toen ze naar het hotel reden. De Grote Markt lag er verlaten bij, maar toch ging er een kriebeling van verrukking door Susanne heen toen ze uitstapte en om zich heen keek. Hier zou ze dus logeren. In een splinternieuw hotel. Als een volwassene.

Alles aan de binnenkant glom. De vloer die pas in de was gezet was. De tafel van glas en messing die bij de leren banken in de lobby stond. En de witte glimlach van de receptioniste toen ze Björn in de gaten kreeg. Susanne zag dat ze trilde, dat haar hand echt beefde van nervositeit en verrukking toen ze het formulier naar hem toe schoof zodat hij zich kon inschrijven. Hij glimlachte terug, maar slechts heel kort en hij keerde haar de rug toe om naar de lift te lopen. Hij wachtte niet of een van de anderen ook kwam, maar stapte gewoon in en verdween.

Toen het hun beurt was, stonden Susanne en Eva helemaal opgepropt achter in de lift zodat er voor Tommy en Robban ook plek was. Die glimlachten en praatten tegen Eva, en Eva glimlachte terug. Susanne zweeg en bekeek zichzelf in de spiegel. Ze zag er goed uit. Jawel. Dat deed ze.

De kamer was groot en licht. Een tafeltje tussen de twee bedden. De sprei was grijs, maar er stond een turkooizen fauteuil bij het raam. Uitzicht op het gemeentehuis en het lege plein. Eva keek tevreden om zich heen.

'De badkamer heeft lichtblauwe tegels', zei ze knikkend.

Susanne durfde nauwelijks te reageren. Sinds ze uit de bus waren gestapt, had Eva haar genegeerd. Ze had geen woord tegen haar gezegd, noch bij de receptie, noch in de lift.

'Ja', zei ze slechts. Eva wierp haar een snelle blik toe en liet zich daarna op het bed zakken om haar witte laarzen uit te trekken. Ze begon haar voeten te masseren.

'Je hebt nog niet eens gekeken', zei ze chagrijnig.

Susanne draaide zich snel om en rende naar de deur van de badkamer, die openstond. Ze keek naar binnen en draaide zich glimlachend om.

'Mooi!'

Ze kreeg geen antwoord. Eva had een pakje sigaretten tevoorschijn gehaald en was bezig een sigaret op te steken. Ze wierp Susanne een minachtende blik toe, ging op haar rug liggen en liet een rookpluimpje opstijgen naar het plafond. Roken in bed. Niets was gevaarlijker dan roken in bed. Dat wist Susanne, dat had ze duizenden keren op de radio gehoord. Toch zei ze niets. Ze stond alleen maar zwijgend met haar voeten te trappelen terwijl langzaam tot haar doordrong dat zij de rekening zou moeten betalen voor Björns slechte humeur.

'Nou?' zei Eva uiteindelijk.

Susanne haalde diep adem. Ze kon zichzelf niet toestaan om te zwichten, dus leunde ze tegen de muur om ook haar laarzen uit te trekken en zei: 'Nou wat?'

'Wat is er met Björn?'

Susanne gaf niet meteen antwoord. Eerst zette ze haar laarzen netjes naast elkaar onder de kapstok. Twee witte laarzen precies recht, met de neuzen een centimeter van de muur. Ook een manier om de chaos te bestrijden. Ze hield haar blik op de laarzen gericht toen ze antwoordde: 'Is er iets met Björn?'

Eva inhaleerde en ging rechtop zitten. Ze fronste haar wenkbrauwen.

'Sorry, maar ben je achterlijk?'

Susanne voelde hoe een blos naar haar wangen steeg en ze wilde haar ogen neerslaan. Toch gaf ze geen antwoord. Ze knipperde alleen even met haar ogen en liep langs Eva naar het andere bed. Eva zou moeten opstaan en zich omdraaien om haar gezicht te zien. Nee, ze zou naar het raam moeten lopen, want daar ging Susanne nu staan. Ze keek naar buiten. Het begon te betrekken.

Achter haar rug bewoog Eva. Ze stond blijkbaar op en liep naar het tafeltje om de as van haar sigaret te tippen. Daarna bleef ze tussen de bedden staan, maar ze zei niets en nam alleen de ene trek van haar sigaret na de andere. Het rook smerig. Het stonk.

'En waar ben je van plan vannacht te slapen?' vroeg Eva ten slotte.

Susanne draaide zich zo abrupt om dat ze bijna haar evenwicht verloor.

'Hier natuurlijk.'

Eva keek haar aan, nam haar langzaam van het hoofd tot de voeten op en weer terug, en schudde vervolgens bedachtzaam haar hoofd.

'Nee, dat ga je niet.'

Susanne greep de vensterbank achter zich beet.

'Jawel, maar ...'

Eva onderbrak haar.

'Jij gaat hier niet slapen. Want ik ga ervan uit dat ik bezoek krijg.'

'Maar ...'

Eva boog zich voorover om haar sigaret uit te drukken.

'Je kunt toch kijken of je bij Peo mag slapen? Of bij Björn? Want hier ga je niet slapen.'

Elsie hield haar sleutel in de hand toen ze bij Lydia aanbelde. Haar moeders hakken ketsten tegen de vloer in de hal, daarna werd het veiligheidsslot omgedraaid en ze deed open. Ze keek beduusd.

'Heb je je uniform aan?'

Elsie knikte en glimlachte een beetje.

'Ja. Ik ga weer naar zee. Ik vertrek nu naar Malmö.'

'Naar Malmö?'

'Daar ligt het schip. Dat vertrekt vanavond al. Naar Rotterdam, en daarna ...'

Lydia hernam zich en strekte haar rug. Haar rechterhand ging omhoog om te controleren of haar opgestoken haar niet was losgeraakt. Dat was natuurlijk niet zo.

'Maar wanneer kom je terug?'

Elsie glimlachte weer een beetje.

'Dat weet ik niet. Dat hangt ervan af. Maar ik heb bij de bank geregeld dat ze ervoor zorgen dat de huur wordt betaald. En ik zou u heel dankbaar zijn als u het zou willen voorschieten wanneer de rekening voor de elektriciteit komt.'

Lydia wist niet goed waar ze moest kijken.

'Ja, ik weet natuurlijk niet ...'

Elsie zuchtte hoorbaar. Voor het eerst in haar leven zuchtte ze van ongeduld over Lydia op zo'n manier dat Lydia het zelf kon horen.

'Geef die dan maar aan Inez. En vraag haar of zij het wil voorschieten. Veel geld zal het niet zijn.'

Lydia sloeg haar ogen weer neer.

'Ik bedoelde natuurlijk niet ...'

Elsie deed net of ze het niet hoorde.

'Ik bel haar vanaf het schip. Dus daar hoeft u zich geen zorgen over te maken. Maar ik zou u enorm dankbaar zijn als u mijn sleutel zolang wilt bewaren. En voor de post zou willen zorgen. Of Inez vragen om dat te doen.'

Lydia stak haar hand uit, maar zei niets. Elsie liet de sleutel in haar hand vallen.

'Dank u wel', zei ze toen en ze verschikte haar uniformpet. 'De volgende keer zal ik ervoor zorgen dat alles met de post en de bank geregeld is.'

'Ja', zei Lydia. Haar gezicht was helemaal blanco, maar ze zag bleek. 'Het beste dan maar.'

'U ook het beste.'

Elsie stapte naar achteren en pakte haar koffer op, maar Lydia maakte totaal geen aanstalten de deur te sluiten. Ze stond alleen maar stokstijf naar haar dochter te staren, maar opeens begon ze met haar ogen te knipperen en ze herhaalde: 'Ik bedoelde natuurlijk niet ...'

Elsie ging er niet op in. Ze sloeg alleen haar ogen neer en liep naar de trap, een beetje opzij leunend vanwege het gewicht van haar koffer.

'De taxi staat te wachten', zei ze terwijl ze groetend haar hand opstak. 'Doe de groeten aan de rest. Als u ze ziet.'

En weg was ze.

Het Volkspark in Nässjö.

O.

Susanne stond doodstil om zich heen te kijken. Ze was nooit eerder in een volkspark geweest, maar toch had ze precies geweten dat het er zo zou uitzien. Het was alleen wat verlatener dan ze zich had voorgesteld, want de hekken van het park zaten nog dicht en de kassa was gesloten. De dansvloer lag er leeg bij; de rode, blauwe en gele gloeilampen die aan de slap neerhangende leidingen waren bevestigd, waren uit. De kraam waar je lootjes kon kopen was dicht. De kiosk had zijn ogen gesloten achter een luik van houtvezelplaat. Het openluchtpodium lag er leeg en donker bij, er zat geen publiek op de banken onder het zwarte afdak en niemand leunde tegen de blauwe balustrade die om de banken heen was bevestigd. Er was nergens een mens te bekennen; je zag alleen een bos dat bijna tussen de gebouwen naderbij kroop. Zo kon je je dat althans voorstellen. Als je een beetje fantasie had. En dat had ze immers. Of had ze althans gehad.

Ze had echter niet voldoende fantasie gehad om zich voor te stellen dat ze zelf totaal anders zou zijn op de dag dat ze voor het eerst echt voet in een volkspark zou zetten. Maar dat was ze wel. Ze was een ander mens geworden. Lelijker. Slechter. Onnozeler dan ooit. Zo onnozel dat ze zelf niet goed begreep wat er was gebeurd. Of hoe het was gebeurd.

Een uur waren ze in Hotel Högland geweest. Een uur had het Eva gekost om al Susannes ideeën over zichzelf aan flarden te scheuren, haar te vermorzelen, haar van een redelijk geslaagde meid in niets te veranderen. In iemand die niets had om prat op te gaan. Iemand die zich niets moest verbeelden. Iemand die geen woord kon zeggen zonder zichzelf belachelijk te maken. Echt ontzettend belachelijk. Iemand die uiteindelijk, in een wanhopige poging om aan haar eigen belachelijkheid te ontkomen, was gezwicht en had geaccepteerd dat ze niet in de hotelkamer zou slapen die haar ouders al voor de helft hadden betaald. Niet dat dit veel uitmaakte. Sinds ze de kamer hadden verlaten, had Eva toch al niet meer met haar gepraat, en zodra ze haar blik over Susanne liet gaan keek ze heel vermoeid en minachtend.

Het was gaan motregenen; een paar ijskoude druppels vielen op haar gezicht, en ze zette de capuchon van haar parka op. Ze stopte haar handen in haar zakken en trok haar schouders op. Ze rilde een beetje. Nu moest ze een besluit nemen. Zou ze vertrekken? Naar het station gaan om de eerste de beste trein naar het zuiden te nemen? Naar huis gaan om te proberen alles aan Inez en Birger uit te leggen? Ze kon hun stemmen al horen: Inez' scherpe toon en Birgers ontevreden gebrom. Wat was er gebeurd? Waarom had ze zich door die Eva uit de kamer laten zetten? En wat had Björn gedaan om haar te helpen? Wat hadden de andere jongens gezegd? Enzovoorts.

Het probleem was dat ze dit niet aan Inez en Birger zou kunnen uitleggen. Dat was onmogelijk; de Zweedse taal was niet zo rijk aan woorden dat je hun dit aan het verstand kon brengen. Hoe zou ze hun kunnen vertellen dat Björn haar alleen maar had afgebekt toen ze in de bus naast hem was gaan zitten om te vertellen wat er was gebeurd, dat hij had gesnauwd dat ze hem vlak voor een optreden echt met rust moest laten, en dat ze toen was teruggedeinsd en niet had geweten wat ze had moeten zeggen? En hoe had ze iets tegen de anderen kunnen zeggen? Wat kon ze verwachten van Bosse, Niclas, Tommy en Robban? Bezorgde spijtbetuigingen? Of hoongelach en openlijke spot? En zou ze – zonder flauw te vallen of ter plekke dood te blijven – tegen Peo hebben kunnen zeggen dat Eva had voorgesteld dat ze bij hem op de kamer zou slapen? Zou dat niet hetzelfde zijn als jezelf aanbieden, en was jezelf aanbieden niet verbonden met de doodstraf wanneer je de dochter van Inez en Birger was? Vooral als je jezelf aanbood aan iemand als Peo. Een knul die weliswaar heel aardig was en die meteen naast haar was gaan zitten toen hij uit het hotel kwam en in de bus stapte, maar die een tel later een blikje bier had opengetrokken. Zonder omhaal. Hij had de flesopener in de glimmende bovenkant gedrukt om twee driehoekige gaatjes te maken en daarna glimlachend het blikje in haar richting gehouden. Het had een paar seconden geduurd voor ze doorhad dat hij haar bier aanbood. Eerst had ze er alleen maar met open mond bij gezeten, maar vervolgens had ze haar hoofd geschud en een grimas getrokken. Peo haalde zijn schouders op, zette het blikje aan zijn mond en dronk met grote, duidelijk hoorbare slokken. Toen was het echt tot haar doorgedrongen dat iedereen dronk. Het was pas zes uur, de middag was nauwelijks ten einde en de avond amper begonnen, maar iedereen zat al te drinken. Bosse, Niclas, Tommy en Robban. En Eva, want die hield op dat moment net een papieren bekertje voor Robban op om hem iets barnsteenkleurigs uit een flesje te laten inschenken. Een flesje waar hij vervolgens zorgvuldig de dop weer op schroefde en dat hij in zijn binnenzak wegborg.

Ze dronken alcohol. Ze waren aan de drank. Net als Ingalills vader.

Susanne had zich omgedraaid en geprobeerd oogcontact te maken met Björn, maar dat was natuurlijk onmogelijk. Hij had zijn ogen dicht en sloot zich af voor contact. Bovendien hield hij net zo'n bierblikje in zijn hand als waaruit Peo zojuist had zitten drinken. Dat moest iemand maar eens proberen aan Inez en Birger uit te leggen. Iemand die dat durfde.

En diezelfde iemand, wie dan ook, behalve Susanne, kon natuurlijk proberen uit te leggen hoe dat met die meisjes ging, die meiden die bij de ingang van het Volkspark stonden toen de bus naar binnen reed. Die hadden niet gegild, die hadden daar alleen maar staan staren toen de baas van het park het hek opendeed. Robban had een ontluchtingsraampje opengezet en iets naar hen geroepen. Hij had hun kushandjes toegeworpen en zich zo aangesteld dat achter hem Tommy en Eva niet meer bijkwamen van het lachen. Op dat moment had Susanne beseft dat ze moest weggaan, dat ze echt niet kon blijven. Want die meisjes waren immers net als zij. Die wáren immers haar. Dezelfde leeftijd. Dezelfde kapsels. Identieke kleren. Dus was zíj het die door Robban werd bespot en door Tommy en Eva werd uitgelachen. Toen de bus startte en het park binnenreed, had ze gevoeld dat ze begon te blozen, dat ze zich schaamde om te zijn wie ze was en dat ze van die schaamte tranen in haar ogen kreeg. Ze had haar gezicht afgewend en terwijl haar blos en tranen langzaam wegzakten, had ze zitten staren naar dat bos vol struikgewas, dat om de een of andere reden een park werd genoemd. Toen de bus achter het podium parkeerde, was het over geweest. Ze kon net als de anderen opstaan en uit de bus stappen, hoewel het volkomen duidelijk was dat alles nu anders was. Ze was niet meegegaan om de ruimte achter het podium te bekijken, ze had hun gewoon de rug toegekeerd en was naar het gravelveld gelopen. En daar stond ze nog steeds. Ze moest een besluit nemen.

Ze pakte de portemonnee die in haar zak zat, die belachelijke portemonnee van kersrood kunstleer die ze had gekocht om indruk op Eva te maken, en overpeinsde de inhoud. Een biljet van vijftig kronen dat ze van Inez had gekregen toen Birger niet thuis was. Geld dat ze moest verantwoorden. Zeven kronen aan muntgeld. En een briefje van tien en eentje van vijf in het geheime vakje, geld dat ze had gespaard als basiskapitaal voor een zwart-wit jurkje met een op-art patroon. Wat ze daar nou mee moest? Plus een treinkaartje, een stevig stukje karton dat haar van Norrköping naar Landskrona moest brengen. Misschien kon ze daarmee ook van Nässjö naar huis reizen. Het probleem was alleen dat ze niet wist hoe je bij het station kwam. Ze had geen idee. En ze wist ook niet of er een trein naar het zuiden ging. Het was immers een feestdag vandaag; misschien reden er geen treinen ...

Ze draaide zich om en keek in de richting van de bus. Hasse was opgedoken om het zijluik open te doen. Hij was bezig een grote versterker op een steekwagentje over te laden. Een volwassen man hielp hem. Susanne wist niet wie dat was. Geen van beiden keek haar kant op. Ze waren allebei zwijgend en geconcentreerd aan het duwen en trekken. Het was harder gaan regenen en Hasses jack was al nat op de rug.

Susanne zuchtte. Ze trok haar capuchon beter over haar hoofd en liep door naar het openluchtpodium. Toen ze haar voet op de eerste traptrede zette, balde ze haar vuisten in haar zakken en ze liep heel langzaam de vijf treden op die naar de deur van de ruimte achter het podium leidden.

Er was maar één kleedkamer en daar zaten ze, met z'n allen. Björn voor de spiegel, met dezelfde ontwijkende blik die hij de hele dag al had. Eva op een stoel naast hem, half met haar rug naar hem toe en glimlachend naar Tommy. Die zat met zijn rode gitaar op schoot te roken op de aan de muur bevestigde tafel die heel de korte wand bestreek. Niclas stond zichzelf achter Björn in de spiegel te bekijken. Hij tilde zijn pony op en schudde daarna met zijn hoofd om te zien hoe zijn haar viel. Bosse zat achterovergeleund op een keukenstoel en nam nog een slok bier. Peo streek met zijn handen over zijn drumstokjes en dwaalde met zijn blik naar de deur. En daar, precies naast Susanne, stond Robban tegen de muur geleund, ondertussen de dop van zijn flesje draaiend.

'Kijk', zei hij. 'Hier is de zus die niemands zus is. Of hoe zat het ook weer.'

Susanne probeerde te glimlachen, maar dat lukte niet zo goed. Haar mondhoeken begonnen te trillen en gedurende een seconde keek iedereen naar haar. Ze keken, en begrepen dat ze tegen haar tranen vocht. Björn keek verbaasd, Bosse en Niclas leunden wat naar voren, alsof ze het beter wilden zien, Peo zat verbouwereerd te staren, Robban trok zijn wenkbrauwen op, Tommy wierp een blik in de richting van Eva en onderdrukte een glimlach. Eva zelf hief langzaam haar hoofd op en wierp Susanne een heel kille blik toe, een blik die haar ter plekke deed bevriezen. *Waag het eens*, zei die blik heel duidelijk. *Waag het eens!*

De baas van het Volkspark was haar redding. Hij legde plotseling zijn hand op haar schouder en instinctief stapte ze naar achteren om zich achter zijn rug onzichtbaar te maken. Hij ging op de drempel staan en schraapte zijn keel alsof hij van plan was een toespraak te houden. Hij begon in een vet Smålands dialect te praten: 'Nou, jongens, als jullie nog willen plassen moeten jullie voortmaken. Want hier hebben we geen wc's; die hebben we in het gebouw verderop in het park. En over tien minuten gaan de hekken open, dus als je niet helemaal wilt worden besprongen, dan moeten jullie wel opschieten.'

Hij wipte wat heen en weer op de drempel en terwijl hij om zich heen keek, stak hij zijn handen in zijn broekzakken. Björn was al opgestaan. Tommy legde heel voorzichtig zijn gitaar op de bank aan de muur. De baas van het Volkspark knikte naar hen en voegde eraan toe: 'Zo is 't krek.'

EINDELIJK THUIS.

Elsie leunde zachtjes achterover in haar stoel terwijl ze in de radiohut om zich heen keek en haar handen op het bureau legde. Ze liet ze daar gewoon liggen, bleek en ontspannen, en keek door het raam naar buiten. Een grijze schemering. Een grijze zee. Een grijze hemel. En Denemarken in de verte, een donker Denemarken dat zijn lichten al had ontstoken.

Werd de lente in Denemarken ook gevierd? Misschien. Ze wist het niet en het kon haar eigenlijk ook niet schelen of het zo was. Ze wilde hier gewoon een poosje naar de zee zitten kijken. Zich thuis voelen, hoewel ze nog niet eerder aan boord van dit schip was geweest. De Anastasia. Genoemd naar de jongste dochter van de laatste tsaar. De vrouw die mogelijk – maar niet meer dan dat – de schoten van het executiepeloton had overleefd en nu als Anna Andersson in de Verenigde Staten leefde. Elsie glimlachte in stilte. Tijdschriftenkennis. Opgedaan in de wachtkamer van de tandarts.

Nee. Tijd om wat nuttigs te doen.

Ze sloeg het scheepslogboek open en bestudeerde de laatste aantekeningen. De vorige marconist was een week geleden blijkbaar ziek geworden, maar toch had iemand zorgvuldig aantekeningen gemaakt. Ze pakte een pen en schreef: 1845 GMT FM MALMOE BND ROTTERDAM. TEST RCVRS XMTRS AUTOALARM OK. BATTERIES ACID 1.27. Wat betekende dat de Anastasia de haven van Malmö om 18.45 uur had verlaten en koers zette naar Rotterdam, dat de radio-ontvanger, de zender en het automatische alarm gecontroleerd waren en werkten, en dat de accu's in de noodzender opgeladen waren. Ze zette de radiozender aan en nam contact op met het vasteland. BND ROTTERDAM QRU Hebt u een telegram voor mij? Het antwoord kwam meteen. NIL. Niets.

Alles was zoals het altijd was. Zoals het wezen moest. En zelf hoefde ze nog maar één ding te doen voordat ze Zweden en

Landskrona achter zich had gelaten. Ze liep naar de radiotelefoon. De verbinding was krachtig en helder; toen de telefoon bij Inez en Birger thuis rinkelde, klonk het als een gewoon gesprek. Toen er eindelijk werd opgenomen leunde Elsie over de tafel. Alsof ze vertrouwelijk moest zijn.

'Inez?'

'Elsie? Heb je nu al telefoon?'

Inez' stem klonk buitengewoon opgewekt. Bijna alsof ze moest lachen. Elsie aarzelde even met haar antwoord.

'Nee. Ik zit weer op zee. We varen op dit moment door de Sont.'

'Wat?!'

'De marconist op dit schip was ziek geworden. Dus ben ik ingevallen.'

Inez deed er even het zwijgen toe. Ze overpeinsde misschien hoe de rederij Elsie te pakken had gekregen, maar ze vroeg niets. Ze schraapte slechts haar keel en ging zachter praten.

'Ja. Misschien is dat maar goed ook. Dat je weer naar zee kon, bedoel ik.'

Elsie slaakte een zucht van verlichting. Inez klonk kritisch noch chagrijnig, alleen maar aardig en begripvol. Ze slikte snel en antwoordde: 'Ja. Dat is inderdaad zo.'

Het werd weer stil, maar het was een vriendelijke stilte. Een stilte onder zussen.

'Ik heb de sleutels van mijn flat bij Lydia afgegeven', zei Elsie ten slotte. 'Maar ik denk dat het beter is als jij vraagt of ze die aan jou wil geven.'

Inez zuchtte zacht. Begrepen.

'Zou je ook de elektriciteitsrekening willen voorschieten wanneer die komt?'

'Natuurlijk.'

Alleen dat. Natuurlijk. Inez was aan het veranderen. Misschien zou Elsie ook een ander kunnen worden. Als Björn maar ... De gedachte maakte een wijde boog.

'Heb je je kamer al geschilderd?'

Ze kon horen hoe Inez in haar hal moest lachen.

'Ja. En het is zó mooi geworden. Zo licht en mooi. Ik zal het daar naar mijn zin hebben.'

Elsie glimlachte terug, in haar radiohut.

'Fijn.'

Inez ging zachter praten.

'En Birger is nu aan het koken. Voor het eerst in zijn leven.'

Elsie begon te giechelen.

'Fraai!'

En daarna, zonder dat ze zelf precies wist hoe het ging, leunde ze nog wat verder over het bureau en zei ze half fluisterend: 'Ik heb vandaag met Björn gepraat. Over zijn vader.'

Het werd stil. Inez reageerde niet. Maar Elsie kon haar ademhaling horen. Eerst een keer diep en daarna drie keer snel en oppervlakkig. Ze deed een nieuwe poging.

'Ik vond dat hij gelijk had ... Maar hij wilde niet luisteren. Hij zei dat hij het niet wilde weten.'

Opeens welden de tranen op en ze kon niet verder praten. Inez zweeg nog steeds en luisterde naar het gesnik van haar zus. Elsie haalde haar neus op en deed een nieuwe poging: 'Hij zei dat ik zijn moeder niet was!'

Misschien dat Inez net op dat moment uitademde. Misschien zou Elsie dat hebben gehoord als haar eigen gesnik andere geluiden niet had overstemd. Ze hoorde het echter wel toen Inez ten slotte het woord nam en antwoordde: 'Maar dat wist je toch al.'

Ze klonk nog steeds als een zus. Een verdrietige en meevoelende zus. En Elsie meende haar bezorgde gezicht te kunnen zien toen ze vervolgde: 'Ik dacht eigenlijk dat je dat wel had begrepen.'

Het klonk zoals het altijd klonk voor een optreden. Een geroezemoes van stemmen drong in de kleedkamer door, hier en daar een kreet, wat schel gelach dat de andere geluiden doorsneed. De kannibalen verzamelen zich, dacht hij, maar hij hield zich meteen in en dwong zichzelf in de spiegel te kijken. Niet zo doen. Nooit zo doen. Want op de dag dat je het publiek als kannibalen gaat beschouwen, is het gebeurd. Dan durf je het podium niet meer op.

'De fans', zei hij hardop tegen zichzelf, maar hij realiseerde zich meteen dat hij dit niet had moeten doen.

'Wat?' zei Niclas, die zich achter hem stond te spiegelen. Hij stond altijd in de spiegel te kijken.

'Niks', zei Björn.

'Je zei wat. Dat hoorde ik.'

'Ik zat gewoon hardop te denken ...'

Niclas haalde zijn schouders op.

'Mag ik jouw borstel even?'

Björn keek naar de borstel die hij in zijn hand hield, maar gaf hem aan Niclas terwijl hij opstond. Het was hier krap. Veel te krap. Tommy stond vlak naast hem met zijn gitaar te prutsen, Bosse zat met zijn ogen dicht en zijn benen uitgestrekt naast hem en leek te slapen, Robban en Eva verdrongen zich in een hoekje, en op de gang stond Peo met zijn rug naar hen toe met zijn drumstokjes tegen de muur te slaan. Susanne was er niet. Die zou wel naar buiten zijn gegaan en tussen het publiek zijn gaan zitten.

Waarom had ze zonet gekeken of ze elk moment in janken kon uitbarsten? En waarom had hij het goed gevonden dat ze mee mocht? Hij schudde zijn hoofd. Hij hield zichzelf voor de gek, zoals gewoonlijk. Want hij had het niet alleen goed gevonden, hij had zelf Inez overgehaald. Waarom wist hij niet. Hij kon het zich niet herinneren. Misschien had het met Eva te maken, misschien had hij die dag naar iemand verlangd. Had hij zich eenzaam gevoeld en gedacht dat Eva en Susanne hem een minder eenzaam gevoel zouden geven. Dat was stom. Gewoon idioot. Maar aan de andere kant kon hij natuurlijk niet weten dat Elsie uitgerekend deze dag zou uitkiezen om ...

Nee! Verboden. Daar kon je niet aan denken.

De gedachte zonk weg toen Eva haar hoofd omdraaide en naar hem keek. Haar gezicht was volkomen neutraal; zelfs toen hun blikken elkaar kruisten, drukte het geen enkel gevoel uit. Het was alsof hij een vreemdeling was, iemand die ze toevallig op straat passeerde. Ze keek hem maar heel even aan en draaide toen met een stralende glimlach haar hoofd terug naar Robban. Die glimlachte terug en hij boog zich voorover, alsof hij dicht bij haar wilde komen. Eva bleef glimlachen, maar trok zich enkele centimeters terug. Robban volgde haar beweging, kwam nog dichterbij. Die stomme klootzak. Alsof hij een kans maakte.

Hasse verscheen in de deuropening. 'Zijn jullie nou klaar?'

Björn knikte en sloot zijn ogen, maakte zich op om in zijn rol te stappen, Björn Hallgren te worden. De eeuwig gelukkige en geslaagde. Dat ging niet zo gemakkelijk als anders, hij moest zijn ogen weer openen en een keer diep zuchten voordat hij die lichtheid in zijn aderen voelde stromen. *Yeah!* Hier kwam hij. Hij die nog geen vergane glorie was.

Verdomme! Zo mocht hij niet denken. Zijn bewegingen stokten, hij draaide zich abrupt om en dwong zichzelf nog een keer in de spiegel te kijken. En daar was hij. Björn Hallgren. Geen vergane glorie. Niet eens toekomstige vergane glorie. Daar moest hij op vertrouwen. Hij was genoodzaakt daarop te vertrouwen.

De andere jongens waren al op weg uit de kleedkamer. Hij rende achter hen aan, door de nauwe gang met zijn houten muren en gedempte licht, en ging in de coulissen staan. Hasse stond helemaal vooraan en gaf een teken, waarop zij het podium op stapten. Tommy met een stevige greep om de hals van zijn rode gitaar, Bosse en Niclas glimlachend en wuivend, Peo met zijn stokjes in een overwinningsgebaar in de lucht. Björn bleef enkele seconden staan; hij wilde Tommy de gelegenheid geven om zijn gitaar aan te sluiten en Bosse en Niclas om hun gitaren om te hangen voordat hij zelf het podium op zou stappen en het gegil

– het gegil van de kannibalen – tot gebrul zou laten aanzwellen. Tommy wierp hem een chagrijnige blik toe en speelde een eerste akkoord, een onderzoekend, wat aarzelend akkoord, waarna hij zich naar de microfoon boog en zei: 'En hier komt hij! Björn Hallgren!'

Het volgende moment begon de muziek. Die overstemde meteen het gebrul van het publiek.

Hij was Björn Hallgren. Hij kon nog steeds Björn Hallgren zijn.

Die gedachte ging door zijn hoofd toen hij begon te zingen, maar hij verdrong haar meteen en probeerde zich op de tekst te concentreren. *Tonight's the night I've waited for ...* Maar het lukte niet zo best; het was net of de tekst in zijn hoofd stukbrak, en gedurende een tiende van een seconde dacht hij dat hij zijn tekst kwijt was, dat hij zelfs niet meer wist wat voor liedje hij moest zingen. Toen realiseerde hij zich dat het 'Happy birthday sweet sixteen' was, omdat ze daar hun optredens altijd mee begonnen. Een gimmick. Hij kreeg de tekst weer te pakken en glimlachte. Het publiek brulde nog steeds. Ze hadden niet gehoord dat hij een paar woorden had gemist. Hij kon ontspannen en hen op dezelfde manier bekijken als ze hem bekeken.

Het was natuurlijk afgeladen vol. Niet alleen zaten alle banken vol, maar de mensen stonden ook voor en achter de balustrade en sommigen stonden zelfs zo ver naar opzij dat ze niet meer door het afdak tegen de regen werden beschermd. Een meisje had een lichtpaarse paraplu opgestoken en om de een of andere reden had hij het gevoel dat dit een groet was, dat ze als het ware een boodschap naar hem zond – *Hier ben ik! Your own sweet sixteen* – en heel even moest hij aan Caroline denken, die nooit gekomen was, maar hij knipperde met zijn ogen en zong verder. Een tamelijk lelijk meisje op de voorste rij zat hem met gevouwen handen, alsof ze aan het bidden was, aan te staren en probeerde zijn blik krampachtig naar zich toe te trekken. Zinloos. Hij liet zijn blik gewoon over haar heen glijden, een rij verder naar achteren, waar een groep jongens met extreem hoge kragen aan hun overhemden een tikje kritisch zat te kijken. Wat donderde het. Hij zong het laatste couplet nog een keer, precies zoals het moest, en spreidde daarna zijn armen uit en riep: 'Hallo, Nässjö!'

Een tel later sloeg de angst hem om het hart. Stel je voor dat ze niet in Nässjö waren. Stel je voor dat hij het allemaal verkeerd begrepen had en dat ze in Vetlanda of Värnamo of Knäckebrohult waren. Het antwoord van het publiek stelde hem echter gerust. Ze waren in Nässjö. Absoluut. Anders zouden ze niet zo gelukkig terug hebben gebruld en zou het meisje met de paarse paraplu die niet groetend hebben opgestoken. Achter hem speelde Tommy een nieuw akkoord, vermoedelijk nog steeds chagrijnig en met tegenzin, omdat de eerste vier liedjes van elk optreden liedjes waren waar hij zijn neus voor ophaalde. Wat donderde het. Over een tijdje stapten ze over op hun eigen hits en dan kon Tommy een van zijn oneindig getalenteerde soloakkoorden spelen.

Maar Susanne? Waar was die gebleven?

Dat kon hij nu wel even denken, nu hij 'Corinna, Corinna' zong. De simpelste tekst van de wereld; je hoefde die naam alleen maar negenentwintig keer te herhalen en als het dertig of achtentwintig keer was, maakte het ook niks uit. Niet dat het ooit dertig of achtentwintig keer was geworden. Hij was immers Björn Hallgren, en Björn Hallgren maakte zulke fouten niet. Maar Susanne was nog steeds verdwenen. Hij liet zijn blik over het publiek gaan – *Co-o-rinna, Co-o-rinna* – maar hij zag haar nergens. Ze zou wel ergens in de drukte staan. Tijd voor het volgende couplet – *Oh, little darling, where've you been so long!* – en opeens had hij het gevoel dat hij echt hier was, dat hij echt stond waar hij stond en zong wat hij zong, dat hij echt Björn Hallgren was en dat Björn Hallgren geen vergane glorie was. Een stille blijdschap verspreidde zich door elke vezel van zijn lichaam en hij pakte met beide handen de microfoon, streelde die, hield die heel dicht bij zijn mond en genoot van zijn eigen stem, genoot van de eindeloze stilte die zich opeens meester had gemaakt van het publiek. Heel even nog. Nog even, en dan voor de zevenentwintigste, achtentwintigste en negenentwintigste de herhaling van die naam. En daarna: *I love you so …*

Ze waren gek op hem. Hij kon het voelen. Toen het applaus en het gegil hem ten slotte overspoelden, opslokten, doorslikten, kon hij voelen hoe hun liefde in hem vibreerde.

'I'm all yours!' riep hij en hij spreidde zijn armen uit.

Maar toen gebeurde het. Midden in het derde liedje.

Eerst merkte hij het nauwelijks. Hij dacht dat het gewoon die meiden waren die niet naar hem keken toen hij naar hen keek, die niet eens leken te luisteren, die met hun mond halfopen zaten te staren naar iets wat achter hem gebeurde. Naar Tommy, waarschijnlijk. Af en toe waren er meisjes die de voorkeur aan Tommy gaven, dat wist hij. Die waren over het algemeen een kop groter dan de andere meiden. Als ze niet geschift waren. Sommige meiden waren behoorlijk geschift.

Het eerste gelach verraste hem. Hij raakte een seconde of twee de draad kwijt en liet zijn blik onthutst over het publiek gaan. Waarom zaten ze zo te schateren? Het was nou niet bepaald een liedje waar je om moest lachen. 'Crying in the chapel'. Eigenlijk was het een klotelied, maar toch had hij geëist dat ze het zouden spelen. Hij hield ervan om zichzelf te horen wanneer hij precies als Elvis klonk, ja, bijna beter …

Nu lachten ze weer. Ditmaal harder. Maar nu raakte hij de draad niet kwijt, nu bleef hij gewoon zingen, en heel even dacht hij aan de komiek Pekka Langer, die dit liedje in een of ander radioprogramma 'Het geblèr in de kapel' had genoemd. Misschien moesten ze daarom lachen en terwijl hij ademhaalde, moest hij er zelf ook even om glimlachen. Daarna begon hij aan het volgende couplet: *Every sinner in the chapel …*

De jongens met die hoge kragen gilden het nu uit van het lachen; een van hen kwam half overeind en zwaaide met zijn rechterarm, een andere zat met zijn vuist zijn tranen weg te vegen, de derde sloeg zich op zijn knieën en drukte daarna zijn armen tegen zijn buik. En in de verte, aan de rand van het publiek, ging de paarse paraplu heen en weer. Zij moest ook lachen, zijn *sweet sixteen* … Zelfs dat lelijke meisje dat net nog met haar handen gevouwen had gezeten alsof ze hem aanbad, lachte luid en met haar mond wijdopen. Maar ze keek niet naar hem. Hij haalde adem en ging met zijn blik de rijen af. Jawel. Het klopte. Er keek niemand meer naar hem. Iedereen keek naar iets wat achter hem gebeurde.

Het volgende couplet. *Meet your neighbour in the …* Hij was nu niet meer te verstaan. Hij was echter niet van plan zich gewonnen te geven; hij bleef zingen, maar draaide zich langzaam om, met zijn profiel naar het publiek – nooit het publiek de rug toekeren, hoorde hij Karl-Erik in zijn herinnering zeuren, nooit van je leven – om te zien waarom ze moesten lachen.

Robban.

Robban was het podium op gekomen. Robban stond hem achter zijn rug na te doen. Nu zat hij op zijn knieën en terwijl hij een touw uit de zak van zijn colbert haalde, een touw met een lus die hij om zijn hals deed, deed hij net of hij snotterde van het huilen. Het publiek krijste van geluk, een meisje gilde zo schel dat je haar stem boven het gebrul uit hoorde: '*Nee! Doe het niet, ik hou van je!*' Robban hield zich heel even in en legde beide handen op zijn hart, maar deed toen net of hij begon te snikken en stak zijn hand in de andere zak van zijn colbert. Hij haalde een klappertjespistool tevoorschijn. Pakte met zijn linkerhand het touw rond zijn hals en deed net of hij zich ophing terwijl hij het pistool ondertussen tegen zijn slaap zette. Alsof hij een stomme stripfiguur was. Naast hem stond Tommy te lachen. Hij stond lachend te spelen en liet zijn blik gretig tussen Robban en Björn heen en weer gaan. En in de coulissen stond Eva te lachen; ze leunde tegen een van de donkere muren en schaterde van het lachen.

Het was een wit gevoel. Zo schitterend wit dat hij erdoor verblind werd.

Spot. Hij wist alles over spot. Hij was bespot vanaf de dag dat hij naar school ging. Omdat hij zo schattig was. Omdat Inez hem dwong zijn huiswerk te maken. Omdat de juffrouw zich voor hem uitsloofde. Omdat hij van zingen hield. Omdat de meisjes hem leuk vonden. Omdat hij geen vader en moeder had, alleen een Inez en een Birger.

Waar Robban zich op dit moment mee bezighield, was spot.

Hij bespotte Björn. Bespotte hem omdat hij kon zingen zoals Elvis. Bespotte hem omdat lelijke meisjes hun handen vouwden wanneer ze naar hem keken. Bespotte hem omdat Susanne niet zijn zus was en Eva niet zijn vriendin. Bespotte hem omdat hij zijn eigen moeder nauwelijks kende en omdat hij vandaag niet had willen luisteren toen zij over zijn vader wilde vertellen.

Vergane glorie. Vijf minuten geleden was hij dat nog niet geweest, maar nu wel. Hij was Björn Hallgren. Een ex-idool.

Hij stopte met zingen en liet zijn microfoon los. Hij hoorde het geknetter in de luidsprekers toen de microfoon over de vloer van het podium rolde. De muziek ging door, maar nu onvaster, bijna krachteloos. Hij bleef even staan, maar deed toen opeens drie stappen naar voren om Robban een schop te geven. Die vloog achterover en bleef liggen. Hij staarde verbijsterd omhoog en bracht zijn hand naar zijn onderlip. Die bloedde. Hij probeerde op te staan, maar voordat hij omhoog had kunnen komen was Björn hem al aangevlogen. Hij hoorde het kraken toen zijn schoen opnieuw Robbans mond trof.

Zijn tanden, ging het even door hem heen. Ik heb die klootzak zijn tanden eruit geschopt. En dat is lekker, het is zo verrekte lekker om eindelijk ...

De muziek zweeg. Björn boog zich over Robban en sloeg. Eén keer. Twee keer. Drie.

CHAOS.

Hij werd alle kanten op geduwd, iemand hield zijn armen vast en duwde ze op zijn rug. Tommy stond voor hem te brullen en probeerde bij hem te komen en hem bij zijn kleren te grijpen, maar er sprong een meisje tussen dat woordloos iets riep. Een ander meisje schreeuwde hysterisch zijn naam: 'Björn! Björn!' De man achter hem gaf hem een trap tegen zijn achterste en hij viel pardoes naar voren, maar hij raakte de grond niet; hij kwam alleen met zijn gezicht in een rode rok terecht, een heel kort rood rokje, en even ademde hij de geur van het vrouwelijke geslacht in. Opeens voelde hij hoe de greep om zijn polsen verslapte en hij hoorde hoe de man achter hem het uitschreeuwde: '*Je bijt, verdomde meid!*' Een tel later riep iemand anders iets over dat de ambulance onderweg was, maar het kon hem niet schelen, hij hield zich geen moment in, hij drong gewoon door de menigte en terwijl hij dat deed, besefte hij tot zijn verbijstering dat het podium vol mensen stond. Hij zag dat Tommy door een paar meisjes steeds verder werd weggeduwd, hij zag Niclas met open mond staan en Bosse die lachte, en toen was er opeens een opening tussen de meiden. Een van hen maakte een heel resoluut gebaar – *hierheen!* – en hij overwoog niet eens om haar niet te volgen; hij vloog gewoon naar voren, liet zich door haar bij de hand pakken en wegtrekken naar de coulissen, hij rende achter haar aan door de donkere gang en hield haar nog steeds bij de hand toen ze de deur opende en begon te vloeken. Er stond een verbijsterd groepje tieners met open mond voor de deur, jongens en meiden, maar ze deden niets, ze keken alleen maar toe toen het meisje zich snel omdraaide en de deur op slot draaide, de sleutel in haar gebalde vuist hield en riep: 'Opzij, verdomme!'

En ze gingen opzij. Opnieuw vormden ze een gangetje waar hij doorheen rende, en een tel later haalde het meisje hem in en pakte ze hem weer bij de hand. Ze trok hem mee over de open ruimte naar het bos, ze stormde recht de begroeiing in, begon weer wat te vloeken en veranderde van richting. Ze vond een smal paadje, zo smal dat hij het nooit zou hebben gezien als zij er niet bij was geweest, en trok hem mee naar de grote omheining. Die leek heel te zijn, maar was dat niet. Geroutineerd pakte het meisje de omheining beet en ze onthulde een spleet, een spleet die ruimer en wijder werd, en een tel later, precies op het moment dat hij voor het eerst de sirenes hoorde, van de ambulance of de politiewagen, stond hij buiten Nässjö's Volkspark op een rustige straat in een villawijk.

'Deze kant op', zei het meisje weer en ze liep verder.

Björn keek naar zijn voeten. Die bewogen niet.

'Kom nou!'

Het meisje zette haar handen in de zij. Ze zag er heel vastberaden uit. Niet bijzonder knap. Bleek en asblond. Pukkeltjes op haar kin. Gekleed in een witte lange broek en een lichtblauw jack. Ze had kauwgum in haar mond. Hij stapte naar voren.

'Goed', zei het meisje. 'Kom nou.'

Björn slaakte een zucht en probeerde zijn stem te vinden.

'Waar gaan we heen?'

Ze haalde haar schouders op.

'Naar een plek.'

Ze liepen een eeuwigheid zwijgend naast elkaar. Overal witte villaatjes. De straatlantaarns brandden. Het begon harder te regenen. Het meisje wierp een boze blik naar de hemel, alsof ze daarmee de wolken uiteen kon drijven, maar dat hielp natuurlijk niet. Daarom haalde ze haar schouders maar op en dook ze een beetje in elkaar. Ze liep met grote stappen verder. Na iets wat als twintig kilometer voelde, sloegen ze een grindweg in. Bos aan de rechterkant. Bos aan de linkerkant. Björn bleef staan om op adem te komen en zocht in zijn zak naar sigaretten. Hij vond een halfvol pakje en stak er eentje op. Zijn vingers werkten niet mee. Hij had het koud en sloeg de kraag van zijn colbertje op. Het was een dun colbert. Veel te dun. Het meisje stond met haar handen in haar zakken en een schuine glimlach voor hem.

'Krijg ik er geen?'

Hij gaf geen antwoord, zoog de rook slechts op, maar reikte haar het pakje aan. Ze schudde haar hoofd.

'Ik rook niet.'

'Nee, nee. Waarom moest ik je er dan eentje aanbieden?'

'Uit beleefdheid.'

'Hoe heet je?'

Ze glimlachte nog breder.

'Britt-Marie.'

'Ik ben Björn. Of dat was ik.'

Ze haalde haar neus op.

'Drijf je de spot met me?'

Hij schudde zijn hoofd. Hij kon het niet opbrengen verder nog iets te zeggen. Ze keek naar hem, nam hem van het hoofd tot de voeten op. Hij keek terug. Haar haren begonnen nat te worden; een druppeltje water liep van haar pony op haar neus. Ze veegde het met een geïrriteerd gebaar weg.

'Waarom sloeg je hem?'

Björn schudde zijn hoofd, maar eigenlijk zonder te weten wat hij daarmee bedoelde. Zijn haren waren ook nat; hij voelde dat hij wat spetters op zijn wang kreeg. Hij kon toch niets zeggen, kon niets uitleggen, en daarom haalde hij alleen zijn schouders een beetje op. Hij wist het niet meer, kon zich alleen maar vaag herinneren dat hij ooit Björn Hallgren was geweest. Minder dan een half uur geleden. Meer dan een leven geleden. Maar dat was fout geweest. Alles rond die Björn Hallgren was fout, maar dat kon hij ook niet zeggen. Of dat het nu goed was. Eindelijk.

Britt-Marie keek hem nog even aan, maar draaide zich toen om en liep weer door. Hij tilde langzaam zijn rechtervoet van de grond en zette die voor zijn linker. Hij liep. Het vervulde hem met verbijstering dat hij liep. Hij liep feitelijk op een bosweggetje in de buurt van Nässjö met een meisje dat Britt-Marie heette.

'Waar gaan we heen?' vroeg hij ten slotte.

Ze draaide zich niet om toen ze antwoordde.

'Naar een schuur. Daar kun je vannacht slapen.'

Hij moest op de tast door het bos, zijn dunne zolen gleden uit over gladde stenen, hij struikelde over wortels en losse takken, maar Britt-Marie liep met vaste tred voor hem uit en leek telkens precies te weten waar ze haar voeten moest neerzetten. Opeens bleef ze staan, doodstil, om even te luisteren, maar daarna zette ze de volgende stap. Ze stapte opzij en strekte haar hand uit alsof ze iets aan hem wilde presenteren. 'Hier is het.'

Het duurde even voordat hij zag wat zij wilde dat hij zou zien. De schemering was bezig in duisternis over te gaan. Maar daar lag het: een gebouwtje, midden in het bos. Een oude schuur. Hij probeerde zijn rug te rechten en *cool* over te komen, maar dat lukte niet zo best. Hij had het te koud. Daarom kroop hij in elkaar en knikte hij slechts.

'O.'

Hij kon haar gezicht nu nauwelijks meer zien, maar hij zag haar contouren, en toen ze hem de rug toekeerde, haastte hij zich snel achter haar aan. Hij wilde haar niet kwijtraken. Niet nu hij opeens door de grote duisternis omringd werd.

'Voor kinderen van veertien is dit de plek waar ze een beetje rotzooien', zei Britt-Marie terwijl ze met iets zat te friemelen. 'Maar je hoeft niet bang te zijn. Om deze tijd zijn ze hier niet ...'

Enigszins rammelend ging de deur open. Binnen wachtte een nog compactere duisternis. Britt-Marie draaide zich naar hem toe.

'De lucifers', zei ze.

Ze verdween en hij bleef haar roerloos staan nakijken. Hij zag haar pas weer toen ze een brandende lucifer voor zich hield. Ze boog zich voorover en stak een kaarsje aan dat in een vuile koperen kandelaar op de grond stond. Er lag een vloer van zand. Hij stapte naar binnen en keek in het flakkerende gele licht om zich heen. Een gestreepte matras in een hoek. Een hoopje oud hooi in een andere hoek. Hij liet zich op een steen zakken en hoorde zichzelf diep zuchten.

Britt-Marie stond opeens wijdbeens voor hem.

'Nou', zei ze. 'Ga je me niet kussen?'

Dat was het enige wat ze wilde. Gekust worden door degene die ooit Björn Hallgren was geweest. Ze ging languit op de matras in de hoek liggen, roerloos en met haar ogen dicht, tot hij naast haar kwam liggen. Ze deed alleen haar lippen een beetje uiteen toen zijn tong de hare zocht, maar toen hij plichtmatig naar haar borsten tastte, trok ze zich terug en tilde ze zijn hand weg. Daarna kroop ze opnieuw dicht tegen hem aan en liet ze zich telkens opnieuw kussen. Ten slotte ging ze op haar rug naar het plafond liggen staren. Ze zuchtte een beetje.

'Niemand zal dit geloven', zei ze toen. 'Ik wou dat ik een fototoestel had.'

Steunend op haar elleboog kwam ze overeind. Ze keek eerst op haar horloge en toen naar hem.

'Morgen neem ik een fototoestel mee.'

Ze stond op en schikte haar jas. Ze liep naar de deur. Daar draaide ze zich om en stak groetend haar hand op. Ze deed de deur open en glipte naar buiten. Deed de deur dicht en verdween. Hij bleef alleen achter.

Het kaarslicht flakkerde een paar keer, donkere schaduwen vlogen over de muren en toen werd het donker. Björn lag een paar minuten roerloos in de duisternis te staren en voelde hoe elke spier in zijn lichaam zich langzaam aanspande. De regen tikte op het dak. Buiten ademde de wind. Ergens heel ver weg blafte een hond.

Een hond?

Zat de politie hem met honden achterna? Hij ging rechtop zitten om weer te luisteren. Niets. Jawel. Hondengeblaf. Heel in de verte hoorde je inderdaad hondengeblaf.

Was Robban overleden? Heel even schoot het beeld door zijn hoofd, het beeld van Robbans bloederige gezicht. Björn deed meteen zijn ogen dicht en sloot zich in zijn eigen duisternis op. Dat kon niet waar zijn. Maar …

Al dat bloed, zei de stem in zijn hoofd.

Björn reageerde niet. Hij deed zijn ogen alleen maar open om in die andere duisternis te kijken. De externe duisternis.

Moordenaar, zei de stem.

Björn tastte naar het doosje lucifers. Hij liet zijn vingers over de droge aarde gaan en streek met zijn handpalm over een steen. Een koude steen.

Een vergissing en een moordenaar. Dat is wat jij bent.

Eindelijk. Hij trok de lucifers naar zich toe, een beetje onhandig, maar slaagde er ten slotte in een lucifer aan te strijken. De kaars was opgebrand; er was geen pit meer die je kon aansteken en hij hoorde zichzelf diep zuchten. De lucifer ging uit. Hij knipperde een paar keer met zijn ogen. Dat hielp niet. De duisternis om hem heen was nog compacter geworden.

'Moordenaar', hoorde hij zichzelf zeggen. 'Vergissing.'

Hij balde zijn vuisten en deed ze meteen weer open. Hij stond op. Even wankelde hij, maar toen bedacht hij dat hij nog meer lucifers had. Hij streek er nog eentje aan, keek om zich heen en liep naar de deur.

Hij moest hier weg. Verdwijnen.

De deur ging krakend open. Hij keek op naar de hemel. Recht boven hem glinsterde een eenzame ster. Hij haalde diep adem, stapte over de drempel en liep de duisternis in.

Het was opgehouden met regenen. Susanne stond buiten bij het politiebureau in Nässjö naar de lucht te kijken. Een ster. Ze zag in elk geval een ster. Dat was waarschijnlijk het enige positieve wat je over vanavond kon zeggen.

Eva stond snikkend achter haar. Ze leunde waarschijnlijk met haar blonde hoofd tegen Tommy's borst en tastte naar zijn hand. Ze poseerde.

'Nog één foto', zei de persfotograaf. Het was een jonge vent, van bijna dezelfde leeftijd als de jongens van de band. Naast hem stond een verslaggeefster, een even jonge meid, met een korte rok en een verfomfaaid kapsel, die er een beetje verward uitzag. Susanne ging een paar stappen opzij en draaide zich half om zodat ze Tommy en Eva kon zien, maar ze keek wel uit dat ze zelf niet op de foto kwam. Niet dat dit wat uitmaakte, want de fotograaf noch de verslaggeefster keek in haar richting. Ze wisten niet wie zij was.

Het bleef niet bij één foto. Het werden er vier.

'Wat zei de politie?' vroeg de verslaggeefster ten slotte.

Tommy haalde zijn schouders op.

'Dat ze hem zouden gaan zoeken, natuurlijk. En hem in de bak zouden stoppen wanneer ze hem hadden gevonden. Die stomme idioot!'

Eva begon te snikken. Ze snotterde niet. Ze snikte. Haar stem klonk broos toen ze sprak: 'Het was mijn schuld. Hij was er zo ongelukkig onder ...'

De verslaggeefster hield haar notitieblok in de aanslag; ze rook een nieuwtje: 'Dus jij bent zijn vriendin? De vriendin van Björn Hallgren?'

Eva drukte zich steviger tegen Tommy aan. Ze fluisterde bijna: 'Ja. Maar ik heb het vandaag uitgemaakt. Omdat ik iemand anders ...'

De verslaggeefster deed een stap naar voren: 'Vertel!'

De fotograaf tilde opnieuw zijn camera op. Susanne vertrok van afkeer haar gezicht, draaide hun de rug toe en liep verder.

De dikke politieman had uitgelegd hoe ze bij Hotel Högland moest komen. Södra Torget oversteken. Storgatan inslaan. Daarna rechtdoor. Hij had zijn hand op haar schouder gelegd en haar een klopje gegeven. Het zou wel goed komen. Haar ouders zouden morgenochtend immers met de eerste trein arriveren, en tegen die tijd hadden ze Björn vast wel gevonden. Natuurlijk zou hij worden verhoord en zou er een onderzoek worden ingesteld, maar ze hoefde zich niet ongerust te maken. Die Robban was immers niet zwaar gewond. Een gescheurde lip, een bloedneus en een losse tand, dat was alles. Dat opstootje was misschien wat erger, maar haar broer of neef of wat hij ook was, zou dat wel aankunnen. Zelf moest ze maar gewoon naar het hotel gaan en lekker in bed kruipen.

Tommy en Eva hadden met een andere agent gesproken. Ze kwamen elkaar daarna in de gang tegen, maar ze waren haar gewoon voorbij gelopen. Ze hadden haar genegeerd, deden of ze niet bestond, of ze nooit had bestaan. Het rare was dat ze zelf net zo had gedaan. Ze had hun slechts een blik toegeworpen en zich daarna omgedraaid. Ze was vóór hen het politiebureau uit gestapt en ze had de deur niet eens voor hen opgehouden, ook al vermoedde ze dat zo dicht achter haar liepen dat een van hen – waarschijnlijk Tommy – de deur moest tegenhouden om te voorkomen dat hij in hun gezicht zou slaan. Ze was het trottoir op gestapt en met de rug naar hen toe gaan staan. Ze had een paar keer diep ademgehaald in een poging zichzelf te hervinden. Haar verbijstering, haar verdriet, haar ongerustheid, haar boosheid; er woedde van alles in haar binnenste. Het was niet gelukt. Ze was ijskoud en rustig geweest. Bedachtzaam. Ze had gedacht, maar niet gevoeld.

Hoewel dat misschien niet helemaal waar was, dacht ze nu ze het plein overstak. Eén ding had ze in elk geval gevoeld. Minachting. In het Volkspark had ze al gezien dat Eva zich zat aan te stellen, ze had gezien dat er een glimp van berekening zat in de manier waarop ze ervoor zorgde dat de politie – en daarmee ook de fotograaf met zijn zwarte flitsaggregaat, die dikke ome van de lokale krant – aan de weet kwam dat zij een belangrijke getuige was, misschien zelfs wel de hoofdpersoon in dit verhaal. En buiten bij het politiebureau had ze dat kunststukje herhaald voor twee van de landelijke kranten, *Aftonbladet* en *Expressen*. Want het draaide natuurlijk allemaal om jaloezie. Björn was jaloers op Robban. Of op Tommy. Susanne haalde haar neus op. Hoe zou Eva dat uiteindelijk aan elkaar breien?

Nu was ze bij Storgatan aangekomen. Ergens luidde een klok en terwijl ze de slagen probeerde te tellen bleef ze even staan. Zinloos. Het was er maar één. Het was dus al één uur 's nachts. Ze keek om zich heen. Geen mens te bekennen. Geen levend wezen. De stad lag er net zo volkomen verlaten bij als toen ze hier minder dan tien uur geleden was aangekomen. Björn had hier openlijk over straat kunnen lopen. Niemand die hem zou zien. Niemand die hem zou pakken. Er begon een gevoel van hoop in haar te kriebelen, maar slechts voor even. Vroeg of laat zou hij natuurlijk opduiken en worden opgepakt.

Want geen mens kan toch zomaar verdwijnen? In rook opgaan? Zich laten vernietigen?

EEN WERELD BUITEN DE WERELD

Een eeuwigheid van stilte. Dan schraapt Anders zijn keel: 'Ik ben met haar getrouwd geweest.'

Dat zegt hij voor het eerst zo. 'Ben geweest'. Niet 'ben'. Susannes ogen verwijden zich: 'Ben jij met Eva getrouwd geweest?'

Hij voelt het zweet op zijn bovenlip opkomen en veegt het snel met zijn hand weg. Als een schuldbewust kind. Als een jongen die naar excuses zoekt. Daarom blijft er maar één woord over: 'Inderdaad.'

'Maar hoe is dat in vredesnaam ...'

Ze onderbreekt zichzelf midden in de zin. Ze realiseert zich waarschijnlijk dat dit een onbeschaamde vraag is. Niettemin weet hij er een glimlach uit te persen. 'Zelf vraag ik me dat ook weleens af ...'

Ze weet niet goed waar ze moet kijken en zoekt naar woorden. Minder onbeschaamde. Dan weet ze wat ze zeggen moet en ze kijkt hem recht in de ogen.

'Ik heb die foto gemaakt.'

Pas nu merkt hij dat hij zijn vuist stevig gebald houdt rond de restanten van de foto. Hij opent hem en kijkt naar de verscheurde stukken.

'Had je die foto misschien willen hebben?'

Susanne recht haar schouders, legt haar handen op haar rug en kijkt hem opnieuw recht in de ogen.

'Nee. Absoluut niet.'

Het blijft even stil, maar dan glimlacht hij. Zij beantwoordt die glimlach heel snel; een licht dat opeens aangaat en even plotseling weer uitdooft.

'Björn stond er ook op', zegt ze dan. 'Aanvankelijk. Hij stond naast Eva toen ik die foto nam.'

Anders trekt zijn wenkbrauwen op.

'Björn Hallgren? Je broer?'

Ze weet niet goed waar ze moet kijken. Alsof hij zich opdringt. Of iets onbetamelijks zegt.

'Mijn neef, eigenlijk. Maar we zijn als broer en zus opgegroeid.'

Hij knikt zwijgend. Weet niet goed wat hij moet zeggen en gaat snel bij zichzelf te rade. Hij slaakt een zucht en vervolgt: 'Ze heeft hem er zeker afgeknipt. Voordat ze de foto aan mij gaf.'

Even gaat er weer een glimlach over haar gezicht.

'Mooi.'

Waarom is dat mooi? Op het laatste moment houdt hij die vraag voor zich. In plaats daarvan glimlacht hij opnieuw, al is het iets minder hartelijk, en hij zegt: 'Maar ik geloof vast dat ze hem heeft gehouden. Eva doet nooit dingen onnodig weg.'

Susannes blik glijdt weg.

'Met mensen is dat anders.'

Daar zou hij mee kunnen instemmen, maar hij reageert niet. Hij buigt alleen zijn hoofd om de vier stukken papier in zijn hand opnieuw te bekijken.

'Hoelang zijn jullie al gescheiden?'

Haar stem klinkt aarzelend. Voorzichtig. Hij antwoordt niet, kijkt haar niet eens aan. Hij sluit slechts zijn hand en doet een paar passen naar rechts om de restanten van de foto in een prullenbak te laten vallen.

'Nee', zegt hij dan, maar zonder goed te weten wat hij ontkent. 'Nu ga ik ontbijten.'

Hij keert haar de rug toe en loopt naar de mess.

Het duurt een tijdje voor Susanne ook komt. Tegen die tijd zit hij allang aan een tafel helemaal aan de zijkant, vlak naast de ingang. Die plek heeft hij met zorg uitgekozen. Hij wil zo zitten dat hij Ulrika ziet binnenkomen, zodat hij naar haar kan lachen zoals zij naar hem lachte toen ze vanochtend rond vier uur zijn hut verliet.

'Tijd om monsters te nemen', zei ze terwijl ze zich aankleedde. Zelf lag hij zwijgend en roerloos in zijn kooi naar haar te staren. Ondertussen probeerde hij te bevatten dat het inderdaad was gebeurd. Tussen hen. Tussen Ulrika en Anders. En hij was erdoor veranderd, het had hem tot een ander mens gemaakt. Zonder dat hij het voor zichzelf eigenlijk zo expliciet onder woorden had gebracht had hij zichzelf er voordien namelijk van weten te overtuigen dat hij nooit, nooit van zijn leven nog met een vrouw naar bed zou gaan en dat je dit niet als een verlies voor het vrouwelijk geslacht kon beschouwen, laat staan voor hem zelf. Want hij was toch een slechte minnaar. Slecht in bed. Een harig type dat stonk, en dat Eva tientallen jaren lang eerst deed verstijven en daarna gelaten deed zuchten wanneer hij toenadering zocht. Een houterig, stijf figuur dat – had ze uitgelegd – nooit zou kunnen begrijpen hoe hij overkwam op een echt invoelende mens, iemand zoals zijzelf, die haar sensualiteit koesterde en er zorgvuldig mee omging.

Maar vannacht was hij dus met Ulrika naar bed geweest. En zij was niet geschrokken van zijn aanraking. Zij was zacht, warm en gewillig geweest. Ze had hem met open mond gekust. Haar tepels werden hard. Haar geslacht werd vochtig. En vlak voor hij klaarkwam, was ze begonnen te trillen, ze had getrild en gesteund, en hij had gevoeld hoe haar schede zich om hem sloot en hoe een golf van iets warms en vochtigs …

Bij die gedachten vertrekt hij zijn gezicht boven zijn ontbijtblad. Dit is fout gedacht. Wat hij met Ulrika heeft beleefd, daar moet je voorzichtig mee omgaan. Dat is niet iets waar hij aan de ontbijttafel herinneringen aan kan zitten ophalen, gewoon om te voelen hoe opnieuw die kriebeling door zijn zenuwstelsel gaat. Daar zal de herinnering van slijten. Hij moet een beetje glimlachen om zijn volgende gedachte: dit is iets wat hij in zijn hart moet bewaren. Onbenoemd. Ongedacht. Toch meent hij het. Want het gebeurde immers ergens ver voorbij alle woorden. Er zijn geen woorden voor het gevoel dat al het gewicht wijkt, dat je opeens zo licht bent dat je zou kunnen vliegen, en zo sterk dat je de hele planeet zou kunnen dragen, die zou kunnen optillen, laten stuiteren …

Stop. Hij staart naar zijn ei en slaakt een zucht. Zo ook niet. Er zijn aanduidingen voor dit soort gevoelsuitbarstingen en die zijn niet vleiend. Vooral niet voor een arts. Het zijn woorden die hij in statussen en op verwijsbriefjes pleegt te schrijven, woorden waarvan hij weet dat je er voorzichtig mee moet zijn. Hij dwingt zichzelf dus om eens goed adem te halen. Dan pakt hij zijn lepel om ermee op zijn eitje te tikken, en terwijl hij om zich heen kijkt, begint hij de dunne schaal af te pellen.

De meesten hebben het ontbijt al op. Er zitten hier en daar nog maar een paar mensen aan de grijze tafels. Een paar tafels verderop zit John somber ineengedoken en verstrooid met de blaadjes van een plastic bloemetje te spelen dat in een vaas voor hem staat. Roland zit aan een andere tafel iets te lezen; hij buigt zich zo kippig over zijn papieren dat Anders zijn wenkbrauwen fronst. Beseft die man niet dat hij aan een bril toe is? Een tel later is hij de hele zaak vergeten, want dan klinkt er aan een derde tafel bulderend gelach. Iemand heeft een grapje gemaakt. Waarschijnlijk Robert, want hij is de enige daar die alleen maar glimlacht, maar het is dan ook een heel tevreden glimlach terwijl de anderen – Bernard, Eduardo en twee vrouwelijke Amerikaanse onderzoekers – hem schaterend aankijken. Anders schuift wat heen en weer. Het is altijd onaangenaam als mensen lachen zonder dat je weet waarom.

Op dat moment komt Susanne de mess in. Ze herhaalt haar kunststukje van gisteren; ze laat haar blik over hem heen gaan en knikt onverschillig, alsof hij een willekeurige persoon is, niet iemand wiens leven overduidelijk in aanraking is gekomen met het hare. Ze schrijdt verder naar het ontbijtbuffet en pakt een kopje koffie, een halve grapefruit, brood, boter en ...

'Hoi.'

Ulrika's stem gaat als een schok door hem heen en het duurt een tiende van een seconde voordat hij beseft wie ze is, wie hij zelf is en waarom hij opeens door een grote warmte wordt overspoeld. Dan herneemt hij zich en glimlacht naar haar.

'Hoi! Alles goed?'

'Ja, hoor. Wil je alleen zitten of ...'

'Nee, hoor. Absoluut niet. Nee!'

Het antwoord komt wat te snel en klinkt iets te gretig. Ulrika kijkt wat aarzelend, maar ze knikt slechts en loopt naar het buffet. Ze gaat naast Susanne staan en groet haar. Susanne groet terug en ze beginnen over en weer wat te kletsen. Ulrika werpt een snelle blik over haar schouder in de richting van Roberts tafel, waar opnieuw gelachen wordt. Ondertussen zoeken ze hun broodjes uit en praten ze verder. Ulrika knikt naar Susanne wanneer die voor haar koffie wil inschenken uit de thermoskan. Vervolgens draagt ze haar blad voor zich uit, maar ze blijft even staan om John te laten passeren, die somber haar pad kruist. Ze groet glimlachend, maar er komt geen reactie. Ze loopt door naar Anders' tafel, maar nog steeds pratend met Susanne, een Susanne die vlak achter haar loopt en blijkbaar ook op weg is naar zijn tafel.

Verdorie.

Hij moet zich beheersen. Zijn gezicht in de plooi houden. Zijn teleurstelling niet laten doorschemeren en zijn gretigheid ook niet. Nu Susanne naast hen gaat zitten moet hij zijn nieuwsgierigheid bedwingen en niet de vragen stellen die hij nog niet heeft gesteld. Zijn blijdschap niet onthullen. Aan niemand – zelfs niet aan Ulrika zelf – laten merken dat hij verliefd is en dat hij van binnen trilt als een vijftienjarige.

Vroeger was het gemakkelijker. Toen hij nog jong was. Hij ging nooit met iemand naar bed zonder dat hij wist wie ze eigenlijk was. Hij wist alles van de vier meisjes die heel zijn erotische ervaring uitmaakten toen hij Eva ontmoette. Voordat hij überhaupt op het idee kwam een poging te doen hun de kleren van het lijf te rommelen, had hij hun ouders, broers en zussen ontmoet en hun zomerhuizen bezocht; hij was meegegaan naar de speelplekken uit hun jeugd, had zich door zijn ouders laten uitnodigen om met hen te komen eten en welwillend door de vingers gezien dat ze met zijn zus zaten te giechelen en te gniffelen. Dit is een compleet nieuwe ervaring. Een laboratorium te worden binnengelokt en te worden verleid door een glimlachende professor van wie hij niets weet. Bijvoorbeeld of ze getrouwd is, of kinderen heeft ...

Precies op het moment dat ze bij zijn tafel arriveren, pakt hij zijn kopje om een slok koffie te nemen. De koffie is lauw; die is afgekoeld terwijl hij hier zat, maar dat is alleen maar goed. De bittere smaak dwingt hem ertoe zijn gezicht onder controle te houden. Terwijl ze tegenover hem allebei een stoel naar achteren trekken, sluit hij heel even zijn ogen. Dan doet hij ze weer open en glimlacht vriendelijk. Hij is weer zichzelf. Anders Jansson. Een verstandige huisarts.

'Alles goed?' vraagt hij opnieuw glimlachend.

Ulrika werpt hem een snelle blik toe alvorens zijn glimlach te beantwoorden.

'Ja, hoor. Prima.'

Susanne knikt, maar ze zegt niets. Het blijft even stil.

'Ik heb vanochtend een ijsbeer gezien', zegt Ulrika dan. 'Toen ik monsters ging nemen.'

'O!' zegt Susanne.

'Een vrouwtje met twee jongen. Op maar vijftig meter afstand.'

Anders schraapt even zijn keel.

'Heb je een foto genomen?'

Haar glimlach wordt breder en ze werpt hem een flirterige blik toe. Inderdaad. Zo moet je het omschrijven. Flirterig. Er gaat een rilling van verrukking door hem heen en hij glimlacht terug. Opeens is hij weer vijftien jaar.

'Nee', zegt Ulrika. 'Ik had geen fototoestel bij me. Ik ging immers monsters nemen.'

'Wat jammer', zegt Susanne.

Opnieuw wordt het stil, maar het is een andere stilte. Nieuw. Rustiger. Anders neemt nog een slokje van zijn koude koffie en besluit dan op te staan om een nieuw kopje te halen, maar hij is nog niet in beweging gekomen of Ulrika zegt: 'Dus jullie twee hebben gemeenschappelijke kennissen …'

Hij verstijft en laat zich ongemerkt op zijn stoel terugzakken. Hij merkt hoe enorm verwonderd hij is. En toch ook opgelucht.

'Inderdaad', zegt Susanne terwijl ze opkijkt van haar grapefruit. 'Mijn broer heeft verkering gehad met Anders' ex-vrouw. Langgeleden. Een paar honderd jaar.'

Ulrika glimlacht een beetje. Niet dat ze dit heel grappig uitgedrukt lijkt te vinden; het is meer als een algemene aansporing bedoeld.

'We wonen in een klein land', zegt ze. 'Iedereen kent iedereen.'

Anders zwijgt nog steeds; hij kijkt alleen maar van de een naar de ander. Eerst naar Ulrika, dan naar Susanne, dan weer naar Ulrika. Die pakt net haar kopje om een slok koffie te nemen.

'Wat is er eigenlijk met hem gebeurd?' zegt ze dan. 'Zijn jullie daar ooit achter gekomen?'

'SOMS DENK IK dat hij nog leeft ...'

Susanne hoort het zichzelf zeggen en is verbaasd. Ze praat anders nooit over Björns verdwijning. Misschien wel over het kind, de broer, de neef, de rockster, maar nooit over hoe hij in het niets oploste en een herinnering werd. En hier zit ze met twee oppervlakkige kennissen, de aardige professor in de oceanografie en de iets minder aardige arts, de man die ooit zo'n ontzettend slecht beoordelingsvermogen had dat hij met Eva ging trouwen, en ze zegt wat ze nooit tegen iemand gezegd heeft. Tegen geen mens.

Ze kan haar tong wel afbijten en probeert haar woorden terug te nemen.

'Maar zo is het natuurlijk niet. Hij is dood. Hij moet die nacht al zijn overleden. Of vlak daarna.'

Anders knikt instemmend. Alsof het vanzelfsprekend is. Ulrika lijkt iets meer te aarzelen.

'Maar ze hebben hem nooit gevonden?'

Susanne slaat haar ogen neer. Ze kijkt naar haar grapefruit en schudt haar hoofd. Dat zou voldoende moeten zijn. Dat zou een voldoende duidelijk signaal moeten zijn dat dit niet iets is wat ze wil bespreken. Maar Ulrika is niet te stuiten.

'In die tijd begon ik kranten te lezen', zegt ze. 'Toen je broer verdween. Ik was elf jaar en tot die tijd kon het me nooit iets schelen wat er in de krant stond. Maar toen begon ik. Ik ploegde alle artikelen over zijn verdwijning door.'

Susanne knikt zwijgend. Ulrika glimlacht even.

'Het eerste half jaar heb ik ze uitgeknipt en in een schoenendoos bewaard. Ik geloof zelfs dat die doos nog ergens is. Ik weet nog dat er een verhaal was over een meisje in Nässjö ...'

'Britt-Marie Samuelsson?'

Weer is Susanne verbaasd. Ze blijft maar praten over Björns verdwijning. Ze noemt de naam van die afschuwelijke vrouw. En toch slaagt ze erin als een normaal mens te klinken. Misschien is het er nu gewoon tijd voor. Er zijn immers al bijna veertig jaren verstreken.

'Ja', zegt Ulrika. 'Het kan zijn dat ze zo heette. Die vrouw die zei dat ze hem had geholpen om weg te komen.'

Susanne knikt.

'Inderdaad', zegt ze. 'Ik heb ook over haar gelezen. Maar ik weet niet wat ik moet geloven.'

Dat is maar gedeeltelijk waar. Want ze heeft niet alleen maar over Britt-Marie Samuelsson gelezen, ze heeft haar ook ontmoet. Even schiet de herinnering door haar hoofd. Ze ziet zichzelf, een nerveuze en tamelijk gestreste versie van zichzelf, in Jönköping aan een tafeltje zitten tijdens 'De dag van het boek' om haar eerste detective te signeren. Ze weet niet of ze daar trots op is of dat ze zich schaamt, want het is immers een succes, een enorm succes, en achter haar staat haar uitgever zich in zijn handen te wrijven, maar toch schaamt ze zich ervoor dat het zo'n goedkoop succes is, dat het zo eenvoudig was om het boek te schrijven. Niettemin glimlacht ze natuurlijk vriendelijk en ze signeert het ene exemplaar na het andere; ze geeft niemand het gevoel dat hier een mislukte dichteres zit, een vrouw die een aantal stukgelopen projecten achter de rug heeft, een dochter die eigenlijk in plaats van haar broer vernietigd had moeten worden, een vrouw die haar man nog geen drie maanden na hun trouwdag verliet, een psychologe die haar bevoegdheid nooit heeft gehaald, een romanschrijfster die haar eerste roman heeft verbrand, hoewel die goed was, hoewel die het enige echt belangrijke boek was dat ze ooit heeft geschreven. In plaats daarvan schreef ze deze waardeloze detective, en ze ziet hoe de rij voor haar tafeltje tot ver in de gang reikt en dat haar rij langer is dan die van de andere auteurs.

Daarom duurt het een poos voordat ze die vrouw ziet die naast de tafel staat, een vrouw van haar eigen leeftijd met hennakleurig haar en een grauw gezicht. Een geduldig type dat niet van haar plek wijkt, dat bijna drie kwartier keurig en onafgebroken naar Susanne blijft staan kijken. Wanneer de signeersessie is afgelopen en Susanne opstaat, stapt die vrouw naar voren. Ze legt haar hand op de mouw van Susannes colbertje en zegt: 'Ik ben Britt-Marie Samuelsson. We moeten met elkaar praten.'

De naam wekt een donkere herinnering. Vaag en onaangenaam. Ze trekt haar arm terug. 'Het spijt me, maar ik moet ...'

Ze probeert achteruit te stappen, maar dat gaat niet; er is alleen maar een muur achter haar. Dus wringt ze zich beleefd glimlachend door de menigte voor de tafel, pratende vrouwen, glimlachende vrouwen, lachende vrouwen en een enkele serieuze man, maar de hennakleurige vrouw geeft zich niet gewonnen; ze blijft onafgebroken pratend vlak achter haar lopen.

'U moet naar me luisteren. De politie wilde nooit naar me luisteren, die dachten gewoon dat ik loog. Ja, ze zijn nog wel met me meegegaan naar die schuur, maar dat was natuurlijk alleen maar om mij het zwijgen op te leggen, want ze waren nauwelijks binnen of ze gingen alweer weg. Er was niets wat erop wees dat hij daar was geweest, zeiden ze. Er lagen natuurlijk wel een paar peuken op de grond, maar die konden daar ook later terecht zijn gekomen, dus daar hebben ze zich nooit om bekommerd, en verder ...'

Susanne zit al in een van de toilethokjes op de dames-wc's voordat ze erbij stilstaat wie Britt-Marie Samuelsson eigenlijk is. Dat meisje dat brieven naar Elsie schreef en Inez belde, die binnendrong tijdens de herdenkingsdienst en zo hard huilde dat er geen plaats was voor de tranen van iemand anders. En nu staat ze hier, nog steeds pratend, voor de deur van Susannes wc. Susannes bewegingen stokken even; ze beseft dat er geen mogelijkheid is om te ontsnappen, dus doet ze de deur open en stapt ze naar buiten. Ze kijkt de vrouw aan. Dit is dus Britt-Marie Samuelsson. Die ooit een meisje was dat zich uitsprak in het dagblad *Aftonbladet* en vervolgens in elk weekblad. Nu is ze geen meisje meer. Ze heeft het vale gezicht van een vijfenveertigjarige. Rimpels rond de ogen. Ingevallen wangen. Grijze ogen. Een blik die een beetje – Susanne aarzelt – verwilderd overkomt. Jawel. Helaas. Er is geen andere manier om die te beschrijven. Een verwilderde blik.

‘Neem me niet kwalijk’, zegt ze en ze hoort zelf hoe stijf ze klinkt. Bijna arrogant. ‘Maar ik begrijp niet goed waar u het over hebt.’

Dat is uiteraard een leugen. Maar het is een leugen die Britt-Marie Samuelsson gelooft, want ze zucht diep en het lijkt of alle lucht uit haar ontsnapt. Ze verschrompelt als een halflege ballon en wordt kleiner, slapper. Ze kijkt Susanne aan, maar slaat dan haar ogen neer.

‘Ik heb het over Björn’, zegt ze. Ze praat nu zachter. ‘Uw broer.’

‘Mijn neef’, zegt Susanne en ze stapt naar voren, naar de wastafel. Ze drukt het zeeppompje in en begint haar handen te wassen.

Achter haar haalt de vrouw haar schouders op. Hun blikken kruisen elkaar in de spiegel.

‘Er was nooit iemand die me geloofde … Niemand die wilde luisteren.’

Dat is een leugen en dat weten ze allebei. De journalisten luisterden immers. Susanne pakt een papieren handdoekje en draait zich om. Ze kijkt de vrouw strak aan en zegt: ‘Ik luister.’

Britt-Marie Samuelsson neemt haar onderzoekend op.

‘Nou’, zegt Susanne. Ze laat zich op een krukje zakken. Britt-Marie aarzelt even, maar gaat dan op het krukje naast haar zitten.

‘Ik heb er mijn hele leven spijt van gehad’, zegt ze. ‘Dat ik een hele maand heb gewacht voordat ik naar de politie ben gegaan. Maar ik was immers pas zestien jaar …’

Het verhaal komt er langzaam en breedvoerig uit. Ze was een kind van gescheiden ouders. Haar moeder werkte in de schoenenfabriek, zelf was ze kindermeisje bij een leraar aan het lyceum in Nässjö en ze droomde over een toekomst ergens ver weg, ergens anders. Ze was altijd in het Volkspark wanneer de rockbands uit die tijd daar optraden; meestal glipte ze naar binnen door dat gat in de omheining, want ze had natuurlijk nooit geld om een kaartje te kopen voor een zitplaats, en zo …

Susanne wordt ongeduldig en ze schuift wat heen en weer.

Maar Björn dan? Wat heeft ze over hem te zeggen?

'Nou', zegt de vrouw. 'U was er immers ook. Dat heb ik in de krant gelezen. U hebt immers gezien wat er op het podium gebeurde.'

Susanne knikt. Het staat haar glashelder voor de geest, elke seconde, elke beweging. Hoe ze helemaal achteraan tegen het hek stond geleund. Haar verbijstering toen Robban het podium op kwam en begon te playbacken. Haar enigszins schuldbewuste lach, die aan haar keel ontsnapte toen ze Peo zag lachen, maar die opeens in haar keel bleef steken toen Björn zich omdraaide en de microfoon liet vallen ...

'Waarschijnlijk was ik als eerste op het podium', zegt Britt-Marie terwijl ze begint te snikken. Ze praat nu snel, ze hoeft niet naar woorden te zoeken, het is alsof ze iets opzegt wat ze uit haar hoofd heeft geleerd. Dat het halve publiek haar opeens volgde. Dat die stomme man van de ordedienst, Svensson heette hij, zich plotseling op Björn stortte en hem bij Robban wegtrok, hoewel iedereen vond dat die kreeg wat hij verdiende, Robban dus, dat hij gewoon zijn verdiende loon kreeg, en dat haar vriendin Agneta Svensson in zijn hand had gebeten en dat Britt-Marie daarna ...

Susanne sluit haar ogen. Ze herkent het verhaal. Zij kent het ook bijna uit haar hoofd. Ze heeft het zowel in de krant als in tijdschriften gelezen. Eerst één keer per jaar. Daarna eens in de tien jaar. Björn was verdwenen en dat had inhoud gegeven aan Britt-Maries leven. Dat had haar tot iemand gemaakt. Maar nu snottert ze. Er klinken tranen door in haar stem, ook al heeft ze ze niet in haar ogen.

'Maar ik ben natuurlijk pas na een maand naar de politie gestapt', zegt ze nu. 'En die geloofden mij niet. Ja, ze gingen wel mee naar die schuur ...'

Ze strijkt haar haren van haar voorhoofd en maakt zich op om de geschiedenis te herhalen, om opnieuw te vertellen wat ze al heeft verteld, maar Susanne staat op en kijkt haar aan. Ze staat stokstijf voor haar en dwingt haar met haar eigen zwijgen tot zwijgen. Britt-Marie blijft met open mond zitten wachten en

Susanne laat haar wachten. Ze neemt haar grondig op, van de ongepoetste laarzen tot het verfomfaaide kapsel, schudt langzaam haar hoofd en zegt: 'Bah!'

Dan gaat ze weg.

Naderhand heeft ze over dat woord nagedacht. Wat het eigenlijk betekende. Verachting, uiteraard, en een terechte verachting, omdat ze vermoedde dat Britt-Maries gevoelsuitbarsting zowel genot als berekening bevatte. Sinds het gebeurde, waren er ondertussen dertig jaren verstreken, maar Britt-Marie was nog steeds pas zestien, want het belangrijkste wat haar ooit was overkomen was gebeurd toen ze zestien was; ze had even aan bekendheid geroken, die aangeraakt, zich eraan vastgeklampt, en ze was warempel niet van plan om los te laten. En toch: onder Susannes verachting school iets anders. Een gevoel van schuld. Medelijden, al was het geen sympathie. Met welk recht verachtte ze Britt-Marie Samuelsson, die nooit had gekregen wat Susanne had gekregen? Dat was de ene kant. Aan de andere kant zat er nog een laag onder de schuld, een nog diepere laag van verachting. Hoe kun je zo dom zijn dat je een gebeurtenis je hele leven blijft herkauwen? En hoe kun je zo'n slechte smaak hebben dat je je haren bijna blauwrood verft? En welke armoede is zo oneindig dat je je laarzen niet kunt poetsen?

Toch was dat niet de reden. Dat besefte ze nu. Het kwam niet voort uit verachting dat ze 'bah' had gezegd. Niet uit bezorgdheid over Björns nagedachtenis. Het kwam door wat ze tijdens Britt-Maries goed geoefende zinnen had herkend. Het was de geniepigheid. De geniepigheid van de underdog, die zodra ze de kans kreeg als de klauw van een kat openging en hard uithaalde. Een geniepigheid die op die van Ingalill leek.

Bah.

Ze begint te rillen. Is terug in de mess van de Wodan. Ze zit naast Ulrika, die geen neiging tot geniepigheid lijkt te bezitten, en tegenover Anders, die eruitziet of hij zijn neigingen in bedwang kan houden. Althans meestal. Ze zitten nu met elkaar te praten en hun ogen stralen. Susanne kan een glimlach niet onderdrukken. Ja, ja. Verliefd. Ze pakt haar koffiekopje op en brengt in stilte een toast uit. Veel geluk.

'Het is een heerlijke dag', zegt Ulrika. 'Dus ga ik nu naar het dek.'

'Ja', zegt Anders ademloos. 'Ik ook.'

Ulrika kijkt Susanne wat aarzelend aan. 'Vind je het goed als we opstaan?'

Susanne glimlacht naar haar. 'Absoluut. Tot straks.'

'Ja', zegt Anders weer. 'Straks.'

HET IS ECHT een heerlijke dag, misschien wel de laatste heerlijke zomerdag op het ijs ooit. Een paar graden onder nul. Een stralende zon. Een blauwe hemel. En aan weerskanten van de Wodan een eeuwigheid van ongebroken ijs, wit ijs met dunne streepjes turkoois. Anders krijgt de wilde neiging om het over de witte uitgestrektheid uit te schreeuwen, maar dat doet hij natuurlijk niet. Hij loopt gewoon naar de voorplecht en gaat vlak naast Ulrika op het treeplankje staan om net als zij over de reling te hangen en om zich heen te kijken.

'Zie je dat!'

Ulrika wijst naar een klein gaatje, een turkoois plekje in het witte ijs, en heel even zie hij twee vissen als zwarte yin-en-yangtekens in het smeltwater liggen. Maar dan stroomt de machtige Wodan over hen heen en worden ze onder de romp gezogen, door het water opgeslokt, en ze verdwijnen.

'Poolkabeljauw!'

Ulrika klinkt oprecht gelukkig. Hij kijkt haar aan en glimlacht terug.

'Denk je dat ze het redden?'

Ze schiet in de lach. Haar tanden blinken wit.

'Natuurlijk redden ze het. Maar je ziet ze zo weinig. Vorig jaar hadden we een vent aan boord die speciaal in poolkabeljauw geïnteresseerd was. Hij stond uren te speuren, elke dag, maar hij zag er niet één ... En dan zien wij er twee. Zomaar.'

'Wij brengen geluk.'

Ze kijkt hem glimlachend aan, slaat dan haar armen om hem heen en strijkt even met haar wang over zijn borst, over zijn blauwe jack.

'Ja', zegt ze. 'Dat denk ik. Dat denk ik echt, dat jij en ik geluk brengen.'

Wanneer hij zijn hut binnenstapt, fluit hij. Hij kan het gewoon niet laten, hoewel hij weet dat het belachelijk is en ook weet dat hij volkomen onmuzikaal is. Niettemin ... Hij blijft opeens staan, doodstil. Wie heeft gezegd dat fluiten belachelijk is? En wie heeft hem verteld dat hij onmuzikaal is?

Eva. Maar hij is nu van Eva verlost. Hij kan fluiten zoveel hij wil. En blij zijn zoveel hij wil.

Ulrika is weduwe. Ze is al vijftien jaar weduwe. Ze heeft een zoon, een jongen van negentien, die net geneeskunde is gaan studeren. Verder heeft ze ouders die haar elke dag van haar leven hebben geholpen en gesteund en die blij met haar zijn. Ze is rustig, opgewekt en nauwgezet, en ze voelt zich verantwoordelijk. Ze is gelukkig. De eerste oprecht gelukkige mens die hij ooit heeft ontmoet. En haar geluk zal aanstekelijk op hem werken, dat weet hij. Dat voelt hij al.

Ze hebben elkaar op het voordek omhelsd. Stonden tegenover elkaar en hielden elkaar vast, ze hebben de hele wereld, of in elk geval iedereen die hen toevallig zag, vanaf de brug of de ornithologenplaats, door een patrijspoort in de keuken of een raam in een container, getoond dat ze hun armen om elkaar heen hadden geslagen. Dat ze van elkaar houden. Dat ze bij elkaar horen.

Wanneer Anders zijn computer aanzet, fluit hij nog steeds. Tijd om die mail naar Jonas te versturen. De man die hem zal bevrijden.

Hij is verbijsterd over de snelheid waarmee hij antwoord krijgt. Nog geen twee uur later. Hij ontwaakt uit zijn middagdutje en glimlacht naar het plafond. Vaag herinnert hij zich een opgewekte droom vol gelach en hij komt overeind en knippert een paar keer met zijn ogen. Hij loopt naar zijn bureau om zijn mailbox te checken. En daar is het. Het antwoord.

> Amice! Dank voor je mail. Die kwam precies op tijd. Vlak daarvoor kreeg ik namelijk een telefoontje van je aanstaande ex en ik heb geprobeerd haar aan het verstand te brengen dat ik niet van je had gehoord en dus niets over de zaak wist. Ze was heel tevreden toen ik haar weer belde om te vertellen dat je wat van je had laten horen, maar ze was iets minder

tevreden toen ik uitlegde dat er niets van een scheiding kan komen voordat jij weer thuis bent. Je moet de papieren immers zelf ondertekenen. Ze was ook een tikje ontzet toen ik vertelde dat je het huis wilt verkopen. Ik kreeg de indruk dat ze wil dat jij daar blijft zitten wachten op haar eventuele terugkeer.
Voor je terugkomt, zal ik alle formaliteiten regelen. Het zal leuk zijn om elkaar weer te zien. Jonas

Anders glimlacht en rekt zich uit, maar dan klinkt er een bliepje van de computer. Weer een mail. Verzonden vanaf de computer van Bengt Bengtsson.

Anders! Ik heb die advocaat net gesproken die jij in de arm hebt genomen. Hij beweerde dat jij hem had gevraagd contact op te nemen met een makelaar om de villa te verkopen. Sorry, maar dit kun je echt niet maken. De helft van het huis is namelijk van mij. Bovendien hebben we meer dan dertig jaar in dat huis gewoond. Het zit vol herinneringen, weliswaar niet altijd gelukkige, maar toch. Zo'n huis kun je niet zomaar wegdoen. Ik ben dus niet van plan om met verkoop akkoord te gaan. Dat je dat weet. Je mag daar mooi blijven wonen. En dat is niet meer dan billijk gezien het feit dat jij mijn huwelijk in Parijs verhindert door gewoon op zo'n volkomen onverantwoordelijke manier te vertrekken. Eva

Hij gaat ditmaal niet met een schuin hoofd zitten. Hij denkt niet eens na. Hij houdt gewoon zijn handen boven het toetsenbord en typt:

Koop me dan maar uit. Dan kun jij het huis houden. Zo niet, dan wordt het verkocht. Anders

Hij klapt de laptop dicht en rekt zich opnieuw uit. Buiten straalt de zon. Geen wolkje aan de lucht.

De Wodan stevent verder door de volmaakte dag. Het schip legt zijn voorsteven op het gladde witte oppervlak en drukt dat kapot. Even wordt het turkooizen binnenste blootgelegd, maar dan duwt de voorsteven het ijs onder de kiel; een enkele poolkabeljauw wordt van de hongerdood in een poeltje smeltwater gered en beneden uitgenodigd voor de overvloed aan voedsel, mogelijkheden, genoegens en gevaren van de zee. Een paar noordse sternen zeilen rond het schip en Göran in de container geeft een gil zodat Lars, de ornitholoog, die op het dek staat, zijn gezicht vertrekt en heel even geïrriteerd zijn koptelefoon van zijn oor tilt. Jawel, hij heeft ze gezien. Maar het zijn maar noordse sternen, dus is er geen reden om in de stress te schieten.

'Er zijn ook andere dingen. Een stel *love-birds,* bijvoorbeeld. Dat zag ik net. Over.'

'*Love-birds?* Hier? Over.'

'Ach. Wat heb jij? De dokter en Ulrika. Ze stonden elkaar te omhelzen op het voordek. Over.'

'O. Interesseert mij wat. Over.'

'Dan niet. Over.'

Boven op de brug glimlacht de anders zo zure Sture wanneer hij een satellietfoto overhandigt aan de niet minder zure Leif Eriksson. Na enige aarzeling besluit Leif Eriksson echter terug te glimlachen, zij het heel kort. Het is een bijzonder moment en daarna wordt het doodstil om hen heen; twee bemanningsleden en drie wetenschappers kijken een paar tellen verbijsterd naar hen, maar dan ontbloot Leif Eriksson zijn tanden en laat hij iets horen wat je nog het best kunt vergelijken met gegrom. De bemanningsleden keren hem de rug toe, en de drie wetenschappers concentreren zich opnieuw op hun computers, alleen maar om nog een keer verbaasd op te kijken wanneer zure Sture hen neuriënd passeert. Jawel. Het is echt waar. Zure Sture neuriet en hij neuriet Beethoven. 'Für Elise'. Het klinkt bedroevend.

Bernard en Eduardo staan met hun camera op het vierde dek. Eduardo heeft het statief neergezet en nu buigt hij zich voorover om de camera scherp te stellen. Op het ijs ontwaart hij iets grijs en hij zoomt in. De contouren van een heel tevreden zeehondje verschijnen; het ligt op zijn rug naast een wak van de dag te genieten.

'Kijk', zegt hij tegen Bernard terwijl hij zijn rug recht. Bernard buigt zich voorover en gluurt door het objectief, een beetje glimlachend.

'Die nemen we. Mensen zijn gek op zeehonden.'

Eduardo buigt zich weer over de camera. Hij filmt. De zeehond blijft een paar minuten liggen. Het lijkt of hij poseert; hij slaat zich wat met zijn vlerk op zijn buik, beweegt zijn kop wat en houdt die een beetje schuin. Wanneer Eduardo tevreden is, draait de zeehond zich om en ploetert naar zijn wak. Hij duikt erin en verzendt een laatste groet door met zijn staartvin te wuiven.

'Perfect', zegt Eduardo.

'Mooi', zegt Bernard en hij steekt een sigaret op.

In het laboratorium krijgt Viktor vergiffenis. Nieuwe metingen hebben uitgewezen dat het kwikgehalte nog net zo hoog is, ongeacht of hij daar nu is geweest of niet. De hoge waarden kunnen dus niet zijn schuld zijn; het kan niet anders of het kwikgehalte van het zeewater is in een paar jaar tijd enorm gestegen.

'Daar moeten we mee aan de slag', zegt Ulrika met een ernstig gezicht. 'Reken er maar op dat je met nog een paar expedities mee moet.'

'Absoluut', zegt Viktor. 'Vanzelfsprekend.'

Hij draait zich om en buigt zich over enkele instrumenten, al was het maar om te verbergen dat hij van binnen trilt. Niet van verrukking; dat onderstreept hij met nadruk voor zichzelf. Absoluut niet. Niemand weet beter dan hij wat kwik teweeg kan brengen. Maar hij promoveert binnen een jaar en Ulrika's woorden kunnen maar één ding betekenen: daarna een vaste aanstelling. Op haar instituut. Bovendien is het tamelijk geweldig om aan een expeditie deel te nemen. En voor hem zal het niet bij één blijven.

Frida buigt zich voorover om de klep van de oven te openen. Een geur van versgebakken brood verspreidt zich door de kombuis. Sofie stopt even met het afdrogen van haar handen aan een roodgeruite keukendoek. Ze snuift genietend de geur op, maar steekt dan de keukendoek in de tailleband van haar broek en zegt: 'Weet je wat ik net zag?'

Met een kletterend geluid van metaal op metaal zet Frida de hete bakplaat op een roestvrijstalen aanrecht.

'Nee.'

'De dokter en Ulrika. Ze stonden te zoenen op het voordek.'

Frida strijkt met haar hand over haar voorhoofd.

'O. Leuk voor hen.'

'Maar ik dacht dat de dokter getrouwd was ...'

Sofia zit nog niet zo lang op zee. Haar Martin wel, met wie ze binnenkort gaat trouwen. Frida draait zich om en laat alleen haar glimlach doorklinken wanneer ze antwoordt: 'Jawel. Maar dat telt immers niet wanneer je aan boord bent.'

Dan is het tijd om de lunch te serveren.

Tegen de middag begint het te betrekken. Wanneer Susanne het dek op gaat, slaat ze de kraag van haar jack op. Toch gaat er een rilling door haar heen wanneer ze haar wanten uittrekt om een sigaret op te steken. Dit is een nieuw soort kou, een vochtige bittere kou, die zich een weg zoekt onder de huid van haar vingers en haar bloedvaten zo snel laat samentrekken dat het bijna pijn doet. Ze trekt snel haar wanten weer aan en gaat dan op het treeplankje op de voorplecht staan om rond te kijken.

De wereld is aan het veranderen. Ze ziet het gebeuren.

Het allereerst dooft de zon uit; die glijdt achter een paar wolken en opeens is het licht niet wit meer. Het ijs reageert meteen; dat wordt grijs, eerst glinsterend lichtgrijs, maar dan steeds matter, naarmate de wolken aan de hemel steeds donkerder worden. De turkooizen plekken met smeltwater worden ook donkerder; de kleur verdiept tot bijna donkerblauw en nog geen paar tellen later wordt die zwart. Op hetzelfde moment verdwijnt de horizon; nevel en mist duwen de vage lijn aan de rand van de wereld weg en een seconde later begint het te regenen, nee, te sneeuwen. Het is een bijtend koude sneeuwval, met harde korreltjes die opeens alle visuele indrukken verdringen, een sneeuwval die gevolgd wordt door heftige rukwinden. In minder dan een minuut tijd krimpt de hele wereld. Het enige wat er nog over is, is een meter van het dek.

Susanne trekt haar schouders op en laat haar sigaret vallen in het witte onbekende, waar net nog ijs lag en waar dat hopelijk nog steeds ligt. Ze zet haar capuchon op en loopt op een drafje met opgetrokken schouders naar de deur van haar gang. De wind rukt aan haar jack. Het klappert op haar rug, en heel even denkt ze dat ze erdoor zal worden opgetild, dat ze over het dek zal vliegen, over de reling het ijs op, dat de wind haar daar ergens ver weg in het witte onbekende zal laten neerploffen, maar dat gebeurt natuurlijk niet. De wind rukt aan haar, duwt en trekt aan haar, maar krijgt haar niet omhoog. Ze staat waar ze staat en probeert de zware deur te openen, maar dat lukt niet, hoewel ze de deurklink met beide handen beetpakt en er met heel haar gewicht op leunt. Het lukt niet omdat de wind erop staat; die lacht spottend en houdt de deur gesloten, hoe hard ze er ook aan rukt en trekt en duwt.

Ze geeft het vrijwel meteen op en drukt zich stevig tegen de wand van de Wodan. Met heel kleine stapjes loopt ze naar de scheepsladder iets verderop. Ze pakt de leuning met beide handen vast en legt in stilte een heilige eed af dat ze niet zal loslaten, wat de wind ook met haar doet, want hier heeft die vrij spel, hier is het erger dan ooit, hier kan de wind gemakkelijk de vloer met haar aanvegen, haar omverduwen, haar naar beneden laten vallen en tegen de scherpe randen van de traptreden laten stuiteren. Hoewel haar capuchon van haar hoofd waait, hoewel haar nek bloot komt te liggen voor de kou, die eerst knijpt en dan bijt, hoewel duizenden ijskorreltjes haar dwingen haar ogen dicht te knijpen, is ze niet van plan dat te laten gebeuren. Ze is niet van plan zich gewonnen te geven, nooit van haar leven. Als een klein kind gaat ze zijwaarts de trap af, voetje voor voetje, en ze houdt zich heel stevig aan de leuning vast. Ze stopt niet eens wanneer haar tranen beginnen te stromen, ze trekt haar schouders niet meer op, ze zorgt er alleen maar voor dat ze uiteindelijk, na een eeuwigheid, haar voet op het onderste dek kan zetten. Nog maar vijfentwintig meter te gaan tot de volgende deur en hier is opnieuw een wand om dicht langs te blijven lopen, om je rug tegenaan te zetten en je vingers contact mee te laten houden. Want ook al ziet ze niets, ook al kan ze haar ogen niet openhouden, ze is niet van plan om zich ertoe te laten verleiden opzij te stappen en te verdwalen en te verdwijnen in dit onbegrijpelijke …

En daar is eindelijk de deur. Ze draait zich om en trekt eraan, met beide handen, maar het helpt niet. Opnieuw houdt de wind de deur tegen; die leunt nonchalant tegen het oppervlak van glas en metaal en lacht een beetje om haar inspanningen, tilt haar natte haren op, laat de kou met een hand over een pluk haar strijken en die in ijs veranderen, lacht dan echt hard wanneer ze met beide handen op het glas begint te bonken, lacht zo hard dat hij haar geschreeuw overstemt wanneer zij zich opnieuw naar de kou draait en smeekt om ...

Op hetzelfde moment gaat de deur open. Iemand duwt die van binnen open en Susanne struikelt naar binnen, huiverend en rillend. De wind steekt een hand naar binnen en probeert haar te pakken, maar dat lukt niet; een tel later zit de deur dicht en brult de storm buiten ontevreden. Maar Susanne leunt tegen een muur en blaast uit.

'Goeie genade!' zegt ze, knipperend met haar ogen. Het water druppelt uit haar pony. Ze trekt haar want uit en strijkt ermee over haar voorhoofd.

'Wat is er gebeurd?'

Daar is John. Fronsend met zijn grijze wenkbrauwen staat hij voor haar. Hij kijkt verbaasd en bezorgd. Susanne knippert opnieuw met haar ogen.

'Er stak een storm op. Ik was buiten gaan roken en er stak een storm op. In no time.'

'Heb je de waarschuwing niet gezien?'

'Welke waarschuwing?'

'Op de monitor. In de hal.'

Susanne trekt haar laarzen uit en schudt ondertussen haar hoofd.

'Nee. Maar bedankt dat je de deur opendeed. Mij lukte dat niet.'

Hij haalt zijn schouders op.

'Zullen we naar de rookkamer gaan?'

Susanne onderdrukt een zucht. Ze wil niet naar de rookkamer. Ze wil niet zitten praten. Ze wil naar haar hut om tussen de lakens te kruipen, terug te denken aan wat er is gebeurd en het daarna vergeten. Maar John heeft de deur opengedaan. Hij heeft haar in veiligheid gebracht. En vanochtend keek hij zo ontzettend somber toen zij niet met hem wilde gaan ontbijten, dus ...

'Jawel', zegt ze. 'Natuurlijk.'

De hal is verlaten en in de rookkamer is het al even verlaten. Nergens een mens te bekennen.

'Waar zit iedereen?' vraagt Susanne terwijl ze haar jack uittrekt. Ze legt dat in de ene fauteuil en gaat zelf in de andere zitten. John aarzelt. Heel even lijkt het of hij van plan is om haar te vragen of ze ergens anders wil gaan zitten, bij hem op de bank, maar wanneer hun blikken elkaar kruisen, gaat hij schouderophalend op de bank zitten.

'Het is zaterdagmiddag. Degenen die niet werken, zullen wel rusten. Of ze zijn op de brug om naar het noodweer te kijken.'

Ze knikt en slaakt een diepe zucht.

'Ik ben helemaal op ...'

John biedt haar zijn sigaretten aan. Ze neemt er eentje en laat hem haar ook een vuurtje geven.

'Gaat het altijd zo?' vraagt ze dan terwijl ze naar de brandende punt van haar sigaret kijkt.

'Wat?'

'Storm die in no time opsteekt?'

Hij haalt zijn schouders op.

'Dat komt wel voor.'

'Hoe gaat het dan met De Vis?'

'Die hebben we moeten ophalen en in de container gezet. De snelheid was te hoog en het ijs te dik. Hij zou kapot zijn gegaan.'

'Dus jij boekt geen resultaten.'

'Jawel, hoor. Bij de Lomonosovrug zal het wel gaan. Daar kunnen we het rustiger aan doen, en verder kun je hetzelfde traject een paar keer afleggen. Zodat het ijs behoorlijk gebroken wordt. Nu is het immers eigenlijk alleen maar een verplaatsing.'

O. Buiten voor het raam begint de wind te huilen, maar verder is het stil. Alleen het zware gedreun van de motoren van de Wodan pulseert op de achtergrond. Susanne inhaleert diep, met haar ogen dicht. Ze heeft geen haast. Ze hoeft nergens heen. Maar dat is een gedachte waartegen een ander deel van haar onmiddellijk in verzet komt.

'Ik denk dat ik maar een warme douche ga nemen.'

'Ja', zegt John.

'Bedankt dat je de deur voor me hebt opengedaan.'

Hij glimlacht een beetje.

'Geen dank. Kom je vanavond nog naar het feest?'

'Is er vanavond feest?'

'Het is toch zaterdag.'

Ze blijft even zwijgend zitten, maar herinnert zich dan het gebonk uit de bar van vorige week zaterdag toen zij in haar kooi lag te lezen. Toen was het ook feest. Het was echter niet bij haar opgekomen om ernaartoe te gaan. Dat was anders bij het doopfeest; toen sprak het vanzelf. Ik zou het eigenlijk wel moeten doen, denkt ze vaag. Om te zien hoe het er toegaat. Al was het maar vanwege mijn boek.

'Jawel', zegt ze dan. 'Natuurlijk kom ik naar het feest.'

Toch is John de eerste die weggaat. Terwijl zij haar jas pakt, kijkt hij op zijn horloge. Hij mompelt iets en verdwijnt. Wanneer ze in de hal komt, is hij verdwenen. Ze is er helemaal alleen en kijkt om zich heen. Op de monitor knippert een rode tekst: STORMWAARSCHUWING! GA ALLEEN IN GEVAL VAN NOOD HET DEK OP!

Met een onbehaaglijk gevoel haalt Susanne haar schouders op. O. Daar is die waarschuwing. Ze heeft die na de lunch gemist; ze weet nog dat ze niet eens op de monitor heeft gekeken toen ze de mess uit kwam. Ze is gewoon naar de trap gelopen, naar haar hut en haar computer. Ze heeft een poosje zitten schrijven, maar toen ze uiteindelijk opkeek, moest ze wel voor zichzelf toegeven dat wat ze geschreven had niet goed was, dat het slecht was, de toets der kritiek niet kon doorstaan. Kortom: het was zoals het altijd was.

'Je moet niet zo lelijk tegen jezelf zijn', klonk in haar geheugen de stem van Elsie, en daarom was ze meteen opgestaan. Ze had haar jas aangetrokken en was het voordek op gegaan om te roken en Elsie te verdrijven. En die storm had haar inderdaad verdreven; sinds de zon achter de wolken verdween, heeft ze niet meer aan Elsie gedacht.

Maar nu is ze terug. Nu staat Susanne opeens doodstil in de hal en ziet ze Elsie in het verpleeghuis in Landskrona in haar bed liggen. Tien jaren zijn er sindsdien verstreken, maar toch gebeurt het opnieuw. Het is niet de eerste keer. Niet eens de honderdste. Misschien is het de duizendste. Elsie bekijkt de Susanne van toen met compassie, hoewel zij degene is die op sterven ligt. Daarom is zij het ook die Susannes hand pakt en die streelt, niet Susanne die haar hand pakt, daarom is het Elsie die troostende woorden fluistert.

'Je moet niet zo lelijk over jezelf denken', zegt ze. 'Jij hebt geen schuld. Wat er gebeurde, was allemaal niet jouw schuld. Wat Björn overkwam niet, wat Inez overkwam niet, niets van dat alles. Ik garandeer het je. Het gebeurde gewoon.'

Susanne knikt, maar kijkt haar niet aan. In plaats daarvan kijkt ze naar haar hand die in Elsies hand ligt, en ze ziet hoe Elsie die met haar andere hand streelt. Blauwe aders tekenen een patroon. De huid is slap en grauw. Maar haar stem klinkt opeens zoals vroeger. Jong en sterk.

'Hou op met jezelf te straffen, Susanne. Je bent er en je mag er wezen. Geniet een beetje. Wees blij. Want je leeft, en over een paar dagen ben jij de enige van ons die nog leeft. Dan ben jij alleen nog over. Dan ben je vrij.'

En ik leef, denkt Susanne nu. Dat doe ik inderdaad. Elsie is dood, Inez is dood, Lydia is dood en Björn misschien ook ... Maar ik leef. En het maakt niet uit of ik een slechte detectiveschrijver ben, ik ben toch een levend iemand die dit mag meemaken, ik mag door het ijs reizen, ik mag ijsbergen zien, ik heb zelfs een echte poolstorm meegemaakt ...

Ze knippert met haar ogen, opeens bang dat ze misschien hardop heeft gepraat of er gewoon raar uitziet, en ze kijkt snel om zich heen, bang dat iemand haar zal zien. Maar er is niemand; de hal is nog steeds verlaten. En eindelijk, na tien lange jaren, heeft Elsie haar weten te overtuigen. Ze mag er zijn. Althans op dit moment.

Ze glimlacht bij zichzelf en kijkt naar wat ze in haar armen houdt. Het blauwe pooljack. In haar rechterhand houdt ze haar laarzen. Buiten raast nog steeds de storm, maar die kan haar niet bereiken. Zij is geborgen, ze is beschermd en ze gaat schuil achter de metalen wanden van de Wodan. En nu zal ze rustig en stil naar haar hut gaan om een douche te nemen en warm en schoon te worden. Ze zal zich een beetje mooi maken voor vanavond. Voor John en voor zichzelf.

Een man in blauwe werkkleding glimlacht wanneer ze langs het kantoor van de scheepsmachinist loopt en zij glimlacht terug. Ze steekt zelfs haar laarzen omhoog in een soort groet en loopt daarna de trap op. Ze telt de achttien traptreden naar haar verdieping, eerst negen en dan nog eens negen, ze slaat rechts af om haar gang te bereiken en steekt ondertussen haar hand in haar zak om haar sleutel te pakken ...

Wat was dat?

Ze verstijft en knippert met haar ogen, blijft staan en probeert tot zich te laten doordringen wat ze zag. Een beweging. Iets zwarts of donkerblauws dat op het eind van de gang snel om de hoek verdween.

Wie was dat?

Ze blijft nog even staan en gaat de mogelijkheden af. Misschien was het iemand die op weg is naar de andere gang en die is doorgestoken, iemand die haar niet zag aankomen en die daarom ook niet is blijven staan om te groeten. Of iemand die een geheime liefdesaffaire heeft. In deze gang. En die daarom niemand wil zien, of niet gezien wil worden.

Als het althans niet iemand is die net in haar hut is geweest.

Susanne vertrekt haar gezicht. Niet laf zijn. Ze haalt de sleutel tevoorschijn en loopt naar haar deur. Ze maakt zich op om die te openen.

Zij leeft. Zij leeft nog.

De Wodan zou het enige vaartuig in de wereld kunnen zijn.
De Wodan is het enige vaartuig in de wereld.
De mensen aan boord zouden de enige mensen kunnen zijn.
Het zijn de enige mensen.
De storm zou uitsluitend hun om de oren kunnen fluiten. Hard bevroren ligt het ijs te wachten tot het neergedrukt en opengebroken wordt door uitgerekend deze scheepsromp. Doodstil zouden de zeehonden en ijsberen kunnen staan wachten tot het hun beurt is om naar voren te stappen.
De Wodan zou een eigen universum kunnen zijn.
De Wodan is een eigen universum.
Een wereld op weg in een heel andere wereld.

WANNEER ANDERS ONDER de douche vandaan komt, werpt hij een blik door het raam. Zijn bewegingen stokken en hij staart naar buiten. Daarna zet hij een paar passen om zijn horloge van het bureau te pakken, waar het naast de computer ligt. Hij kijkt erop. Het is pas half zes. En toch schemert het buiten al. Toch ziet het eruit alsof het al nacht is.

Hij slaat de kraag van zijn ochtendjas op en aarzelt even, maar loopt dan door naar het raam. In een half onbewuste poging de schemering weg te wissen, gaat hij met zijn mouw over de ruit. Hij houdt zich echter voor dat hij de wasem wilde wegvegen, die wasem die misschien, eventueel, uit de badkamer is gedrongen toen hij de deur open- en weer dichtdeed. Maar hij weet meteen dat dit een leugen is. Hij wilde die schemering uitwissen. En nu, nu hij vlak voor het raam staat, weet hij waarom.

Ze hebben de wereld verlaten.

Het landschap buiten ziet eruit zoals hij zich het landschap op een andere planeet voorstelt. Mars, misschien. Of Venus. Het gladde witte ijs is bobbelig en bruin geworden, het ziet er stenig uit, het ziet eruit als aarde, rotsen en steenblokken, het heeft diepe donkere scheuren en gaten van meteorietinslagen. En de lucht erboven is niet blauw en niet grijs. Die is eerder lichtpaars. Bijna de kleur van seringen. Een hemel van een andere planeet.

Anders slikt en recht zijn rug. Natuurlijk zijn het geen aarde, rotsen en steenblokken. Natuurlijk niet. Het is ijs. Ze varen nog steeds door het ijs, want de Wodan beweegt zich voorwaarts, dat ziet hij, dat kan hij voelen, en geen enkel schip, zelfs de Wodan niet, zou door een woestijnlandschap vooruit kunnen komen. Dat bruine is iets anders, een soort mos misschien …

Hij moet dit fotograferen. Natuurlijk. Hij doet het raam een stukje open, luistert of hij de storm ook hoort, maar hij hoort niets anders dan het doffe gedreun van de motoren. Hij gaat zijn fototoestel pakken en zet het raam wijdopen. Wanneer hij scherp stelt en de eerste foto neemt, leunt hij tegen het kozijn. Op hetzelfde moment wordt er op de deur geklopt.

Daar staat Ulrika. Ze heeft zich mooi gemaakt voor de zaterdag. Ze draagt een schone spijkerbroek en een witte bloes en heeft een blauwe trui over haar schouders. Zij heeft ook een fototoestel in haar hand. Ze glimlacht en klinkt gewoonweg gelukkig wanneer ze zegt: 'Heb je het gezien? Heb je de ijsalgen gezien?'

WANNEER SUSANNE WAKKER wordt, blijft ze roerloos liggen. Ze slaat alleen haar ogen op. Haar blik blijft bij het plafond steken. Daar is iets mee. Iets nieuws. Een andere kleur. Het is nog steeds wit, maar geen gewoon wit. Ze glimlacht een beetje bij de volgende gedachte. Ongewoon wit. Of beter gezegd: een ongewone witte tint. Bijna grijs, als het niet aan de lichte toets bruin in het wit had gelegen. Bijzonder.

Ze werpt een blik op haar horloge en ziet dat het al half zes is. Jeetje. Ze heeft zich verslapen, dus staat ze snel op. Heel even staat ze naast haar kooi te wankelen, waarna ze opnieuw een blik op haar horloge werpt. Inderdaad. Half zes. Ze heeft twee uur geslapen. En dat van pure opluchting. Er was niemand in haar hut geweest. Zodra ze binnen was, is ze rondgevlogen om systematisch elke kast te openen en elke muur te bestuderen. Ze heeft zelfs het beddengoed uit de kooi losgetrokken en uitgeschud, alleen maar om vast te stellen of het werkelijk waar was. En dat was het. Ondergoed en kousen lagen waar ze moesten liggen. De andere kleren hingen op hun hangers. Niemand had iets in haar toilettas gestopt. De muren waren mooi schoon, precies zoals ze die had achtergelaten. Er zat niets in het hoeslaken verborgen en ook niet onder de matras. De laptop was dicht, niemand had die aangezet om te saboteren wat ze al had geschreven. Haar koffer was zo leeg als hij moest zijn.

Alles was kortom zoals het wezen moest. Daarom was ze met een zucht van verlichting in haar kooi gaan liggen. En vervolgens weggedut en meer dan twee uur van de wereld geweest.

Nu moet ze opschieten. In een half uur moet ze douchen en haar haren wassen, zich aankleden en een gezicht op de voorkant van haar hoofd schilderen, zoals een vroeger vriendje dat ooit uitdrukte. Ze trekt haar trui uit, maar haar bewegingen stokken. Wat gek. Het ijs buiten is helemaal bruin. Alsof iemand er aarde overheen heeft gestrooid. Het levert een bijzonder effect op: het is net een negatief, alsof het ijs aarde is en de aarde ijs. En de hemel heeft een heel eigenaardige kleur. Grijspaars. Vandaar die rare kleur op het plafond.

Vreemd. Maar dat zal tijdens het diner wel uitgelegd worden. Ulrika of een van de andere oude poolvossen weet vast wel hoe het zit.

Wanneer ze een half uur later echter in de mess aankomt, gekleed in haar allermooiste bloes, is ze de hele zaak vergeten. Ze blijft even in de deuropening staan om rond te kijken. Feest op zaterdag betekent aan boord van de Wodan echt feest op zaterdag, dat ziet ze, en heel even heeft ze spijt dat ze zich vorige week teruggetrokken heeft. Het personeel van de mess heeft gedekt met witte tafellakens en de servetten buitengewoon mooi gevouwen, iedereen die in de rij voor het buffet staat, heeft zich gewassen en mooi aangekleed, althans naar omstandigheden. Jenny heeft zelfs een rok aangetrokken en Ulrika draagt een pasgestreken bloes; die kruipt weliswaar al uit haar spijkerbroek omhoog, maar hij getuigt er toch van dat ze een soort vrolijk gestemde ambitie heeft om van deze avond een buitengewoon gezellige avond te maken.

Susanne sluit achter in de rij aan en schudt even met haar haren. Haar hoofdhuid is nog vochtig en voordat de avond voorbij is, zullen haar haren waarschijnlijk behoorlijk kroezig zijn, maar daar trekt ze zich niets van aan. Voor de verandering is ze bereid naar buiten te kijken in plaats van naar binnen. Ze neemt een dienblad en wil bestek pakken, maar stoot per ongeluk Viktor aan, die voor haar staat. Hij draait zich glimlachend om; het lijkt of ook hij heeft besloten zijn verlegen egocentrisme aan de kant te schuiven.

'Sorry', zegt Susanne.

'Geeft niets', zegt Viktor. Zijn glimlach wordt nog breder. Hij slaakt een zucht en lijkt een besluit te nemen. Hij schraapt zijn keel en zegt: 'Jij bent toch die detectiveschrijfster?'

'Ja', zegt Susanne, die zijn glimlach beantwoordt. 'Dat is zo.'

'Ik kreeg gisteren een mail van mijn moeder. Ik had verteld dat jij ook op het schip zat, en ze schreef dat ik moest zeggen dat ze gek is op jouw boeken. Ik heb ze natuurlijk zelf nooit gelezen ...'

Susanne doet haar best om te blijven glimlachen zonder te gaan giechelen.

'Dank je. Je moet haar maar bedanken.'

'En mijn grootmoeder ook', zegt Viktor ernstig. 'Mijn grootmoeder vindt ze ook heel goed.'

Susanne buigt zich over de schaal met sla en zuigt haar wangen naar binnen. Het kost haar moeite om haar lachen in te houden. Ze wordt gered door John. Opeens staat hij achter haar. Ze knippert met haar ogen. Hoe kan dit? Stond Eduardo niet achter haar toen ze voor het laatst keek?

'Hoi', zegt John lachend.

Ze laat zich een lachje ontvallen en antwoordt: 'Ook hoi.'

'Soms geven ze je het gevoel dat je duizend jaar bent', zegt ze een poosje later. John kijkt verward.

'Wie?'

'De jonge onderzoekers. Viktor daarginds liet me weten dat zijn moeder en grootmoeder mijn boeken erg leuk vinden. Ik voelde me oeroud.'

John haalt zijn schouders op.

'Hij is nog niet eens dertig. En tegenwoordig ben je toch nauwelijks twintig als je dertig wordt, als je begrijpt wat ik bedoel. Mijn zoon ...'

'Heb jij een zoon?'

'Ja. En een dochter.'

'Hoe oud?'

Hij glimlacht wat.

'Zesentwintig en negenentwintig.'

'Jeminee. Soms denk ik dat ik zelf zesentwintig ben. Of negenentwintig. Zo voelt dat.'

'Niet als je kinderen van die leeftijd hebt. Geloof me.'

Ze glimlacht. 'Ik geloof je.'

Het wordt even stil. John pakt zijn wijnglas en brengt een toast uit, Susanne herhaalt dat gebaar. Vlak naast haar lacht Ulrika en Anders glimlacht naar haar. Jenny doet haar ogen half dicht en kijkt Ola aan, hij streelt haar met zijn blik. Susanne onderdrukt een zucht. Misschien had ze beter in haar hut kunnen blijven, net als vorige week zaterdag.

'Ben jij getrouwd?' vraagt John opeens en zij knippert met haar ogen. Ze probeert tijd te winnen.

'Wie? Ik?'

'Ja', zegt John met een serieus gezicht, eigenlijk serieuzer dan nodig. 'Jij.'

'Nee.'

Hij veegt snel zijn mond af met zijn servet en pakt dan zijn wijnglas weer. Hij praat heel kortaf, op een geforceerd onverschillige toon.

'Geweest?'

Susanne buigt zich over haar bord. Inderdaad. Ze had vanavond in haar hut moeten blijven. Maar ze recht haar rug en kijkt John aan. Ze zegt waar het op staat: 'Nauwelijks.'

Hij trekt een grimas.

'En hoe ben je dat, nauwelijks getrouwd?'

'Je bent drie maanden getrouwd. Vijfentwintig jaar geleden. En jij?'

Hij glimlacht. 'Drie jaar. Een eeuwigheid geleden.'

Het wordt stil tussen hen, een eon van stilte. Ten slotte schraapt John zijn keel, en hij zegt op tamelijk zachte toon: 'Ik ben waarschijnlijk niet gemaakt voor het huwelijk.'

Susanne voelt hoe de spieren in haar rug zich ontspannen en dat het opeens mogelijk is haar nek te bewegen. Nu kan ze hem aankijken, hem aankijken en zonder reserves naar hem glimlachen. Hij zit niet achter haar aan. Wil geen verhouding. Wil misschien alleen maar met haar naar bed. En daar heeft ze niets op tegen.

'Dat is mooi om te horen', zegt ze. 'Want dat ben ik ook niet bepaald.'

Na afloop, wanneer het dessert genuttigd is en de wijn op, en ze hun jas aantrekken om het dek op te gaan, denkt ze heel even aan Inez en Birger. Waarom waren die eigenlijk met elkaar getrouwd?

Zodat Inez iemand zou hebben die naar haar luisterde wanneer ze praatte? Zodat ze niet tegen zichzelf hoefde te praten? Zodat Birger een hulpje zou hebben? Zodat hij geen half verlopen vrijgezel met kreukelige overhemden en ongepoetste schoenen zou worden?

Helaas, denkt ze terwijl ze haar haren over haar kraag haalt, zo was het waarschijnlijk inderdaad. Ze namen wat ze konden krijgen, en veel kregen ze niet. Geen van beiden.

'We gaan nu naar de algen kijken', zegt Ulrika. Ze trekt haar ritssluiting dicht.

Het licht is nog steeds vreemd. Grijs. Bruin. Violet. Een kleur die eigenlijk niet bestaat, maar een kleur die tegelijkertijd magisch is en Susanne aan andere werelden doet denken, sprookjeswerelden. De hemel hangt laag, het ijs is opeengeperst en vormt wallen, bruine wallen met vage sporen wit. De turkooizen kleur is weg. Nergens te bekennen.

Terwijl ze om zich heen kijkt en een sigaret opsteekt, hoort ze Ulrika achter zich een klein college geven. Ze begrijpt er bijna niets van. Ulrika heeft het over halonen en de ozonlaag, saliniteit en uv-straling, onbekende organismen en de ouderdom van het ijs. Maar dat is niet zo belangrijk; ze kan het rustig aan Ulrika overlaten om het te begrijpen. Zelf kan ze ermee volstaan om op het voordek van de Wodan te genieten van het feit dat ze de warmte van John naast zich kan voelen, dat ze ziet hoe gefascineerd Anders Ulrika gadeslaat, dat Jenny haar hand naar Ola uitsteekt en tegelijkertijd met haar laarzen staat te trappelen omdat ze het echt koud heeft in haar zaterdagse rok.

Mensen, denkt Susanne. Ik ben een mens. En ik sta met andere mensen op een schip dat door de Noordwest Passage vaart.

Ze doet haar ogen dicht om haar gedachte te verbergen, maar haar glimlach kan ze niet verbergen.

Zij zijn er, denkt ze. En ik ben er. Ik ben er en ik mag er zijn.

De discodreun uit de bar vormt niet meer dan een schaduw. Een schaduw van geluid. Wat je werkelijk hoort, is Ulrika's stem wanneer ze vertelt over de ijsalgen en hun uitwerking op de ozonlaag, dat de gegevens die ze tijdens haar eerste expeditie heeft verzameld overeen lijken te komen met de gegevens die ze nu verzamelt, en hoe fascinerend algen zijn; dat die namelijk hun eigen werelden in het ijs hebben, dat datgene waarvan je zou denken dat het slechts bevroren water is en niet meer dan dat, gangen en grotten bevat met een heel eigen flora en fauna, een flora en fauna die met niets anders ter wereld te vergelijken zijn …

Anders voelt dat hij glimlacht en hij haast zich om serieus te worden. Hij wil er natuurlijk niet van beschuldigd worden dat hij neerbuigend doet, maar wanneer hij om zich heen kijkt, ziet hij dat er meer mensen zijn die glimlachen. Jenny, die staat te trappelen om de kou te verdrijven. John, die instemmend knikt. En Susanne, die haar blik ergens op het met algen bestrooide ijs heeft gericht en opeens echt blij kijkt. Met glanzende ogen. Blozende wangen.

'En dan weten jullie nou zo'n beetje alles', zegt Ulrika terwijl ze in de lach schiet. 'Zullen we nu naar binnen gaan om te dansen?'

Ze haakt haar arm in de zijne. Want ze zijn een stel. Ze horen bij elkaar. Ze hebben het beste met elkaar voor.

Het gebonk wordt donkerder en intenser, en gaat over in gedreun wanneer ze de bar naderen. Het is druk op de dansvloer; ze moeten dringen en zich in bochten wringen om de toog te bereiken. Anders stoot per ongeluk Bernard aan, die voor Amanda, een van de Amerikaanse onderzoekers, in een soort Travolta-stijl staat te dansen. Hij verontschuldigt zich, maar Bernard reageert daar niet op omdat hij helemaal in zijn dans opgaat. Wanneer Anders het liedje herkent, glimlacht hij. 'Good luck charm', van Elvis Presley.

Ulrika verandert van richting en loopt naar een tafeltje; haar bloes glanst wit in het halfduister. Susanne loopt achter haar aan. Anders verheft zijn stem en roept hen na: 'Wat willen jullie drinken?'

Ulrika schreeuwt terug: 'Witte wijn!'

Wanneer Anders en John bij de toog arriveren, is het liedje afgelopen. Ze krijgen hun bier en hun glazen witte wijn en wringen zich tussen de mensen door naar het tafeltje waaraan Susanne en Ulrika zijn gaan zitten. Het is een goede plek, een beetje in de luwte. Ze moeten met z'n vieren op een rijtje zitten, maar dat betekent ook dat ze allemaal uitzicht op de dansvloer hebben. Daar is nu nog maar één stel. Bernard en Amanda staan dicht bij elkaar in afwachting van het volgende nummer. Sofia en Martin stappen net de dansvloer op, hand in hand, en Sofia glimlacht; niet naar Martin maar naar Frida, die iets verderop in een leren fauteuil zit. Het is een vreemde glimlach, bijna triomfantelijk, en ze houdt die glimlach wanneer de muziek opnieuw begint. Weer een Elvis-nummer. 'Heartbreak hotel'. Robert stapt net naar binnen. Hij blijft heel even staan en laat zijn blik over Bernard en Amanda gaan. Een of twee tellen blijft hij roerloos staan, maar dan draait hij zich naar de leren fauteuils, krijgt Jenny in het vizier en stapt naar voren. Op hetzelfde moment staat Jenny op en ze wendt zich naar Ola. Hij komt overeind en volgt haar naar de dansvloer.

'Het heeft wel wat weg van een cruise', zegt Susanne.

Niet dat Anders ooit op een cruise is geweest, maar hij is bereid haar te geloven.

'Of dansen in een hooischuur', zegt Ulrika knikkend vanaf haar plekje.

Bernard en Amanda laten elkaar niet meer los. Ook wanneer 'Heartbreak hotel' afgelopen is, blijven ze op de dansvloer staan, nu nog dichter tegen elkaar aan. Ze kijken elkaar in de ogen. Praten heel zacht. Bernard tilt opeens zijn handen op en neemt Amanda's hand in de zijne; zij glimlacht en slaat haar ogen neer.

Op hetzelfde moment begint het volgende nummer. 'Yesterday'. Iemand slaakt een kreet van misnoegen, maar het is al te laat. Bernard en Amanda zijn al gaan dansen en opeens verschijnen ook Jenny en Ola; ze glijden tevoorschijn uit de schaduwen waar ze hebben staan wachten en zinken in elkaars armen. Achter hen verschijnt Robert. In zijn eentje. Zonder danspartner.

Eerst staat hij doodstil op de dansvloer, zijn verband stralend wit, maar dan begint hij te mimen. Hij doet net of hij snikt en huilt. Hij houdt zijn handen tegen zijn hart. Hij laat zich op zijn knieën zakken en doet net of hij steeds luider blèrt.

Even wordt het helemaal stil in de bar; de mensen staren verbijsterd naar Robert, zelfs Jenny en Ola. Die blijven opeens staan en gaan naar de zijkant, alsof ze hem niet willen storen, maar op hetzelfde moment schiet er iemand in de lach en een tel later lacht iedereen. Alleen Bernard en Amanda dansen verder. Ze hebben allebei hun ogen dichtgedaan en lijken geen van beiden het gelach te horen. Robert slaat zijn handen ineen en strekt ze smekend in de richting van Amanda. Hij wordt beloond met een enorm lachsalvo, maar Amanda hoort het niet en kijkt niet naar hem; ze rust met gesloten ogen in Bernards armen. Robert doet net of hij zijn tranen droogt. Dan steekt hij zijn gezonde hand in zijn broekzak en haalt een stropdas tevoorschijn. Hij doet die om zijn hoofd, tilt het uiteinde de lucht in en doet net of hij zich ophangt. Hij steekt zelfs zijn tong uit ...

Iemand pakt Anders bij zijn arm. Stevig. Zo stevig dat het pijn doet. Het is Ulrika. Hij draait zijn hoofd opzij om naar Susanne te kijken, die is opgestaan. Ze staat lijkbleek naast hem naar Robert te staren. Ze zegt iets, maar hij kan haar eerst niet verstaan. Terwijl hij zich voorzichtig uit Ulrika's greep losmaakt, staat hij op om te kunnen horen wat Susanne zegt.

'Dat is hem', fluistert Susanne. 'Dat is hem!'

EEN ANDERE HERFST, EEN ANDERE WINTER

De invalster stond bij de katheder met haar handen in een stevige greep om haar aktetas. Ze hield die als een schild tussen zichzelf en de klas. Ze glimlachte onzeker.

'Ja, zoals jullie misschien hebben gehoord is meneer Lundberg met ziekteverlof. Ik ben zijn invalster. Mijn naam is Ingrid Gunnarsson en ...'

Er ging een geroezemoes door de klas, geen gegiechel, geen gelach, maar alleen geroezemoes; misschien van verbazing, misschien van verrukking over het feit dat Lundberg uiteindelijk de handdoek in de ring had gegooid. Het was echter voldoende om de blonde invalster het zwijgen op te leggen. Na een poosje nam Henrik het woord: 'En wat voor opleiding heb jij?'

Ze begon te blozen. Iedereen zag het, Susanne ook. Henrik had een lerares getutoyeerd en haar autoriteit ter discussie gesteld, maar die lerares protesteerde niet, ze bloosde slechts en pakte haar aktetas nog steviger beet. Ze deed een aarzelende poging om zich te vermannen.

'Daar wilde ik het net over hebben. Dit voorjaar studeer ik af. In geschiedenis en maatschappijleer.'

Henrik wipte wat met zijn stoel heen en weer en sloeg zijn armen over elkaar. Ingalill nam het over: 'Dus eigenlijk heb je geen opleiding?'

In haar intonatie lag een lachje op de loer en vlak achter haar liet iemand een proefballonnetje op door een beetje te giechelen, maar Ingalill deed daar niet aan mee. Ze hield haar gezicht in de plooi. Ze nam Ingrid Gunnarsson met een serieuze blik op. Die bleef even doodstil staan, maar deed toen haar tas open en haalde het geschiedenisboek tevoorschijn.

'Ik studeer al vijf jaar aan de universiteit van Lund, dus ...'

'Waarom ben je dan nog niet afgestudeerd?'

Opnieuw begon Ingrid Gunnarsson te blozen, maar ze deed een nieuwe poging.

'We gaan het nu niet hebben over mijn opleiding, maar over

die van jullie. Maar ik denk dat we eerst even de namenlijst afgaan.'

'Waarom?'

Dat was Lasse, die naast Henrik zat. Helemaal links vooraan, natuurlijk. Hij had zijn armen over elkaar geslagen en zat ook een beetje met zijn stoel te wippen.

'Zodat ik weet hoe jullie heten.'

'Waarom wil je weten hoe we heten?'

'Zodat ik jullie kennis kan beoordelen, en jullie cijfers kan geven.'

Ingalill schoot in de lach en even later begonnen er meer te lachen. Dat verraste Ingrid Gunnarsson, dat kon je wel zien. Het beangstigde haar zelfs. Susanne sloeg haar ogen neer. Ze keek naar het groene blad van haar tafeltje om die bange ogen niet te hoeven zien. Maar haar oren kon ze niet dichtstoppen. Ze moest wel horen wat er werd gezegd.

'Waarom moet je ons cijfers geven?' vroeg Henrik. Zijn stem klonk nu gedempt, bijna zachtmoedig.

'Omdat ik jullie leraar ben en omdat we een schoolsysteem hebben dat ...'

'Waar sta jij politiek?'

Henriks stem was nu scherper geworden. Ingrid Gunnarsson was echter niet van plan zich zo gemakkelijk gewonnen te geven; ze deed net of ze zich niets van hem aantrok, pakte het klassenboek en sloeg dat open.

'Bengt Adolfsson?' zei ze met haar pen in de aanslag, alsof dit een heel gewoon appèl was. Bengt dook in zijn bank in elkaar. Eerst keek hij naar Henrik en vervolgens naar Ingrid Gunnarsson; hij opende zijn mond, maar deed hem weer dicht. Hij reageerde niet. Het werd heel stil in de klas. Er zaten zevenentwintig personen in het lokaal, maar niemand bewoog; er ademde zelfs niemand.

'Henrik heeft een vraag gesteld', zei Ingalill opeens, maar ze merkte niet dat Henrik zijn gezicht vertrok. Ze hadden misschien afgesproken geen namen te noemen. Ingrid Gunnarsson rechtte haar rug en deed net of ze het niet had gehoord.

'Bo Berggren?'

Bosse Berggren begon te grijnzen en richtte zijn blik naar het plafond. Ingrid Gunnarsson keek naar hem.

'Jij bent Bo Berggren?'

Het bleef even stil. Henrik schraapte zijn keel een beetje.

'Sorry', zei hij toen. 'Maar ik heb een vraag gesteld en geen antwoord gekregen. Ik wil weten waar jij politiek staat.'

Ingrid Gunnarsson negeerde hem opnieuw en zette een paar passen het klaslokaal in. Ze ging bij Bosse Berggrens bank staan en keek hem strak aan. Hij grijnsde weer onzeker, maar sloeg toen zijn ogen neer en begon wat aan de mouw van zijn trui te pulken. De boord was kapot; er hing een draadje op zijn hand. Dat pakte hij en hij begon het rond zijn wijsvinger te winden.

'Nou?!'

Ingrid Gunnarsson boog zich over hem heen. Bosse Berggren sloeg zijn ogen op en keek haar aan, maar daarna wierp hij een blik op Henrik. Uiteindelijk sloeg hij zijn ogen weer neer en gaf het op.

'Ja.'

'Lompenproletariaat!'

Henriks stem was glashelder. Ingrid Gunnarsson draaide zich abrupt om.

'Wat zei jij?'

Henrik aarzelde en wist even niet waar hij moest kijken. Toen rechtte hij zijn rug.

'Lompenproletariaat', herhaalde hij.

'O', zei Ingrid Gunnarsson. 'En wat bedoel je daarmee?'

Henrik keek stijfjes.

'Ik bedoel dat Bosse Berggren het soort proletariër is dat geen nut zal hebben voor zijn klasse. Iemand uit het lompenproletariaat is volgens Marx te arm en te zeer buitengesloten om te begrijpen wat zijn eigen bestwil is. Hij begrijpt niet hoe belangrijk het is één front te vormen. Maar dat doet de rest van ons wel, en daarom zijn we niet van plan vragen te beantwoorden voordat jij onze vragen hebt beantwoord.'

Ingrid Gunnarsson begon opnieuw te blozen.

'Mijn politieke overtuiging is míjn zaak. Daar heb jij niets mee te maken.'

Henrik stond op. Hij was het afgelopen half jaar heel lang geworden. Hij was langer dan Ingrid Gunnarsson, lang genoeg om op haar neer te kijken.

'Jouw politieke overtuiging is niet jouw zaak', zei hij heel rustig. 'Niet als jij je verbeeldt dat je ons geschiedenisles moet geven. Om je onderwijs te kunnen beoordelen moeten we weten waar je staat.'

'Ga zitten', zei Ingrid Gunnarsson. 'Ga onmiddellijk zitten!'

Haar stem werd schel. Veel te schel.

Ze was natuurlijk kansloos. In deze klas had niemand nog een kans, leerlingen noch leraren. Je deed wat Henrik zei en anders was het afgelopen met je. Als het dat al niet was vanaf het begin.

Het was leeg om haar heen geworden. Volkomen leeg. Haar leven was nu een spiegelbeeld van hoe Ingalills leven er een jaar geleden had uitgezien. Daar zat natuurlijk een zekere rechtvaardigheid in, dat besefte ze, dat kon ze voor zichzelf op deze nieuwe, koele manier constateren. Maar dat maakte het er eigenlijk niet gemakkelijker op. Anderzijds was het ook niet gemakkelijk geweest om in mei op school terug te komen, vlak na Björns verdwijning. Toen hadden de meisjes om haar heen gedromd, ze hadden hun armen om haar heen geslagen, meelevende woorden gefluisterd en haar over haar wangen gestreken, maar ze had het moeilijk gevonden hun medelijden te aanvaarden. Het kriebelde. Het gaf haar een opdringerig en onaangenaam gevoel. Maar toen het herfstsemester begon, was dat over. Ze was een onpersoon geworden. Niet-bestaand. Het leek wel of iedereen haar en Björn tijdens de zomer vergeten was. Misschien kwam dat omdat ze ouder waren geworden. Of omdat ze nu in de bovenbouw zaten. Susanne had voor het natuurwetenschappelijke profiel gekozen omdat ze daar de cijfers voor had, maar dat was misschien niet zo verstandig als het leek. Haar nieuwe klas leek helemaal niet op de oude. De meeste jongens waren weliswaar nog steeds net zo donzig en jongehonderig als in haar oude klas, maar enkele waren anders. Henrik. Lasse. Erik Östberg. En nog een paar. Lang en slungelachtig. Messcherp. Ze waren pas lid geworden van het Communistisch Verbond van Marxistisch Leninisten en zeer recht in de leer. Net als Ingalill. En nu kon niemand meer iets zeggen als hij daar geen lid van was. Peter, die lid was van de Jonge Liberalen, was zo uitgelachen en bespot dat hij al na een week een ander profiel had gekozen. Hij deed nu Latijn en er gingen geruchten dat hij dominee wilde worden. En Marie-Louise, die lid was van de jongerenbond van de sociaal-democraten en een vader had die op de werf werkte en die je daarom per definitie als een verrader van haar klasse kon beschouwen, barstte in huilen uit toen Erik haar door de gang achterna liep en van haar eiste dat ze uitlegde waarom de Duitse sociaal-democraten Rosa Luxemburg hadden laten vallen. Ze wist immers niet eens wie Rosa Luxemburg was.

Susanne was geen verrader van haar klasse. Ze was iets wat nog veel verachtelijker was. Een bourgeoiskind, dat niet begreep dat het juist was om in verzet te komen. Een lerarendochter. De zus van een rockster. En ook al was die rockster nu misschien dood, dan waren er nog geen redenen om daarom te lopen janken. Absoluut niet. Al aan het begin van het semester had Ingalill, na een snelle blik in de richting van Susanne, duidelijk gemaakt dat er geen reden was om te rouwen om mensen die hier thuis in Zweden overleden, omdat het overgrote deel aan een natuurlijke doodsoorzaak overleed en ook nog op hoge leeftijd. De anderen waren aparte gevallen en die hoefde je niet mee te tellen. Daarentegen moest je wel in je achterhoofd houden dat er in de oorlog in Vietnam honderdduizenden mensen – jonge mensen! helden! – stierven, dat er soms wel duizend of meer binnen een week doodgingen, dat ze misschien nu, op dit moment, wel brandden door napalm …

Susanne had haar niet tegengesproken. Ze zei helemaal niets meer tegen haar klasgenoten, maar dat hielp niet. Ingalill kwam er vaak op terug; ze leek wel bezeten van de rekensom hoeveel mensen er per uur, per dag, per week, per maand in Vietnam stierven. En ze walgde ervan – echt, walgde! – dat mensen hier thuis jarenlang liepen te luieren, alleen maar omdat ...

'Susanne Hallgren?'

Ingrid Gunnarsson klonk nu alsof het huilen haar nader stond dan het lachen. Bijna niemand had gereageerd bij het afroepen van de namen. Maar Susanne, die zich toch al onder de verdoemden bevond, keek op en antwoordde: 'Ja.'

Het leven ging door. Het veranderde, het kronkelde en wond zich om zichzelf heen, maar het ging door. Niemand dacht nog aan Björn Hallgren, zelfs de journalisten niet. Ze hadden hun weken, een maand en nog wat meer, gehad waarin ze alles in Björns leven binnenstebuiten hadden gekeerd en iedereen die hem ooit had ontmoet hadden geïnterviewd. Eva was net zo'n bekendheid geworden als de jongens van The Typhoons. Robban ook. Alleen het gezin sloot zich op een heel mysterieuze manier af en weigerde vragen te beantwoorden. Maar dat veranderde er niets aan. De situatie was immers zoals ze was. Björn Hallgren had Robban neergeslagen en was verdwenen. Dat was het enige wat men wist, althans tot de dag waarop Britt-Marie Samuelsson naar voren stapte, haar betraande gezicht op de voorpagina's liet zien en over haar rol in het geheel vertelde. Haar nieuwswaarde doofde echter snel uit. De politie had een halfhartige klopjacht in het bos rond die schuur gehouden, maar niets gevonden. En langzaam raakte Björn Hallgrens naam op de achtergrond, hij werd vergeten en verdween. Er gebeurden dat voorjaar natuurlijk andere dingen: rellen in Parijs, de bezetting van het universiteitsgebouw in Stockholm, de ontbinding – of vernietiging, zoals Henrik het uitdrukte – van de rebellenbeweging. Om nog maar te zwijgen over wat er allemaal in Vietnam gebeurde. Of in Tsjecho-Slowakije. Of in China.

Susanne zuchtte en wierp een blik door het klaslokaal. Ingalill had, zoals altijd, haar exemplaar van Mao's *Rode Boekje* in de rechterbovenhoek op haar tafeltje gelegd. Daar lag het als een gezangenboekje of de catechismus, zodat ze het gemakkelijk kon pakken om ermee te zwaaien, mochten er toevallig maoïstische spreekkoren in de klas worden aangeheven. Dat gebeurde echter nooit; Ingalill had weliswaar een paar pogingen gedaan, maar het was haar nooit gelukt Henrik en de rest mee te krijgen. Toch lag dat boekje daar. Als een wapen. Voor het grijpen.

'Erik Östberg?' vroeg Ingrid Gunnarsson. Er kwam geen antwoord. Natuurlijk kwam er geen antwoord. Henrik glimlachte. Ingalill glimlachte. Maar Erik Östberg zat roerloos recht voor zich uit te staren.

Ingrid Gunnarsson begon te snikken. Ze klapte het klassenboek dicht en pakte haar tas. Ze verliet het lokaal en sloeg de deur hard achter zich dicht.

Bombay in de ochtend. Nog voordat Elsie haar ogen had opengedaan, kon ze de geuren al ruiken, die heel speciale Indiase geuren die zich een weg zochten door de patrijspoort van haar hut. Wierook. Sterke kruiden. Onduidelijke uitlaatgassen, zwaar als lood, waar ze weldra die rare hoofdpijn van zou krijgen. En – ze snuffelde even – een zweem van sinaasappel.

Een tel later wist ze weer wie ze was en waarom ze hier was. De geuren verdwenen. Of verloren althans hun betekenis. Toch deed ze haar ogen niet open om rond te kijken, ze ging niet op haar knieën zitten om over de grond naar het toilet en de douche te kronkelen, als de worm die ze was. Ze bleef gewoon met gesloten ogen liggen en luisterde opnieuw naar haar innerlijke aanklager, die elke dag inleidde met zijn beschuldigingen. En zoals altijd antwoordde ze. Ze bekende.

Nee. Ze was geen goede moeder geweest. Ronduit slecht.

Ja. Ze had het af laten weten wat haar zoon betrof door hem te verlaten en naar zee te gaan.

Ja. Er waren dagen verstreken dat ze niet eens aan hem had gedacht.

Nee. Ze had niet geweten hoe hij het thuis bij Inez en Birger had. Niet echt.

Nee. Ze had geen idee gehad wat hij dacht en voelde.

Nee. Ze had hem echt helemaal niet gekend. Hoewel hij haar eigen zoon was.

Ja. Ze had hem de dood in gedreven door haar poging hem te benaderen toen het al te laat was. En bovendien had ze zich onhandig gedragen.

Vooropgesteld dat hij werkelijk dood was. Vooropgesteld dat hij niet alleen maar was verdwenen. Dat hij op de een of andere magische wijze door engelen of heksen was opgetild en weggevoerd van het Volkspark in Nässjö en heel ergens anders was neergezet. In Noorwegen bijvoorbeeld. Of ergens in het Amazonegebied. Of in Kaapstad. Of Bombay.

Elsie deed haar ogen open. Ze was immers op dit moment in Bombay. En ze had een hele dag vrij. Misschien zou ze hem vinden ... Ze deed haar ogen weer dicht. De aanklager nam meteen het woord.

Waar is je zoon verdwenen?

In Nässjö.

En waar zoek je naar hem?

In Bombay.

Is dat echt slim?

Nee.

Ze moest een beetje glimlachen om de inwendige aanklager. Was hij nu tevreden? Zou hij haar voor altijd in het gekkenhuis laten opsluiten?

Nee. Het was geen misdrijf een slechte moeder te zijn. Een verloochenaarster.

Toch was het de ergste misdaad die iemand kon begaan. Het ultieme misdrijf. Het enige.

Haar ochtendmisselijkheid onderdrukkend ging ze rechtop in haar kooi zitten en ze keek om zich heen. Ze merkte op dat haar uniformjasje op een haakje hing en feliciteerde zichzelf. Geweldig. Gezien het feit dat haar rok op een kreukelige hoop op de grond lag, haar bloes op het bureau was geslingerd en haar onderbroek, die walgelijke witte onderbroek met de verbleekte roestbruine herinnering aan eerdere menstruaties, over de fauteuil hing. En aan de voet van die fauteuil stond de lege fles. Gin. Olieachtige, weerzinwekkende gin, die naar badzout rook, maar die tegenwoordig het enige slaapmiddel was dat nog werkte.

'Ik moet', zei ze hardop, maar ze begroef haar hoofd in haar handen. Wat moest ze? Ze bleef een poosje roerloos zitten en probeerde haar eigen moeder te worden, maar dat ging natuurlijk niet. Je kunt jezelf niet geven wat je je eigen kind hebt onthouden. Ze was echter niet alleen moeder. Ze was ook marconiste. Plichtsgetrouw en netjes. Ze schoot achter haar handen in de lach. Inderdaad. Zo was het. Nietwaar? Een enorm plichtsgetrouwe en nette marconiste die 's avonds in haar hut gin zat te drinken tot ze in bed plofte en in slaap viel.

Er werd op haar deur geklopt en na een paar seconden trad de metamorfose in werking. Ze rechtte haar rug, realiseerde zich dat ze naakt was en liep in vier stappen naar de kleerkast om haar badjas te pakken. Die sloeg ze om zich heen en ze antwoordde: 'Ja?'

Haar stem klonk volkomen helder. Net als anders.

Maria stond voor de deur, een glimlachend en enigszins verlegen meisje dat in de mess werkte. Een meisje dat haar eerste reis maakte en vaak – misschien iets te vaak – contact zocht met Elsie. Omdat zij nu eenmaal de enige vrouwen aan boord waren. En omdat Elsie al jaren op zee zat en alles leek te weten van de geschreven en ongeschreven regels die het werk aan boord bepaalden.

Nu stond ze enthousiast en met blosjes op haar wangen voor de deur om te vragen of Elsie er vandaag misschien op uit ging om Bombay te bekijken, en of zij in dat geval mee mocht. Er was nog wat over van het ontbijt; dat kon zij wel opdienen terwijl Elsie ging douchen en dan konden ze daarna ...

Elsie werd overspoeld door een golf van vermoeidheid. Nee, wilde ze zeggen. Alsjeblieft niet, laat me met rust. Maar ze had iets te vaak nee gezegd en was iets te lang met rust gelaten; dat was niet meer acceptabel. De aanklager nam het over. Hij dwong haar ertoe te glimlachen en te zeggen 'Jazeker, natuurlijk'; natuurlijk zouden ze samen de stad in gaan. Over tien minuten zou ze in de mess zijn; ze moest alleen nog snel even douchen.

Tot elke beweging moest ze zichzelf dwingen. De douche in gaan. De kraan opendraaien. Zich inzepen. De shampooflacon openmaken. Haar haren wassen. Uitspoelen. Afdrogen. Toch probeerde ze de aanblik van zichzelf in de spiegel te vermijden; ze liet haar blik wegglijden tot het tijd werd om zich te kammen. Toen keek ze zichzelf in de ogen en haar blik kruiste die van een slang in een mensengezicht. Ze trok haar bovenlip op en ontblootte haar tanden, en vol haat siste ze naar zichzelf. Opeens besefte ze wat ze deed en ze sloeg haar ogen neer. Ze dwong zichzelf tot normaal gedrag. Ze haalde de kam door haar natte haar en zette het achter de oren vast. Ze trok een schone katoenen jurk aan, die al sinds ze uit Gotenburg waren vertrokken in de kast hing, en stak haar voeten in een paar sandalen. Ze verzamelde de rondslingerende kledingstukken en legde ze op een stapel in de fauteuil. Ze zorgde ervoor dat de rok bovenop kwam, dat die als een blauw vlies over het vuil en de viezigheid eronder lag. Ze haalde diep adem en deed de deur naar de gang open. Ze werd Elsie Hallgren. Marconiste. Zo plichtsgetrouw en netjes dat je er geen woorden aan vuil hoefde te maken.

'Nou?' zei ze tegen Maria toen ze haar laatste slok koffie had doorgeslikt. 'Ben je klaar?'

Maria knikte; ze was zo enthousiast dat ze nauwelijks iets kon uitbrengen.

Het was ook overweldigend. Elsie was al eerder in Bombay geweest, al twee keer, maar toch bleef ze met knipperende ogen op de kade staan. De hemel lag grijs en zwaar als een wolkendek over hen heen, de zee achter hen blonk staalgrijs, maar toch moest ze haar ogen samenknijpen, toch kon ze zichzelf niet toestaan om al deze geluiden en stemmen, al deze kleuren, al deze geuren in één keer toe te laten. Dan zou ze worden vernietigd. Maar ze moest zich natuurlijk normaal gedragen. Vanwege Maria.

'We moeten zien dat we een taxi krijgen', zei ze terwijl ze haar linkerarm iets oplichtte in een stille uitnodiging om gearmd te lopen. Maria haakte in, maar zei niets; ze keek haar niet eens aan. Elsie volgde haar blik. Maria keek naar een heel magere man die kromgebogen onder een enorme buidel liep. Hij was vrijwel naakt; hij had alleen een lap om zijn heupen gewonden. Waarschijnlijk was dat de enige kleding die hij bezat. Een witte lap stof en verder niets.

'Het lijkt wel een luier', zei Maria ademloos.

'Ja', zei Elsie. 'Inderdaad.'

De taxi zag eruit alsof hij in brand had gestaan. Pukkelig en gevlamd. Het linkervoorportier kon niet dicht; de chauffeur zat met één hand aan het stuur en hield met zijn andere, die nonchalant uit het naar beneden gedraaide raam hing, het portier op zijn plek. Waar het handschoenenvakje had moeten zitten gaapte een zwart gat, maar de chauffeur zelf zag er heel keurig uit in zijn helderblauwe tulband en witte overhemd met korte mouwen. Dat was zo keurig gestreken dat het leek of hij net uit een wasserette naar buiten was gestapt. Hij glimlachte en praatte onophoudelijk, maar zijn Engels was zo moeilijk te volgen dat Elsie alleen maar mompelend antwoord gaf. Maria zei niets; zij zat alleen maar stokstijf om zich heen te kijken. Verbluft bestudeerde ze het interieur van de auto. Ze bleef even met haar blik haken aan de versnellingspook zonder knop, verplaatste hem toen naar de vloer en hapte naar adem toen ze vlak naast haar voeten een gat zo groot als een handpalm zag. Ze richtte haar hoofd op om Elsie aan te kijken, maar die schudde zachtjes haar hoofd. Niets zeggen. Geen commentaar leveren op de toestand van de auto, zelfs niet in het Zweeds. Maria slikte en liet haar blik nog een keer rondgaan. Iemand had voor de auto nieuwe bekleding van katoen genaaid, een donkerpaarse katoenen stof met een gouden patroon. De veren van de zitting begonnen al door de dunne stof heen te dringen en Maria pulkte telkens met haar wijsvinger aan een klein gaatje. Daar ging ze mee door totdat Elsie haar hand gewoon weghaalde.

'O', zei Maria terwijl ze met haar ogen begon te knipperen, alsof ze net wakker werd. 'Sorry.'

Een glimlach was Elsies enige reactie. Ze draaide zich om om naar buiten te kijken. De auto reed heel zacht, zo zacht dat ze ernaast had kunnen lopen zonder achterop te raken, maar dat maakte niet uit. Het was eigenlijk wel lekker. Ze reden heel langzaam door de havenwijk van Bombay, maar de autoruit beschermde haar tegen de wereld buiten, tegen alle duizenden of tienduizenden mensen die zich in de straten verdrongen, tegen alle mannen in witte overhemden met korte mouwen die ontevreden hun wenkbrauwen fronsten, tegen alle vrouwen in glinsterende sari's, in kersrood en turkoois, in dof groen of verleidelijk paars, in vurige rode tinten en gloeiend oranje, tegen alle hutjes en schuurtjes die hun huizen vormden, tegen alle magere, vuile kinderen die hun rug rechtten en haar een of twee tellen aanstaarden, ondertussen snel overwegend of ze achter de auto aan zouden rennen, tot ze haar blik zagen, hun schouders ophaalden en weer doorgingen met hun spel.

De taxi stopte op een kruising. Op het trottoir zat een man met een mandje voor zich. Hij stond op en rende er meteen mee naar de auto. Hij trok het deksel van de mand en glimlachte trots naar hen. Toen de cobra zijn kop opstak, gilde Maria.

Boetedoening, dacht Elsie, die zichzelf dwong de slang aan te kijken terwijl ze in haar handtas naar een paar munten zocht.

De chauffeur wilde van geen wijken weten. Toen ze hem hadden betaald en weg waren gelopen, bleef hij met zijn auto achter hen aan rijden. Hij kroop zachtjes naast hen toen ze in de binnenstad liepen, hij stopte toen ze een winkel binnengingen om naar zijden stoffen te kijken, hij stond te wachten toen ze naar buiten kwamen en stak glimlachend zijn hand uit naar Maria's pakje. Ze had drie glinsterende sari's gekocht, schitterend mooi, en ze kon er nauwelijks afstand van doen, maar toch gaf ze die aan de chauffeur toen Elsie knikte.

'Lunch?' vroeg de chauffeur en Elsie knikte opnieuw.

Ze kropen weer op de achterbank. Nu was Maria eraan gewend, nu reageerde ze helemaal niet meer op de toestand van de wagen. De blosjes op haar wangen vlamden en zweet parelde op haar bovenlip toen ze zich naar Elsie keerde en lachte: 'Wat een kleuren! Ik heb mijn hele leven nog nooit zulke fantastische kleuren gezien ...'

Elsie lachte terug, maar ging er niet op in.

'Jij had ook iets moeten kopen', zei Maria. 'Honderd kronen voor drie sari's! Dat is toch belachelijk weinig!'

Nee, dacht Elsie. Dat zou ik niet moeten doen. Dat verdien ik niet.

De chauffeur reed naar de strandpromenade en stopte voor een van de grote hotels. Met een glimlach liet hij hen uitstappen. Zo luid dat hij zeker wist dat alle andere taxichauffeurs hem konden horen, verzekerde hij dat hij op hen zou wachten terwijl ze aten. Elsie en Maria stapten een restaurant binnen en waren opeens weer terug in West-Europa. Een ober in een donker kostuum bracht hen naar een tafel op het terras, een kelner gaf hun een menukaart, een sommelier snelde naar hen toe met de wijnkaart. Ze bestelden, bliezen uit en keken om zich heen. Aan de tafels naast hen zaten Indische mannen. Elegante sikhs in donkere kostuums met grijze, wijnrode en donkerblauwe tulbands, iets minder elegante brahmanen in witte overhemden, donkere broeken en met ronde buiken. Voor hen de staalgrijze zee. Aan hun linkerhand de witte hoogbouw van het hotel. En rechts iets wat eruitzag als een verlaten bouwplaats, een betonnen kuil met naakte betonijzers die naar de hemel reikten. Iemand had over enkele daarvan een lap stof gespannen, een gestreepte katoenen stof die zacht bewoog in de wind. Een afdak. Beschutting boven een woonplek. En voor die woonplek zat een donkere vrouw in een roze katoenen sari op haar hurken een al even donker jongetje te wassen, een huilend jongetje van een jaar of drie, dat het totaal niet leuk vond om gewassen te worden. Het witte zeepschuim bedekte heel zijn lichaam en toen hij met zijn hand in zijn oog wreef, begon hij nog harder te krijsen. De moeder reageerde er niet op. Het leek wel of ze hem niet hoorde; ze pakte gewoon een emmer water en goot die over hem heen. Daarna draaide ze zich om en begon ze haar spullen bij elkaar te pakken. Het jongetje huilde hysterisch, maar de moeder reageerde niet, ze leek het niet eens te horen. Heel voorzichtig legde ze de zeep op haar handpalm om die te bekijken. Daarna keek ze in de emmer om te zien of er nog water in zat. Ze liep onder het gestreepte afdak, legde de zeep weg en zette de emmer op het beton. Daarna liep ze weer naar buiten om het huilende jongetje een oorvijg te geven. Hij dook in elkaar en schreeuwde nog harder. Zijn moeder bleef even staan. Kaarsrecht en volkomen roerloos stond ze met haar blik ergens in de verte gericht, maar daarna liet ze zich op haar hurken voor hem zakken en gaf ze hem nog een oorvijg. Ze wachtte even tot hij zou ophouden met huilen. Toen dat niet gebeurde, boog ze zich voorover om hem voor de derde keer te slaan, zo hard dat hij begon te wankelen.

'Moederliefde', zei Maria terwijl ze naar het brood reikte.

Elsie knikte zwijgend.

'Ja, hoor', zei Maria. 'Echte moederliefde. Zoals sommigen van ons die voelen.'

INEZ ZONG. ZE stond in een geurende keuken te zingen terwijl ze ouderwetse chocolademelk stond te maken met cacao, poedersuiker en een beetje slagroom. Zoals je die hoorde te maken. De echte. De melk stond al op het fornuis en er kwam een sliertje damp vanaf, maar dat kon je vanwege de broodjesgeur nauwelijks ruiken. Terwijl ze in de beker roerde, hield ze er een oogje op; klaar om het pannetje meteen van de plaat te trekken als de melk begon te koken. Ze overwoog even of ze de plaat zou uitzetten en nam toen een beslissing; ja, dat zou ze doen. De melk was nu warm genoeg; ze zou die binnen een mum van tijd dampend heet kunnen krijgen, in de luttele seconden die dat zou kosten vanaf het moment dat hij de deurklink beetpakte ...

'Pinksteren brak aan met groene berken', zong Inez en ze schoot in de lach toen ze merkte dat ze tranen in haar ogen kreeg. 'De weide stond vol bloemenpracht ...'

Toen Björn klein was, was hij gek op dat liedje; hij wilde voortdurend bij haar op schoot zitten en haar horen zingen over het kleine meisje in het ziekenhuis dat niet naar huis, naar haar moeder, mocht. Inez grimaste en hield op met zingen. Nou ja. Daarna was hij andere liedjes mooi gaan vinden. Zelfs Lutherse psalmen. 'Zonlicht over water', bijvoorbeeld. En 'Heerlijk is de aarde'. Eén keer was hij zelfs in huilen uitgebarsten toen zij dat zong, en ze was zo bang geworden dat ze was opgehouden met zingen, hem in haar armen had genomen en had gevraagd wat eraan scheelde. Maar er scheelde niets aan, zei hij. Het was alleen zo mooi.

Vijf jaar was hij toen. Nog maar vijf. Haar hart brak bijna van geluk en medelijden. Het was ongelooflijk dat hij zo gevoelig was; dat zou hem groot en overweldigend maken, fantastisch en uniek, dat wist ze. En tegelijkertijd wist ze dat hij daar veel voor zou moeten inleveren. Oneindig veel. Want je kunt niet overgevoelig zijn in een wereld als deze, deze ellendige, slechte, weerzinwekkende ... Nee. Daar moest ze niet aan denken. Daar had ze al genoeg aan gedacht.

Inez keek in de keuken om zich heen. Was alles klaar? Jawel. De koffie was versgezet. De geurende koffiebroodjes lagen onder gesteven theedoeken te wachten. De chocolademelk was zo goed als klaar. De klodder slagroom die erbovenop zou komen stond geklopt in een beslagkom. Ze wierp een blik op haar horloge en fronste toen haar wenkbrauwen. Kwart over drie. En hij was er nog niet. Vreemd.

Ze aarzelde even, maar liep toen resoluut naar de hal, waar ze een blik door het raam wierp op de stoep en de tuin. Maar daar was hij niet. Ze deed de deur open en stapte naar buiten. Met alleen pantoffels aan haar voeten liep ze het tuinpad af tot aan het hek. Ze keek eerst naar rechts, daarna naar links, maar ze zag niets. Het was al donker geworden, het was eigenlijk al een hele tijd donker en dat maakte haar nerveus. Echt ongerust.

Stel je voor dat hem iets was overkomen? Stel je voor dat hij was overreden door een auto toen hij van school naar huis liep? Stel je voor dat gemene jongens hem hadden meegelokt en daarna hadden achtergelaten, alleen en verlaten, zonder dat hij de weg naar huis kon vinden? Maar nee. Zo was het natuurlijk niet. Hij was vast gewoon met een vriendje mee naar huis gegaan. Om diens nieuwe dinky toys te bekijken, bijvoorbeeld. Heel even schoot er een ander beeld door haar hoofd, het beeld van Björn als bijna volwassene, langharig en slungelig, een jongeman die op een podium stond met een microfoon in zijn hand die hij dicht bij zijn mond hield, en die leek te zingen. Maar dat was zo'n rare gedachte dat ze die onmiddellijk terzijde schoof. Onzin. Björn was pas negen jaar. Hij zat in de derde klas. En zo meteen, het zou niet lang meer duren, zou hij van school thuiskomen. Hij zou zijn tas in de hal op de grond smijten, hoewel ze hem minstens duizend keer had gezegd dat hij die moest ophangen aan de haak die ze daar speciaal voor had bevestigd, en daarna zou hij naar de keuken slenteren, op de drempel blijven staan en zijn fantastische, enigszins verlegen glimlach laten zien wanneer hij in de gaten kreeg dat ze koffiebroodjes had gebakken en chocolademelk had gemaakt. Met slagroom. En dat ze, zij met z'n tweetjes, Inez en Björn, zo dadelijk aan de keukentafel zouden gaan zitten praten.

Ze glimlachte en sloeg haar armen om zichzelf heen, want het drong opeens tot haar door ze het eigenlijk koud had en dat het regende. Ze hield haar hand op en draaide die naar de hemel. Inderdaad. Het regende. Wat een geluk dat Björn zijn regenjas bij zich had, dat zij ervoor zorgde dat die elke ochtend netjes opgerold onder in zijn schooltas zat. Zelf kon ze een beetje regen wel verdragen. Dat was helemaal geen probleem.

Opeens drong het tot haar door dat het nu volkomen stil om haar heen was. Volkomen stil. Er liep niemand met zijn voeten door het grind op het trottoir te schrapen. Er kwam geen auto brommend langs. En de huizen langs de straat stonden er donker bij; behalve zij was er verder geen mens die het licht had aangedaan. De buren waren zeker nog op hun werk. Maar de straatlantaarns brandden; ze stonden er geel en vriendelijk bij, bogen zich over het glimmende asfalt en bestreken dat met goud. Wanneer Björn thuiskwam, zou hij dus over een straat van goud lopen. Dat was ook niet meer dan terecht. Wat de mensen ook zeiden.

Ze schudde haar hoofd en trok een nijdig gezicht. De mensen! De mensen waren gewoon niet goed snik. Slecht. Gemeen. Halfgek. Vooral Birger, die stomme idioot, die praatte gewoon helemaal niet meer met haar, alleen maar omdat zij niet meer met hem praatte. Om nog maar te zwijgen over Susanne, die met deinende borsten en een chagrijnige kop rondliep en net deed of ze een tiener was. Een klein meisje. Belachelijk! Of Elsie, die tegenwoordig sowieso niets meer van zich liet horen, die niet eens meer een bijdrage voor kost en inwoning stuurde. Inderdaad. Zo was het. Björns bankrekening groeide niet meer, omdat zijn biologische moeder had besloten geen kost en inwoning meer te betalen. Schandalig, dat was het woord. Er was geen ander woord voor een moeder die ergens in de wereld rondliep en net deed of ze geen zoon meer had.

'Godverdomme!' zei ze hardop. 'Jezus allemachtig nog aan toe!'

Ze hield zich even in en keek om zich heen. Had iemand haar gehoord? Had een van de buren in zijn donkere huis op de loer gestaan en haar horen vloeken? Dat zou haar niets verbazen. Of een weerzinwekkend type, dat zich aan het einde van de straat in de schaduwen verborg? Een vreemdeling, die het eigenaardig vond dat zij bij haar tuinhek stond te vloeken?

Ze gooide het hoofd in de nek. Wat maakte het uit. Ze wist immers wie ze was en wat ze deed; waarom zou zij zich druk maken over wat een ander vond. Er was trouwens niemand die haar had gehoord. Het was nog steeds stil om haar heen. Geen voetstappen. Geen geluid van auto's. Gewoon stil en donker, precies zoals het moest zijn op een woensdagmiddag in november.

Ze knipperde met haar ogen. November. Dat woord wekte een herinnering aan een droom die ze langgeleden een keer had gehad, in de tijd dat ze nog sliep. Nog kon slapen. Meisjes op een kluitje voor het huis. Een groep smachtende, hunkerende meisjes in heel vreemde kleren die naar het keukenraam stonden te gluren ... Ze schudde haar hoofd. Een stomme droom. Misschien was hij niet van haar. Het was vast Elsies droom. Jawel, dat kon kloppen. Elsie was een type dat de stomste dingen kon dromen. Omdat ze ongelooflijk stom was. Onnozel. Naïef. Geschift, zou Björn zeggen, als hij althans iets zo gemeens over zijn moeder durfde te zeggen. Maar dat zou hij natuurlijk nooit doen. Zo was hij niet. Hij was een lieve jongen, liever dan wie dan ook ...

Ze sloeg haar armen opnieuw om zichzelf heen. Ze had het koud. Ze had het echt koud en toch was het of ze het helemaal niet koud had. Alsof dat gevoel buiten haar lag, alsof iemand anders het voor haar koud had. Heel even sloeg ze haar ogen neer om haar armen te bekijken en toen zag ze dat die bloot waren. Ze had kippenvel en de dunne witte donshaartjes die haar armen bedekten, stonden opeens rechtop. Ze liet haar blik verder naar beneden gaan en zag dat ze een nachtpon droeg. Een nachtpon en een schort. Vreemd.

Inez liet zichzelf los, wankelde heel even, en nam toen een besluit. Ze ging hem zoeken. Het hek piepte toen ze het opende. Jawel. Ze zou naar zijn school lopen en hem ophalen. Want hij moest toch naar huis komen. Björn moest gewoon naar huis komen!

'Radio Stockholm, radio Stockholm', zei de telefoniste.

Susanne liet zich op de stoel naast de telefoon zakken en terwijl ze op haar nagels beet, keek ze in de hal om zich heen. Alles zag er net zo uit als anders. Bijna net als anders. Het rode kleed lag een tikje schuin en de lage boekenkast was bedekt met een dun laagje stof, net als de twee verbleekte lithografieën daarboven, die lithografieën die daar al hingen op de dag dat zij werd geboren. Misschien al veel langer.

Er klonk wat geknetter in de hoorn en iemand ver weg zei iets in het Engels, maar ze kon niet verstaan wat.

'Hallo', zei ze vragend, maar niemand reageerde; het enige wat je hoorde, was nog meer geknetter. Ze zakte wat in elkaar en keek opnieuw naar de beide lithografieën. Waar was de poedel gebleven? Er stond toch een poedel op een van die twee afbeeldingen, een zwart poedeltje dat op een grijs trottoir naast een grijze persoon liep door een grijze stad? Maar die was nu weg. Helemaal verdwenen. Het enige wat overgebleven was, waren een grijs trottoir, een grijze persoon en een grijze stad.

Ze trok een grimas om zichzelf. Die poedel zou ze wel hebben verzonnen. Bij het plaatje hebben gedroomd. Want het kon natuurlijk niet zo zijn dat de poedel gewoon in atomen was opgelost en was vernietigd. Of dat hij uit de afbeelding was gesprongen, zich aan de achterkant uit de lijst naar buiten had gewrongen en zich nu ergens achter de boekenkast lag te verstoppen. Dat soort logica liet ze van harte aan Inez over. Zij bedankte daarvoor. Zij had ze zelf allemaal nog op een rijtje. Of hoe je dat noemde.

'Hallo', riep iemand ver weg en heel even ging er een steek van paniek door haar heen, van pure angst over wat ze nu wel moest vertellen. Had ze zich soms moeten voorbereiden? Misschien. Als ze iemand anders was geweest. Maar zij was nu eenmaal Susanne, en Susanne kon zich niet voorbereiden, in elk geval niet op iets als dit. Dan zou ze over de woorden struikelen en haar concentratie verliezen. Onecht klinken. En er mocht van alles gebeuren, maar dat niet. Ze kon het zich niet permitteren onecht te klinken.

'Elsie', riep ze en ze drukte de hoorn steviger tegen haar oor. 'Elsie, ben jij dat?'

'Inez?'

Dat was de stem van Elsie. Absoluut. Helder en duidelijk, met alleen een kleine echo achter dat ene woord.

'Nee. Ik ben het. Susanne.'

Elsies stem begon te trillen, bevend tussen hoop en vrees.

'Hebben ze hem gevonden?'

Susanne slikte.

'Nee. Dat is niet de reden dat ik bel.'

Elsie was een of twee tellen stil, maar slaakte toen een zucht en de echo van haar zucht vloog helemaal van de plek op een zee ver weg, waar zij zich nu bevond, naar de hal in een rood huis aan Svanegatan in Landskrona.

'Wat is er dan?'

Susanne sloot haar ogen.

'Het is Inez ...'

'Ja?'

'Ze is ziek. Ze is ziek geworden.'

Het bleef even stil en achter haar gesloten oogleden kon Susanne Elsies gezicht voor zich zien. De gefronste wenkbrauwen. De samengeknepen mond. De bleekheid. Precies zoals ze er had uitgezien in die maand dat ze zwijgend aan de keukentafel van Inez had zitten wachten op een bericht dat nooit kwam. Op een dag was ze opgestaan en had ze in telegramstijl verklaard dat ze ging vertrekken. Dat ze met een schip van Gotenburg naar Bombay zou gaan. Rond Kaap de Goede Hoop, nu het Suezkanaal dichtzat. Een kaap van goede hoop. En daarna had ze gelachen, een droog lachje dat pas ophield toen Inez tegen haar begon te schreeuwen.

Misschien was zij ook geschift. Net zo geschift als haar zus.

'Is het ernstig?'

Susanne opende haar ogen en bekeek de lithografie die voor haar hing. Nog steeds geen poedel.

'Ik weet het niet ...'

'Is het kanker?'

Van pure verbazing begon Susanne wat op haar stoel heen weer te wiebelen.

'Nee, hoor. Dat niet. Ze is gewond geraakt aan haar arm, maar ...'

'Aan haar arm?'

'Ja, maar ...'

'Ligt ze in het ziekenhuis?'

'Ja. Voorlopig ligt ze in het ziekenhuis hier in Landskrona, maar ...'

Ze zweeg. Ze schoof wat heen en weer. Ze wist niet goed hoe ze het moest zeggen.

'Maar wat is er dan?'

Elsies stem klonk scherp. Bijna zoals die van Inez. Even ontvlamde een kleine woede in Susanne, maar die doofde weer uit en liet alleen een schroeigeur achter.

'Ze gaan haar vanmiddag overbrengen naar het Sankt Lars.'

Het werd stil aan de telefoon. Doodstil. Susanne wachtte een ogenblik, maar haalde daarna haar hand langs haar neus en verhief haar stem.

'Hallo! Ben je er nog?'

Een ademstoot was het enige wat ze als antwoord kreeg. Geen zucht, alleen een ademstoot, alsof iemand de weerzin van zijn hele leven in één gelaten ademstoot naar buiten blies. Daarna was het weer stil, een hele poos.

'Dus ze is gek geworden', zei Elsie ten slotte. Haar stem klonk vermoeid. Uitgeput.

Susanne knikte zwijgend.

'Vanwege Björns verdwijning?'

Susanne bracht een geluidje uit, maar vermande zich om antwoord te geven.

'Dat neem ik aan.'

'Dat neem je aan?'

De stem klonk vijandig. Bijna zoals de stem van Inez toen ze ... Nu niet aan denken. Rustig zijn. Volwassen.

'Ik weet het natuurlijk niet zeker. Er valt niet zoveel op te maken uit wat ze zegt.'

Maar sommige dingen kon je wel opmaken. Sommige dingen waren uiterst begrijpelijk. Veel te begrijpelijk. Ze deed haar ogen dicht om zich af te sluiten voor de herinnering, maar dat hielp niet. Inez zat krijsend aan de binnenkant van haar oogleden; haar gezicht was van haat verwrongen en ze schreeuwde met zo'n schelle stem dat Susanne bij de herinnering in elkaar kroop. *Jij! Jij! Jij bent het niet waard om te leven! Waarom ben jij niet degene die verdween! Jij verdomde kleine hoer ...*

Susanne deed haar ogen weer open en staarde naar de afbeelding met de verdwenen poedel. Als ze dat hondje achter de boekenkast vond, zou ze erop stampen. Nee. Ze rechtte opnieuw haar rug. Ze zou hem in haar hand nemen en met haar wijsvinger aaien. Hij had immers niets misdaan. Hij was alleen maar verdwenen.

'Komt het goed met haar?'

Elsie klonk nog steeds vijandig. Laat haar dat dan maar zijn, dacht Susanne terwijl ze opstond en de litho's de rug toekeerde. Ze stond kaarsrecht te kijken hoe haar wijsvinger een kleine B in het stof op het telefoontafeltje schreef. Later vandaag zou ze de boel gaan afstoffen. Afstoffen en stofzuigen. Maar ze was niet van plan eten te koken. Ze was van plan op koffiebroodjes te leven. Er was in de keuken een wereld aan koffiebroodjes. Inez moest de hele nacht hebben staan bakken.

'Volgens mij wel. De dokter zei dat ze dat over ongeveer een maand zouden weten.'

'En tot die tijd moet ze in het Sankt Lars blijven?'

'Ja.'

Het bleef een poosje stil, maar toen slaakte Elsie een zucht.

'Ik kan over een maand naar huis komen.'

'O.'

Susanne hoorde zelf hoe onverschillig ze klonk. Bijna verveeld. En Elsie hoorde het ook.

'Hoe is het anders met jou?'

Wat denk je? Die woorden schoten even door haar hoofd, maar

Susanne slikte, en in plaats van wat te zeggen staarde ze naar het behang. Grijs behang. Echt lelijk.

'Goed.'

'Hoor je eigenlijk niet op school te zitten?'

'Ik heb vandaag een vrije dag genomen.'

'En Birger?'

'Hij is op school.'

Het was weer even stil. Susanne stak haar hand omhoog en pulkte aan een naad van een strook behang. Ze pakte de strook tussen duim en wijsvinger en maakte zich op om eraan te gaan trekken, maar hield zich op het laatste moment in. Ze was niet zoals Inez. Zij zou geen behang kapottrekken. Zij had ze allemaal op een rijtje.

'Wat is er precies gebeurd?' vroeg Elsie.

'Tja', zei Susanne en ze wenste opeens dat ze kauwgum had, een groot stuk roze kauwgum, dat ze tussen haar voortanden kon klemmen en daarna tussen haar mond en haar vingers kon uittrekken tot een streng, een lange, taaie streng. Dat zou bij haar nonchalante toon passen. Haar onverschillige toon. Haar onbewogen toon.

'Vanochtend om half vijf belde de politie. Ze hadden haar bij haar school gevonden. Ze lag daar blijkbaar met alleen een nachthemd aan. Op het asfalt. Te krijsen.'

'Krijsen?'

'Gillen. Janken. Wat je wilt.'

'Ja …'

Elsie klonk niet meer zo chagrijnig. Eerder bang. Susanne glimlachte naar het grijze behang. Net goed.

'En ze bloedde dus. Want ze had een ruit ingeslagen en zich flink aan haar arm gesneden. Ze moesten de wond met meer dan dertig hechtingen dichtnaaien. Hoewel het even duurde voordat ze konden gaan hechten, want ze deed nogal moeilijk …'

'Deed nogal moeilijk? Inez?'

Susanne haalde haar hand door haar pony. Ze kon de arrogantie in haar stem nauwelijks verbergen.

'Ja. Inez. Jouw zus. Jouw tweelingzus. Ze vloekte ook. En ze heeft een van de verpleegsters gebeten zodat die begon te bloeden. En ze noemde Birger een duivelse idioot. En mij een ... uh ... verrekte hoer.'

'Goeie genade!'

Susannes glimlach werd nog breder. Ze genoot hiervan; hoe meer Elsie van streek raakte, hoe meer zij genoot. *Je tweelingzus*, zong het in haar binnenste. *Je kopie! Je tweede ik!*

'Er waren drie agenten nodig om haar vast te houden. Drie stuks. Maar toen ze haar eenmaal op de grond hadden, kon de dokter haar natuurlijk een spuit geven.'

Even schoot het beeld door haar hoofd. Ze zag hoe haar moeder, of althans het bloedige wezen dat deed of ze haar moeder was, tegen de grond werd gewerkt, ze zag hoe drie zeer uit de kluiten gewassen mannen worstelden om haar op haar plek te houden. Eentje hield haar rechterarm vast. Die was rood van het bloed en de wond gaapte, als een glimlach of een spotlach; eerst ging hij open en toen ging hij dicht. Een donkerrood stroompje bloed liep naar haar hand. Nee, niet één. Twee. Drie. De tweede agent hield haar linkerarm vast en zette ondertussen zijn knie in haar rug. Een derde pakte met beide handen haar enkels beet. En Inez gilde de hele tijd, ze gilde om Björn, riep zijn naam en prees hem de hemel in. Daarna spuugde ze naar Susanne; ze riep dat ze het niet waard was om te leven en vloekte tegen haar. Met ontblote tanden haalde ze uit naar Birger; ze tierde en vloekte, spuugde en beet tot de dokter die naast haar was neergeknield de naald uit haar blote dijbeen trok en opstond. Een paar tellen later sloeg Inez' hoofd tegen de grond en werd het heel stil in de kamer. Buiten adem bleven de agenten staan wachten; ze wendden hun blik naar de dokter, die hen aankeek en knikte. Ze lieten los. Inez' arm viel op de grond. Twee verpleegsters tilden haar op een brancard en een seconde later was ze weg. Ze werd naar een operatiekamer gereden, waar ze haar dertig hechtingen zou krijgen. Gekleed in een witte nachtpon en een gebloemde schort. De pantoffels waren zoekgeraakt. Verdwenen. Opgelost in het niets. Zoals eerder al iets, of beter gezegd iemand, in het niets was opgelost.

‘Ik kom over een maand naar huis’, zei Elsie. ‘Dat beloof ik.’

Susanne deed haar ogen dicht.

‘Ja, ja’, zei ze en ze slaagde erin die nonchalante toon vast te houden. Die toon die Elsie heel efficiënt liet weten dat het niet nodig was, dat het in feite geen verschil uitmaakte of ze kwam of niet. ‘Maar ik moet nu ophangen. Dit gaat veel kosten, dit gesprek. Tot ziens.’

En ze legde de hoorn neer, zonder Elsies antwoord af te wachten.

Inez vloog hoog boven de wolken. Haar vleugels waren enorm; de luchten dreunden ervan wanneer zij ze aanraakte.

Ze kon een zwaan wezen die net boven het water opsteeg.

Een zeearend die op jacht was naar een prooi.

Of een engel.

Inderdaad, ze was een engel. Een engel in donkerblauwe tooi en met ivoorwitte vleugels. Een moederengel die een cherubijntje tegen haar borst hield. Een madonna op weg naar het paradijs met haar slapende zoon. God had de mensen verlaten, Hij hoefde Zijn eniggeboren zoon niet langer te offeren, Hij besefte dat Hij meer hield van Zijn zoon dan van Zijn schepping.

Dat was juist.

Dat was in orde.

Alles was eindelijk zoals het wezen moest.

SUSANNE ZAG EVA van een afstand, maar Eva zag haar niet. Ze stak net de markt over en liep rechtdoor, in een richting die betekende dat ze elkaar absoluut zouden tegenkomen. Heel even kwam Susanne in de verleiding zich onzichtbaar te maken, een van de steegjes rond het plein in te duiken om daar ademloos te wachten tot Eva was verdwenen, maar ze werd door een vurige besluitvaardigheid overvallen en ze liep rechtdoor. Met vastberaden stappen liep ze door. Eva tegemoet.

Eva was niets veranderd. Bijna niets. Ze toupeerde haar haren niet meer en liet haar blonde pagekapsel een tikje korter knippen, maar ze was nog steeds heel modieus gekleed. Langs haar hals bungelden een paar grote oranje oorhangers van plastic, haar korte mantel had precies dezelfde kleur en op haar bruine handtas zaten drie oranje knopen op een rij. Ze had een kaarsrechte houding, maar hield haar ogen halfdicht, alsof ze zich tegen de blikken van de andere inwoners van Landskrona moest beschermen. Misschien schatte ze dat goed in. Wanneer ze over straat liep, werd ze nagekeken. Eva Salomonsson! Die in de krant had gestaan. In alle kranten.

Misschien dat ze Susanne ook nakeken. De zus. Of de nicht. Dat ze werd nagekeken had ze zelf nooit gezien, maar het gebeurde tamelijk vaak dat ze zag dat andere mensen haar blik vingen, dat ze haar iets te lang aankeken, aanstaarden alsof ze alleen al door de manier waarop ze liep, haar schooltas vasthield of haar handen in de zakken van haar parka stak, iets kon vertellen over wat er met Björn en Inez was gebeurd. Dat kon ze niet. Ze had geen idee wat er met Björn was gebeurd, en aan Inez wilde ze niet denken. Nooit meer. Daarom had ze zich een volslagen ondoordringbare buitenkant aangemeten, een pantser van kilte en onverschilligheid, en daarom beantwoordde ze de starende blikken zo kil en afgemeten dat de meeste mensen zich er ongemakkelijk onder voelden en hun ogen neersloegen. Het pantser schaafde, maar ze kon zich er niet uit bevrijden. Daarom keek ze niet eens meer naar Henrik en Ingalill, ongeacht wat die zeiden of deden. Daarom zat ze avond aan avond achter de gesloten deur van haar kamer en zei ze tegen Birger niet meer dan het absoluut noodzakelijke. Hij riep meestal alleen maar dat het eten klaar was, maar gaf geen commentaar op het feit dat ze zelden naar beneden kwam om samen met hem te eten. Hij liet haar bord gewoon op tafel staan wanneer hij zelf klaar was en zijn bord netjes afgespoeld in de gootsteen had gezet. Susanne zorgde voor de afwas en de schoonmaak. Birger deed boodschappen en kookte. Dat was niet iets wat ze zo hadden afgesproken. Dat was gewoon zo gegroeid.

Vandaag moest ze echter voor zichzelf koken, omdat Birger naar Lund was om het Sankt Lars te bezoeken. Het gekkenhuis. Hij had niet eens gevraagd of ze mee wilde; hij vroeg tegenwoordig nooit meer of ze mee wilde. Elke zaterdag trok hij gewoon zijn vergeelde nylon overhemd aan, deed zijn stropdas om, mompelde een afscheidsgroet en verdween. Wanneer hij thuiskwam, zei hij ook niet veel; hij deed net of hij in een heel gewoon ziekenhuis op bezoek was geweest terwijl hij in feite de hele dag in een gesticht had doorgebracht met zijn krankzinnige echtgenote. Hij mompelde alleen dat moeder de groeten deed, hetgeen een bewering was die Susanne waagde te betwijfelen. Waarom zou Inez iemand de groeten doen die het volgens haar niet waard was om te leven?

Zelf peinsde ze er niet over naar het Sankt Lars te gaan. Nooit van haar leven. Want ze was niet van plan Inez vergiffenis te schenken. Ze wilde dat niet eens.

Nu had Eva haar in de gaten gekregen. Ze verstijfde een tiende van een seconde, maar gooide toen het hoofd in de nek en liep door. Susanne bleef naar haar kijken. Ze voelde een lichte misselijkheid van angst door haar buik gaan, maar dat gaf niet, dat zag je niet; haar pantser was intact en haar blik ijskoud. Eva zou niet ontsnappen.

De mensen om hen heen deden of alles heel normaal was; die stonden bij de kraampjes over bossen wortels en koolrapen gebogen, die zochten in hun boodschappentassen naar beurzen en portefeuilles, die glimlachten en knikten naar buren en bekenden, maar wie goed oplette – en dat dééd Susanne – kon zien dat ze hun ogen openhielden, dat ze vanuit hun ooghoeken belangstellende blikken in de richting van Susanne en Eva wierpen, dat ze zich afvroegen hoe het zou gaan wanneer die twee elkaar tegenkwamen.

Eva had haar ogen nu helemaal geopend. Ze keek Susanne met een soort verwonderde blik aan en begon steeds langzamer te lopen, alsof ze probeerde te achterhalen wat die staalgrijze onverschilligheid in Susannes blik eigenlijk te betekenen had. Ze wierp een snelle blik naar links, waar een Skånse boer achter een berg aardappels stond, daarna naar rechts, waar een vrouw van middelbare leeftijd met een absurd elegant roze zijden sjaaltje om appels stond op te stapelen. Daarna keek ze recht voor zich uit en haar blik kruiste die van Susanne. Ze glimlachte. Het was een snelle glimlach, bijna verlegen, een glimlach waar Susannes hart iets sneller van begon te kloppen. Björns gezicht schoot door haar hoofd, zijn glimlachende gezicht toen hij een jaar geleden – was het echt pas een jaar geleden? – op een avond buiten voor hun huis aan Svanegatan naar haar stond op te kijken. Met Eva aan zijn zijde ...

Nu waren ze nog maar drie stappen van elkaar verwijderd. Eva glimlachte opnieuw, iets minder verlegen deze keer, eerder een tikje verdrietig. Handig. Heel handig. Dat zou iedereen, meisje of jongen, jong of oud, voor haar innemen. Susanne was echter niet van plan zich te laten manipuleren. Ditmaal niet. Nooit meer.

'Susanne', zei Eva.

Susanne bleef staan, nam haar monsterend op, maar ze reageerde niet. Ze zei niets.

'Ik heb het gehoord van je moeder', zei Eva, knipperend met haar wimpers. 'Wat naar. Wat vreselijk verdrietig.'

Susanne reageerde nog steeds niet, maar Eva leek het niet op te merken. Ze keek naar het plaveisel van de markt en zuchtte.

'Het zal haar wel te veel zijn geworden. Een heleboel van ons is het te veel geworden. Tommy en ik ...'

Ze maakte haar zin niet af. Het was een perfecte onderbreking; je kon de drie puntjes, die in de geschreven versie op een afgebroken zin zouden volgen, bijna uit haar mond zien zweven en langzaam naar de grond zien vallen. Nu kon iedereen die haar hoorde zelf het vervolg invullen. Liefst in de taal van de weekbladen. *Tommy en ik vielen elkaar huilend in de armen.* Of: *Tommy en ik hebben er geen woorden voor.* Of: *Tommy en ik konden al die pijn ook niet verdragen, daarom moesten we wel uit elkaar gaan.* Maar Susanne was niet van plan een vervolg in te vullen; vooral niet in de taal van de weekbladen. Ze stond Eva zwijgend en roerloos op te nemen, liet haar blik van het mooi opgemaakte poppengezicht met de diepzwarte ogen over de zeer bewust opgeslagen kraag van haar mantel naar de bruine suède laarzen glijden en weer omhoog. Haar gezicht had voortdurend exact dezelfde expressie en ze veranderde alleen maar even van houding; ze bracht haar gewicht over naar haar rechterheup en keek Eva opnieuw in de ogen, maar zonder iets te zeggen. Opeens wist ze niet óf ze iets kon zeggen, of ze nog wel een stem had. Maar dat maakte niet uit. Ze had de laatste maanden het een en ander geleerd over de macht der stilte, en ze was bereid om die nu uit te oefenen, om daar voor het eerst zo bewust mogelijk gebruik van te maken.

Eva boog zich naar voren, raakte voorzichtig met haar in een bruine handschoen gestoken hand Susannes arm aan en zei: 'Maar hoe is het met jou?'

Susanne keek haar aan, keek daarna naar de bruine hand op haar parka en keek weer op. Dat hielp. Eva trok haar hand terug; die schoot omhoog om haar kraag te verschikken, die helemaal niet verschikt hoefde te worden. Daarna glimlachte ze, en ze zei: 'Ik heb aan je gedacht. Heel vaak.'

O. En wat moest Susanne daar nu op zeggen? Werd er verwacht dat ze nu instortte, dat ze in Eva's armen viel en God dankte dat er iemand aan haar dacht? Ze dacht het niet. Ze liet alleen haar wenkbrauwen omhooggaan en trok haar linkermondhoek een beetje op. Als het een lach zou zijn geweest, dan was het een smalende lach, maar het duurde een seconde of twee voordat Eva dit doorhad. Ze was altijd al een beetje traag van begrip geweest wanneer iemand anders de condities bepaalde. En in dit geval bepaalde iemand anders die. Nu deed Susanne dat.

'Dus, ik ...'

Nu was Eva echt de kluts kwijt; dit was een heel andere onderbreking dan de vorige. Ze wist niet meer waar ze kijken moest, ze zocht snel naar een uitweg, maar vond er geen. Aan weerszijden van hen verdrongen mensen zich bij de kraampjes en Susanne stond kaarsrecht, zwijgend en onvermurwbaar voor haar. Eva's hand schoot omhoog naar haar smalle witte keel, waar hij als een gebrekkige afweer bleef liggen. Ze knipperde met haar ogen, hervond zich en zei: 'Ik weet dat ik niet zo aardig tegen je was. Die keer in Nässjö. Voordat het gebeurde. Maar weet je, ik was net verliefd geworden. Helemaal verliefd. En dan word je weleens een beetje ...'

Een beetje wat? Susannes wenkbrauwen schoten de lucht in, maar ze liet ze snel weer zakken. Hoe dom kun je zijn? Dacht Eva werkelijk dat Susanne liep te kniezen over iets wat iemand anders was overkomen, in een ander leven, in een andere wereld? Begreep ze niet dat ze nadien andere misdrijven had gepleegd? Ergere misdrijven? En dat ze die in de bladen had gepleegd? In het ene interview na het andere? Diefstal van Susannes broer. Ernstig letsel aan haar herinneringen.

Eva rechtte haar rug, keek Susanne aan en glimlachte weer. 'Ik ga stoppen in de winkel. Ik ga op tournee met een Engelse band. De zanger daarvan vindt me leuk; hij zegt dat hij zich niet zou redden ... Ja, je weet wel. Het wordt fantastisch; ze hebben een heel ander niveau dan The Typhoons. Ja, neem het niet verkeerd op, maar ...'

Susanne kon zich niet inhouden; ze zette onbewust een stap naar achteren en trok een lelijk gezicht. Daarna sloeg ze haar ogen neer. Ze stak haar handen in de zakken van haar parka en wrong zich langs Eva. Ze liep door, met lange passen en heel doelbewust; ze wist dat ze het niet zou kunnen verdragen om Eva aan te kijken en haar stem nog een minuut langer te horen. Toch hoorde ze haar, toch hoorde ze Eva met haar allerhelderste stem over de hele markt schallen: 'Maar Susanne! Blijf staan! Alsjeblieft, Susanne, blijf staan!'

Susanne bleef echter niet staan; het was gewoon onmogelijk om te blijven staan. In haar kreukelige parka stak ze het plein over en opeens realiseerde ze zich dat haar jas te dun was voor de tijd van het jaar. Ze realiseerde zich ook dat ze geen sjaal of handschoenen droeg, dat ze zich vanochtend niet goed had gekamd en niet had opgemaakt. Ze was gewoonweg lelijk. Lelijk, onmodieus en belachelijk. En de mensen keken haar na, ze voelde het gewoon, ook al kon ze het niet zien, want ze kon haar hoofd niet meer optillen, ze liep in elkaar gedoken en gebogen van schaamte …

'Ja, Susanne! Blijf nou staan', riep een andere stem. De stem van Ingalill. En Susanne wist, ook al kon ze het niet zien, dat Ingalill met de andere leden van het Communistisch Verbond van Marxistisch Leninisten op de hoek van de markt stond, precies op die hoek die ze zelf altijd vermeed om hen niet te hoeven zien met hun rode spandoek, dat ze elke zaterdagochtend uitrolden voordat ze met hun collectebussen begonnen te rammelen. En Ingalill greep haar kans, ze greep die begerig aan, en herhaalde smalend keer op keer Eva's kreet: 'Maar blijf dan staan, Susanne! Blijf staan!'

Ze kon een lachje van de andere Marxistisch Leninisten horen, een spotlachje van de jonge mannen die naar macht verlangden, die meenden dat ze daar vanwege hun talent recht op hadden, die macht beschouwden als hun geboorterecht, en van de jonge vrouwen die verlangden naar revanche, die vergelding wilden, die zich wilden wreken op de hele wereld. En daarom riep Ingalill, telkens weer: 'Maar blijf dan staan, Susanne! Blijf staan!'

Susanne bleef echter niet staan. Ze liep. Ze liep op een drafje. Ze rende met grote stappen en nam niet eens de moeite om uit te kijken toen ze de straat over stormde.

'Sorry, hoor,' zei Elsie, 'maar ik begrijp het niet.'

Susanne haalde koppig haar schouders op. Dan niet!

Er was een maand verstreken sinds hun telefoongesprek. Elsie was afgemonsterd en nu zat ze aan de keukentafel in Svanegatan. Ze keek haar nichtje aan. Die zag er tamelijk beroerd uit. Grauw in haar gezicht. Donkere kringen onder haar ogen. Ze moest nodig haar haren wassen. Een jonge vrouw die kennelijk met enige behoedzaamheid behandeld moest worden.

'Maar kun je niet proberen om het uit te leggen? Waarom was je zo geschokt dat die Eva op tournee gaat met een Engelse band?'

Susanne zuchtte. Ze pulkte wat aan haar grijze trui en probeerde haar gebalde vuist in de mouw te verbergen.

'Daar ging het toch niet om ...'

In de woonkamer zette Birger het geluid van de televisie wat harder. Hij zou wel niet het risico willen lopen dat hij iets van het gesprek in de keuken hoorde, iets waardoor hij uit zijn cocon van stilte zou moeten komen. Elsie onderdrukte een zucht, leunde wat naar voren en legde haar hand op het grijze blad van de keukentafel. Het witte servet dat dienstdeed als kleedje was gekreukeld en smoezelig. De tinnen schaal was leeg, op een witte sinaasappelpit en een paar oude takjes van een tros druiven na. En voor het raam stonden de verdorde geraniums op een rij met sprieterige naakte takken.

'Waar gaat het dan om?'

Susanne wierp haar een snelle blik toe. Haar ogen waren vochtig. Heel vochtig.

'Dat Björn er niet toe deed.'

Elsie zweeg; ze wist niet of ze iets zou durven zeggen. Aan de andere kant van de tafel kroop Susanne nog wat verder in elkaar en ze trok ook haar andere hand op in de mouw van haar trui. Ze begon te snikken.

'Ik ben zo dom geweest. Ik dacht echt dat ze om hem gaf. Echt om hem gaf. En om mij. Dat ze ook om mij gaf ... Vóór die dag althans. Maar dat deed ze dus niet. Ze had alleen maar belangstelling voor hem omdat hij bekend was. En voor mij had ze alleen maar belangstelling omdat ik de zus was van iemand die bekend was.'

Ze keek op en even kruiste haar blik die van Elsie. Ze voegde eraan toe: 'Of nichtje, dan.'

Elsie knikte slechts. Dat was niet belangrijk. Dat zou Susanne moeten weten.

'En nu gaat ze op pad met een Engelse band', zei Susanne. 'Want dat is chiquer, een Engelse band is altijd chiquer dan een Zweedse band. En met The Typhoons is het immers afgelopen, dus Tommy zal ze wel gedumpt hebben, maar dat maakt me ook niet uit, daar maak ik me ook niet druk ook over, het is ... het is ... Nee, ik weet niet wat het is! Ze is gewoon verschrikkelijk. Afschuwelijk!'

Nu kwamen eindelijk de tranen. Elsie stond op en scheurde een stuk van de keukenrol, dat ze over de tafel naar Susanne toe schoof.

'Ik voel me zo misbruikt', zei Susanne terwijl ze haar neus snoot. 'Ik ben gebruikt. Ze heeft mij gebruikt om bij hem te komen en ik heb haar dat laten doen. Want ik was zo stom dat ik het niet doorhad. Er waren mensen die het zagen, die zeiden hoe het zat en hoe het zou gaan, maar ik heb niet geluisterd. Ik wilde gewoon niet luisteren. En nu heb ik geen vrienden meer. Niet één. Ik ben alleen en ik mis Björn, ik mis hem heel erg. Björn. Mijn broer. Niet de rockster. Ik denk dag en nacht aan hem, maar ik heb niemand tegen wie ik dat kan zeggen. Mijn vader praat niet met me, en mijn moeder ... Mijn moeder ...'

Ze begon te trillen. Elsie strekte haar hand naar haar uit, maar Susanne pakte die niet. In plaats daarvan sloeg ze haar rechterarm voor haar ogen; ze verborg zich alsof ze zich schaamde, alsof ze iets had gedaan waarvoor ze zich moest schamen. Haar stem werd iel als zilverdraad, maar ze snikte nu niet meer. Het klonk nu niet eens meer alsof ze huilde.

'En mijn moeder vindt dat ik het niet waard ben om te leven', zei ze met dat iele stemmetje. 'Dat heeft ze gezegd. Dat heeft ze tegen me gezegd toen ze gek werd. En soms denk ik dat ze gelijk heeft. Ik ben het niet waard om te leven.'

Het kostte bijna een uur om haar in bed te krijgen en toen dat uur voorbij was, was Elsie helemaal op. Ze deed met een zucht de deur van Susannes kamer achter zich dicht, leunde tegen de muur en sloot haar ogen. Ze probeerde zich te vermannen. Na te denken. Zich te gedragen als een volwassene, iemand met verantwoordelijkheidsbesef.

Ze was die dag om twaalf uur 's middags in Gotenburg aan land gegaan en had meteen een taxi naar het station genomen. Nog geen uur later zat ze al in de trein. In Helsingborg moest ze overstappen op een stoptrein, die bij elke melkbussenlaadplek stopte om zonen en dochters van rijke Skånse boeren uit te laten stappen, giechelende, luidruchtige, joelende jongelui die op weg van school naar huis waren. Ze had hen nauwkeurig geobserveerd, hun kleren en bewegingen bestudeerd, geluisterd naar hun stemmen en gesprekken, en de lucht een beetje opgesnoven om hun geur te ruiken. Ze was verbaasd geweest. Er was niemand bij die nog een stallucht om zich heen had. Ze roken naar zeep en zweet, naar Sunlight en – wantrouwend snuffelde ze nog een keer – naar Chanel No. 5. Bovendien waren ze beter gekleed dan om het even welke andere jongelui die ze ooit had gezien, zelfs nog beter dan die jongeren in het publiek bij Björns televisieprogramma in Engeland. Het leek of alle truien van lamswol of shetlandwol waren. Een paar meisjes droegen bloezen die van pure zijde moesten zijn en enkele jongens droegen een wit overhemd met een stropdas. Alle donsjacks waren nieuw en bol. Alle duffels en leren jacks waren zo schoon dat het leek of ze zo uit de winkel kwamen. Er was niemand meer bij die er arm uitzag. Maar ze praatten nog in een even vet dialect als altijd; geen enkele klinker kwam in zijn eentje over hun lippen, ze maakten er altijd tweeklanken van: *io, ae, ou.* Maar de toon was anders. Die was harder geworden. Grover. Valser.

Susannes leeftijdsgenoten. Haar medeleerlingen. Haar wereld. Elsie begon te rillen.

In vijf stappen was ze bij de badkamer. Ze ging naar binnen om zichzelf in de spiegel te bekijken. De slang was er niet, de ogen waren die van haarzelf, en dat maakte haar méér dan vastberaden. Susanne moest beschermd worden. Iemand moest haar bestaan erkennen en haar de bescherming bieden die ze nodig had. Elsie spetterde wat koud water in haar gezicht en zocht naar een handdoek om zich mee af te drogen, maar ze zag alleen twee kleine en erg smoezelige handdoeken aan de haak. Ze scheurde een stuk wc-papier af en depte daarmee haar gezicht droog. Daarna haalde ze een kam door haar haren. Heel even gingen haar gedachten naar haar eigen flat, die donker stond te wachten aan Sankt Olofsgatan. Ze zag zichzelf in het trappenhuis staan aarzelen, zoals ze het afgelopen voorjaar altijd voor Lydia's deur had staan aarzelen, maar ze haalde haar schouders op en legde de kam weg. Lydia was nog haar minste zorg. Een oud spook. Een wezen dat bang was voor het leven en de levenden. Misschien wist ze niet eens dat Elsie naar huis was gekomen. Dat zou haar niets verbazen. Het leek immers wel of in deze familie niemand meer met een ander praatte.

Toen ze de trap af liep, pakte ze de leuning stevig beet. Uit de keuken kwam een geel licht, maar in de woonkamer, waar Birger zat, was het donker. Ze bleef in de deuropening staan om hem op te nemen zoals hij daar zat. Een vermoeide man in het blauwe licht van de tv. Gesloten. Eenzaam.

'Kunnen we niet een lamp aandoen?' vroeg ze.

Birger draaide zijn hoofd in haar richting, maar antwoordde niet. Hij keek haar alleen even aan, waarna hij zijn hand uitstak naar de vloerlamp die naast hem stond om die aan te doen. Daarna ging zijn blik weer naar de tv. Er was een donkere man aan het woord en Birger luisterde heel aandachtig. Het ging over voetbal. Voorzover Elsie wist, had Birger nooit belangstelling voor voetbal gehad.

'Zou je misschien de televisie willen uitzetten?'

Birgers mond vertrok, alsof hij iets wilde zeggen, maar het niet kon. Alsof iemand zijn mond had dichtgenaaid. Alsof iemand een nietapparaat op zijn lippen had gezet. Maar Elsie was niet van plan zich daarin te schikken. Ze verhief haar stem.

'Ik wil met je praten.'

Hij wist niet waar hij moest kijken en mompelde iets.

'Pardon?' zei Elsie.

Hij praatte nu harder, maar maakte zijn blik niet los van de tv.

'Er valt niets te praten.'

Elsie voelde haar woede opvlammen; ze moest haar ogen sluiten en diep ademhalen om te voorkomen dat hij die zou horen toen ze sprak.

'Susanne', zei ze. Haar stem was heel helder, maar ze klonk niet boos; je kon echt niet horen dat ze razend was. Birger bewoog nog steeds niet. Hij zat gewoon stokstijf in zijn harde jarenvijftigfauteuil naar de tv te staren. Hij reageerde niet.

'We moeten het over Susanne hebben', zei Elsie opnieuw. 'Het gaat niet goed met haar.'

Birger haalde zijn schouders op, maar bleef naar de tv kijken. De donkere man was verdwenen en nu staarde hij naar een klok. Intens. Alsof er voor iets enorm belangrijks werd afgeteld en het niet gewoon ging om een pauze tussen twee programma's.

'Die ontbreekt het immers aan niets', zei hij ten slotte. 'Ze krijgt eten en kleren. Ze mag naar school. Wat heeft ze te klagen?'

De vloer begon onder Elsie te bewegen, ze kon letterlijk voelen hoe er vanaf de deur een golf door de hele woonkamer ging, hoe die tegen de muur aan de andere kant van de kamer botste, omkeerde en terugkwam. Ze greep de deurpost en hield zich stevig vast om in evenwicht te blijven.

'Ben jij niet goed snik?' zei ze toen. Haar stem trilde.

Birger reageerde niet. Hij keek haar niet aan. Hij pakte alleen de armleuningen van zijn fauteuil stevig beet en staarde met een intense blik naar de televisie. Elsie keerde hem de rug toe en liep de trap op.

Björns kamer zag eruit alsof hij net was weggegaan. Er lag een trui op het bed, een zwarte lamswollen trui, waar ze naast ging zitten. Heel voorzichtig pakte ze hem op en ze drukte hem tegen haar gezicht. Ze probeerde zijn geur te ruiken, maar terwijl ze dat deed, realiseerde ze zich dat ze zichzelf voor de gek probeerde te houden. Hoe kon zij zijn geur herkennen? Ze wist immers niet hoe Björn rook. Hoe hij had geroken. Ze liet haar hand met de trui op haar schoot vallen en bleef recht voor zich uit zitten staren. Ze zuchtte.

Björn had een mooie kamer gehad. Had een mooie kamer. Misschien de beste van het hele huis. Het raam keek uit op Svanegatan en onder de vensterbank stond zijn bureau, echt een mooi bureau van teak en zwarte lak, dat ze zelf had gekocht. Een cadeau dat hij had gekregen toen hij op het lyceum was toegelaten, een cadeau dat echter niet door Inez werd gewaardeerd. Nadat het geleverd was, was ze een hele week chagrijnig geweest, en ze trok pas weer bij toen ze een heel mooie designerplaid vond om als sprei over zijn bed te leggen. Ze beweerde dat die afgeprijsd was geweest, dat het tweede keus was, maar dat geloofde Elsie niet. Dat weigerde ze te geloven. Die plaid had immers geen zichtbare gebreken, niets wat erop wees dat het om tweede keus ging. Hij lag nog steeds in allerlei tinten blauw op het bed te schitteren. Inez had er vast een flink bedrag voor betaald. Het geld van haar loon achtergehouden. Zich aan Birgers controle onttrokken.

Bij de gedachte aan Birger schudde ze haar hoofd. Niet vreemd dat Inez gek was geworden. Helemaal niet vreemd.

Toen ze naar buiten kwam, stond hij als een donkere schaduw op de donkere overloop naast de openstaande deur naar de rommelkamer, met het licht van de zoldertrap achter zich.

'Kom', zei hij terwijl hij haar de rug toekeerde en de trap op begon te lopen. Hij strompelde en het duurde een tel voordat Elsie zich weer herinnerde dat hem iets aan zijn voeten mankeerde, dat zijn ene voet een stuk groter was dan zijn andere. Wanneer hij schoenen aanhad, merkte je dat eigenlijk nooit, maar nu liep hij gewoon op kousenvoeten en dan strompelde hij.

De zolder zag er nog ongeveer net zo uit als voorheen. Geel licht van een naakt peertje aan het plafond. Een ruwe vurenhouten vloer waar ze meer dan eens splinters van in haar tenen had gekregen. Oude meubels opgestapeld in de hoeken. Wat meer oude meubels dan de laatste keer dat ze hier was geweest, zag ze nu. Daar stond het bed, dat altijd in het kamertje had gestaan waarin zij sliep. Daar stond de zware lamp die in de kinderkamer van Inez en haar had gestaan toen ze klein waren. En daarginds stond een stoel die ze alleen maar aan zijn vorm herkende. Hij was opnieuw bekleed. Had Inez dat gedaan?

Birger ging haar voor naar het kamertje en stak zijn hand naar binnen om het plafondlicht aan te doen. Ook daar een naakt peertje.

'Kijk', zei hij terwijl hij een stap naar binnen zette. 'Moet je dit eens zien!'

Elsie ging in de deuropening staan om rond te kijken, hapte naar adem en stapte achteruit. Ze wilde niet naar binnen.

'Kom', zei Birger. Hij stak zijn hand naar haar uit, maar ze glipte weg. Ze wilde niet door hem aangeraakt worden.

'Je moet binnenkomen', zei Birger. Hij klonk nuchter. Beheerst. Volwassen. Zij moest ook nuchter, beheerst en volwassen zijn. Dus stapte ze over de drempel naar binnen.

Inez had de muren wit geschilderd en de vloer was nog steeds bedekt met de kranten die ze had uitgespreid tegen de verfvlekken. Die waren begonnen te vergelen. En op de pasgeverfde muren had iemand telkens opnieuw dezelfde naam geschreven. *Björn! Björn! Björn!* Soms met potlood. Soms met inkt. Een enkele keer met een rode viltstift. Maar dezelfde naam, geschreven in hetzelfde oneindig keurige handschrift bedekte de muren van de vloer tot aan het plafond.

'Ze zei dat ze zat te studeren', zei Birger. 'Maar ze heeft nooit boeken gekocht. Ze heeft het hier nooit ingericht. Dus ze zal wel gewoon gelogen hebben. Ze zal zich wel nooit aan de universiteit hebben ingeschreven.'

Elsie ging er niet op in; ze draaide zich alleen langzaam om om de duizenden of tienduizenden naampjes te bekijken. *Björn! Björn! Björn!* Alsof je opgesloten zat in een schreeuw. Een sprakeloze schreeuw.

'Ze moet op een stoel zijn gaan staan om helemaal bovenaan te kunnen schrijven', zei Birger. 'En plat op haar buik hebben gelegen om helemaal onderaan te kunnen komen. Ik weet niet hoe ze het gedaan heeft; ik heb dit pas ontdekt toen ze ziek werd. Voor die tijd kwam ik hier nooit. Ik dacht dat ze met rust gelaten wilde worden. Dat ze daar behoefte aan had. Maar dat was een vergissing, dat besef ik nu.'

Elsie knikte zwijgend. Birger keek haar even aan, stak toen zijn handen in zijn broekzakken en keek om zich heen.

'Overigens denk ik niet dat het veel verschil had gemaakt. Het maakte haar niet uit wat ik zei of deed. Niet nadat Björn verdween. Ze trok zich totaal niets van me aan. Of van Susanne. Wij konden haar geen donder schelen. Dit was het enige wat ze in haar hoofd had. *Björn! Björn! Björn!* Alleen *Björn! Björn! Björn!*'

Zijn stem begon te trillen. Tijdens één verschrikkelijke seconde kreeg Elsie het idee dat hij in huilen zou uitbarsten. Maar dat deed hij niet. Hij deed alleen heel even zijn ogen dicht, deed ze daarna weer open en keek Elsie aan.

'Ze leefde voor Björn. Van hem hield ze. Alleen van Björn. Vanwege Björn is ze met mij getrouwd, zodat hij een vader zou hebben. Vanwege Björn zijn we getrouwd gebleven. Het was vanwege Björn dat ze ermee instemde om Susanne te krijgen. Zodat hij een broertje of zusje zou hebben. Dat was haar enige reden. Helaas.'

Hij haalde zijn schouders op, keerde Elsie de rug toe en strompelde naar de deur. Daar draaide hij zich om en keek over zijn schouder heen Elsie aan.

'Jij zegt dat het niet goed gaat met Susanne. Dat is vast zo. Met mij gaat het ook niet goed. En met Inez gaat het nog het slechtst van ons allemaal. Daar kan ik niet veel aan doen. Daar kan niemand van ons veel aan doen. Het is niet anders.'

Hij deed het licht uit en liep de zolder op, Elsie achterlatend zonder om te kijken.

Björn liet berichten achter.

Soms waren die cryptisch, maar Inez begreep ze toch. Zoals nu, nu er een rode auto langs de kliniek reed en iemand – Björn zelf uiteraard – op de achterbank zijn hand opstak, die zichtbaar maakte, maar zonder echt te wuiven. Het was belangrijk dat hij niet wuifde. Niemand mocht zien of vermoeden dat ze contact met elkaar hadden. Ze waren immers omringd door vijanden. Voortdurend. Elke seconde. Inez knikte in stilte, keek toen snel om zich heen om te controleren of niemand haar had zien knikken.

Daar leek het niet op. Karin Lundström was de enige patiënt op de gang, en zij liep zoals gewoonlijk met gesloten ogen net te doen of ze blind was. Knettergek. Hoewel dat natuurlijk toneelspel kon zijn, een manier om te doen alsof ze geen belangstelling had terwijl ze in feite nauwkeurig aantekeningen bijhield ... Jawel, zo was het misschien. En zuster Siv, die haar glimlachend tegemoetkwam en haar nu tegenhield en een arm om haar heen sloeg, was misschien degene die de aantekeningen aannam en doorstuurde. Naar de opperbevelhebber. Of een politicus. Naar wie dan ook die vol kwaad zat. Naar wie dan ook die Björn vol afgunst en kwade wil bejegende.

Inez zou echter niet degene zijn die Björn verraadde. Nooit van haar leven. Ze had ten langen leste geleerd hoe het er hier op de afdeling aan toe ging. Af en toe glimlachte ze bleekjes naar een van die ingehuurde vijanden. Ze deed net of ze in hun opzet om haar te breken geslaagd waren, of zij niet doorhad waar ze mee bezig waren. Tegenwoordig zou ze nooit meer beginnen te gillen en tekeergaan, zoals ze in het begin nog had gedaan. Bijvoorbeeld die keer toen ze op de afdeling Björns tandenborstel in de badkamer ontdekte. Die stond daar gewoon in een glas, naast de andere tandenborstels in hun glazen. Blauw en transparant. Mooi. Die leek op Björn op een volkomen onmiskenbare manier, die ook onmiskenbaar moest zijn voor de vijanden, ook al lieten ze daar niets van blijken. Dit was een heel duidelijk signaal van Björn, een overduidelijke kreet om hulp, maar toen ze dat vertelde, toen ze aan zuster Siv en de rest uitlegde hoe het in elkaar zat, hadden ze niet naar haar willen luisteren. Ze hadden haar juist vastgebonden en haar dagenlang zo laten liggen. En nauwelijks was ze bevrijd uit die fixatiebanden of ze vond op een stoel in het dagverblijf zijn zwarte lamswollen trui, zijn lievelingstrui, die hij voortdurend droeg. Opnieuw een kreet om hulp. En voor haar opnieuw een paar dagen in de fixatiebanden.

Sindsdien was ze voorzichtiger geworden. En slim. Net zo slim als zijn vijanden. Ze zei bijna niets meer, zelfs niet tegen Birger, die elke zaterdag kwam en uren naast haar zat, erop loerend en wachtend tot zij zich zou verspreken. Ze hadden hem gerekruteerd. Dat was verschrikkelijk, maar waar. Ze hadden Björns eigen stiefvader gerekruteerd om aan inlichtingen over hem te komen.

'Afschuwelijk', zei ze hardop en ze schudde haar hoofd.

Zuster Siv reageerde natuurlijk meteen. Ze rechtte haar rug, liet Karin Lundström los en wendde zich tot Inez. Ze lachte haar door en door valse glimlach.

'Wat zei je, Inez?'

Inez bleef even staan en schudde toen opnieuw haar hoofd.

'Afschuwelijk weer.'

Zuster Siv wierp een blik door het raam.

'Tja. Een beetje bewolkt. Maar niet meer dan dat.'

Inez glimlachte vaag.

'Ik mis de zon', zei ze. Iedereen had moeten snappen wat dat betekende. Wat ze in feite zei. Maar die geschifte zuster Siv glimlachte alleen maar op dezelfde intens valse manier als daarvoor en zei: 'Jawel. Maar het is toch december. Dan kun je niet hopen op veel zon. Maar nu komt Kerstmis eraan en dat is natuurlijk een troost.'

Betekende dit dat ze van plan waren Björn tijdens de Kerst iets aan te doen?

Jawel. Dat betekende het.

De vraag was alleen wat ze van plan waren. En hoe. En wanneer.

Dat moest Inez uitzoeken. Ze moest zich voorbereiden. Zodat ze Björn kon verdedigen. Iemand moest hem immers verdedigen.

Meer dan een uur zat ze volkomen roerloos op haar bed over de zaak na te denken. Ze bewoog niet. Ze zei niets. Doodstil en kaarsrecht probeerde ze te bedenken wat voor plannen de vijanden hadden met Björn. Ze bewoog zelfs niet toen zuster Siv haar hoofd om de deur stak en lachend zei: 'Ik heb een verrassing.'

Inez rilde. Ze hield niet van verrassingen. Vooral niet van de verrassingen van zuster Siv.

'Kam je haar maar even en kom mee', zei zuster Siv. 'Dan zul je zien wie er is gekomen om je te bezoeken.'

Inez was stijf in heel haar lichaam, klaar om te vechten en te vluchten, maar daar liet ze niets van blijken. Ze liep alleen iets langzamer dan anders en hield de leuning aan de muur stevig vast. Ze knipperde een beetje met haar ogen en probeerde door de glazen muur heen te zien wie er in de bezoekersruimte op haar zat te wachten. Het duurde even voordat haar lichaam begreep wat haar ogen zagen. Ze knipperde weer met haar ogen. Zandkleurig haar. Zoals dat van haar. Een gouden ketting. Zoals die van haar. Heel bleke wangen. Zoals die van haar. Hadden ze een kopie van haar gemaakt? Een rubberen pop die kon lopen, staan en praten? Zouden ze haar nu doodmaken en de pop haar plaats laten innemen? Zou de pop het verraad op zich nemen dat Inez zelf weigerde te plegen?

Ze bleef op de drempel staan, kon het echt niet over haar hart verkrijgen de bezoekersruimte binnen te stappen. Wie moest Björn verdedigen wanneer zij er niet meer was? Wie?

'Dat is toch je zus', zei zuster Siv en ze gaf haar een duwtje in haar rug. 'Je eigen zus.'

Inez kon de druk niet weerstaan. Nu zette ze haar voet op het linoleum van de bezoekersruimte. Nu zag ze die andere versie van zichzelf, de kopie, de vervalsing, de verrader, die opstond en een beetje trillend glimlachte, haar armen uitspreidde en zei: 'Inez! Dag. Lieve Inez!'

Het was voorbij. Het was allemaal voorbij. En de wereld werd wit van haar kreet.

Lydia had blijkbaar achter de deur staan luisteren, want ze deed meteen de deur open toen Elsie de sleutel in het slot van haar eigen deur stak.

'Elsie', zei ze. 'Ben jij het?'

Elsie kon het nauwelijks opbrengen om zich om te draaien; ze wendde alleen haar hoofd om en knikte.

'Ja', zei ze. 'Ik ben het.'

Het was even stil. Ze draaide de sleutel om en pakte de klink. Liet die weer los. Ze kon niet zomaar naar binnen gaan en de deur achter zich dichtdoen, hoe graag ze dat ook wilde.

'Ik dacht al dat ik je vannacht had gehoord', zei Lydia. 'Maar ik wist het natuurlijk niet zeker.'

Ze klonk gekwetst. Alsof ze een standje had gekregen of een oorvijg. Elsie keerde zich om. Ze probeerde er een glimlach uit te persen, een geruststellende, vriendelijke en leugenachtige glimlach, die Lydia ervan moest verzekeren dat alles in orde was. Zoals ze haar hele leven al naar Lydia glimlachte.

'Ik ben gisteravond nogal laat thuisgekomen', zei ze. 'Daarom heb ik niet bij u aangeklopt. Ik was eerst in Svanegatan. En vanochtend moest ik al vrij vroeg weg, dus ...'

'Weg?' zei Lydia bezorgd. 'Waar ben je dan naartoe geweest?'

'Naar Lund', zei Elsie. 'Naar het Sankt Lars.'

'O', zei Lydia en haar hand schoot omhoog; ze legde die beschermend vlak boven haar linkerborst. Elsie voelde een lichte woede opkomen, maar die slikte ze snel weg. Wat er was gebeurd was niet allemaal Lydia's schuld. Enerzijds. Anderzijds was er ook het een en ander dat wel haar schuld was en waarvoor ze ter verantwoording geroepen zou moeten worden. Maar wat had dat voor zin? Lydia zou het toch niet begrijpen. Kon het niet begrijpen. Alles wat ze haar kinderen had aangedaan, was haar immers zelf ooit aangedaan, alleen nog meer en nog erger. Toch veroorloofde Elsie zich een wreedheidje.

'Ik ben bij Inez langs geweest', zei ze met een droge stem. 'In het Sankt Lars. Bent u daar al geweest?'

Ze kende het antwoord op die vraag heel goed, maar stelde hem toch. Ze genoot ervan. Lydia wist niet waar ze kijken moest.

'Ik heb geen tijd gehad', zei ze snel. 'Birger is immers elke zaterdag bij haar en dan wil ik niet storen. En op zondag is het moeilijk. Dan heb ik correctiewerk en zo. Voorbereidingen voor de komende week. Met Kerstmis, dacht ik ... Wanneer het kerstvakantie is.'

'O', zei Elsie met een schuine glimlach. 'Maar het maakt eigenlijk niet veel uit.'

'Hoe bedoel je?'

'Ze zou u waarschijnlijk toch niet herkennen. Ze herkende mij vandaag ook niet, zo leek het.'

Lydia slikte. Ze begon paniekerig te kijken.

'Herkende ze je vandaag niet?'

'Nee. Daar leek het niet op. Ze was voornamelijk aan het krijsen.'

Als Lydia niet zo welopgevoed was geweest was ze misschien ook begonnen te krijsen. Maar ze was nu eenmaal welopgevoed. Ze was nu eenmaal zo in een keurslijf geperst dat ze met knipperende ogen voor haar dochter bleef staan en zichzelf dwong om aan te horen wat die dochter zei over haar andere dochter.

'Krijste ze?'

Haar stem was niet meer dan een fluistering.

'Ja', zei Elsie, die haar gezicht vertrok om haar tranen te bedwingen. 'Ze krijste enorm. Maar ze hebben haar een spuit gegeven en toen werd ze rustig.'

De waarheid was dat Inez helemaal niet rustig was geworden. Ze was buiten bewustzijn geraakt. Toen de bewakers er eindelijk in waren geslaagd het wezen met de wilde blik te vangen dat beweerde haar zus te zijn, dat krijsende, sissende en vloekende wezen, waren ze gewoon op haar gaan zitten en hadden ze een spuit in haar rechterdijbeen gezet. Een tel later was ze buiten bewustzijn.

Elsie had daarna een arts kunnen spreken, een vrouwelijke

psychiater met donkere kringen onder haar ogen en een tamelijk vermoeide stem. Ze gingen een nieuw medicijn uittesten, had die gezegd, en ze hadden redelijk hoge verwachtingen dat dit zou helpen. Op den duur in elk geval.

'Dit is een tamelijk langdurige psychose', zei ze. 'Maar voorzover ik het begrijp, is ze dan ook getroffen door een groot verdriet.'

Elsie knikte zwijgend. De arts leunde naar voren en vouwde haar handen onder haar kin terwijl ze Elsie diep in de ogen keek.

'Het gaat over', zei ze. 'Vroeg of laat gaat het over.'

Elsie knipperde met haar ogen. Haar moeder stond licht in elkaar gedoken bij haar deur, even onberispelijk als altijd. Haar witte zijden bloes zag eruit of hij pas gestreken was. Haar zwarte schoenen glommen van het poetsen. Haar haren waren zorgvuldig opgestoken; er was nog geen haartje losgeraakt. Toch zag ze er armoedig uit, moe, afgemat en armoedig, en opeens werd Elsie door een golf van tederheid overspoeld. Ze stapte naar voren en legde haar hand op Lydia's wang, en tot haar verwondering merkte ze dat Lydia zich niet terugtrok en geen weerstand bood, zoals Elsie altijd had verwacht dat ze zou doen als iemand haar aanraakte. Lydia slaakte een zucht, ze drukte haar wang juist nog steviger tegen Elsies hand en liet die daar rusten, zwaar en vol vertrouwen. Alsof ze op Elsie vertrouwde. Alsof ze er echt op vertrouwde dat Elsie het beste met haar voorhad.

'Inez', zei ze en ze zuchtte opnieuw. 'Mijn lieve Inez ...'

'U moet zich geen zorgen maken, moeder', zei Elsie voorzichtig. 'Het komt weer goed met haar. Ik heb vandaag een dokter gesproken en die verzekerde me dat het weer goed komt met Inez.'

Ze werd door haar eigen stem gerustgesteld. Ze kwam erdoor tot bedaren. Niets was opgelost, niets was beter geworden en misschien zou het nooit opgelost worden, misschien zou het nooit echt goed worden. Toch voelde ze zich opeens volkomen rustig. Ik ben een mens, dacht ze. Ik ben gewoon een mens tussen andere mensen. Ik hoef niet langer te vluchten. Ik zal mijn schuld dragen. Ik doorsta het.

'Kom', zei ze tegen Lydia en ze sloeg een arm om haar heen. 'Kom mee naar binnen, dan zet ik bij mij een kop thee.'

Lydia keek haar heel even aan en knikte toen. Elsie glimlachte naar haar, een volkomen oprechte glimlach. Nu wist ze wat haar te doen stond. En hoe ze het zou moeten doen. Haar boetedoening was begonnen.

ZE ZATEN ALLEEN in de wagon. Helemaal alleen. Het zachte licht was vuilgeel, de stoelen hadden rechte ruggen en waren bekleed met dat bruine pluche dat al tientallen jaren in gebruik was voor alle stoelen in Zweedse treinen. De treinen van de nieuwe tijd hadden stoelen met rood pluche. Dit was dus geen moderne trein. Het was een ouderwetse trein, een trein waarvan alleen al de inrichting enige kritiek op de reizigers richtte. Wat verbeeldden ze zich wel? Dachten ze echt dat de Zweedse Spoorwegen hen op een avond als deze het interieur van een nieuwe trein zouden laten verslijten? Een oudejaarsavond, waarop alle zinnige mensen allang uit gereisd waren, waarop alle vrouwen, jong en oud, rijk en arm, voor de spiegel stonden om hun kapsel in orde te maken, waarop alle mannen hun stropdas strikten, waarop iemand die geen dringende reden had niet op reis ging.

Behalve zij twee. Elsie en Susanne.

Buiten achter het raam was het donker; heel af en toe blonk er een licht op van een raam, van een auto of van een straatlantaarn ergens in een villawijk. Het was prettig om te zien, om te weten dat er buiten mensen waren die niet onder verdriet gebukt gingen, mensen die niet in droefenis leefden, maar die zich opmaakten om weer een nieuw jaar te vieren. Maar het was nog prettiger om te weten dat je daar zelf niet aan hoefde mee te doen. Dat je het recht had om dat te laten. Dat je verlost was.

Elsie was degene die Susanne had verlost. Elsie was degene die had begrepen dat Susanne opzag tegen oudejaarsavond en alle verwachtingen die daarmee gepaard gingen, en die daarom deze reis had voorgesteld. Elsie was ook degene die betaalde. Net zoals ze al het eten op Kerstavond had betaald. En de boom die ze had gekocht en naast Birgers televisie had neergezet, ondanks zijn afkeurende blikken. Om nog maar te zwijgen over het feit dat ze pakjes onder de boom had gelegd. Een boek voor Birger. Een doos geurende zeepjes voor Birgers moeder. Een zijden sjaal voor Lydia. En vijftien – vijftien! – pakjes voor Susanne, pakjes waarin boeken, truien, geurtjes, singles, een bloes en een tas zaten.

Susanne had die overvloed met blijdschap en verbijstering aanschouwd, maar ze had niet goed geweten hoe ze Elsie moest bedanken of wat ze moest zeggen. Maar dat probleem loste zichzelf op. Ze had helemaal niets hoeven zeggen; Elsie had alleen maar gelachen en was blijven praten, ze had zeemansverhalen verteld waar Lydia van moest blozen, Birgers moeder om moest giechelen en Birger zelf verrast om moest grinniken. Daarna werd hij stil; hij zat een tel volkomen roerloos voor zich uit te staren, maar Elsie begon al aan een nieuw verhaal en zorgde ervoor dat hij nog een keer verwachtingsvol glimlachte. Na een uur was alles bijna normaal, bijna zoals het anders altijd was, bijna zoals het op Kerstavonden in het rode huis aan Svanegatan altijd was geweest.

Op het feit na dat Inez en Björn ontbraken. Wat natuurlijk betekende dat niets was zoals het anders was.

Toch was deze kerstviering alsof ze werden gewekt. Alsof ze allemaal hadden geslapen en nachtmerries hadden gehad, maar nu wakker werden, om zich heen keken en beseften dat wat ze gedroomd hadden inderdaad, helaas, niet alleen maar een nachtmerrie was geweest, maar dat iets ervan ook tot de werkelijkheid van het wakende leven behoorde. Er was verdriet, er was angst, er was eenzaamheid, maar desondanks had het wakende leven troost te bieden, een troost die er in de droom nooit was. Hoop. Het zou beter kunnen worden. Er zouden tijden van vreugde, van vertrouwen, van saamhorigheid kunnen komen. En Elsie was degene die hun dit deed inzien, begrijpen en voelen, hoewel ze daar natuurlijk met geen woord over repte. Ze glimlachte alleen maar, ze zat ieder van hen vriendelijk en lachend aan te kijken.

Nu zat ze echter met haar ogen dicht tegenover Susanne en ze liet zich zachtjes heen en weer schudden door de schokken van de trein over de verbindingslassen van de rails. Ze sliep waarschijnlijk. Misschien droomde ze ook, want opeens mompelde ze iets, maar zo zacht dat je niet kon verstaan wat ze zei. Susanne rekte zich uit, legde haar voorhoofd tegen het raam en probeerde naar buiten te kijken. Het was heel donker; het enige wat ze kon zien was het licht van hun eigen wagon. Bleekgele ruiten gleden over de sneeuw buiten. In één ervan zag ze haar eigen schaduw. Ze stak haar hand op om te wuiven.

'Wat doe je?'

Elsie was wakker geworden en vroeg dit met een glimlach in haar stem. Susanne glimlachte terug.

'Ik zwaai naar mijn schaduw.'

Elsies glimlach werd breder.

'Goed', zei ze. 'Heel goed.'

Ze bleven een poosje zwijgend zitten en Elsie keek op haar horloge.

'Over twintig minuten zijn we er.'

Susanne knikte.

'Hoeveel tijd hebben we?'

'Tweeënhalf uur', zei Elsie. 'Als we er tenminste niet blijven slapen.'

'Nee', zei Susanne. 'Ik wil er niet blijven slapen.'

'Goed', zei Elsie. 'Dan nemen we de volgende trein terug naar huis.'

Niets was nog zoals het was geweest. Niets, behalve dat hoge hotel dat als een uitroepteken naast het station stond. De stad was wit. Hij glinsterde en fonkelde van de sneeuw. Enorme sneeuwmassa's. De straten lagen er wit en spekglad bij, bijna alle trottoirs gingen schuil achter hoge sneeuwwallen en de ijspegels hingen als lange speren van balkons en daken.

Susanne en Elsie bleven voor het station staan en keken om zich heen. Ze probeerden dit alles, dat zo anders was dan de mistige regenachtige winter waar zij vandaan kwamen, op te nemen.

'Wat is het stil', zei Elsie.

Susanne knikte. Inderdaad, het was stil. Het was net zo stil als op die dag in het voorjaar toen zij hier voor het laatst was geweest. Hoewel, niet helemaal stil. Ergens in de verte hoorde je een auto; iemand reed ergens door deze besneeuwde straten naar een feest. Heel even voelde ze van binnen een verlangen, maar slechts heel even, slechts een seconde of twee.

'Is dat het hotel waar jullie verbleven?'

Elsie klonk zakelijk. Susanne knikte weer.

'Dus daar wilde Eva jou wegsturen?'

Susanne knikte voor de derde keer.

'Wat een raar mens', zei Elsie droog.

Susanne schoot in de lach en opeens vond ze haar stem terug.

'Kom', zei ze. 'We lopen naar het plein.'

De Grote Markt lag er verlaten bij; er stond alleen een bus geparkeerd en er was een kraampje waar warme worst werd verkocht. In het kraampje zat een warm aangeklede man; hij had een blauwe muts op, die hij diep over zijn voorhoofd had getrokken en hij droeg een schort over zijn grijze donsjack. Toen zij de straat overstaken, boog hij zich naar voren om het glazen luikje te openen. Terwijl ze naderbij kwamen, stond hij met zijn handen onder zijn schort af te wachten.

'Worst?' vroeg Susanne.

Elsie keek aarzelend.

'Moeten we niet liever een restaurant zien te vinden?'

De man in de worstenkraam schoot in de lach en boog zich voorover. Hij praatte met luide stem en in het zangerige Smålandse dialect.

'Hu! Alles is toch dicht, behalve het hotel en het Volkshuis. En daar had je maanden geleden al een tafel moeten reserveren. Hebben jullie dat gedaan? Een tafel gereserveerd?'

Elsie keek enigszins verward.

'Nee, natuurlijk niet, maar ...'

De man rechtte zijn rug.

'Dan wordt het worst. Jullie hebben geen keus. Er is in heel Nässjö niets anders te krijgen.'

Zo stonden ze ten slotte elk met een worst met aardappelpuree voor zijn worstenkraam om zich heen te kijken. Ze aten zwijgend en zonder elkaar aan te zien. De kou beet in Susannes oren en ze begon het gevoel in haar tenen te verliezen, maar toch voelde ze zich opeens volkomen rustig.

'Wil je naar het Volkspark?' vroeg ze ten slotte. 'Met een taxi?'

Elsie zweeg een ogenblik.

'Nee', zei ze toen. 'Ik denk het niet. Jij wel?'

'Nee. Dit is voldoende. En dat zal trouwens ook wel gesloten zijn.'

'Inderdaad.'

Het werd opnieuw stil. Er viel een kleddertje mosterd van Elsies worst op straat neer en ze stapte snel achteruit. Op hetzelfde moment hoorde ze Susanne met haar voeten stampen.

'Het is koud', zei ze.

'Inderdaad', zei Elsie. 'Heel erg. We moeten in beweging komen ...'

Ze knikten de man in de worstenkraam toe, maar hij staarde alleen maar chagrijnig terug zonder hun groet te beantwoorden. Ze begonnen om het plein te lopen. In de verste hoek stond een afvalbak. Daar stopten ze om de laatste resten van hun worst op te eten en ze lieten het afval in de bak vallen. Ze liepen verder. Ten slotte slaakte Susanne een zucht. Ze besloot de moeilijkste van alle moeilijke vragen te stellen.

'Denk jij dat hij dood is?'

Elsie bleef niet staan. Ze barstte niet in tranen uit. Ze draaide zich niet om om Susanne een oorvijg te geven. Ze liep gewoon door, maar haar antwoord liet even op zich wachten.

'Ja', zei ze. 'Helaas denk ik van wel. Ik durf het bijna niet te zeggen, maar zo is het. Ik denk dat Björn dood is. Dat hij die nacht is overleden.'

Susanne deed haar ogen dicht.

'Dat wil ik niet', zei ze ademloos. 'Ik wil niet dat hij dood is.'

'Dat weet ik', zei Elsie.

'Soms denk ik dat ik hem zie. Dat ik een glimp van hem opvang op straat of op school, maar hij is het natuurlijk nooit ... Het is altijd iemand anders. En dan word ik zo boos op hem. Razend gewoon. Dat hij zomaar is vertrokken, verdwenen, opgelost in het niets … Dat hij mij in de steek heeft gelaten.'

Elsie antwoordde niet.

'En ik heb fantasieën waar ik geen macht over heb. Die kunnen elk moment opduiken, op school of wanneer ik naar bed ga, en soms voel ik dat niet, ik word er als het ware gewoon in meegezogen … Ik denk dat ik hem door een bos zie lopen. Of dat hij ergens op een grindweg staat. Of op iemand zit te wachten op een hek. En dan krijgt hij mij in de gaten. Het is altijd hetzelfde, hij krijgt mij in de gaten en dan zegt hij: "Ik vergeef het je! Je bent mijn kleine zus en ik vergeef het je …"'

Ze begon te snikken en streek met haar hand langs haar neus.

'Maar waarom moet hij mij vergeven? Dat vraag ik me af. Betekent dit dat hij vindt dat het míjn schuld was? Hoe kon het nou mijn schuld zijn? Ik was toch niet degene die het podium op stapte en zich als een debiel gedroeg? Ik was toch niet degene die begon te slaan? Ik was toch niet degene die is weggerend en verdween? Dus waarom is het míjn schuld? Begrijp jij dat?'

Elsie schudde zwijgend haar hoofd en sloeg haar arm om Susanne heen. Ze drukte haar even tegen zich aan, alsof ze haar het zwijgen wilde opleggen, maar Susanne praatte gewoon door. Het was een stortvloed van woorden.

'Maar misschien bedoelt hij wat anders. Dat hij mij iets anders vergeeft. Maar wat? Ik weet het niet. Dat ik jaloers op hem was? Dat was ik. Toen ik klein was, was ik ontzettend jaloers op hem.'

Nu waren ze weer terug bij de worstenkraam. Ze hadden een heel rondje om het plein gelopen. De worstenman wierp hun een boze blik toe toen ze langsliepen, maar hij zei niets. Elsie zei ook niets. Ze liepen gewoon door.

'Het is zo belachelijk', snotterde Susanne. 'Maar toen ik klein was, dacht ik altijd dat er iets bijzonders was met Björn. Dat hij een verloren prins was of zo. En ik was natuurlijk een gewoon kind, ik was niets bijzonders. Dat kon je gewoon aan haar ogen zien. Ze had een speciale blik wanneer ze naar Björn keek. Naar mij keek ze nooit op die manier. Nooit! Geen enkele keer.'

'Inez?' zei Elsie. Haar stem was zo zacht dat het klonk alsof ze bang was dat iemand haar zou horen.

'Ja', zei Susanne. 'Inez. Mijn moeder. Hoewel ik nooit het gevoel heb gehad dat ze mijn moeder was. Op de een of andere manier was ik net zo verweesd als Björn. Nog meer een wees dan hij!'

Ze bleef opeens staan om zich uit Elsies arm los te maken en ze wreef snel met haar want over haar wang.

'Sorry. Ik wilde natuurlijk niet ...'

Elsie knikte.

'Het geeft niet. Ik snap wat je bedoelt.'

'Zeker weten?'

'Zeker weten.'

Ze liepen weer verder, in de maat, en deden er een poosje het zwijgen toe. Ze keken naar een auto die door Storgatan voorbijreed. Opnieuw kwamen ze langs de afvalbak.

'Ik denk,' zei Elsie ten slotte, 'ik denk dat je vroeg of laat de dingen moet accepteren zoals ze zijn. Ook verdrietige dingen.'

Er ontsnapte een geluidje aan Susannes keel, maar ze zei niets. Ze luisterde alleen maar.

'Inez hield van Björn. Ze heeft vanaf het eerste moment van hem gehouden. Hij is de enige van wie ze ooit heeft gehouden. Dat is triest, maar zo is het. Daar kunnen we niets aan doen. Maar dat betekent natuurlijk niet dat jij het niet waard bent om van te houden. Dat betekent natuurlijk niet dat er van jou niet wordt gehouden. Björn hield immers van jou. Ik hou van jou. En Birger houdt van jou.'

'Birger?'

Het klonk alsof ze haar neus ophaalde. Elsie glimlachte.

'Jawel. Birger houdt van je, op zijn eigen manier. Dat denk ik. Daar ben ik van overtuigd. Hij weet alleen niet hoe hij dat moet tonen. Maar dat is niet het belangrijkste. Het belangrijkste is dat je ooit leert om je te verweren.'

Susanne balde haar vuisten in haar wanten.

'Me verweren? Hoe zou ik me kunnen verweren?'

Elsie bleef staan. Ze wendde zich tot Susanne, stak haar handen in de zakken van haar mantel en keek haar aan.

'Je moet jezelf verdedigen. Je bent het waard om verdedigd te worden.'

Susanne bleef een ogenblik zwijgend staan, slikte toen en schudde haar hoofd.

'Nee. Ik ben het niet waard om verdedigd te worden. Ik ben het niet eens waard om te leven. Dat heeft Inez gezegd. Mijn moeder.'

'Inez ligt in het Sankt Lars. Jij niet.'

Susanne keek op. Ze keek om zich heen. Zag opeens de grote kerstboom met zijn honderden lichtjes die midden op de Grote Markt in Nässjö stond. Ze zag een auto naar het grote hotel rijden en een jong meisje uitstappen. Een jong meisje in een lange jurk. Dat zou ik kunnen zijn, dacht ze heel even. Ja. Ik zou een jong meisje in een lange jurk kunnen zijn. Volgend jaar zal ik dat zijn.

Ze glimlachte naar Elsie.

'Ik zal me verweren', zei ze. 'Jij moet me leren hoe je dat doet.'

'Het weinige dat ik je leren kan, zal ik je leren', zei Elsie.

Björn was weg. Verdwenen. Opgeslokt door een Smålands bos.

Toch kwam hij af en toe naar Elsie toe. Hij sloop haar gedachten binnen en verscheen in haar dromen, liep vlak achter haar wanneer ze alleen was. Ze liet hem komen. Bood geen weerstand. Ze liet alles gewoon zijn zoals het was.

Nu stond hij achter Elsie in Inez' keuken net als zij de straat in te kijken. Het was een bewolkte dag. Er hing regen in de lucht. De tuin zag er moe en naakt uit. Het was nog winter, maar gauw, heel gauw zou het lente worden.

'Je hebt het opgeknapt', zei Björn.

Elsie glimlachte, maar ging er niet op in. Maar hij had gelijk. Ze had het echt opgeknapt. Inez' keuken zag eruit zoals in de tijd toen Björn hier nog woonde. Er stonden nieuwe geraniums op een rij in de vensterbank, er lagen glimmende appels op de tinnen schaal, en het witte servet dat als kleedje dienstdeed, lag er gesteven en gestreken onder. En op het aanrecht stond een bakplaat met versgebakken koffiebroodjes te wachten op de terugkeer van Inez, te wachten tot zij aan de keukentafel zou gaan zitten om een kop koffie te nemen, zoals duizenden keren daarvoor.

'Je had niet dood moeten gaan', zei ze.

Achter haar slaakte Björn een zucht en hij liet zijn koude adem over haar nek gaan.

'Hoe weet je dat ik dood ben?'

'Je had dat niet moeten willen.'

'Hoe weet je dat ik dat wilde?'

Elsie negeerde hem.

'Je had ons althans een graf moeten geven waar we naartoe konden gaan. Niet voor mij. Maar voor Inez.'

'Inez heeft een graf om naartoe te gaan. Van binnen.'

Elsie haalde haar neus op.

'Nu ben je gemeen.'

'Nee', zei Björn. 'Dat ben ik niet.'

Ze gooide haar hoofd in de nek en draaide zich om.

De deur van Susannes kamer stond wijdopen. De stoel van het bureau was half naar achteren getrokken, maar verder was de kamer keurig op orde. De sprei lag er blinkend wit en schoon bij. Op het nachtkastje lag een boek waarvan het rode omslag netjes was dichtgeslagen. Voor het raam stond een Kaaps viooltje te bloeien. Er waren geen kleren over de meubels gesmeten, er lag geen krant halfopen op de grond, er hingen geen kapotte panty's half uit de prullenbak.

De kamer zag eruit als een kamer in een meubelcatalogus. Onbewoond.

Susanne was begonnen zich te verweren. Op haar eigen manier.

De slaapkamer was bepaald niet zo netjes. Iemand had op de gebloemde sprei gezeten en die daarna niet weer gladgestreken. Er lag een verkreukelde broek over de armleuning van de fauteuil, en een paar schoenen, een grote en een kleine schoen, stonden bij de stoel op de grond, met de neuzen wijzend naar elkaar. Aan de deur van de kledingkast hing Inez' nieuwe jurk, de jurk die Birger meer dan een maand geleden had gekocht en die hij haar als welkomstcadeau wilde geven wanneer ze thuiskwam. Erg mooi was hij niet. Behoorlijk saai, eigenlijk. Donkerblauw, met een witte kraag. Toch was Elsie Birger ter wille geweest en had ze de jurk gepast. Als een mannequin had ze voor hem gelopen en toen ze zich omdraaide, was ze even met de zoom van de rok langs hem heen gestreken, en ze had glimlachend gezegd dat het een uitstekende keuze was.

Hij had teruggelachen. Heel even. Maar toch. Birger had naar Elsie gelachen en dat was een bewijs dat er hoop was in de wereld.

De deur van Björns kamer was dicht. Die liet ze dicht; ze liep gewoon snel verder en deed de deur van de zolderruimte open, glipte de trap op en stak haar hand uit naar het lichtknopje. Ze deed de lamp aan. Keek om zich heen. Alles zag eruit zoals het eruit moest zien. Het bureau met oude en nieuwe elementen, waar Inez over had verteld toen ze weer zichzelf begon te worden, stond op de rommelzolder. Elsie had het gekocht. Ze was naar de antiquair gegaan, had betaald wat haar zus verschuldigd was en geregeld dat het bureau naar Svanegatan werd gebracht. En nu stond het bij de deur van Inez' werkkamer. Te wachten tot Inez het zelf naar binnen zou brengen.

Elsie deed de deur van de werkkamer open. De muren blonken wit. Nergens kon je zien dat iemand er ooit een naam op had geschreven.

Ze ging op haar knieën zitten en begon de kranten die op de grond lagen bijeen te rapen. Ze had nogal geknoeid bij het schilderen. Veel meer dan Inez.

Ze stond buiten bij de vuilnisbak om de kranten weg te gooien toen ze de taxi hoorde aankomen. Ze hoorde, maar zag Birger niet uitstappen. Ze hoorde hem afrekenen. Ze hoorde hem het achterportier openen en Inez lokken.

'Kom, Inez! Kom nou! Elsie heeft koffie voor je gezet; ze wacht binnen.'

Er kwam geen reactie. Het was helemaal stil op straat. Achter haar zuchtte Björn.

'Schuld', fluisterde hij. 'Boetedoening.'

Elsie sloot haar ogen en slaakte een zucht. Ze streek met beide handen over haar rok, rechtte haar rug en liep naar de voorkant van het huis. Ze zag haar zus, zag haar heel bleke zus bij het hek staan rondkijken. Ze glimlachte en haastte zich naar het hek om het te openen.

'Inez!' zei ze. 'Welkom thuis.'

IEMAND

Er is niets veranderd. Toch is alles opeens anders.

Om haar heen is het feest nog steeds in volle gang. Robert krijgt applaus. Met plechtige ironie buigt hij naar het publiek. Hij zwiert rond en met de stropdas losjes bungelend om zijn hals draait hij naar links en naar rechts, en als laatste terwijl het applaus langzaam wegebt, naar Amanda. Hij buigt nog een keer en maakt een sierlijk gebaar. En zij kan hem de volgende dans niet weigeren, niet nu iedereen ziet dat hij haar vraagt. Ze glimlacht en laat zich door hem omhelzen. Hij glimlacht en sluit haar in zijn armen. De muziek begint weer. Over Amanda's schouder heen trekt Robert een grimas naar Bernard en terwijl hij zijn vingers in haar lange blonde haar laat glijden, drukt hij haar nog steviger tegen zich aan.

Susanne laat zich terugzakken op haar stoel. Ze grijpt haar wijnglas. Neemt een slok. Knippert met haar ogen.

'Wat zei je?' zegt Anders naast haar. 'Zei je dat hij het is?'

Ze schudt haar hoofd, ze kan nog niet antwoorden. John slaat zijn arm om haar heen.

'Hoe is het? Ben je misselijk?'

Susanne schudt opnieuw haar hoofd. Ze kan niet praten, wil niet praten; ze maakt zich los en staat op. John doet dat ook, maar ze schudt haar hoofd en steekt haar hand op, maakt een stopteken. Hij laat zich terugzakken op zijn stoel en knikt. Anders en Ulrika kijken haar aan, maar zeggen niets en doen geen pogingen om haar tegen te houden. Ze laten haar gaan.

Om bij de deur te komen moet ze de dansvloer oversteken. Ze moet hem passeren. En zonder erbij na te denken brengt ze de vingertoppen van haar linkerhand naar haar slaap, ze bedekt zich, probeert haar gezicht te verbergen. Een tel later is ze zich bewust van wat ze doet en ze laat haar hand zakken. Waarom zou zij zich moeten verstoppen? Wat heeft zij misdaan? Maar haar angst is groter, die angst die slechts een instinct is, geen gedachte. Die angst is er de oorzaak van dat ze haar hoofd wegdraait, dat ze haar gezicht naar rechts draait, zodat Robert, die links aan het dansen is, haar niet zal zien, haar niet zal herkennen en niet aan haar zal terugdenken. Terwijl ze dit doet, vangt ze toch een glimp van hem op. Robert danst dicht tegen Amanda aan. Hij heeft zijn ogen dicht. Hij lijkt te genieten.

Ze loopt het zijdek op. Zonder jack en laarzen. Ze duwt gewoon de deur open en loopt naar buiten; de ijswind pakt haar haren en laat haar bloes klapperen op haar rug. Ze loopt voorzichtig over het spekgladde dek naar de reling, leunt voorover, verbergt haar hoofd in haar armen en laat de gedachte tot zich doordringen. Echt bewust.

Hij is het. Robert. Robban. Natuurlijk is hij het. De eeuwige grappenmaker. De levensgevaarlijke nar. Uiteraard. En toch herkende ze hem niet; ze heeft zich vanavond pas gerealiseerd wie hij is. Pas toen hij die stropdas uit zijn zak haalde en net deed of hij zichzelf ophing.

Veertig jaar geleden deed hij dat ook al. En hij heeft nog steeds niets beters kunnen bedenken.

Ze tilt haar hoofd iets op en staart een ogenblik naar de enorme ijsblokken die vlak bij haar hun turkooizen binnenkant vertoornd naar de hemel wenden, die draaien en wentelen, die zich naar de wolken proberen uit te strekken, maar daar niet in slagen en in zee worden geduwd, die duwen en in het gedrang komen, die in strijd zijn verwikkeld, rondtuimelen en door andere enorme ijsblokken worden verdrongen.

Susanne recht haar rug en wendt zich af van het kapotgeslagen ijs. Ze zoekt in haar zakken naar haar sigaretten en steekt er met trillende hand eentje op. Ze stopt haar handen in haar zakken en voelt dat ze het koud heeft, maar ze laat het zo. Ze biedt geen weerstand. Ze geniet er juist van dat ze verkoeling krijgt, dat ze afkoelt, dat ze kil en koud wordt, en heel even gaat de gedachte door haar heen dat ze zo zou kunnen leven, dat ze de rest van haar leven aan boord van de Wodan zou kunnen doorbrengen, slechts gekleed in een dunne bloes, al zou dat leven vast niet langdurig zijn. Ze glimlacht een beetje om haar eigen gedachte en inhaleert diep. Ze draait zich weer om en bekijkt opnieuw de bulderende ijsmolen van de Wodan. Die zou kunnen doden. Die zou in heel korte tijd een mens kunnen vernietigen. Die zou pezen en spieren kapot kunnen trekken, schedel en skelet kunnen verbrijzelen ...

Onzin. Ze moet nadenken. Niet alleen maar voelen.

Robban is dus aan boord van de Wodan. Hij is een zeer middelbare docent in de chemie geworden, wat je, gezien zijn leeftijd, eigenlijk als een mislukking moet zien. Hij beschouwt zichzelf kennelijk nog steeds als een leuke vent. Hij heeft lang haar in een paardenstaart, hoewel hem dat niet staat, hoewel zijn haren dun en grijs zijn. Hij heeft rimpels in zijn gezicht en hij kan niet verbergen dat hij jaloers is op knappere mannen, jongere mannen, mannen die succesvoller zijn dan hij. En hij probeert regelmatig vrouwen te verleiden die nauwelijks geboren waren toen hij zelf zijn beruchte vijftien minuten van beroemdheid had.

Het is Robban. Robert. Een buitengewoon vals tienerknaapje dat is vastgevroren in het lichaam van een ouwe vent. De man die Björn het bos in joeg. De man die ooit Susannes leven bepaalde door in het Volkspark van Nässjö te mimen. De man die de blijdschap in Inez' leven verwoestte en Elsies leven in een boetetocht veranderde. En nu is hij hier. Binnen bereik voor Susanne. En zij binnen zijn bereik.

Ze is bezig een trek van haar sigaret te nemen, maar stopt opeens en staart recht voor zich uit. Ze begint te hoesten. Ze ziet en begrijpt nu wat ze al veel eerder had moeten zien en begrijpen. Hij is het toch! Natuurlijk. Het is Robban die telkens haar hut is binnengedrongen. Het is Robban die haar kleren uit de kast heeft gerukt, haar muren onder heeft gepist en KUTWIJF op de spiegel heeft geschreven. Het is Robban die in haar kooi een pop heeft gemaakt die een dode vrouw moest verbeelden, hij is het die daaroverheen gebogen heeft gestaan om zorgvuldig een leren riem om een onzichtbare hals te sluiten.

Hij haat haar. Hij weet wie ze is en hij haat haar. En hij haat haar omdat ze ooit een broer had.

Ze inhaleert diep en proeft opeens de tabakssmaak. Walgelijk.

Weerzinwekkend. Ze schiet de peuk over de reling en ziet hoe die onmiddellijk tussen twee ijsblokken vermalen wordt. Ze steekt haar hand in haar zak om het pakje sigaretten eruit te vissen en gooit dat achter de peuk aan. Ze is niet van plan ooit nog te roken.

Maar verder weet ze precies wat ze van plan is.

Ze laat er een paar dagen overheen gaan. En een paar nachten. Tijd is het enige wat ze neemt. En verder, uiteraard, een paar oude, licht versleten verleidingstrucs.

Wanneer ze die trucs op John loslaat, voelt ze zich eerst een beetje belachelijk. Ze troost zich echter met de gedachte dat hij het goed opneemt, dat hij met zo'n vaart in haar armen vliegt dat ze bijna omvalt. Tijdens zijn eerste zoenen staat ze enige doodsangsten uit; ze schaamt zich een beetje voor het feit dat ze zo berekenend is. Toch kan ze zich niet bedwingen en na een tijd in zijn kooi verdwijnt de schaamte. Haar hart begint sneller te kloppen, ze krijgt een brok in haar keel en ze vergeet wat ook alweer haar bedoeling was. Ze laat gewoon haar lippen en handen over zijn zachte hals glijden, zijn warme rug, zijn harige buik, drukt zich dicht tegen hem aan en wil onder zijn huid kruipen ... Wanneer hij nadien dicht naast haar in slaap valt, blijft ze stil glimlachend liggen en ziet ze in het schemerdonker van zijn hut dat hij zijn kleren in een kreukelige hoop op de grond heeft gegooid. Wat een geluk dat hij niet wil trouwen. En wat een geluk dat hij haar toch hier wil hebben, dicht bij zich, nacht na nacht.

Wanneer de ochtend komt, lopen ze samen naar de mess; ze laten iedereen zien en begrijpen dat ze een paar zijn. Ze gaan tegenover elkaar aan het ontbijt zitten. Ze zitten ook tijdens de lunch en het avondeten tegenover elkaar. Ze krijgen steeds vaker gezelschap van Anders en Ulrika, dat andere oudere gesettelde stel aan boord. De jongste vrouwen onder de wetenschappers schenken hun een paar vertederde lachjes, maar dat is een vernedering die Susanne bereid is te dragen. Ulrika is echter niet zo verdraagzaam en na enkele stekelige opmerkingen van haar kant is het afgelopen met de tederheid.

's Avonds zitten John en Susanne in de bar een glas wijn te drinken. Of ze kijken naar een video. Ter afsluiting maken ze een wandeling over het schip; ze lopen met hun armen om elkaar heen van het zijdek naar de achtersteven. Daar staan ze een minuut of twee naar de ijswallen te kijken die zich achter het vaartuig vormen – John zucht diep en overpeinst de moeilijkheden waar De Vis voor staat – en lopen dan verder naar het andere zijdek, de trap op, en gaan elk op een treeplankje op de voorplecht staan. Ze kijken om zich heen. Zien de bruine eilandjes en de witte ijsvlaktes, wenden hun gezicht naar de avondwind of de motregen en slaan ten slotte hun armen om elkaar heen wanneer ze weer naar binnen gaan. Soms laat Susanne haar hoofd tegen Johns borst rusten wanneer ze langs het laboratorium lopen. Zodat Robert goed zal zien en begrijpen dat ze op weg zijn naar Johns hut voor een liefdesnacht.

Haar eigen hut staat er onbewoond bij. Af en toe gaat ze ernaartoe om een douche te nemen, schone kleren te halen en wat te schrijven op haar computer. Wanneer ze weggaat, draait ze zich in de deuropening altijd om om alles goed in zich op te nemen. Hoe de kooi eruitziet, hoe de computer staat, hoe het boek dat ze pretendeert te lezen erbij ligt. Wanneer ze terugkeert, moet ze weer blijven staan om het te vergelijken. Heeft iemand aan de kooi gezeten? De computer verplaatst? Het boek omgedraaid? Dat is echter nog niet gebeurd. Hij is nog niet gekomen.

Robert volgt haar met zijn blik, dat weet ze nu. Hij heeft nagedacht, gepeinsd over de overeenkomsten tussen de mimeact die hij laatst opvoerde en de act die hij langgeleden heeft opgevoerd; hij vraagt zich af of ze misschien doorheeft wie hij is. Wanneer ze 's ochtends aan de vergadertafel van de kapitein zit, wordt zijn blik de hele tijd naar haar toe gezogen. Zij doet net of ze het niet merkt. Wanneer hun wegen elkaar in de hal kruisen, glimlacht ze neutraal, en ze knikt alsof hij een vreemdeling is, wie dan ook; ze laat hem niet merken dat ze luistert of ze zijn voetstappen hoort, en dat ze weet dat hij zijn pas meteen vertraagt om zich om te draaien en haar na te kijken. En wanneer ze elkaar in de gang tegenkomen, in de gang waarin ze allebei hun hut hebben, glipt ze gewoon langs hem heen en zegt ze iets vaags over het weer. Ze laat hem niet merken dat ze weet dat hij zo meteen zal stoppen om haar na te staren. Soms probeert hij naar haar te glimlachen, maar dat lukt niet zo best. Dat lukt eigenlijk helemaal niet.

Alles is zoals het wezen moet. In deze tijden van afwachting.

De vierde nacht zegt ze tegen John dat ze alleen wil slapen en ze probeert niet te glimlachen wanneer ze ziet hoe opgelucht hij is, hoe hij letterlijk uitblaast.

'We moeten eens goed uitslapen', zegt ze. Ze staan aan dek en ze slaat haar arm om hem heen. 'Allebei.'

'Inderdaad', zegt hij terwijl hij vermoeid met zijn hand over zijn voorhoofd strijkt. 'Inderdaad. Dat moeten we eigenlijk wel.'

'Maar we kunnen eerst nog wel even naar de bar gaan,' zegt Susanne, 'om snel een glas wijn te nemen.'

'Absoluut', zegt John. 'Dat doen we.'

Susanne weet dat Robert in de bar zit; ze zag hem naar binnen gaan toen zij haar jas aantrok om het dek op te gaan. Hij doorkruiste de hal met snelle stappen en wierp slechts een haastige blik in haar richting, maar hij glimlachte en knikte niet. Hij haastte zich alleen maar achter Bernard en Amanda aan, die juist de gang naar de bar in liepen. Hij heeft zich nog steeds niet gewonnen geven. Hij streeft nog steeds naar de onbereikbare Amanda met haar blonde haren, hoewel ze vijfentwintig jaar jonger is, hoewel ze oogverblindend mooi is, hoewel het overduidelijk is dat ze aan Bernard de voorkeur geeft.

Wanneer John en Susanne binnenkomen, staat Robert aan de bar; hij staat daar tussen de anderen, die zich pratend en lachend verdringen. Bernard en Amanda hebben zich enigszins teruggetrokken, maar Robert laat niet los; dringend en duwend probeert hij dichterbij te komen, hij wil Amanda verleiden en Bernard vermorzelen. Nu. Meteen. Op dit moment. Zijn gezicht is een open boek van naakte, trillende wellust en vijandigheid. Voor iedereen volkomen zichtbaar.

Susanne loopt niet naar de bar. Ze gaat aan de tafel zitten waar Ulrika en Anders al zitten, en laat John het duwwerk voor haar doen. Ze neemt Robert vanuit haar ooghoeken op en ziet dat hij John in de gaten krijgt en meteen een blik over de bar werpt om te zien waar zij is. Hij vindt haar en neemt daar genoegen mee. Zelf laat ze haar blik onverschillig over hem heen glijden, wendt zich dan tot Ulrika en zegt: 'Alles goed?'

'Ja, hoor', zegt Ulrika glimlachend. Anders zit naast haar en heeft zijn arm om haar schouders geslagen. Ook hij glimlacht; hij ziet er tevredener uit dan ze hem ooit heeft gezien. Ontspannen. Gelukkig.

'En met jou?'

Susanne strekt zich uit om het glas te pakken dat John haar aanreikt.

'Ja, hoor, prima.'

Zo blijven ze een poosje zitten, stil en volkomen tevreden met hun stilte. Die is vriendelijk en welwillend. Volwassen. Geen van de drie anderen weet iets over Susannes wachten; ze heeft tegen niemand met een woord gerept over haar plannen. Ze heeft John over de bezoeken aan haar hut verteld, maar ze heeft dat op een heel ontspannen toon gedaan, niet om hem voor de gek te houden of te misleiden, maar omdat ze zich tegenwoordig behoorlijk ontspannen voelt. Anders en Ulrika zijn ook ontspannen; het lijkt of ze hun ongerustheid en onbehagen over wat haar is overkomen zijn vergeten. Ze hebben al in geen dagen meer geïnformeerd naar de bezoeker. Susanne is immers met John, dus waarom zouden ze zich ongerust maken?

Ja, waarom zouden ze zich ongerust maken, denkt Susanne terwijl ze naar hen kijkt en het glas heft. Dit gaat hun immers niet aan. Er zijn maar twee mensen die dit iets aangaat.

Robert staat nu naast Amanda. Hij legt zijn in verband gestoken hand vlak naast die van haar. Ze maakt een kleine beweging van afkeer en kruipt wat dichter naar Bernard. Die slaat zijn arm om haar heen en wendt zich naar Robert om iets te zeggen. Robert geeft geen antwoord; hij probeert alleen hooghartig te kijken, maar dat wil niet goed lukken. Hij trekt een grimas, keert hun de rug toe en stapt achter de bar om een glas – een groot bierglas! – rode wijn in te schenken, waarvan hij begint te drinken. Hij drinkt met grote slokken en terwijl hij dat doet, realiseert hij zich dat hij opnieuw publiek heeft. Enkele zeelieden en wetenschappers hangen over de bar en lachen verrukt. Robert laat zijn glas zakken, veegt met zijn verband zijn mond af en kijkt hen aan. Hij vuurt zijn breedste glimlach af en vult zijn bierglas opnieuw met rode wijn.

Het is zover. Susanne weet het. Vannacht zal het gebeuren.

Ze leunt naar voren en legt haar hand op Johns arm. Zijn overhemdsmouw is opgerold en zijn grijze haartjes kietelen onder haar handpalm.

'Ik ga met je mee', zegt ze.

Hij leegt zijn bierglas en schudt langzaam zijn hoofd.

'Soms ben je een wonderlijk figuur, Susanne.'

Ze staat op en strekt glimlachend haar hand naar hem uit. Hij pakt die en ze lopen hand in hand naar de deur. Als een stel dat op weg is naar dezelfde hut. Wanneer ze over de drempel stapt, draait Susanne zich snel om. Ze ziet dat Robert hen nakijkt.

Inderdaad. Vannacht is het zover. Vannacht komt hij.

Toch voelt ze zich tamelijk belachelijk wanneer ze zich in de bezemkast in evenwicht probeert te houden. Dat lukt niet zo best. Ze heeft een lichtblauwe emmer omgekeerd en is daarop gaan zitten, maar het ding wil niet stil blijven staan. Hij glijdt de hele tijd, volgt de bewegingen van het schip, niet veel, maar voldoende om haar de hele tijd op haar hoede te doen zijn. In het donker tast ze naar de roestvrijstalen wasbak. Er was hier toch een wasbak? Jawel. Dat weet ze. Dat herinnert ze zich. En ja, daar is hij eindelijk. Nu kan ze zich zittend vasthouden aan de wasbak. Dan glijdt ze niet weg. Dan zal ze niet omvallen.

Om haar heen is het volkomen duister. Echt volkomen duister. Er valt nog geen streepje licht uit de gang naar binnen; er straalt en glinstert nog niet het kleinste foton. Haar ogen zullen niet aan deze duisternis gewend raken, haar verwijde pupillen zullen niets van het inwendige van de bezemkast kunnen blootleggen. De duisternis is compact. Gesloten. Stil. En in die duisternis zit zij op een omgekeerde emmer te wachten op Robban. De man uit het verleden. De man die steeds haar hut binnendringt en zich als een debiel gedraagt. De man die haar er bovendien toe brengt zich als een debiel te gedragen.

Toch staat ze niet op. Toch doet ze de deur niet open om de gang in te gaan. Toch zet ze niet de vier stapjes naar haar hut om de deur achter zich op slot te draaien. Ze blijft op haar emmer zitten en terwijl ze haar oren spitst, houdt ze zich vast aan de roestvrijstalen wasbak. Het hart van de Wodan klopt langzaam en duidelijk. Dunk. Dunk. Dunk. Dat is het enige wat ze hoort. Ze kan het ijs dat buiten gebroken en vermalen wordt niet horen, de muziek uit de bar niet, geen stemmen of gelach van mensen die zich de trap op en af haasten, op weg naar de brug of ervandaan. Alleen dit. Dunk. Dunk. Dunk.

Of trouwens? Nu hoort ze iets. Stappen. Iemand loopt met zware passen door de gang. Blijft staan. Opent een deur. Gaat naar binnen. Doet de deur dicht. Een paar tellen later hoort ze muziek. Ze blaast uit. Dat moet Magnus of Ola zijn. Van opluchting krijgt ze bijna tranen in haar ogen. Magnus of Ola zal in de hut naast de hare zijn wanneer hij komt.

Die komen als zij roept. Dat weet ze zeker. Bijna zeker.

Het schip begint te zwenken. Daardoor verliest ze bijna haar evenwicht en ze staat snel op, maar laat de wasbak niet los; die houdt ze nog steeds stevig vast. Eenmaal overeind gekomen schudt ze haar hoofd; ze knippert met haar ogen en strijkt dan met beide handen over haar gezicht. Heeft ze geslapen? Ja. Ze moet even zijn ingedut, ze moet op die omgekeerde emmer hebben zitten slapen, maar ze weet niet hoelang. Waarschijnlijk maar een paar minuten, maar toch ...

Misschien moet ze het opgeven. Ze is moe en verdrietig, ze heeft dorst en ze wil niets liever dan het opgeven. Terwijl ze nadenkt, grijpt ze de wasbak snel weer beet; ze weegt de voors en tegens tegen elkaar af en vindt het koele metalen oppervlak. Het leven is niet zoals dit, denkt ze snel. Dit kun je niet maken! Haar hand gaat tastend naar de kraan terwijl ze zichzelf antwoord geeft. Dit is mijn leven, het is triest maar waar, en als ik nu niets doe, dan gaat hij alleen maar door, en God weet ... Ze pakt de kraan en wil hem een stukje opendraaien en zich vooroverbuigen om haar handen met vocht en koelte te vullen. Om te drinken. Haar dorst te lessen.

Dan hoort ze het. Het geluid van voorzichtige stappen in de gang, het geluid dat bijna verloren gaat in de muziek uit de hut naast de hare. Ze staat stokstijf te luisteren. Ze hoort hoe iemand een sleutel in het slot van haar deur steekt. Ze hoort hoe iemand die sleutel omdraait. Ze hoort hoe de deur opengaat en meteen daarna weer dicht.

Hij is binnen. Hij is haar hut binnengegaan.

Ze steekt haar hand in haar zak en pakt Björns stiletto. Of – zo je wilt – zijn nagelvijl.

'Hoi, Robban', zegt ze. 'Moet je het licht niet aandoen?'

Precies wat ze dacht. Precies zoals ze het gepland heeft.

Ze geeft de deur een duwtje met haar heup en zet hem wijdopen. Ze gaat niet naar binnen, maar blijft gewoon op de drempel van haar eigen hut staan; ze is niet van plan hem de kans te geven de deur dicht te doen of te verdwijnen. Van binnen jubelt ze een beetje. Hij is er! Ze heeft hem gevangen! Ze strekt haar hand uit om de plafondlamp aan te doen. Het gele elektrische licht vermengt zich met het grijze licht van de nacht, waar Robban genoegen mee had willen nemen. Dit is beter. Veel licht. Alle licht op Robban gericht.

'Je moet toch zien wat je doet', zegt ze glimlachend. 'Wat doe je?'

Hij is grauw geworden in zijn gezicht. Grijsbleek. Hij heeft afhangende schouders. Een pluk haar is losgeraakt uit zijn paardenstaart en hangt langs zijn wang. Hij heeft zijn mond open. Hij is werkelijk verbijsterd. Behoorlijk aangeschoten en heel erg verbijsterd.

'Doe je mond dicht', zegt Susanne. 'Straks slik je nog een vlieg in. En dat wil je toch niet? Je wilt toch geen vlieg inslikken?'

Hij doet zijn mond dicht, probeert zijn rug te rechten en ook nog smalend te kijken.

'Er zijn hier geen vliegen', zegt hij. 'We bevinden ons namelijk in de Noordwest Passage.'

'Jawel, hoor', zegt Susanne terwijl ze tegen de deurpost leunt. 'Ik heb mijn eigen vliegenkwekerijtje. Onder de kooi.'

Hij reageert zoals alle mannen reageren wanneer vrouwen de spot met hen drijven. Hij denkt dat het niet kan. Gedurende een milliseconde gaat zijn blik naar de kooi, tot hij beseft dat dit een vergissing is. Hij kijkt weer op.

'*Got you!*' zegt Susanne, opnieuw glimlachend. 'Maar wat heb je daar in je hand? Is dat een cadeautje voor me?'

Hij kijkt naar wat hij in zijn hand houdt: een soort wit stoffen bolletje met zwarte strepen aan de bovenkant. Het duurt heel even voordat ze doorheeft dat dit haren moeten voorstellen. Lange zwarte haren. De ogen zijn een paar zwarte stippen. De mond is even zwart, maar groter. Ernaast een klodderige muzieknoot. Zang. Robert heeft overduidelijk een zingende mond op dat hoofd getekend. Woede vlamt in Susanne op, maar die negeert ze. Ze is niet van plan hem ook maar iets hiervan te tonen.

'Heb je een pop gemaakt?' zegt ze slechts. 'Maar wie zou die moeten voorstellen?'

Robban begint te wiebelen; heel even is ze bang dat hij zal omvallen, haar vloer onder zal kotsen en alles zal bederven. Hij komt echter weer tot stilstand en brengt zijn gezonde hand omhoog om dat hoofd te bekijken. Hij begint te grijnzen.

'Wie denk je?'

'Misschien iemand met een zangstem', zegt Susanne. 'Of niet?'

Robban laat het hoofd los en het rolt over de vloer. Het stuitert tegen de muur en blijft liggen. Susanne kijkt naar hem. Afwachtend. Ze houdt haar hoofd schuin.

'Dus geen zelfportret.'

Hij reageert er niet op; hij staart slechts naar het hoofd en kijkt dan Susanne aan. Zijn ogen vernauwen zich. Dat is een dreigement. Als hij nuchter was geweest zou ze misschien bang zijn geworden. Maar hij is niet nuchter, hij is een beetje beneveld. Ze zou hem met haar wijsvinger omver kunnen duwen. Misschien doet ze dat zelfs wel. Net wanneer deze gedachte door haar hoofd gaat, stopt de muziek in de hut naast de hare en opeens wordt het helemaal stil om haar heen. Alleen het hart van de Wodan klopt ergens heel ver weg. Dunk. Dunk. Dunk.

'Doe de deur dicht', zegt Robban. 'Doe de deur dicht en kom binnen.'

Susanne glimlacht opnieuw. Dat had hij gedacht. Ze legt haar hand op de deurpost.

'Was je de vorige keer dat je hier was ook zo dronken? Die keer dat je die gewurgde vrouw in mijn bed hebt gelegd?'

Hij knippert met zijn ogen. Probeert zich te vermannen.

'Ik weet niet waar je het over hebt.'

'O jawel, Robban. Probeer het maar niet! Dat was immers een geslaagde grap.'

Hij knippert weer met zijn ogen en steekt zijn gezonde hand in de zak van zijn spijkerbroek. Hij probeert een uitweg te vinden.

'Sorry,' zegt hij, 'maar ik begrijp niet waar je het over hebt. En wat doe je in mijn hut?'

Susanne schiet in de lach.

'Slim. Heel slim. Jouw hut! Dat is de juiste mentaliteit. De aanval is de beste verdediging.'

Hij kijkt om zich heen.

'Mijn hut! Ik ben toch verdomme in mijn hut.'

Susanne maakt een klakkend geluid met haar tong.

'Zo, zo! Niet overdrijven. Dan bederf je alles.'

Hij houdt onmiddellijk op met heen en weer wiebelen. Hij schraapt even zijn keel en wendt zich dan tot haar. Kijkt haar aan. Zij kijkt terug, met een lichte glimlach.

'Wat wil je?' zegt hij ten slotte.

Susanne geeft niet meteen antwoord; ze moet eerst nadenken. Heel even doet ze haar ogen dicht, maar ze beseft direct dat dit een vergissing is en kijkt hem weer aan.

'Ik zou je willen slaan', zegt ze dan. Het verbaast haar dat haar stem normaal klinkt, dat ze met een volkomen vaste stem spreekt. Ze huilt niet. De klinkers trillen niet. Ze spreekt op een normale gesprekstoon met Robban. 'Ik zou je van dit schip willen smijten, het ijs op. Ik zou willen dat je verbrijzeld werd zoals het ijs wordt verbrijzeld. Ik zou je willen zien doodvriezen, door een ijsbeer aan stukken gereten zien worden, opgegeten zien worden. Dat is wat ik zou willen.'

Hij is een stap dichter naar haar toe gekomen. Hij snuffelt wat, als een hond. Misschien denkt hij dat de balans tussen hen is doorgeslagen en dat Susannes plotselinge ernst een teken van zwakte is. Susanne steekt haar hand in haar zak en pakt de stiletto. Wanneer ze weer spreekt, is haar stem donkerder en wat zachter.

'Volgens mij vind jij dat je onrechtvaardig behandeld bent', zegt ze. 'Dat Björn jouw bekendheid heeft gestolen, jouw idolenstatus. Maar dat heeft hij niet gedaan, dat weet je. Ergens diep in je hart weet je dat.'

Robban komt nog een stap dichterbij. Zijn ogen vernauwen zich opnieuw. Susanne haalt de stiletto uit haar zak en houdt hem in haar handpalm.

'Kijk', zegt ze. 'Dit is Björns stiletto. Hij doet het nog steeds. Als je nog een stap dichterbij komt, klap ik hem uit.'

Robban blijft heel even naar de stiletto staren. Dan doet hij een stap vooruit. Een heel klein stapje. Susanne drukt op het knopje en het lemmet schiet uit. Ze houdt de stiletto voor zich en wijst met de punt ervan naar Robban. Hij gaat snel een stap achteruit. Susanne glimlacht weer. Ze praat op conversatietoon.

'Wat doen ze tegenwoordig? De jongens van The Typhoons?'

Robban haalt zijn schouders op.

'Hoe moet ik dat nou weten ...'

Susanne schiet in de lach.

'O, jawel. Dat weet je vast. Een jongen uit Täby houdt in de gaten wat de andere jongens uit Täby doen. Vertel.'

Robban laat zijn hoofd hangen. Hij kijkt naar de grond.

'Alleen als jij dat mes weghaalt. Oud rotwijf.'

Susanne schiet weer in de lach. Luid.

'Oud rotwijf? Voor jou? Je bent vier jaar ouder dan ik!'

'Drie maar. En dat is wat anders, hoor.'

Susanne staat op het punt de stiletto te laten zakken. Is het wat anders omdat hij een man is? Hoe dom kun je zijn? Heeft het überhaupt zin om met zo'n geschift figuur te praten? Dan weet ze weer waarom ze hier is en ze knippert met haar ogen. Ze pakt de stiletto stevig beet. Stapt naar voren en richt het mes op hem.

'Vertel! Hoe is het met de andere jongens?'

Hij weet niet waar hij moet kijken en gaat nog iets verder achteruit. Fysiek laf. Daarom geeft hij ook antwoord.

'Tommy zit bij een platenmaatschappij. Hij doet de boekhouding. Peo zit bij een dansorkest. Van Bosse en Niclas weet ik niets. Dat is de waarheid.'

Opeens klinken er ergens stemmen. Susanne doet een stap

naar achteren en gaat weer op de drempel staan. De stemmen komen naderbij. Amanda en Bernard lopen de gang in. Ze steken allebei groetend hun hand op naar Susanne, die iets verderop staat terwijl ze zich naar Amanda's deur keren.

'*Good night*', roept Amanda.

'*Good night*', roept Susanne.

Ze blijft zwijgend staan wanneer zij de hut binnengaan. Ze kijkt Robban aan. Hij is wat gekrompen. Laat zijn hoofd hangen. Ziet er een beetje zielig uit.

'Ach, stakker', zegt Susanne. 'Arme stakker ...'

Hij kijkt met een nijdige blik op.

'Ik ben geen stakker!'

Susanne glimlacht opnieuw.

'Jawel', zegt ze. 'Dat ben je nou juist wél. Een stakker.'

Het wordt even stil. Ze staan elkaar roerloos aan te kijken met de stiletto tussen hen in. Ten slotte slaakt Susanne een zucht.

'Ik had allerlei dingen bedacht die ik tegen je zou zeggen', zegt ze. 'Over wat het over iemand zegt wanneer hij de muur van een ander onderplast. Bijvoorbeeld. Over wat mijn ouders en de moeder van Björn moesten doormaken. Wat ik moest doormaken, destijds. Maar ik was niet van plan te zeggen dat zijn dood jouw schuld is, want dat vind ik echt niet. Ik wilde je er alleen maar aan herinneren dat je werkelijk geen reden hebt om jaloers op hem te zijn. Björn is veertig jaar geleden overleden en jij leeft nog. Jij leeft. Jij hebt op dit moment jouw gaatje van licht in de grote duisternis, maar dat kan je niet schelen ...'

Ze zwijgt en vertrekt even haar gezicht.

'Ach. Ik heb geen zin om met je te praten. Ik heb je eigenlijk niks te zeggen.'

Ze zucht en doet er het zwijgen toe. Ze laat haar hand met de stiletto iets zakken en ziet hoe Robban meteen zijn rug recht. Ze brengt de stiletto weer omhoog en wijst ermee naar hem.

'Je hebt twee alternatieven', zegt ze. 'Misschien drie, als we het alternatief waarbij jij je op mij werpt en me het zwijgen probeert op te leggen ook meerekenen. Maar dat is natuurlijk geen echt alternatief, dat weten we allebei wel. Jij bent gewond aan je hand en dat weet ik, dus zal ik die hand pakken en daarin mijn tanden zetten. Bovendien kan ik gaan gillen. Wat je ook probeert te doen, ik zal kunnen gillen. Blijven er dus twee alternatieven over. We kunnen ervoor zorgen dat de kapitein hierheen komt. Ik geef een gil en Ola en Magnus komen uit hun hut hiernaast, plus nog wat matrozen of machinisten uit andere hutten. Evenals Bernard en Amanda, die iets verderop in de gang zitten. Ik vertel dat ik jou in mijn hut heb aangetroffen en dat je met iets verdachts bezig was. Dat hoofd, weet je wel. Dat zal geen beste indruk maken. Oké. Iemand waarschuwt de kapitein, de anderen houden je vast. Voor de rest van de expeditie word je opgesloten en wanneer we weer thuis zijn, zien we elkaar bij een rechtbank.'

Robban krult zijn bovenlip en probeert uitdagend te kijken. Hij probeert zich waarschijnlijk nog eens vijftien minuten in het licht van de schijnwerpers voor te stellen. Susanne zucht zachtjes.

'Ik zal ondervraagd worden', zegt ze. 'En discreet zal ik niet zijn, niet over het pissen op mijn muur of jouw relatie met Amanda. Dan weet je dat even. Het kan je positie op de universiteit beïnvloeden.'

'En het derde alternatief?' zegt Robban. Hij klinkt opeens ontnuchterd.

Susanne zucht opnieuw.

'Het derde alternatief is dat je mij de sleutel geeft. Ik weet niet hoe je eraan bent gekomen en eerlijk gezegd interesseert me dat ook niet zoveel. Maar als je mij de sleutel geeft en uit mijn ogen verdwijnt, zal ik vergeten dat ik je ooit heb gezien of je naam zelfs maar heb gehoord. Dat zou werkelijk een opluchting zijn. Je zult een non-persoon voor mij worden. Niet-bestaand. Hoe klinkt dat?'

Even blijft Robban roerloos voor zich uit staan staren, maar dan neemt hij een besluit. Hij steekt zijn hand in zijn zak, haalt de sleutel tevoorschijn en gooit die naar Susanne. Het is een zeer weloverwogen worp: de sleutel raakt haar niet, maar landt vlak voor haar voeten. Susanne kijkt ernaar en kijkt weer op.

'Oppakken', zegt ze. Haar stem is ijskoud. Ze hoort het zelf.

Robban kijkt haar aan en glimlacht een beetje. Hij zet de vijf passen naar haar toe, laat zich op zijn knieën vallen, pakt de sleutel en reikt haar die aan. Hij speelt. Hij doet alsof. Hij verlangt naar publiek. Er is nog meer haar losgeraakt uit zijn paardenstaart; een dikke pluk hangt voor zijn rechteroog. Dat irriteert Susanne. Dat irriteert haar in feite waanzinnig. Ze buigt zich voorover, pakt de pluk en draait die om haar vrije hand. Ze geeft er een harde ruk aan. Robban begint te gillen; het is een korte, erg schelle gil. Hij brengt zijn handen omhoog om zich te beschermen. Daarna laat hij ze weer zakken en zit hij met zijn ogen dicht op zijn knieën voor haar.

'Hou je bek', zegt Susanne. Ze hoort zichzelf en is verbaasd. Zei ze echt tegen hem dat hij zijn bek moest houden? Ja, dat deed ze inderdaad. En ze geniet ervan, ze geniet ervan hem tot onderwerping te dwingen. Ze blijft een ogenblik staan luisteren of ze op de gang iets hoort. Alles is zoals anders. Het hart van de Wodan klopt. Dunk. Dunk. Dunk.

'Nog één ding', zegt ze dan terwijl ze zonder zijn haar los te laten de kastdeur naast zich opent. De tranen rollen over zijn wangen, maar hij snikt niet, hij huilt niet. De pijn op zijn hoofd is de oorzaak van zijn tranen. Hij is blijkbaar heel gevoelig op zijn hoofd. Mooi. Heel even kan ze voelen hoeveel pijn hij heeft, maar ze laat niet los. Integendeel. Met de stiletto in haar hand woelt ze door haar kast en ze trekt nog wat harder aan zijn haar. Uiteindelijk vindt ze wat ze zoekt. Ze haalt een plastic zak tevoorschijn en schudt die voor Robban uit, de stiletto en de zak in dezelfde hand houdend.

'Zie je', zegt ze. 'Dit is een plastic zak. En daar moet jij nu mee over de grond kruipen. Ik loop naast je en ik hou je aan je haren vast, dus maak je niet ongerust. Ik zal niet weggaan. En als we bij Björns hoofd zijn, die mooie pop die jij gemaakt hebt van Björns hoofd, dan moet je die in deze plastic zak stoppen. Daarna doe je die netjes dicht en geef je hem aan mij. Want ik wil jouw DNA. Uiteraard. En dat hoofd zit natuurlijk vol met jouw DNA. Of niet? En als mij iets zou overkomen, dan zal dat opduiken. Daar kun je op rekenen!'

Hij kermt tijdens het kruipen. Hij snikt wanneer hij bij het hoofd is. Maar hij doet wat hem gezegd wordt en Susanne loopt steeds naast hem. Ze houdt hem goed stevig aan zijn lange grijze haren vast. Daarna leidt ze hem naar de deur. Ze neemt de zak van hem aan en laat hem over de drempel kruipen. Wanneer hij op de gang is, laat ze zijn haren los. Ze draait zich onmiddellijk om en glipt haar hut in. Ze slaat de deur dicht en draait hem op slot.

Daarna leunt ze ertegenaan en barst in huilen uit.

Wie is ze? Wie is ze geworden?

Ze durft natuurlijk niet te gaan slapen. Urenlang zit ze in elkaar gekropen in haar kooi, met haar armen om haar benen geslagen en Björns stiletto in haar rechterhand, angstig luisterend of ze iets hoort op de gang. Daar is het stil. Het is alsof zij de enige levende aan boord van de Wodan is. Ze leunt met haar voorhoofd tegen haar knieën en probeert het terug te halen, probeert ervoor te zorgen dat ze elke seconde van wat zich net heeft afgespeeld voor altijd in haar hoofd zal houden, maar dat wil niet lukken. Andere beelden dringen zich op. Inez kijkt met minachting naar haar en zegt dat ze eruitziet als een beschilderd lijk. Birger valt in Svanegatan van de trap, voor de honderdste keer valt hij van de trap en hij laat de blauwe schriften van zijn leerlingen over de vloer vallen. Björn staat op een podium te zingen, maar opeens verdwijnt hij, opeens zit ze zelf onder de rok van een ander meisje te kijken. Eva kijkt haar met een minachtende blik aan. En Elsie staat op de Grote Markt naar Susanne te kijken en spreekt die woorden uit. Het allerbelangrijkste.

Susanne tilt haar hoofd op. Ze heeft namelijk geleerd om zich te verweren. Dat maakt het bestaan niet noodzakelijk eenvoudiger, maar ze weet dat ze het nooit zal opgeven. Ze zal zich verweren tot de dag waarop ze sterft. Want als ze zich niet verweert, kan ze niet leven. Dan is haar leven geen leven.

Ze opent haar hand en kijkt naar Björns stiletto. Ze glimlacht. Dan kijkt ze om zich heen; ze ziet dat de zon schijnt, dat die een verblindende gouden straal door haar raam werpt. Het is nog steeds nacht, maar de fotonen zijn gekomen.

Susanne staat op en pakt haar jas. Nu zal ze het dek op gaan en genieten van het feit dat ze leeft.

Leif Eriksson rekt zich uit en knippert met zijn ogen in een poging zijn slaperigheid te verdrijven.

Dit is de ergste tijd van een nachtwacht. Vlak na drieën. Dat is het moment waarop de oogleden zwaar beginnen te worden, dat is het moment waarop de slaap het probeert over te nemen, dat is het moment waarop hij soms begint te dromen, hoewel hij wakker is. Dat is niet goed. Misschien moet hij nog een kop koffie nemen.

Hij stelt de automatische piloot in, staat op en loopt naar het koffiezetapparaat, maar hij ziet al van een afstand dat de kan leeg is. Verdorie. Dan moet hij nieuwe zetten. Nog voor hij er is, strekt hij zijn hand al uit naar de kraan om water in de kan te laten lopen. Hij knippert weer met zijn ogen, pakt de koffiepot en meet zorgvuldig zeven schepjes af. Hij heeft vannacht sterke koffie nodig. Echt sterke koffie.

Er glijdt iets wits langs het raam en het duurt een paar seconden voor hij beseft dat het een noordse stern is, een vogel die in zijn eentje rond de brug vliegt. Hij loopt naar het raam om het beest na te kijken. Hij ziet hoe het naar het dek zeilt, bijna het dak van het laboratorium raakt, maar dan weer de hoogte in keert en op zijn witte vleugels steeds hoger opstijgt en verder over het ijs zweeft.

Mooi. Zou je misschien zeggen als je een vrouwspersoon was.

Het is ook mooi, dat ziet hij nu. De zon schijnt. De hemel welft zich blauw over de wereld, aan de horizon wat lichter, maar intens, ijzig helderblauw wat hogerop. Geen wolkje aan de lucht. Het ijs zit vol turkooizen poeltjes, misschien wat meer dan gewoonlijk, misschien wat dieper. Jawel, helaas. Zo is het. Het wordt op deze breedtegraden ook warmer. Dat valt niet te ontkennen. Misschien is Leif Eriksson wel een van de laatste mensen in de wereldgeschiedenis die met een ijsbreker door de Noordwest Passage varen. Bij die gedachte krijgt hij tranen in zijn ogen en wanneer hij dat beseft, wordt hij boos. Hij wrijft even over zijn ogen. Wat een verrekte nonsens! Hij is gewoon moe, veel te moe. Hij moet koffie hebben.

Hij pakt de beker met beide handen beet en loopt langzaam rond over de brug. Hij voelt hoe de coffeïne zijn aderen binnensijpelt, hoe zijn rug zich recht, hoe zijn ogen ophouden met knipperen, hoe hij langzaam zijn brein hervindt. Hij droomt niet meer. Hij denkt geen hoop onzin. Hij is een degelijke, zinnige stuurman, eigenlijk een van de beste in zijn soort, een fatsoenlijke vent die over het ijs staat uit te kijken. Hij laat zich er niet toe verleiden om alles van boven te bekijken, zich voor te stellen dat hij schrijlings op een satelliet zit en door de ruimte reist terwijl hij neerkijkt op de aarde, die blauwe planeet met zijn witte muts ...

Verdomme. Hij neemt nog een slok koffie, een grote slok, en loopt naar het raam, waar hij zijn voorhoofd tegen het koele glas legt. Hij speurt in de verte, probeert tot aan de horizon elk detail op het ijs te zien. Het kan zijn dat ze op weg zijn naar een gebied met open water. Inderdaad. Daarginds, helemaal in de verte, is het erg blauw. Hij zet zijn beker weg, draait zich om en loopt snel naar het stuurpaneel om zijn kijker te pakken. Opeens blijft hij staan. Een beweging. Daarbeneden op het dek bewoog blijkbaar iemand.

En, jawel, daar is ze. Daar verschijnt ze bij het laboratorium.

Het is datzelfde mens van laatst. Die bleke. Die met dat kroezige haar. Maar vannacht is ze fatsoenlijk aangekleed en ze scharrelt niet rond in niet meer dan een nachtpon, zoals laatst. Een blauw jack, een blauwe broek, stevige laarzen. Maar geen wanten en geen muts. Haar haren worden opgetild door de wind; ze moet ze met haar hand uit haar gezicht houden.

Wat doet ze nou weer buiten? Gaat ze weer rotzooi weggooien? Slaapt dat mens nooit?

Helemaal vooraan op de voorplecht klimt ze op een treeplankje en ze buigt zich snel voorover om op het ijs te kijken. Daarna richt ze haar blik op de hemel. Ze staat een hele poos doodstil naar boven te kijken, maar dan laat ze opeens de reling los en spreidt ze haar armen uit. Het ziet eruit of ze zou willen vliegen. Of de wereld omhelzen.

Leif Eriksson kijkt naar haar. Hij denkt niet, hij voelt niet, hij staat gewoon doodstil naar haar te kijken. Dan spreidt hij heel langzaam ook zijn armen uit. Opeens wil hij ook vliegen. Opeens wil hij ook de wereld omhelzen, die weergaloze, unieke wereld waarin hij leeft. Hij glimlacht in stilte. Een aarzelende, beetje trillerige glimlach. Ja. Hij leeft. Hij mag een heel leven in uitgerekend deze wereld leven.

Dan knippert hij met zijn ogen en hij beseft weer wie hij is en waar hij is. Hij pakt zijn kijker, tilt hem op en speurt zwijgend en ernstig naar het open water aan de horizon.

Majgull Axelsson bij De Geus

Aprilheks
De lichamelijk gehandicapte Desirée is als baby door haar moeder in een inrichting geplaatst. Terwijl Desirée in eenzaamheid opgroeide, bracht haar moeder drie pleegdochters groot zonder hun te vertellen dat zij een eigen dochter heeft. Als Desirée het leven van haar 'zussen' binnendringt, wordt het evenwicht tussen de vrouwen ernstig verstoord.

Augusta's huis
Het huis waar Augusta en haar man Isak moeilijke maar ook gelukkige jaren beleefden, is na honderd jaar nog altijd in het bezit van de familie. Het fungeert als vakantiewoning voor Augusta's kinderen, kleinkinderen en achterkleinkinderen, en voor sommigen ook als toevluchtsoord.

Huis der nevelen
Cecilia Lind, diplomate, keert vanuit de Filippijnen terug naar het Zweedse dorp van haar jeugd om voor haar stervende moeder te zorgen. Aan haar moeders sterfbed wordt ze overspoeld door herinneringen, met name aan de tragische gebeurtenissen rondom het Filippijnse meisje Dolores, dat zij had willen adopteren.

Rosario is dood
Rosario Baluyot is een Filippijns straatkind dat in het stilzwijgend getolereerde sekstoerisme werkt en in 1987 op elfjarige leeftijd sterft. Het meisje is het slachtoffer van een Oostenrijkse arts, die zodanig gruwelijk misbruik van haar maakt dat zij maanden later aan de gevolgen overlijdt. Axelsson reconstrueert het korte leven van Rosario.

De vrouw die ik nooit was
In twee variaties op een leven laat Majgull Axelsson op ingenieuze wijze zien hoe keuzes je toekomst kunnen bepalen. Minister van Ontwikkelingssamenwerking Mary Sundin klapt tijdens een toespraak op een congres dicht. De pers suggereert dat de black-out te maken heeft met Mary's man, die tijdens een bezoek aan een minderjarige prostituee uit het raam is gevallen en daarbij zijn nek brak. Tegelijkertijd volgen we het verhaal van Marie. Zij is veroordeeld voor de moord op haar man, die na een bezoek aan een minderjarige prostituee in een Oost-Europese stad uit het raam is geduwd.